C0-AYQ-646

Public Administration and
Public Management Classics

CLASSIC TEXTBOOK SERIES

公共行政与公共管理经典译丛

CLASSIC TEXTBOOK SERIES

经典教材系列

Public Administration and Public Management Classics

公共政策分析导论

（第四版）

Public Policy Analysis

An Introduction

(Fourth Edition)

[美] 威廉·N·邓恩（William N. Dunn） 著

谢明 伏燕 朱雪宁 译

中国人民大学出版社

·北京·

《公共行政与公共管理经典译丛》编辑委员会

《公共行政与公共管理经典译丛》
总　　序

在当今社会，政府行政体系与市场体系成为控制社会、影响社会的最大的两股力量。理论研究和实践经验表明，政府公共行政与公共管理体系在创造和提升国家竞争优势方面具有不可替代的作用。一个民主的、负责任的、有能力的、高效率的、透明的政府行政管理体系，无论是对经济的发展还是对整个社会的可持续发展都是不可缺少的。

公共行政与公共管理作为一门学科，诞生于20世纪初发达的资本主义国家，现已有上百年的历史。在中国，公共行政与公共管理仍是一个正在发展中的新兴学科。公共行政和公共管理的教育也处在探索和发展阶段。因此，广大教师、学生、公务员急需贴近实践、具有实际操作性、能系统培养学生思考和解决实际问题能力的教材。我国公共行政与公共管理科学研究和教育的发展与繁荣，固然取决于多方面的努力，但一个重要的方面在于我们要以开放的态度，了解、研究、学习和借鉴国外发达国家研究和实践的成果；另一方面，我国正在进行大规模的政府行政改革，致力于建立与社会主义市场经济相适应的公共行政与公共管理体制，这同样需要了解、学习和借鉴发达国家在公共行政与公共管理方面的经验和教训。因此无论从我国公共行政与公共管理的教育发展和学科建设的需要，还是从我国政府改革的实践层面，全面系统地引进公共行政与公共管理经典著作都是时代赋予我们的职责。

出于上述几方面的考虑，我们组织翻译出版了这套《公共行政与公共管理经典译丛》。为了较为全面、系统地反映当代公共行政与公共管理理论与实践的发展，本套丛书分为六个系列：(1) 经典教材系列。引进这一系列图书的主要目的是适应国内公共行政与公共管理教育对教学参考及资料的需求。这个系列所选教材，内容全面系统、简明通俗，涵盖了公共行政与公共管理的主要知识领域，涉及公共行政与公共管理的一般理论、公共组织理论与管理、公共政策、公共财政与预算、公共部门人力资源管理、公共行政的伦理学等。这些教材都是国外大学通用的公共行政与公共管理教科书，多次再版，其作者皆为该领域最著名的教授，他们在自己的研究领域多次获奖，享有极高的声誉。(2) 公共管理实务系列。这一系列图书主要是针对实践中的公共管理者，目的是使公共管理者了解国外公共管理的知识、技术、方法，提高管理的能力和水平，内容涉及如何成为一个有效的公共管理者、如何开发管理技能、政府全面质量管理、政府标杆管理、绩效管理等。(3) 政府治理与改革系列。自20世纪80年代以来，世界各国均开展了大规模的政府再造运动，政府再造或改革成为公共行政与公共管理的热点和核心问题。这一系列选择了在这一领域极具影响的专家的著作，这些著作分析了政府再造的战略，向人们展示了政府治理的前景。(4) 学术前沿系列。这个系列选择了当代公共行政与公共管理领域有影响的学术流派，如新公共行政、批判主义的行政学、后现代行政学、公共行政的民主理论学派等的著作，以期国内公共行政与公共管理专业领域的学者和学生了解公共行政理论研究的最新发展。(5) 案例系列。本系列精心选择了公共管理各领域，如公共部门人力资源管理、组织发展、非营利组织管理等领域的案例教材，旨在为国内公共管理学科的案例教学提供参考。(6) 学术经典系列。本系列所选图书包括伍德罗·威尔逊、弗兰克·约翰逊·古德诺、伦纳德·怀特、赫伯特·A·西蒙、查尔斯·E·林德布洛姆等人的代表作，这些著作在公共行政学的发展历程中有着极其重要的影响，可以称得上是公共行政学发展的风向标。

总的来看，这套译丛体现了以下特点：(1) 系统性。基本上涵盖了公共行政与公共管理的主要领域。(2) 权威性。所选著作均是国外公共行政与公共管理的大师，或极具影响力的作者的著作。(3) 前沿性。反映了公共行政与公共管理研究领域最新的理论和学术主张。

在半个多世纪以前，公共行政大师罗伯特·达尔（Robert Dahl）在《行政学的三个问题》中曾这样讲道："从某一个国家的行政环境归纳出来的概论，不能够立刻予以普遍化，或被应用到另一个不同环境的行政管理上去。一个理论是否适用于另一个不同的场合，必须先把那个特殊场合加以研究之后才可以判定"。的确，在公共行政与公共管理领域，事实上并不存在放之四海而皆准的行政准则。按照建设有中国特色的社会主义的要求，立足于对中国特殊行政生态的了解，以开放的思想对待国际的经验，通过比较、鉴别、有选择的吸收，发展中国自己的公共行政与公共管理理论，并积极致力于实践，探索具有中国特色的公共行政体制及公共管理模式，是中国公共行政与公共管理发展的现实选择。

本套译丛于1999年底由中国人民大学出版社开始策划和组织出版工作，并成立了由该领域很多专家、学者组成的编辑委员会。中国人民大学政府管理与改革研究中心、国务院发展研究中心东方公共管理综合研究所给予了大力的支持和帮助。我国的一些留美学者和国内外有关方面的专家教授参与了原著的推荐工作。中国人民大学、北京大学、清华大学、厦门大学等许多该领域的中青年专家学者参与了本译丛的翻译工作。在此，谨向他们表示敬意和衷心的感谢。

《公共行政与公共管理经典译丛》编辑委员会

译者前言

威廉·N·邓恩（William N. Dunn）是美国匹兹堡大学教授，国际知名政策分析专家。邓恩教授长期致力于教学和研究工作，同时还从事广泛的政策分析实践活动，他曾为美国联邦、州和地方政府做过大量政策分析及其他应用研究工作，并参与美国国内，欧盟国家，中东、北非和南美一些国家的高级公务员培训活动。他在理论研究和实际应用方面的突出贡献使其在同行学者中享有很高的声誉。邓恩教授所著《公共政策分析导论》是公共政策研究领域公认的经典著作，也是专业文献引用率最高的著作之一。其读者主要是那些已经修完政策分析基础课程的硕士生和高年级的本科生。为了帮助读者更好地学习和理解这本教材，我们试在译者前言中做一些概念铺垫，并介绍这本书的理论框架和主要特点。

一、政策分析的由来

政策是一个古老的话题，政策分析却是一个全新的领域。在20世纪40年代末50年代初，一些政治学家把微观经济学多年来对效率问题进行分析研究的方法运用于社会政治领域，建立了政策分析的基本框架，并在此基础上创立了政策科学。这种理性的分析方法主要是指为了解决存在的问题，根据掌握的事实或数据，运用科学的方法与手段，寻求最佳对策。经济学的分析方法具有这样一个假设前提，即固定的资源或投入，经由增加效益的有效途径，能够获得最高的产出；政治学家以此为据，先设定明确的目标或产出，然后寻求如何可以提高效率，即以最低的投入或最少的资源达到事先确立的目标。从这个意义上来看，政策分析最初实际上只是一种效率研究，它仅限于有助于决策的分析工作。政策分析的前期准备要涉及问题的确认和资料的收集，政策分析的最终目的是为决策者提供决策的依据。这种政策分析从50年代开始首先在军事领域得到运用，而在社会一般决策领域的普及则是60年代的事情。在这个时期，美国兰德公司（Rand Corporation）和其他一些将政策分析作为主要工作的机构都是以这种政策分析的理念开展其研究工作的。这类基于理性原则的政策分析（投入—产出分析）在政策分析领域影响甚大，它构筑了现代政策分析的基础架构。

然而，在实际操作过程中，人们很难把政策分析仅限于政策方案的选择过程，而不考虑政策过程的其他环节。随着政策科学的不断发展，对政策分析一词的解释出现了多种不同的版本，各种学派所强调的研究重点也存在很大的差异。的确，社会的发展和变化不可能完全按照人为设计的逻辑进行，所以，学科发展过程中出现概念问题的多元化现象也就不足为奇了。政策分析的范围目前看似已扩展到影响政策制定和执行过程的诸多因素，人们视其为“在政策领域创造、沟通和应用社会知识的复杂过程”。当政策分析一词被用作学科名称时，它所涵盖的范围则更为广阔。

公共政策关注的是社会和公众的问题，那么这些问题是怎样被定义和构建的？它们又是如何进入政府政策议程的？政府对此做了些什么和没有做什么？为什么要这么去做或为什么不这么去做？这么做会有什么样的结果？为什么会有这些结果？怎样对政策进行评估和修正？怎样对政策进行贯彻和执行？这种对于公共政策本质、起因和结果的研究构筑了当今公共政策分析的主流。

正如威廉·N·邓恩教授所总结的那样：

> 政策分析是针对整个政策制定过程并在政策制定的各个环节中创造知识的一项活动。为创造和获得这种知识，政策分析必须对公共政策的产生原因、结果及其执行情况展开认真的分析和调查。只有国家的行政、立法和司法三大权力主体，以及公共决策的目标群体才能够利用政策分析的成果改善政策制定过程及其政策执行结果。因为政策制定的实效依赖于对已有知识的检索和使用，所以知识的交流与政策分析的运用就成为公共政策制定理论和实践的核心所在。

二、政策分析的基本特征

作为一门应用学科，政策分析需要学习和借鉴其他学科的理论和知识，它是一个由多种学科背景、多种技术方法和多种理论模型组成的综合研究领域，其特色主要表现在如下几个方面：

1. 理论与实践的结合

进行政策分析主要出于科学和专业上的双重考虑。从科学角度而言，政策分析无疑有助于公共政策的制定和执行，从而进一步提高政府对社会的管理水平。而科学和专业却是两个完全不同的认知层次，前者的目标是探求理论知识，后者的目标则是运用这些理论知识去解决社会中的实际问题。理论与实践的结合是政策分析最为突出的特征。

2. 复杂的学科背景

政策分析具有跨学科的特点，从而成为各研究领域学者们共同关注的焦点。政策分析所涉及的学科包括政治学、哲学、经济学、心理学和社会学等。除此之外，政策分析还要求了解与公共政策有关的历史、法律、人类学和地理学方面的知识，而量化技术和计算机科学带给政策形成、执行和评估的影响也被认为属于政策分析的范围。

3. 多架构的研究方法

正像怀尔达夫斯基（A. Wildavsky）所指出的那样："政策分析是一个应用性的边缘学科，其内容不是由学科界限所决定，而是由所处的时代及其环境与问题的特征所决定。"政策分析的目的是结合各种具体情境，运用不同分析模型，强调的是针对性和适用性。因此，政策分析不能视野狭隘，而要博采各种研究方法和学科之长。

4. 广阔的研究领域

在现代社会里，公共政策可以说无所不在，它已经渗透到社会的各个层面和生活的各个领域。人们到医院去看病，会受制于国家的医疗卫生政策；送孩子去学校读书，会受益于国家的义务教育政策；骑车或开车上路，需要遵守国家的交通管理法规；过节燃放鞭炮，需要避开城市禁放区域；等等。哪里有公共政策，哪里就会有政策分析，二者如影相随，好的政策往往源于有效的分析。一般而言，政府和公众所关心的政策问题都是政策分析所要涉及的研究领域。

三、政策分析的焦点

根据威廉·N·邓恩教授的观点，政策分析需要回答下列五个问题：

（1）寻求行动方案是为了解决什么样的问题？

（2）选择什么样的行动方案去解决这个问题？

（3）选择了这个行动方案后会有什么样的结果？

（4）出现了这些结果有助于解决这个问题吗？

（5）如果选择了其他的行动方案，能够期待出现什么样的结果？

这些问题的答案涉及五类信息（或称五类政策相关信息）的收集、处理、分析和传递。这五类信息是政策问题、政策执行、政策预期、政策偏好、政策绩效方面的信息。

第一，政策问题是指一种能够通过采取公共行动达到改善目的的并且还未实现的价值和机会。有关解决什么问题的知识涉及问题前提条件的信息（如辍学是失业的前提条件，失业是贫困的前提条件等）和有效结果的信息（如安全的学校，维持生计的工资等），这些信息有助于问题的最终解决。在政策分析中，政策问题方面的信息起到了非常重要的作用，这主要是因为定义问题的方式对寻求解决方案具有很大的影响。信息不足或缺失可能会导致最终的错误：以解决问题形成中的错误代替解决一个本应去解决的那个问题。

第二，政策预期是指政策可选方案的预期结果，导致问题出现的环境方面的信息对政策预期信息的产生具有至关重要的影响。因为现在不会复制过去，历史只会相似而不可能重复，影响行为的价值观也会发生各种变化，所以，问题的环境信息往往是不足的。

这就要求政策分析人员必须意识到政策预期不是现有情况能够完全提供的，要产生有效的信息可能还需要一些创造力、洞察力和内在知识的运用。

第三，政策偏好是指一个问题的潜在解决方法。行动的出现源于对政策预期的判断。政策偏好的信息依赖于对预期结果效率和价值的判断，换句话讲，政策建议既基于财政方面的条件，也基于价值前提的考虑。单独从事实前提出发，比如假设一项政策在事实判断方面明显比另一项政策更为有效，这并不是判断政策偏好的主要标准。

第四，政策绩效是指政策行动实施后得到的结果（过去的或现在的结果）。政策结果有时不很清晰，因为一些影响（effect）并非政策结果，很多结果是其他的、政策以外的因素引起的。有一点必须清楚，行动的结果不可能在事前被充分地了解和阐明，一些非预期的、想不到的结果在未来都可能发生。幸运的是，有关政策绩效的信息不仅仅产生于"下注之前"（政策被执行之前），而且还产生于"下注之后"（政策被执行之后）。

第五，政策执行是指政策绩效实际的贡献程度。主要是对政策行动和还未实现的价值与机会做出衡量，在政策实践中，由于问题几乎不可能被彻底解决，它们最多是被分解了、重构了或根本解决不了，因此政策执行永远不会是一个完整的或圆满的过程。要想知道一个问题到底是解决了，还是被分解、重构了或者还没有解决，必须掌握政策绩效的信息和原始问题变化程度的信息。反过来说，政策执行的信息同样也是进行政策预期的依据，由此保证了信息的有效循环。

以上五类与政策相关的信息相互联系、相互依存，构成政策信息系统。其中，一种形式的信息通过一定的政策分析程序被转换成另一种形式的信息。信息的层层递进，构成了政策分析的逻辑框架。当然，框架的构筑还需要加入标准、规则和程序等元素。标准和规则决定了程序的选择及对其结果的分析评估。程序只在政策问题、政策预期、政策行动、政策绩效、政策执行过程中对信息的产生发挥作用，标准和规则居于相对次要和从属的地位，它们不能单独产生对政策有用的知识。

政策分析需要信息，但更需要知识和智慧，信息源于材料的收集，知识依赖于信息的整理，智慧则体现为用知识解决问题。似可用烤面包的比喻来解释这种看似复杂的关系，资料可以被比作碳、氢、氧等一个个分子；信息可以被比作淀粉、面粉、水和酵母。当能够把它们掺和到一起烤制面包时，才能说有了知识；当会制作多种形状的美味面包时，知识才能转化为智慧。在政策活动中，产生和使用资料和信息与产生和使用知识和智慧是完全不同的两回事，在不同的层面，评估成功与否的标准有很大的差别。

四、政策分析的方法

1．*政策分析的基础性方法*

从一般意义上讲，政策分析可以运用三种基础性方法，这三种方法是：经验的方法、实证的方法和规范的方法。

（1）经验的方法：主要是用来描述既定公共政策的原因和结果，突出的是问题的事实前提（事情真的存在吗？都有哪些表现?），提供的信息类型是描述性或预测性的（descriptive or predictive），例如，政策分析人员可以描述、解释或预测发生在教育、卫生或交通领域的公共开支问题。

（2）实证的方法：与经验的方法相比较，实证的方法主要与政策的价值判断有关，突出的是问题的价值前提（这么做值得吗？为什么值或不值?），提供的信息类型是实证性的（有根据的），例如，在提供了各项税收政策的描述性信息后，政策分析人员可以依据其价值选择（社会伦理道德效果）对不同的税收负担分配方法进行评估。

（3）规范的方法，主要是提出可以解决公共问题的未来行动方案，关注的焦点是行动（应该干些什么？究竟怎么去干?），提供的信息类型是规范性的（prescriptive）。例如，一个关于最低年收入的社会保障政策可以建议作为解决贫困问题的行动方案。

从政策分析上述三种方法的目标程度来看，它们已经超越了传统社会科学的学科目标，社会科学的传统学科一直故意回避实证和规范的方法，主要是基于一种根深蒂固的理念，即科学需要区分事实与价值。当然，这种理念可能会导致对政策分析方法论及其目标的误解。根据这种理念，规范性方法提出的是政策倡议（policy advocacy），而政策倡议常被视为一种进行情感煽动、发表意识形态纲领和从事政治目标行为的方法，而不是提供关于公共问题解决方面的政策相关信息和合理论证的有效方法。这种把政策倡议视为非理性过程的错误观点主要源于对价值因素的认识偏见，总认为价值是纯主观的，只和持有者有关，致使价值既不能被理性地讨论，也不能被科学地研究。

2. 政策分析的具体方法

具体而言，根据政策分析信息类型的不同，可以区分政策分析的五种方法。

政策分析会用到五种类型的信息，从而产生五种分析的方法，包括描述（description）、预言（prediction）、评价（appraisal）、开处方（prescription）和释义（definition）。所有的方法都会涉及如下几种判断：判断是接受还是反对一种解释，确信还是质疑一个行动的正确性，选择还是不选择一项政策，认可还是不认可一种预测，同意还是不同意一种定义问题的方法。在政策分析领域，这些程序已经被赋予特有的名称，即监测（monitoring）、预测（forecasting）、评估（evaluation）、建议（recommendation）和问题构建（problem structuring）。

监测（描述）产生有关政策观测结果的信息，提供先前政策执行情况方面的知识。很多政府部门会在相关管理领域依据各种政策指标对政策的执行结果及影响实施监测。监测多为例行事务，有时也有例外情况。它有助于考察政策目标群体的服从程度，发现政策项目先前没有预期的结果，识别政策执行的限制和障碍，确定政策偏离的责任归属。

预测（预言）产生期望政策结果的信息，提供有关事件未来状态的相关知识。

所谓未来状态，是指政策方案（包括不行动的选择）在未来可能发生的结果，这是在政策形成阶段必须考虑的问题。预测能够检验那些看似合理的、潜在的、规范的前景因素，能够评估现行政策和选择方案的相关结果，指明在实现目标过程中未来可能出现的限制因素，以及评估不同方案的政治可行性（支持或反对）。

评估（评价）产生观察政策结果和期望政策结果的价值信息，设法发现预想和实际执行状况之间的差异，提供与政策价值相关的知识。在政策制定过程中为决策者提供帮助。评估不仅可以对问题缓解的程度下结论，而且有助于对驱动政策的价值观进行评价或批判，从而有助于政策的调整与再造以及提供重新构建问题的依据。

建议（开处方）产生优先政策的信息，通过对结果的得失进行分析，产生对政策选择有用的知识。建议有助于评估风险因素与不确定的程度，明确外部性和溢出量，确定政策选择的相关标准，指明政策执行的行政责任。

问题构建（释义）产生问题需要解决的信息，提供与问题基本假设相关的知识。这些知识会被用来质疑支撑问题定义的基本假设，没有这种质疑，基于这些假设的问题将会顺利进入政策议程，从而可能对政策制定的质量和效率构成不利的影响。不仅如此，问题构建还有助于发现隐含的假设、判断问题的成因、勾画可能的目标、综合冲突的观点以及设计新的政策可选方案。

最后的方法（问题构建）是在其他方法之上的方法，因此也被称为元方法（meta-method），即方法的方法。

五、《公共政策分析导论（第四版）》的主要内容和特点

威廉·N·邓恩长期从事政策分析的课程教学及研究工作，《公共政策分析导论》被认为是其教学和研究成果的结晶。这本书运用“以问题为中心”的政策分析方法架起公共政策理论与实践的桥梁，目的是进一步发挥政策分析的作用，优化政策制定的过程与结果。作者十分重视问题构建环节在公共政策分析中的关键作用，他认为，问题界定越明确，就越有利于找到解决问题的途径，正像人们常说的那样，有效的问题构建等于解决了一半问题。问题构建是政策分析的起点，也是政策分析的核心，在这一环节中，最需要避免“第三类错误”（用正确的方法解决错误的问题）的出现，防止政策分析误入歧途。

本书第一版 1981 年出版，第四版 2008 年出版，在近 30 年时间里，这本书在美国和境外许多大学公共政策、公共行政和相关专业的教学中使用，而且已被翻译成多种文字，包括中文、印度尼西亚文、韩文、罗马文和西班牙文，在许多国家和地区被用作公务员培训教材。本书第四版反映了作者从这些教学和培训实践中得到的一些体会，也体现了作者参与美国联邦、州、地方政府和国际性机构政策分析的一些经验。

全书主体内容分为两个部分：

第一部分包括第 1 章和第 2 章，主要围绕政策分析的理论框架进行深入探讨，介绍书中内容安排的逻辑结构。第 1 章所呈现的政策分析过程的政策信息类型贯穿全书始终，有助于读者深入理解政策分析的理论与方法。这些理论和方法横跨政治学、公共行政、应用经济学等学科。第 2 章介绍了政策分析的历史演变，阐明了政策分析在政策制定过程中的作用和功能，具体分析了政策分析理论模型的变化。

第二部分包括第 3 章到第 9 章的内容，详细考察了政策分析的基本程序，阐述了围绕基本程序的一些具体方法和技巧。涉及的环节有政策问题构建、政策前景预测、优先政策建议、政策结果监测、政策绩效评估、政策论证开发和政策分析交流等。

本书第四版承继前几版的特色，再次使用了专门的教学工具和学习策略：

1. 学习目标。在每一章的最后都列出了学生完成本章学习后应该达到的学习目标和应该完成的相关任务。在本书中，学习目标是指获得政策领域中识别、界定、理解、比较、对比、解释、预测、估计、评价、综合、诊断、计划和应用所需要的知识和技巧。之所以这样阐述学习目标，是为了强调主动学习知识，而不是被动接受知识，强调知识的灵活运用，而不是简单的囫囵吞枣。

2. 关键术语与概念。建立政策分析的多学科的词汇库很重要，当一个术语第一次出现在文中时，往往都会被立刻界定，并在每一章最后列出。由于政策分析涉及多学科的知识、运用跨学科的方法，所以术语的数量远远超过学科边界比较有限的教科书。

3. 复习思考题。政策分析的知识和技巧应该加以巩固才能真正掌握。因此，每一章的最后都提供了复习题。这些复习题注重高、低两种技能。所谓高级技能是指能够抽象、理解、解释、综合、评价和应用。所谓低层次的技巧包括计算、推断、估计等。复习题可以在学生自学时使用，也可以被教师用来布置书面作业，或进行测验和考试。

4. 参考文献。除了在脚注中引用的资料之外，每一章都另附有一些参考文献，用以帮助学生理解各章所讨论的内容。在第四版中，作者努力推荐了一些能够代表公共政策领域最新发展的文献材料。

5. 第 9 章是第四版新增加的内容，对政策领域的沟通过程进行了详细探讨，提供了改善政策领域信息沟通的相关策略。

本书集合了多人的努力和智慧，王迪、张冬梅、谢获帆、杨光参与了前期的翻译工作，谨在此表示衷心感谢。

谢明

2011 年 6 月

前　言

该版《公共政策分析导论》(*Public Policy Analysis*: *An Introduction*) 和前面的三版一样，是为了提供一本教科书，也是为了对公共政策领域进行一次全面的梳理和总结。本书的读者主要是那些已经修完了政策分析基础课程的硕士生和高年级本科生。由于本书致力于多个社会科学学科和专业关注的问题，因此，本书提供了政策领域中从能源与环境到交通运输、公路安全和外交政策方面的案例材料。

本书采用了务实、批判和多学科的方法。我认为政策分析应该有别于它所起源的基础学科。虽然政策分析以政治学、公共行政学、经济学以及其他学科和专业为基础，但是，它也把这些学科变成了在实际中更有用的方法、更容易检验的理论和更有应用价值的发现。因此，我把政策分析界定为一个过程，它运用多学科的研究方法来创造、批判性评价和交流有助于理解和改善政策的知识和信息。

第四版再次使用了专门的教学工具和学习策略：

● 内容提要。本书每章开始都有内容提要，它运用直观的展示来告诉学生每章即将详细介绍的方法与技巧及其逻辑结构。整本书的内容提要就是第一章所呈现的政策探寻的信息处理模型，它贯穿全书始终。这些内容提要有助于学生把握复杂的关系和批判性地检验理论、方法和技巧的前提假设。[①]

① 限于译本的篇幅要求，本书在翻译过程中略去了每章的内容提要、示范练习、案例，以及书尾的所有附录。——译者注

● 学习目标。在每一章的最后都列出了通过该章学生应该达到的目标和应该完成的相关任务。我努力用在操作或者执行某事中获得的知识和技巧来说明这些目标。例如，学习目标是指获得识别、界定、理解、比较、对比、解释、预测、估计、评价、综合、诊断、计划和应用所需要的知识和技巧。这样阐述目标，是为了强调主动学习，而不是被动学习，强调知识的运用而不是囫囵吞枣。

● 关键术语和概念。建立政策分析的多学科的词汇库很重要，这些关键词第一次出现在文中时，都会被界定，并在每一章最后列出。由于我运用了多学科的方法，本书关键词的数量超过了学科边界比较有限的书。

● 复习思考题。政策分析的知识和技巧应该加以巩固才能真正掌握。因此，每一章的最后都提供了复习题。这些复习题注重两种技能：高级技能，即能够观念化、理解、解释、综合、评价和应用；低层次的技巧，包括推算、估计和运用计算机计算。复习题可以在学生自学时使用，也可以供导师布置书面作业、测验和考试使用。

● 示范练习。知识和技巧如果不经常应用于实际问题，就会容易忘掉。因此，每一章都附有案例，用以练习不同知识和技巧的运用。通过完成这些示范练习，学生就会摆脱理想化观念，不再追求所谓“完美的”分析（“黑板上的政策分析”），并大大提高分析现实问题的能力。

● 参考文献。除了在脚注中引用的资料之外，每一章都有参考文献，帮助理解各章所讨论的内容。在这一版本中，我尽量推荐了一些能够代表公共政策方面最新发展的文献。

● 书面和口头交流指南。由于在政策分析中不仅要寻求恰当的分析思路和定量的解决办法，而且还要把结论和建议用政策备忘录、政策议题文件和口头报告等形式进行交流，因此，掌握了政策分析方法和技巧的学生常常在这方面遇到困难。为了克服这些困难，附录 1 提供了如何准备政策议题文件的步骤指导，附录 2 提供了执行总结的指导，附录 3 提供了如何准备政策备忘录的指导，附录 4 提供了如何准备口头报告的指导。此外，新增加的第 9 章对政策交流的过程进行了详细探讨，提供了改善政策交流的一些策略。

● PPT 幻灯片、资料库和教学提示。和该版本教材配套的一个专门网站提供了我上课时用的 PPT 幻灯片，还提供了资料库，里面有公共政策方面的重要议题以及一些案例，教学提示以及如何用社会科学的统计软件（SPSS）和其他软件分析这些议题和案例，还有公共政策和政策分析方面的其他一些案例。

在过去 27 年里，这本书在国内外公共政策和公共行政职业学校和社会科学院校的学位教育中得到了应用、检验和评价。这本书从英文被翻译成了很多其他语言，包括中文、印度尼西亚文、韩文、罗马文和西班牙文。我在欧盟、东南欧、中东、北非和拉丁美洲国家培训和教学时使用、检验和评估了本书的部分内容。这一版本的修订反映了我从这些教学和培训中学习到的一些东西，也包括我为州和地方、国家和国际层次的机构及部门做政策分析的一些经验。

在过去的这些年里，我的学生和同事帮助我完善了这本书。由于名单太长，这里不能一一列出，但是，我仍然要说对这本书最具建设性批评来自匹兹堡大学公共和国际事务研究生院（the University of Pittsburgh's Graduate School of Public and International Affairs）那些公共管理和公共政策MPA项目的学生和公共政策研究和分析博士项目的学生。我也非常感激马其顿地区斯科普里公共政策与公共管理研究中心（the Graduate Center for Public Policy and Management in Skopje, Macedonia）的学生和老师，在那里，我有机会和我所教过得最好的学生一起工作。我还要感谢三位本书第四版和第三版的匿名评审人，他们是华盛顿州立大学（Washington State University）的戴维·尼斯（David Nice），田纳西州立大学（the University of Tennessee at Knoxville）的戴维·休斯顿（David Houston）和匹兹堡大学（the University of Pittsburgh）的路易斯·康福特（Louise Comfort）。希拉·凯莉（Sheila Kelly），Lien Rung-Kao，Sujatha Raman和埃里克·塞维尼（Eric Sevigny）为本书的前一版本搜集了资料。我要感谢凯特·弗里德（Kate Freed）对第三版给予的技术和编辑支持，感谢Bojana Aceva-Andonova对第四版给予的支持，感谢Rob DeGeorge和其他Prentice Hall的职员对本书的出版给予的技术支持，是他们的帮助使本书能够得以尽快出版。

威廉·N·邓恩

目　录

第 1 章　政策分析的过程 …… 1
1.1　政策研究的过程 …… 1
1.2　跨学科的政策分析 …… 2
1.3　政策分析的三个案例 …… 5
1.4　政策分析的形式 …… 7
1.5　政策分析的实践 …… 11
1.6　批判性思考和公共政策 …… 13
本章小结 …… 16
学习目标 …… 16
关键术语与概念 …… 16
复习思考题 …… 17
参考文献 …… 17
第 2 章　政策制定过程中的政策分析 …… 22
2.1　历史背景 …… 22
2.2　政策制定过程 …… 30
2.3　政策变化模型 …… 31
2.4　政策过程中的政策分析 …… 38
本章小结 …… 42
学习目标 …… 42

关键术语与概念…… 42
复习思考题…… 43
参考文献…… 43
第 3 章 构建政策问题…… 50
3.1 政策问题的本质 …… 50
3.2 政策分析中的问题构建 …… 57
3.3 政策模型与问题构建 …… 61
3.4 问题构建的方法 …… 67
本章小结…… 82
学习目标…… 82
关键术语与概念…… 82
复习思考题…… 83
参考文献…… 85
第 4 章 预测预期的政策结果…… 91
4.1 政策分析中的预测 …… 91
4.2 未来社会状态的类型 …… 95
4.3 预测的方法 …… 97
4.4 外推预测…… 100
4.5 理论性预测…… 115
4.6 判断性预测…… 127
本章小结 …… 139
学习目标 …… 139
关键术语与概念 …… 139
复习思考题 …… 140
参考文献 …… 140
第 5 章 建议优先政策 …… 146
5.1 政策分析中的建议…… 146
5.2 政策建议的途径…… 158
5.3 建议的方法和技术…… 168
本章小结 …… 183
学习目标 …… 184
关键术语与概念 …… 184
复习思考题 …… 184
参考文献 …… 186
第 6 章 监测观察到的政策结果 …… 189
6.1 政策分析中的监测…… 189
6.2 监测的方法…… 194
6.3 监测的技术…… 205

本章小结 …………………………………………………………………………… 230
学习目标 …………………………………………………………………………… 230
关键术语与概念 …………………………………………………………………… 230
复习思考题 ………………………………………………………………………… 230
参考文献 …………………………………………………………………………… 234
第7章　评估政策绩效 ………………………………………………………… 240
7.1　政策分析中的伦理和评估………………………………………………… 240
7.2　描述伦理、规范伦理和元伦理…………………………………………… 244
7.3　政策分析中的评估………………………………………………………… 248
7.4　评估的方式………………………………………………………………… 250
7.5　评估的方法………………………………………………………………… 256
本章小结 …………………………………………………………………………… 257
学习目标 …………………………………………………………………………… 257
关键术语与概念 …………………………………………………………………… 257
复习思考题 ………………………………………………………………………… 258
参考文献 …………………………………………………………………………… 258
第8章　发展政策论证 ………………………………………………………… 262
8.1　政策论证的结构…………………………………………………………… 262
8.2　政策论证的模式…………………………………………………………… 268
8.3　评价政策论证……………………………………………………………… 284
本章小结 …………………………………………………………………………… 289
学习目标 …………………………………………………………………………… 289
关键术语与概念 …………………………………………………………………… 290
复习思考题 ………………………………………………………………………… 290
参考文献 …………………………………………………………………………… 290
第9章　交流政策分析 ………………………………………………………… 295
9.1　政策交流的过程…………………………………………………………… 296
9.2　政策议题报告……………………………………………………………… 300
9.3　口头简报和视觉展示……………………………………………………… 303
9.4　政策制定过程中的政策分析……………………………………………… 305
本章小结 …………………………………………………………………………… 308
学习目标 …………………………………………………………………………… 308
关键术语与概念 …………………………………………………………………… 308
复习思考题 ………………………………………………………………………… 308
参考文献 …………………………………………………………………………… 309

第 1 章

政策分析的过程

政策分析（policy analysis）是一门解决问题的学科，它以社会科学、社会行业和政治学的方法论和实际成果为基础。政策分析的定义有很多。[1]我们这里的定义是：政策分析是这样一个过程，它运用多学科的研究方法来创造、批判性评价和交流有助于理解和改善政策的信息资料（知识）。

1.1 政策研究的过程

政策分析的方法是一个探寻有助于发现解决实际问题的方案的过程，词语“探寻”（inquiry）是指一个探索、调查或搜集解决方案的过程；它不是指已经由完全客观、绝对可靠和价值无涉的分析证明了的解决方案，分析不可能不涉及分析者和付报酬给分析者的人的价值、利益和信仰。[2]尽管分析是以科学方法为基础的，但也要运用技巧、技能和说服。[3]换一种说法就是，政策分析是以常识以及社会科学和行业（包括公共行政和规划）所使用的专业研究方法的综合运用为基础的。[4]由于政策分析在解决实际问题时需要运用人的理解能力，因此，它是面向问题的。[5]就是这种问题面向性，而不是其他特征使政策分析有别于那些不重应用的学科。

在回应现实世界的问题时，运用多学科和专业的知识通常比运用单一学科和专业的知识更有效。现实世界的问题非常复杂，涉及政治、社会、经济、行政、法律、道德等很多方面。它们并不是分门别类地单独出现在政治学家、经济学家或公共行政学家面前，而是需要这三个与政策相关的学科和专业共同去面对。跨学科的政策分析似乎提供了应付公共政策制定所面临的复杂多变的世界的最恰当的方法。

1.2 跨学科的政策分析

从一定程度上讲，政策分析是描述性的，因为它要依靠社会科学提出和论证关于政策的原因和结果的主张。同时它也是规范性的，为了评价关于政策的预期效果和伦理价值的主张，需要运用经济学和决策分析、伦理学及其他社会学和政治学的分支知识。政策分析的这种规范性是必需的，因为它需要对预期结果（目标）和偏好的行动过程（手段）做出选择，这个选择过程是建立在道德推理的基础之上的。目标和手段的选择需要在对立的平等观、效率观、安全观、自由观和民主观之间进行不断权衡。[6]对于政策分析过程中伦理推理的重要性，美国住房和城市发展部的前任副部长的说法很到位："我们的问题不是去做正确的事，我们的问题是知道什么是正确的。"[7]

政策相关信息

政策分析要讲述如下五个问题：

- 我们要解决的问题是什么？
- 为了解决问题，我们应该采纳的行动方案是什么？
- 选择那种行动方案的结果是什么？
- 这种结果有助于解决问题吗？
- 如果选择其他的行动方案，会出现什么结果？

回答这些问题需要五类政策相关信息，或者需要五种我们所说的政策信息的要素。它们是关于政策问题的信息、关于政策绩效的信息、关于预期政策结果的信息、关于优先政策的信息和关于观察到的政策结果的信息。这五类信息在图1—1中用矩形表示。[8]

政策问题（policy problem）是指通过公共行动可以改善的未实现的价值或机会。[9]要解决什么问题的知识需要如下信息：问题前提条件的信息（例如，辍学是失业的前提条件）、预期目标的信息（例如，受保护的教育或最低工资）。只有获取了这两类信息，才能解决问题。关于政策问题的信息在政策分析中发挥着关键作用，因为问题界定的方式影响可行解决方案的寻找。不充分的信息或错误的信息会导致致命的错误：本来可以解决正确的问题，却解决了错误的问题。[10]

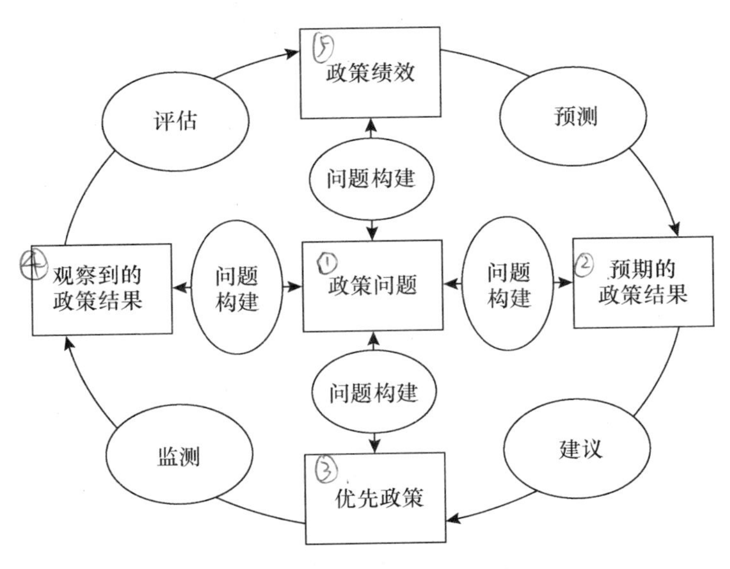

图 1—1 完整的政策分析过程

预期的政策结果（expected policy outcome）是指用来解决问题的政策的可能后果。促成问题产生的环境的信息对于提供关于预期政策结果的信息是必要的。然而，这些信息经常是不足的，因为，已经过去的事不能完全重来一次，影响行为的价值通常也会变化。因此，分析者必须关注那些不是由现存条件决定的预期政策结果。为了提供这些信息，需要分析者具有创造力、洞察力，并运用直觉。[11]

优先政策（preferred policy）是指解决问题的可能方案。选择一个优先政策，需要拥有关于政策预期结果的信息。优先政策的信息也有赖于对预期结果价值和效用的判断。换句话说，政策建议以事实前提和价值前提为依据。仅有事实——例如，一项政策比另一项政策更有效这一假定的事实，不能证明优先政策的选择是正确的。

观察到的政策结果（observed policy outcome）是指正在执行的优先政策的过去和现在的结果。有时候并不能确定某一结果是否真的是某项政策的结果，因为有些影响并非政策结果，有一些结果是其他政策因素的结果。提前认识到行动的结果不能被完全表述或知晓很重要，还有一些结果是不能预料的，也不是所期望的。幸运的是，关于这些结果的信息不仅仅可以事先预料（在政策执行前），而且可以依据对过去运行情况的分析得到（在政策执行之后）。

政策绩效（policy performance）是指观察到的政策结果对实现需要改善的价值或机会的贡献程度，这些价值或机会促成了问题的产生。在实践中，政策绩效总是不全面的，因为问题很少是“解决了的”，而常常是需要重新解决、重新构建甚至是“不能解决的”。[12]想知道问题是被解决了，还是需要重新解决、重新构建，或是不能解决的，就需要观察到的政策结果的信息以及这些结果对实现需要改善的价值或机会的贡献程度的信息，这些价值和机会促成了问题的产生。反过来，关于政策绩效的信息为预测政策结果提供了依据，这一点可以从图 1—1 看出来。

政策信息的转化

五类政策相关信息是相互依赖、互相依存的。连接每两部分的箭头表明了一类信息向另一类信息的转化，因此，在任何一点上信息的创建都依赖于相关阶段的信息。例如，关于政策绩效的信息要依赖于前面观察到的政策结果的信息的转化。相互依赖的原因在于，评价一项政策实现目标的程度需要有一个前提，即我们已经拥有了关于政策结果的可靠信息。其他政策相关信息也同样是相互依赖、互相依存的。

关于政策问题的信息是一个特例，因为它既会影响其他四类信息，也会被其余四类信息影响。这种相互依赖的原因是，关于政策问题的信息已经包含了一个或多个其他组成部分的信息。因此，问题包含了如下信息中的一种或多种：优先政策、观察的结果和预期的结果、这些结果的价值。问题通常会包含一些问题要素而排除其他一些问题要素；包含和排除哪些要素影响到政策偏好、政策结果的调查、评价政策效果的价值标准的选择以及哪些预期结果值得注意。政策分析中一个严重的、常见的致命错误是第三类错误——解决了错误的问题。[13]

政策分析方法

五类政策相关信息通过运用政策分析的方法得以创建和转化，这些方法包括描述、预言、评价、开处方和释义。所有的方法都需要各种各样的判断[14]：是接受还是驳回一个解释，是证实还是反驳行动的恰当性，是选择还是不选择一项政策，是接受还是驳回一个预测，是这样而不是那样界定问题。

在政策分析中，这些过程都有一个特定的名称：监测、预测、评估、建议和问题构建。

- 监测（monitoring）［描述（description）］创建关于观察到的政策结果的信息。
- 预测（forecasting）［预言（prediction）］创建预期的政策结果的信息。
- 评估（evaluation）［评价（appraisal）］创建观察到的政策结果和预期政策结果的价值的信息。
- 建议（recommendation）［开处方（prescription）］创建优先政策的信息。
- 问题构建（problem structuring）［释义（definition）］创建要解决的问题的信息。

最后一种方法，问题构建，是在其他方法之上的。因此，它是元方法（“方法的方法”）。在问题构建的过程中，分析家通常要经历一个“焦虑的、迷惑的和困难的情境，在那里，充满困难，影响到整个局势”[15]。这些问题情境不是问题；问题是问题情境的表现。问题不会自己出现在那里，而是外部环境和思想相互作用的结果。同样的问题情境会（并且常常会）被以不同的方式构建。例如，当国防开支不断增加时，拥有不同观点的分析家会有不同的看法，有的人认为国家更安全了（更多的预算被用于国防），有人认为社会福利被削减了（用于社会服务的预算少了）。

问题构建，应该被强调和重视，它决定着其他方法所创建的信息的创建、解释和表达。它是政策分析的“中枢系统”。

政策分析方法是互相依赖、互相依存的。在运用一种方法前不可能不涉及其他方法，因此，虽然有可能在不预测未来结果的情况下监测过去的政策，但是不先监测政策却不可能预测政策。[16]同样，分析家可以监测政策结果而不评价政策结果，但是，不先确定结果就不可能评价结果。最后，要选择一个优先政策，要求分析家得先监测、评价和预测政策结果。[17]这从另一个角度说明了政策选择不仅要以事实前提为根据，而且要以价值前提为根据。

政策信息组成部分（矩形）、政策信息转化（箭头）和政策分析方法（椭圆形）的完整组合见图 1—1。这个图示提供了一个整合不同政策相关学科和专业方法的工具。这五种一般方法，正如所说的那样，广泛应用于政治学、社会学、经济学、管理科学、运筹研究、公共行政、项目评估和伦理学的不同学科和专业。和每一种一般方法相关的是更具体的技巧和方法，这些技巧和方法主要或仅仅应用于某些学科和专业，其他的学科和专业不用。例如，政治学和项目评估都使用监测方法来研究一项政策是否和一个观察到的政策结果有因果关系。虽然项目评估使用了大量的间断时间序列分析、不连续回归分析、因果模型和其他与田野试验的设计与分析有关的技巧和方法[18]，但是政治学中的执行研究却不用。相反，执行研究者主要依靠个案研究分析的技巧和方法。[19]另一个例子是预测方面的。预测对于经济学和系统分析都很重要，但经济学几乎单纯依靠计量经济学的方法，系统分析却大量使用定性的预测方法来综合分析专家的判断，例如，定性方法政策德尔菲法。[20]

1.3　政策分析的三个案例

有三个案例说明了政策分析中的相似和区别。案例 1—1（军事开支的影响）阐明了一个以复杂的经济模型为基础的分析，这个复杂的经济模型反映了区域性经济中投入和产出的关系。不必收集新的数据资料，从现有的政府资料中就可以获得数据资料。分析团队的成员用了一份 30 页的文件陈述了他们分析的结论，还带有一个大规模的专业性附录。他们还参加了一个公开的情况简介会。这个项目需要 6 个月的时间来完成。报告中没有提出政策建议，它不是用来改变政策的。报告的主要目的是激发公众对后冷战时代军事开支的潜在、可替代的用途的讨论，即对（当国防经费减少时可取得的）和平时期公共事业经费的讨论。

案例 1—1　　**军事开支对就业和公共事业的影响**

一个东部大城市的市长邀请一个由教师和毕业生组成的跨学科团队来准备一份军事开支对就业和公共事业的影响的报告。这个团队通过分析军事采购资料中心提供的数据，掌握了与公司、研究机构签订的采购合同的消费额，研究了该地区经济的投资。通过使用美国劳工部的投入—产出模型，这个团队估计出了通过这些合同直接或间接创造的工作岗位的数量。同时，个人和公司向联邦政府缴纳的税收额超过了采购合同带来的数额。一部分税收或许被用于资金不足的公共事业项目。一份30页的报告附带专业性附录提交给了市长，市长需要向市议会作一个年度报告。虽然这份报告激起了相当广泛的公众讨论，吸引了公众对该问题的关注，但是它对军事采购、联邦税收政策或者地方公共事业并没有产生影响。

在案例1—2中，大多数分析都是以新闻报道为依据的，这些新闻报道描述了该国家（州）市政府财政困难的范围和严峻性。和案例1—1（军事开支的影响）复杂的模型要求相比，没有进行有效量化的新闻报道实际上是唯一的信息来源（报道中包含市政府提供的收入和支出数据）。尽管这种定性分析比较简单，但是分析的结论和建议却被用于改变现存的政策。在市政府的财政困难案例（案例1—2）中，有一份长篇幅的政策文件作为“支撑材料”。分析者的结论和建议被做成了一个小时的口头简报和一份两页长的政策备忘录，用于交流。这个简短的政策备忘录和军事开支案例（案例1—1）中准备的附有专业性附录的长达30页的报告形成了对比。口头简报和两页长的政策备忘录直接推动了财政困难地区新政策的出台，但是政策很少得到应用。它没有引起公众讨论也没有被应用的原因在于，经济发展形势的好转和政府税收的增加使得政策没有存在的必要了。随着时间的流逝以及经济条件的改变，原来很严峻的问题现在已经不是问题了。

案例1—2　减少地方政府的财政困难

地方政府委员会主席邀请了一位供职于州立法机关无党派研究机构的分析者，让他来调查该州各区政府财政困难的范围和严峻性。利用一份几乎完全以新闻报道为依据形成的政策文件，这位分析者准备了一份两页长的政策备忘录，其结论是，财政困难的范围和严峻性程度是如此之大，以至于州政府应该介入帮助各区政府。这位分析者还向委员会的成员作了一个1小时的口头情况简介。根据备忘录和情况简介，一项旨在向财政困难地区提供帮助的新的立法法令由委员会起草并获得州议会通过。在法令通过后的10年里，法令中的条款很少得到应用，甚至很少被谈论。

案例1—3（55英里/小时时速限制的成本和收益）和案例1—1相似，因为这两个案例都使用了复杂的定量方法——投入—产出分析、成本—收益分析和时间序列计量经济学。但是，只有军事开支案例要求在分析之前收集档案资料。和军事开支案例不同，时速限制案例的结论和建议被事先限定为8页的政策备忘录，而不是一份很长且带有专业性附录的文件。政策备忘录在简洁性方面和案例1—2（地方政府财政困难）中更短的只有2页的备忘录相似。地方财政困难案例和55英里/小时时速限制案例的另一个相似点是，两个案例都或多或少直接促成了一项政策；军事开支案例却没有。注意，55英里/小时时速限制案例和另外两个案例有根本的不同，它主要是以道德论证（讨论）为基础的，而不是经济或因果模型。

案例1—3　　**55英里/小时时速限制的成本和收益**

一个东部大州的政府要求其工作人员调查该州55英里/小时时速限制在拯救生命和减少损害方面的有效性。政府需要通过分析决定是否向联邦政府提出允许该州在“试验期”不实行55英里/小时时速限制的要求。工作人员的分析主要依据国家科学院的报告（*55：A Decade of Experience*，Washington，DC：National Academy of Sciences，1984），形成了一份8页的政策文件。这份政策文件建议55英里/小时时速限制应该保留，因为在该州它每年能够拯救数百人的生命，全国加起来是每年能拯救数千人的生命。政府采纳了该建议，联合其他9个东北部的州决定保留该时速限制。后来，更进一步的研究表明，以低于55英里/小时时速限制行驶所付出的时间成本远远超过了所拯救的生命、减少的损害以及节省的汽油的经济收益。其他的经济分析表明所拯救的生命的数量被大大高估了，交通事故中死亡数量的减少很可能是经济衰退、失业以及有效减少行驶里程（降低了发生事故的危险）的结果。政府基于道德的原因而不是经济的原因，驳回了成本—收益和计量经济学的分析，保留了目前的时速限制。

1.4　政策分析的形式

政策信息的组成部分、政策分析方法和政策信息的转化之间的关系为我们比较不同形式的政策分析提供了基础（见图1—2）。

回溯性分析和前瞻性分析

前瞻性政策分析（prospective policy analysis）涉及在采取政策行动之前信息的创建和转化。这种事前（ex ante）分析代表了经济学家、系统分析家、运筹研究者和决策分析家的研究操作方式，如图1—2的右半部分所示。前瞻性分析即威廉斯所说的政策分析。[21]“它是一种综合分析信息并提出政策方案和偏好的方法，这些政策方案和偏好用类似的、标准的定性和定量术语表述出来，作为决策的依据和指导；从概念上讲，它不包括信息的收集。”相比之下，政策研究是指“所有运用科学方法来描述现象和/或确定现象之间关系的研究”。前瞻性分析常常把偏好政策和执行政策的实际努力分裂开来。埃里森认为获得所期望的政策结果所需要的努力只有不超过10%是在政策执行之前做出的。“并不是我们有太多解决问题的好方法，相反，是我们拥有的好方法比恰当行动多。”[22]

回溯性政策分析（retrospective policy analysis）如图1—2的左半部分所示。这种事后（ex post）分析涉及政策执行之后信息的创建和转化。回溯性分析代表了

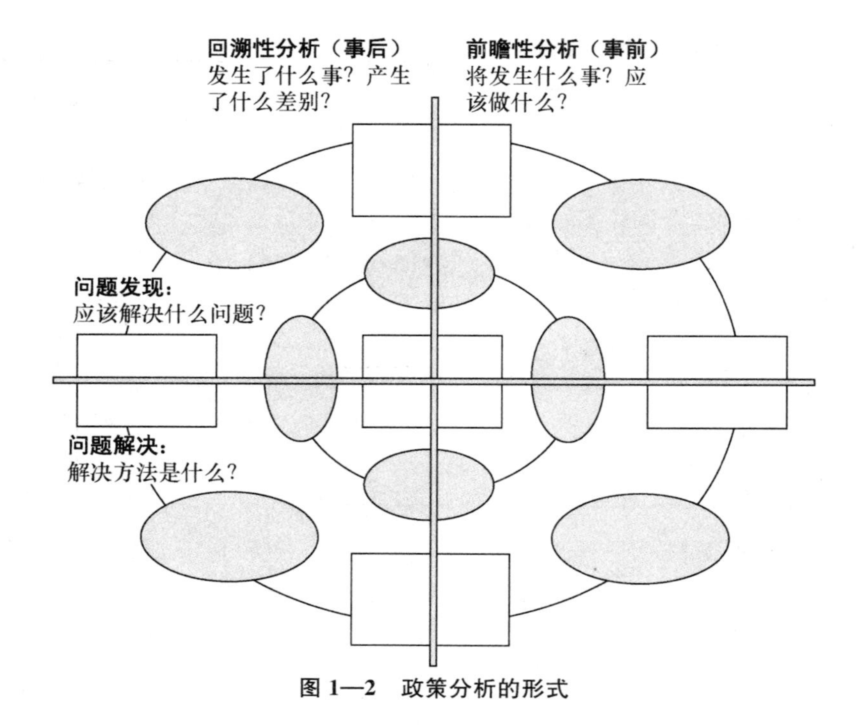

图 1—2 政策分析的形式

三类分析家的研究操作方式：

- 面向学科的分析家（discipline-oriented analysts）。这些人主要包括政治学家和社会学家，他们致力于提出并验证描述政策的原因和结果的以学科为基础的理论。他们不关心具体的政策目标的识别，也不关注受政策控制的政策变量和不受政策控制的变量之间的区别。[23]例如，关于政党竞争对政府开支的影响的分析不提供关于具体政策目标的信息；政党竞争也不是一个政策制定者可以控制用以改变公共开支的变量。
- 面向问题的分析家（problem-oriented analysts）。这些人也主要由政治家和社会学家组成，他们致力于描述政策的原因和结果。但是，面向问题的分析家很少关注社会科学所重视的理论的提出和验证，他们比较重视导致问题的变量的识别。面向问题的分析家并不过度地关注具体目标和目的，主要原因是他们所分析的实际问题实际上很普遍。例如，关于性别、种族和社会不平等对全国性测试得分影响的总数据的分析，所提供的信息有助于解释问题（例如，不够好的测试成绩），但是没有提供关于可控制的政策变量的信息。
- 面向应用的分析家（applications-oriented analysts）。这类分析家包括应用社会学家、应用心理学家和应用人类学家，也包括职业分析家，例如公共行政学界、社会工作和评估研究界的分析家。这些人也致力于描述公共政策和项目的原因和结果，而不关注以学科为基础的理论的提出和验证，除非这些理论能够为行动提供指导。这些人不仅关注政策变量，而且关注具体目标和目的的识别。关于具体目标和目的的信息为监测和评价政策的结果和影响提供了依据。例如，面向应用的分析家会给出很多可以控制的变量，用以在阅读测验中取得高分。

这三类分析家的研究操作方式反映了他们各自典型的优点和不足。面向学科和面向问题的分析家很少提供对政策制定者直接有用的信息。即使面向问题的分析家调查诸如教育公平、能源保护、犯罪控制这类重要问题时，得到的信息也常常是宏观消极的（macronegative）。宏观消极的信息通常通过运用汇总资料表明政策为何不起作用，描述政策的根本原因和结果。相比之下，微观积极的（micropositive）信息表明在特定条件下什么政策和计划起作用。[24]对于政策制定者来说，知道城市的犯罪率比乡村的高并没有实际价值，但是，知道特定形式的枪支管制减少了严重犯罪的数量或者更加密集的警察巡逻也能制止犯罪尤其重要。

即使面向应用的分析家提供微观的确定性信息，他们也会发现仍然很难和前瞻性政策分析的从业者交流，前瞻性政策分析的从业者大多数情况下是专业经济学家。在机构里，前瞻性分析家的工作是找到最有效的解决方案，他们在获取通过回溯性分析提供的关于政策结果的信息时常常受到限制。因此，前瞻性分析的从业者常常不能详述政策相关信息的种类，这些政策相关信息对监控、评价和执行他们所建议的政策非常有用。政策的预期结果常常是模糊的，“以至于几乎对它的任何评价都可以被看作是不相干的，因为它偏离了政策指向的问题”[25]。例如，为获得接受，为避免遭到反对或者为保持中立，立法委员用笼统的甚至模糊的语言来阐述问题。

研究操作方式不同的政策分析家的对比表明面向应用的分析比面向学科和面向问题的分析更加有用——在解决问题时，回溯性（事后）分析从整体上看可能没有前瞻性（事前）分析有效。尽管这个结论在想得到行动建议的政策制定者的眼里是有价值的，但是它忽视了回溯性分析的几个重要好处。回溯性分析，不管其缺点是什么，主要强调行动的结果而不是满足于预期政策结果的信息，而前瞻性分析却满足于预期政策结果的信息。而且，面向学科和面向问题的分析或许提供了理解政策制定过程的新框架，这对常规的问题构建形成了挑战，对社会和经济神话提出了质疑，影响着一个社区或社会的意见氛围。然而，前瞻性分析“在对知识优先权和理解力的影响方面一直是最重要的，在为具体政治问题提供解决方案方面则不是那么有效”[26]。

描述性和规范性分析

图 1—2 还体现了另外两个重要的方法上的比较，即描述性和规范性政策分析的不同。描述性政策分析（descriptive policy analysis）和描述性决策理论（descriptive decision theory）相对应，是指一组用以描述行动的在逻辑上一致的命题和主张。[27]通过监控和预测获得的观察资料，可以检验描述性决策的理论。描述性理论、模型和概念框架大多来源于政治学、社会学、社会心理学和所谓的“积极经济学”[28]。这些理论、模型和框架的主要作用是通过识别因果关系来解释、理解和预测政策。田野试验和准试验这种监测方法的主要作用是确定把政策及其预期结果联系起来的因果推理的大致有效性。[29]在图 1—2 中，描述性政策分析可以被直观地看作是从左下方（监测）向右上方（预测）移动的一条轴线。

规范性决策分析（normative policy analysis）和规范性决策理论（normative decision theory）相对应，是指一组用以评价行动的在逻辑上一致的命题和主张。[30] 在图 1—2 中，规范性政策分析可以被直观地看作从右下方（建议）向左上方（评估）移动的轴线。为了检验规范性和描述性决策理论，需要不同类型的信息。评价和建议的方法提供了关于政策执行（绩效表现）和偏好政策的信息，例如，因为收益超过了成本而已经或将成为最有效的政策。政策最合理是因为那些最需要的人的条件得到了改善；或者最有效地回应了市民的偏好。规范性政策分析的一个最重要的特征是，其主张依赖于对效率、平等、回应性、自由和安全这些人们所热衷的价值观的不同意见。

问题发现和问题解决

图 1—2 的上半部分和下半部分表明了另外一个重要区别。上半部分指的是用以发现问题的方法，而下半部分代表解决问题的方法。问题发现（finding problems）就是发现界定问题的因素，而不是解决问题（solving problems）。我们对问题理解得如何？谁是影响该问题并受到该问题影响的最重要的利益相关者？是否已经确定了恰当的目标？实现目标的方案有哪些？有哪些不确定性因素应该考虑？我们是否在解决“正确”的问题，而不是“错误”的问题？

问题解决的方法是为了提供解决问题的方案，见图 1—2 下半部分。和发现问题相比，问题解决在本质上主要是技术性的，而问题发现是概念性的。问题解决的技术包括成本—收益分析、决策分析和执行分析，有助于回答政策的制定原因、统计判断和最优化等问题。政策结果中的变数有多少可以用一个或多个相互依存的变量解释？获得一个相关系数的可能性是多少？不同政策的净收益是多少？政策的预期效用或结果是什么？

局部分析和整体分析

整体政策分析（integrated policy analysis）把图 1—2 的若干组成部分联系了起来。回溯性政策分析和前瞻性政策分析被连接成了一个连续的过程。描述性政策分析和规范性政策分析被连接起来，用以发现问题和解决问题的方法也被连接起来。实事求是地讲，这意味着政策分析者把跨学科的政策分析的几个主要支柱学科联系了起来，尤其是经济学和政治学。目前，经济学和政治学的划分并没有满足这种需要，经济学和政治学通过创造、评价和传播智力成果专门从事局部政策分析（segmented policy analysis）。把政治学和经济学以及其他一些专门学科联系起来，并把智力成果转化为实用成果的努力是由以下行业领域实现的，其中包括公共行政、经营管理、规划、政策分析和社会工作。美国公共行政学会、美国国家公共事务和行政管理院校联合会、美国计划联合会、行政院校国际联合会和公共政策与管理联合会是这些行业领域的代表。迄今为止，与那些一直运用政治和组织分析的学科相比，这些专业联合会对经济学更青睐，尽管政策学者和政策行业人士一致认为，政治和组织分析对于制定有效的经济政策是非常重要的。

这一章第一部分给出的整体政策分析框架（见图 1—1）有助于检验单一和过于专业化的学科和专业中使用的方法的假设、作用和局限性。这个框架对政策分析的主要要素——政策信息组成部分、政策分析方法和政策信息的转化——进行了识别和联系，使我们能够明白问题构建、监测、评价、预测和建议的特定功能。第二个框架（见图 1—2）描述了目前所使用的不同的政策分析形式：前瞻性（事前）分析和回溯性（事后）分析，描述性分析和规范性分析，问题发现和问题解决。整体政策分析是理解、评价和改善如下方法的一个工具，该方法旨在弥合社会科学、社会行业和政治哲学中的某些方面。

1.5 政策分析的实践

逻辑重建和逻辑应用

图 1—1 和图 1—2 所表示的政策分析过程是一个逻辑重建（logical reconstruction）[重构逻辑（reconstructed logic）] 的过程。政策分析的实际过程可能符合也可能不符合这个或其他逻辑框架，包括所谓的“科学方法”，因为所有的逻辑框架都是对大量观察到的实际情况的抽象表达。[31]和行动的逻辑重建不同，由于分析者的个人性格、专业背景和工作的制度环境不同，实践分析者的逻辑应用（logic-in-use）总有不同程度的变化。

- 认知方式（cognitive styles）。分析者的个人认知方式使他们在获取、解释和利用信息时有不同的模式。[32]
- 分析的角色（analytic roles）。政策分析者扮演“企业家”、“政治家”和“专家”的角色。[33]
- 公共机构的激励体制（institutional incentive systems）。政策“思想库”（智囊）鼓励不同定向的分析，包括“人文价值批判的”和“科学的”。[34]公共机构的奖励和惩罚影响结论和建议的有效性。[35]
- 公共机构的时间限制（institutional time constraints）。和大学里较少受到时间限制的研究者相比，政府机构的分析者受到严格的时间限制（3～7 天的限制比较典型），他们的工作节奏快，可能效率更高。因此可以理解，他们为何很少收集原始资料，也不使用复杂的需要很多时间的技术。[36]
- 专业背景（professional socialization）。构成政策分析的不同学科和专业把其成员社会化成了具有不同价值观念和行为模式的人。通过分析已出版的论文，可以看出分析者不仅使用正式的定量的方法，而且也使用非正式的叙述的方法，尽管正确的政策建议有时要求运用正式的定量的方法。[37]
- 多学科的团结协作（multidisciplinary teamwork）。公共机构进行的大量分析是通过多学科的团结协作完成的。一些成员主要负责某一形式的政策分析（见图1—2）。例如受过经济学和决策分析训练的团队成员更有能力进行前瞻性分析，而有着应用社会学、应用心理学和项目评估教育背景的成员通常擅长回溯性分析。团队的有效性取决于每一个人是否理解并领会了贯穿整体政策分析（见图1—1）过程的分析方法。

方法论的机会成本

整体政策分析有机会成本。在时间和资源有限的情况下，很难同时进行详细的经济、政治和组织分析。一方面，它在尝试采纳多重三角测量[38]（multiple triangulation），或者我们所说的批判性多元主义[39]（critical multiplism），来为多学科分析作掩护。批判性多元主义回应了逻辑实证主义（logical positivism）的某些不适当性。[40]逻辑实证主义是指这样一个哲学学说，即关于世界的真实阐述必须在逻辑上正确、能够依据客观事实从经验上证实，并且，那个客观事实而不是其主观解释应该能规定这些真实阐述。作为一种哲学，逻辑实证主义几乎和社会科学家对它的讨论没有关系，大部分社会科学家对科学研究和认识论的哲学缺乏最基本的理解。从逻辑实证主义对这些方法的提及程度来看，这些方法声称能提供完全客观的不需要多种观察者观察和解释的结果，逻辑实证主义似乎是林顿·约翰逊总统向贫困开战时期所实施的政策分析和项目评价的占优势的方法论。和通俗化的逻辑实证主义相比，多元主义的优势在于，它通过从不同的视角对值得了解的情况和政策及政策效果的已知情况进行三角测量的方法，提供了更近似真实的东西。[41]

多元主义的劣势在于它的成本。分析的成本随着所使用方法的数量和类型而有变化。尽管从几个学科视角进行的三角测量（triangulation），或者多种措施的使用，可能是/常常是可行的，但是本书讲述的任何方法的采纳都需要权衡和机会成本（见图1—3）。[42]当使用单一的方法，例如计量经济模型，来获取测量精确度（measurement precision）、一般性的政策原因（generalized policy causation）和客观现实（objectivity）（从观察不完全取决于观察者的意义上讲）时，分析者放弃了对不同利益相关者观点的深入理解，而这种理解通过人类学的访谈方法和其他定性方法是有可能的。后者包括Q方法、个案研究分析和德尔菲法。另一方面，计量经济模型和其他相关方法（例如，时间序列分析和成本—收益分析）获取信息的成本低，因为通常可以获得二手资料。相比之下，人类学的访谈方法获取信息的成本高，因为他们需要大量的原始资料，尽管他们缺少准确性和概括政策原因的能力。

在研究综合或元分析方法中，同样存在权衡和机会成本，这些方法通过深入理解政策制定的现实生活背景的复杂性，来获取准确的测量和一般性的政策原因。后者可以通过田野研究和田野试验的方法获得，但需要付出很高的代价，尤其是和定性方法一起使用时。可以肯定地说，在趋同的（有分歧的）观点、方法和措施之间进行的三角测量提高了政策分析和其他应用社会科学的有效性。[43]但是，政策分析实践中的时间和财政限制使得权衡不可避免。

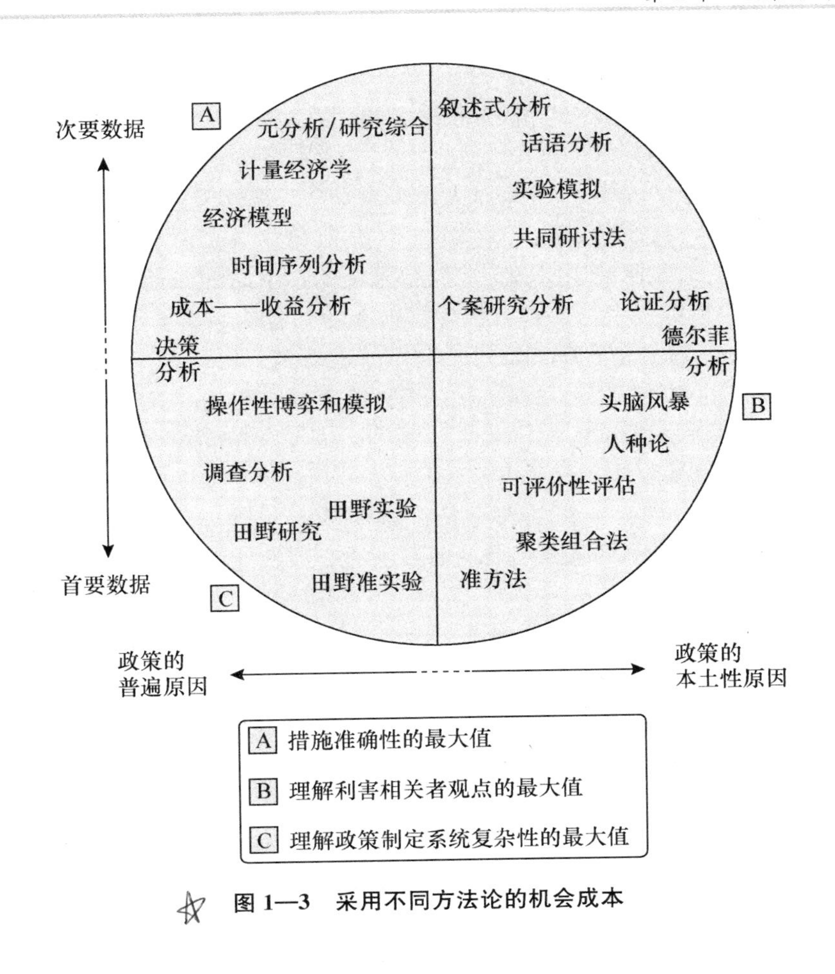

图 1—3 采用不同方法论的机会成本

1.6 批判性思考和公共政策

政策分析的现实世界是复杂的。分析必须仔细审查和评价所获得的大量的定性和定量信息，在方法和技术中做出艰难的选择，适应快速变化的时代。这种实际处境使批判性思考（critical thinking）受到了重视——批判性思考，即对用来论证公共政策的理由和论据进行仔细的分析和评价。达到这一目的的一个可用方法是政策论证分析。政策论证（policy argumentation）是指这样一个过程，即凭借两个或多个政策利益相关者通过调查政策主张背后的假设讨论政策的优点，使人们能够对政策相关信息及政策相关信息在政策分析中的作用进行批判性综合。批判性思考的产物是以根据为基础的政策分析（evidence-based policy analysis）。

政策论证的结构

政策论证是进行公共政策讨论的主要工具。[44] “社会科学家太容易忘记”，马约内（Majone）提醒道，“公共政策是由语言构成的。无论是书面形式还是口头形式，论证对政策过程的所有阶段都是最重要的。”[45]政策论证的过程和结构可以表述为六个相互关联的部分（见图 1—4）。[46]

● 政策相关信息（policy-relevant information）。政策相关信息，用 I 表示，它是政策论证的起点。我们已经知道，政策相关信息分为五个信息组成部分。图 1—4 描述了政策相关信息如何被用于做出公共政策主张。下面的陈述是一个政策相关信息的例子，“一位权威专家认为，社会保障改革不可能允许职员把他们的捐款投资到股市”。并不是所有的信息都和既定的政策议题有关。

● 政策主张（policy claim）。政策主张用 C 表示，它是政策论证的结论。从政策相关信息到政策主张必然包含“因此”。政策主张各种各样，有一些是规范性的，“国会应该通过平等就业法案修正案”；有一些是描述性的，“互联网的应用在下一个十年将会翻番”。规范性主张的典型特征是要求有伦理或价值上的理由来证明。描述性主张需要因果推理，这些因果推理不说明应该做什么，也不需要伦理上的理由来证实。

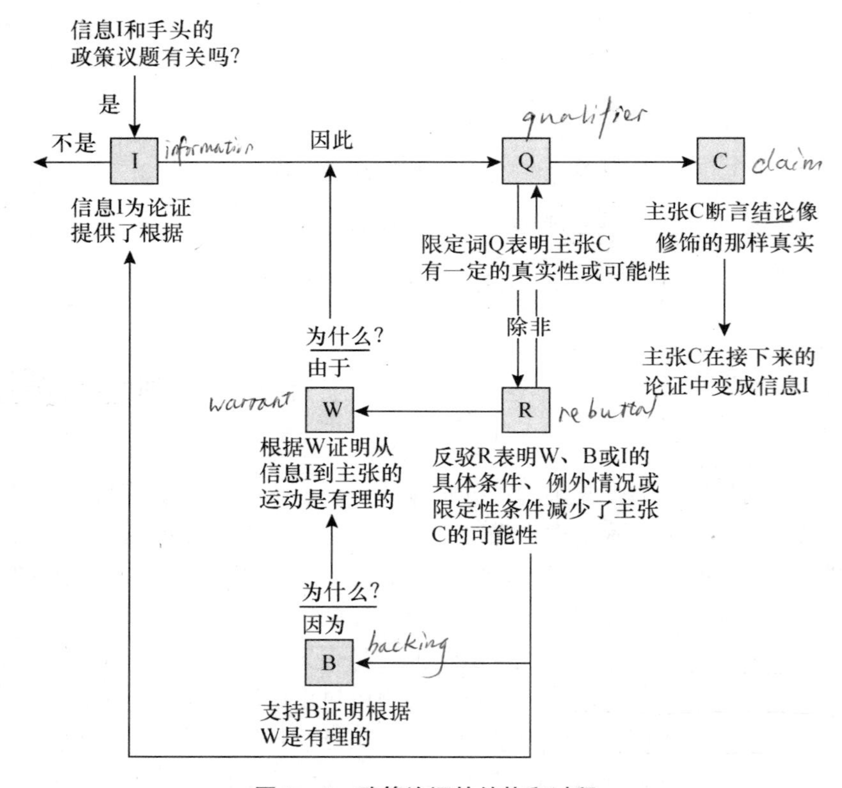

图 1—4　政策论证的结构和过程

● 根据（warrant）。根据，用 W 表示，它用以“由于”开始的原因、假设或者论证回答了“为什么”的问题。通过提供一个或多个原因、假设或论证，W（根据）试图证明从 I（信息）到 C（主张）是有理的。不同类型的根据适用于不同学科和专业特有的论证。例如，法学通常运用个案比较，同时也使用其他根据，公共行政也是如此，“因为这两个国家情况如此相似，因此，在瑞士有效的减少毒品犯罪的措施可能在这里也有效”。政策制定者通常使用因果根据，例如“由于空袭确立了北大西洋公约组织（NATO）在该地区的可信度，种族清洗将会停止”。根据W为接受以提供的信息为根据的主张提供了正当理由。

● 支持（backing）。支持，用B表示，一个根据的支持，用以“因为”开始的更普遍的原因、假设或论证，也回答“为什么”的问题。正如根据W证明从信息I到主张C有正当理由一样，当根据的真实性受到质疑时，支持B证明根据W。具有不同典型特征的支持被不同学科和专业背景的人士以及其他政策利益相关者所使用。支持有不同的形式，包括科学规律、权威专家的呼吁或者伦理道德规范。例如，思考一下上面所举的根据，“由于空袭确立了北大西洋公约组织（NATO）在该地区的可信度，种族清洗将会停止”。通常对这个根据的支持，以及类似的涉及运用武力的根据的支持，是效用递减规律的一个非正式的陈述，“方案的成本越高，被奉行的可能性就越低”。

论证、公开演说和辩论的动力

对信息、主张、根据和支持的分析产生了一个在本质上是静态的分析。考虑另外两个要素能使这个框架变成动态的。

● 反驳（rebuttal）。反驳R是一个由其他利益相关者提出的用以质疑最初论证的信息I、根据W和支持B的原因、假设或论证。反驳通过提出降低最初主张可信度的特定条件、例外情况或限定性条件回应了“除非”的问题。再比如北大西洋公约组织的空袭这个案例，“北大西洋公约组织的空袭不可能停止种族清洗，因为对手的军队里充满了对立性的党派利益，这些党派利益使得撤回部队事实上是不可能的”。所有的政策论证都有反驳，因为政策制定涉及政策的反对者和支持者之间的讨价还价、协商谈判和竞争。注意到反驳的分析者更可能对政策议题采取批判性观点，识别出弱点或隐藏的假设，预料到非预期的结果，对预料到的反对理由提出质疑，这些预料到的反对理由充当了批评他们假设和论证的系统工具。

● 限定词（qualifier）。限定词Q通过陈述主张C真实或者可能真实的条件来表述论证的效力。尽管社会科学家会用正规的可能性（$p=0.01$或者$t=2.74$）来陈述限定词，但是，通常用一般性语言（很可能，通常，绝无例外）来陈述。当选官员政策主张的一个典型特征是以似乎是绝对正确的形式出现，“福利改革将会取消那些不值得享受福利的人的福利待遇，保持或者提高值得享受福利的人的福利待遇”。正是主要通过政策论证和讨论，政策制定者和其他利益相关者，包括政策分析者，才得以调整或丢弃最初不合格的或者勉强合格的论证。这个变化，如果出现的话，就是由对反驳的考虑激发的，反驳的提出者是那些政策对他们有现实的个人的、行业的和道德的利害关系的人。

论证的过程（见图1—4）是动态的，不仅是因为最初论证及其修饰词在回应其他利益相关者提出的反驳时能够改变，也的确改变了，而且因为一个论证的结论可以作为后续论证的信息，从而创建论证“链”或者论证“树”。

在不同利益相关者提出的根据、支持和反驳中，可以发现研究问题及问题解决方案的不同视角。这些不同视角通常的影响是，同样的政策相关信息被以截然不同的方式解释。例如，关于城市犯罪率小幅度降低的信息容易被城市的贫困阶层忽略，被中心城市的工商企业主怀疑，被犯罪学家否定，犯罪学家把犯罪率的变动归因于失业者、工资和无家可归者数量的增减，但是，当选官员却以此作为光荣业绩加以追捧。政策分析者通过批判性检验这些相互对立的论证，能够发现和批判性检验其他情况下被忽略掉的原因和证据。政策分析者通过检验影响他们自身的结论和建议的限定性条件、例外情况和特定环境，还能够探测他们自身的假设。

本章小结

在这一章，我们对政策分析进行了界定和说明，描述了它在创建和转换政策相关信息中的作用，对其类型进行了区分。任何一种政策分析方法都不适于用于所有的情况，或者甚至是大多数情况，这意味着政策分析者必须把方法的选择看作一个涉及信息权衡取舍的最优化问题。政策分析者的实际工作——和对分析者应做工作的逻辑重建不同——需要在信息资源和方法中进行艰难的方法论上的选择。由于这些原因，批判性思考是政策分析的一个非常有用的方面。批判性思考的一个方法是论证模型，它有助于评价和综合分析用多种方法表达的多种形式的信息。

学习目标

- 对政策分析进行界定和说明
- 描述并阐明整体政策分析的构成要素
- 区分政策分析的不同形式
- 讨论进行最佳方法论的选择的标准
- 比较逻辑重建和逻辑应用
- 描述政策论证及其在批判性思考中的作用
- 使用论证分析、计分卡、电子制表软件、影响示意图和决策树来分析公共政策方面的一个案例

关键术语与概念

批判性多元主义	逻辑应用
批判性思考	逻辑实证主义

决策树
描述性决策理论
评价
预测
影响示意图
政策探寻
政策研究
问题发现
问题解决
问题构建
前瞻性分析
逻辑重建
整体分析
元方法
监控
规范性决策理论
政策分析
建议
回溯性分析
局部分析
计分卡
电子制表软件
论证的结构

复习思考题

1. 把政策分析界定为一个探寻的过程，而不是一个解决问题的过程，这意味着什么?
2. 区分并阐明政策信息的组成部分、政策分析方法和政策信息的转换。
3. 什么是整体政策分析? 举例说明。
4. 什么是规范性决策理论，它和描述性决策理论有何不同?
5. 列出问题解决和问题发现的主要不同点。
6. 比较前瞻性分析和回溯性分析。它们的区别和不同重要吗?
7. 讨论并说明方法的三角测量。为何方法的三角测量很重要?
8. 描述并阐明一个政策分析中的“最佳方法论的选择”。
9. 论述政策分析中“逻辑应用”的特征。
10. 比较“逻辑重建”和“逻辑应用”，并举例。
11. 政策论证的研究是怎么帮助分析者成为批判性思考者的?
12. 讨论如下直观说明的作用：计分卡、影响示意图、决策树和论证示意图。

参考文献

Campbell, Donald T. *Methodology and Epistemology for Social Science: Selected Papers*. Edited by E. Samuel Overman. Chicago: University of Chicago Press, 1988.

Diesing, Paul. *How Social Science Works: Reflections on Practice*. Pittsburgh, PA: Pittsburgh University Press, 1991.

Dunn, William N., and Rita Mae Kelly. *Advances in Policy Studies since*

1950. New Brunswick，NJ：Transactions Books，1992.

Fischer，Frank，and John Forester. *The Argumentative Turn in Policy Analysis and Planning*. Durham，NC：Duke University Press，1993.

Hawkesworth，Mary E. *Theoretical Issues in Policy Analysis*. Albany：State University of New York Press，1988.

Kaplan，Abraham. *The Conduct of Inquiry：Methodology for Behavioral Science*. San Francisco，CA：Chandler，1964.

MacRae，Duncan Jr. *The Social Function of Social Science*. New Haven，CT：Yale University Press，1976.

Stone，Deborah. *Policy Paradox：The Art of Political Decision Making*. New York：W. W. Norton，1997.

Toulmin，Stephen，R. Rieke，and A. Janik. *An Introduction to Reasoning*. New York：Macmillan，1984.

注 释

[1] 政策分析的其他定义见 Harold D. Lasswell，*A Pre-view of Policy Science*（New York：American Elsevier Publishing，1971）；Yehezkel Dror，*Ventures in Policy Sciences：Concepts and Applications*（New York：American Elsevier Publishing，1971）；Edward S. Quade，*Analysis for Public Decisions*，3d rev. ed.，ed. Grace M. Carter（New York：North Holland Publishing，1989）；David L. Weimer and Aidan R. Vining，*Policy Analysis：Concepts Practice*，2d ed.（Englewood Cliffs，NJ：Prentice Hall，Inc.，1992）；Duncan Mac Rae Jr.，*The Social Function of Social Science*（New Haven，CT：Yale University Press，1976）。

[2] 这里讨论的是"逻辑实证论"，逻辑实证论是被哲学家在 20 世纪 50 年代抛弃了的一种科学和方法论的哲学，但是它在许多社会科学家中还盛行。关于这方面的最好的评论文章有 Paul Diesing，*How Does Science Work? Reflections on Practice*（Pittsburgh，PA：University of Pittsburgh Press，1991）；Charles E. Lindblom，*Inquiry and Change：The Troubled Attempt to Understand and Shape Society*（New Haven，CT：Yale University Press，1990）；and Mary Hawkesworth，*Theoretical Issues in Policy Analysis*（Albany：State University of New York Press，1988）。

[3] Aaron Wildavsky 用艺术和技能描述政策分析的特征。见 Aaron Wildavsk，*Speaking Truth to Power：The Art and Craft of Policy Analysis*（Boston，MA：Little Brown，1979）；Iris Geva-May and Aaron Wildavsk，*An Operational Approach to Policy Analysis：The Craft，Prescriptions for Better Analysis*（Boston，MA：Kluwer，1997）。提出政策科学这一概念的是 Harold Lasswell。见 Ronald Brunner，"The Policy Movement as a Policy Problem，" in *Advances in Policy Studies since 1950*，vol. 10，*Policy Studies Review Annual*，ed. W. N. Dunn and R. M. Kelly（New Brunswick，NJ：Transaction Books，1992），pp. 155－197 中有关方法论历史的小段论述。

[4] 关于科学和专业知识与常识和经验知识的平衡，见 Charles E. Lindblom and David K. Cohen，*Usable Knowledge：Social Science and Social Problem Solving*（New Haven，CT：Yale University Press，1979）。

[5] 关于政策分析和查尔斯・桑德斯・皮埃斯与约翰・杜威的哲学实用主义之间的关系，见 Abraham Kaplan，*The Conduct of Inquiry*：*Methodology for Behavioral Science*（San Francisco，CA：Chandler，1964），pp. 3-11 and 398-405。

[6] Deborah Stone，*Policy Paradox*：*The Art of Political Decision Making*（New York：W. W. Norton，1997）.

[7] Robert C. Wood，"Foreword" *to The Study of Policy Formation*，p. V. 伍德是在引用林登・约翰逊总统的话。

[8] 该框架参见 Walter Wallace，*The Logic of Science in Sociology*（Chicago：Aldine Books，1971）。自该书第一版以来，该框架已经经过了几次变化。

[9] 比较阅读 Charles O. Jones，*An Introduction to the Study of Public Policy*，2d ed.（North Scituate，MA：Duxbury Press，1977），p. 15 和 David Dery，*Problem Definition in Policy Analysis*（Lawrence：University of Kansas Press，1984）这两本书。

[10] Ian I. Mitroff and Thomas R. Featheringham，"On Systematic Problem Solving and the Error of the Third Kind，" *Behavioral Science* 19，no. 6（1974）：383-393.

[11] Yehezkel Dror，*Venture in Policy Science*：*Concepts and Applications*（New York：American Elsevier Publishing，1971）；Sir Geoffrey Vickers，*The Art of Judgment*：*A Study of Policy Making*（New York：Basic Books，1965）；and C. West Churchman，*The Design of Inquiring Systems*：*Basic Concepts of Systems and Organization*（New York：Basic Books，1971）.

[12] Russell L. Ackoff，"Beyond Problem Solving，" *General Systems* 19（1974）：237-239.

[13] 第一类错误和第二类错误——也称为假肯定和假否定——是指检验原假设时选定的意义过大或过小。关于第三类错误，见 A. W. Kimball，"Errors of the Third Kind in Statistical Consulting，" *Journal of the American Statistical Association* 52（1957）：133-142；Howard Raiffa，*Decision Analysis*（Reading，MA：Addison-Wesley，1968），p. 264；and Ian I. Mitroff，*The Subjective Side of Science*（New York：Elsevier，1974）。

[14] John O'Shaughnessy，*Inquiry and Decision*（London：George Allen & Unwin，1972）.

[15] John Dewey，*How We Think*（Boston，MA：D. C. Heath and Company，1933），p. 108.

[16] 因为对政策的解释不是预测其未来结果的必要条件，因此，解释和预测是不对等的。严格地讲，预测是一个因果关系推理，而推断和设想，或者"理性预测"不是。但是，为了对将来的价值进行可靠的推断，必须理解导致投入模式变化的原因。

[17] 因果关系可以假定，但是不能被理解。Joseph L. Bower，"Descriptive Decision Theory from the 'Administrative' Viewpoint，" in *The Study of Policy Formation*，ed. Raymond A. Bauer and Kenneth J. Gergen（New York：Free Press，1968），p. 10.

[18] William R. Shadish，Thomas D. Cook，and Donald T. Campbell，*Experimental and Quasi-Experimental Designs for Generalized Causal Inference*（Boston，MA：Houghton Mifflin，2002）.

[19] Paul A. Sabatier and Hank C. Jenkins-smith，"The Advocacy Coalition Framework：An Assessment，" in *Theories of the Policy Process*，ed. P. A. Sabatier（Boulder，CO：Westview Press，1999），pp. 117-166.

[20] Quade，*Analysis for Public Decisions*.

[21] Williams，*Social Policy Research and Analysis*：*The Experience in the Federal Social Agencies*（New York：American Elsevier，1971），p. 8.

[22] Graham T. Allison，*Essence of Decision*：*Explaining the Cuban Missile Crisis*（Boston，MA：Little，Brown，1971），pp. 267-268.

[23] James S. Coleman, "Problems of Conceptualization and Measurement in Study Policy Impacts," in *Public Policy Evaluation*, ed. Kenneth M. Dolbeare (Beverly Hills and London: Sage Publications, 1975), p. 25.

[24] Williams, *Social Policy Research and Analysis*, p. 8.

[25] Ibid., p. 13; and Alice Rivlin, *Systematic Thinking for Social Action* (Washington, DC: The Brookings Institution, 1971).

[26] Janet A. Weiss, "Using Social Science for Social Policy," *Policy Studies Journal* 4, no. 3 (spring 1976): 237.

[27] Bower, "Descriptive Decision Theory," p. 104.

[28] 价值一致是假定的。目的是解释"价值中立"的因变量。

[29] Thomas D. Cook and Donald T. Campbell, *Quasi-Experimentation: Design and Analysis Issues for Field Setting* (Boston, MA: Houghton Mifflin, 1979); Shadish, Cook, and Campbell, *Experimental and Quasi-Experimental Designs for Generalized Causal Inference*.

[30] Bower, pp. 104-105.

[31] 关于逻辑重建和逻辑应用，见 Kaplan, *Conduct of Inquiry*, pp. 3-11。

[32] 使用明茨伯格类型指标（卡尔·荣格性格类型）的研究说明了科学家、管理者和分析者之间不同的认知模式。见 Ian I. Mitroff and Ralph H. Kilman, *Methodological Approaches to Social Science* (San Francisco: Jossey-Bass, 1978)。公司、非营利组织和公共机构，例如美国矫正部和国家科学基金会，使用明茨伯格测试进行培训和人员选拔。

[33] Arnold Meltsner, *Policy Analysis in the Bureaucracy* (Berkeley: University of California Press, 1976).

[34] Pamela Doty, "Values in Policy Research," in *Values, Ethics, and the Practices of Policy Analysis*, ed. William N. Dunn (Lexington, MA: D. C. Heath, 1983).

[35] Donald T. Campbell, "Guidelines for Mornitoring the Scientific Competence of Preventive Intervention Research Centers: An Exercise in the Sociology of Scientific Validity," *Knowledge Creation, Diffusion, Utilization* 8, no. 3 (1987): 389-430.

[36] 见 P. J. Cook and J. W. Vaupel, "What Policy Analysis Do: Three Research Styles," *Journal of Policy Analysis and Management* 4, no. 3 (1985): 427-428。

[37] 在早期对方法进行有代表性回顾的是 Janet A. Schneider, Nancy J. Stevens, and Louis G. Thrnatzky, "Policy Research and Analysis: An Empirical Profile, 1975—1980," *Policy Sciences* 15 (1982): 99-14。

[38] 多重三角测量方法类似于测量研究、制图学、航行学以及最近的卫星跟踪中所使用的技术。通过从已知距离的两个或更多固定点或电子信号的行进发现物体的位置或方位。

[39] 作为对逻辑实证主义的替代，库克提出了批判性多元主义。见 Thomas D. Cook, "Postpositivist Critical Multiplism," in *Social Science and Social Policy*, ed. R. Lane Shotland and Melvin M. Mark (Beverly Hills, CA: Sage Publications, 1985), pp. 21-62。该书的第二版赞同批判性多元主义的绝对形式。

[40] 对逻辑实证主义的全面的批判性评价，见 Mary E. Hawkesworth, "Epistemology and Policy Analysis," in *Advances in Policy Studies since 1950*, ed. Dunn and Kelly, pp. 293 - 328; and Mary E. Hawkesworth, *Theoretical Issues in Policy Analysis* (Albany: State University of New York Press, 1988)。

[41] Cook, "Postpositivist Critical Multiplism," p. 57.

[42] 见 David Brinberg and Joseph E. McGrath, *Validity and the Research Process* (Beverly Hills,

CA：Sage Publications，1985)。对于 Brinberg 和 McGrath 和其他方法论的实用主义者来说，方法的选择类似于在决策分析中问题的最优化。见 C. West Churchman，*Prediction and Optimal Decision*：*Philosophical Issue of a Science of Values*（Englewood Cliffs，NJ：Prentice Hall，1966)；and Russell Ackoff，*Scientific Method*：*Optimizing Applied Research Decisions*（New York：John Wiley，1962)。

[43] 关于三角测量的多种形式，见 Donald T. Campbell，*Methodology and Epistemology for Social Science*：*Selected Papers*，ed. E. Samuel Overman (Chicago：University of Chicago Press，1988)。

[44] Frank Fischer and John Forester，ed.，*The Argumentative Turn in Policy Analysis and Planning*（Durham，NC：Duke University Press，1993). 关于政策论证的更早的著作是 Ian I. Mitroff and Richard O. Mason，*Creating a Dialectical Social Science*（Boston：D. Reidel，1981)；William N. Dunn，"Reforms as Arguments，" *Knowledge*：*Creation*，*Diffusion*，*Utilization* 3（1982)：327－347；Giandomenico Majone，*Evidence*，*Argument*，*and Persuasion in the Policy Process*（New Haven，CT：Yale University Press，1989)；and Deborah Stone，*Policy Paradox and Political Reason*（Glenview，IL：Scott Foresman，1988)。更全面的说明见本书第 4 章。

[45] Majone，*Evidence*，*Argument*，*and Persuasion*，p. 1.

[46] 这是 Stephen Toulmin 提出的论证的结构模型，见 Stephen Toulmin，*The Uses of Argument*（Cambridge：Cambridge University Press，1958)；and Stephen Toulmin，A. Ricke，and A. Janik，*An Introduction to Reasoning*（New York：Macmillan，1980)。

第 2 章

政策制定过程中的政策分析

作为一个多学科的探寻过程，政策分析致力于创造、转换和交流政策制定过程的知识及政策制定过程中的相关知识。[1] 由于政策制定的有效性在一定程度上取决于政策相关信息的可利用性，因此，政策分析的知识和运用是非常重要的。[2]

2.1 历史背景

从广义上看，政策分析和人类文明一样古老。它包括各种探寻形式，从神秘主义和超自然的形式到现代科学。从词源上看，"政策"（policy）这一概念来源于希腊语、梵文和拉丁语。希腊语的"polis"（城邦，city-state）和梵文"pur"（城市，city）演化成拉丁语 politia（国家，state），后来，演化成中世纪英语中的"policie"，是指公共事务的管理或政府的管理。从词源上看，政策和 police 与 politics 这两个重要的概念是相同的。在德语和斯拉夫语中可以发现这些多重含义，它们用同一个词（politik，politika）指称政治和政策。这是为何政治学、公共行政和政策分析界限模糊的原因之一，它们都研究政治和政策。

早期起源

政策分析这一概念不必被局限于当前的含义，即认为分析是指把问题分解成基本的构成要素或部分，有点像我们拆开钟表或机器。例如，“决策问题可以被分成可选方案、结果和目标”。和该观点紧密相关并具有同样局限性的观点是，政策分析是系统分析家、决策分析家和经济学家所使用的定量方法的集合。[3]

如果从广义上理解，政策分析出现于人类社会发展的这样一个阶段，在这一阶段，实践知识被有意识地开发积累，这推动了对知识和行动之间的联系进行明确清晰的和反省式的调查和研究。分析政策的专门方法的开发与城市文明的出现有关，在城市文明出现之前，都是分散并在很大程度上自治的部落和氏族（folk）社会。[4]作为一项专业化了的活动，政策分析随着社会的发展尤其是随着政治组织的变化而变化，政治组织是伴随着新的生产技术和稳定的人类居住模式而出现的。

关于有意识开发和积累政策相关知识的最早记载出现于美索不达米亚（Mesopotamia）（即现在的伊拉克南部）。公元前20世纪，在古代美索不达米亚的乌尔城（the city of Ur）（古代美索不达米亚南部苏美尔的重要城市）出现了第一部法典，比亚里士多德（Aristotle）（公元前384—322）、孔子（公元前551—479）和考蒂尔亚（Kautilya）（加拿大，公元前300）创作的关于政府和政治方面的经典著作早了大约2 000年；在公元前18世纪，巴比伦（Babylon）的统治者在我们今天称之为政策分析家的专家的帮助下，制定了汉谟拉比法典（the Hammurabi Code）。这部法典的出台为巴比伦从一个小城邦转变为一个区域性大国确立了一个统一和公正的公共秩序。汉谟拉比法典有着和摩西律法（Mosaic laws）相似的一系列策略，它反映了稳定的城市移居地的经济和社会需要，在这些城市移居地中，权利和义务是根据社会地位来确定的。这部法典涵盖了刑事程序、财产权、商业和贸易、家庭和婚姻关系、医疗收费和今天我们所说的公共责任。[5]

早期美索不达米亚的法典是对稳定的城市移居地日益复杂化的回应，在这些地方，需要用政策来规范商品和服务的分配、组织记录保管（档案保管）和保持内部安全与外部防御。对知识和行动之间联系的认识越来越多，这推动了专门提供政策相关知识和信息的受教育阶层的出现。这些“符号专家”——拉斯韦尔（Lasswell）是这么称呼他们的——负责政策预测。例如，人们期望他们在播种季节预测谷物产量，或者预测战争的结果。[6]由于分析者使用神秘主义、宗教等仪式和神秘玄奥的形式来预测未来，因此，用今天的标准看，他们的方法是不科学的。虽然这些方法在一定程度上是以从经验中获取的证据为根据的，但是，对科学的任何合理界定都要求知识主张必须根据观察资料进行评定，这些观察数据不受分析者个人或者那些雇用他们的人的愿望影响。[7]因此，就像现在一样，不仅仅是因为提出主张使用了专门的方法，而是因为政策相关知识最终要根据它是否有助于改善政策来评判。即使是古人似乎也知道当前分析家所忽视的东西——当方法被用于仪式性的洗罪、政治上的劝说和象征性的合法化时，分析家及其委托人最终必须面对效果的决定性检验。[8]尽管诸如“禁用毒品政策是以充分的科学为依据的”的表述是流行的样式，但是，乞求于“充分的科学”在所有情况下或许表明只是仪式性的洗罪。

在印度，考蒂尔亚在公元前14世纪所写的《理想国》（*Arthashastra*）系统地论述了政策制定、治国之道和政府行政。这本著作对此前的物资成就，即我们今天所说的经济学，发展的成果进行了总结和分析，考蒂尔亚这位北印度玛雅帝国（the Mauryan Empire）的顾问，被比作柏拉图（Plato）（公元前 427—327）、亚里士多德（公元前 384—322）和马基雅维利（Machiavelli）（1469—1527）。他们不仅是社会和政治理论家，而且对政策制定的实践有比较深入的研究。柏拉图是西西里（Sicily）统治者的顾问，而亚里士多德从马其顿的亚历山大（Alexander）14 岁起到他 20 岁登上王位一直是他的家庭教师。尽管亚里士多德和许多社会、行为科学家一样，认为现实的政治令人厌恶，但他似乎是因为想把知识应用于当时的政策问题而接受了那一任务。从这个角度来看，他和他的老师柏拉图是一致的，柏拉图认为，只有哲学家做国王或者国王是哲学家，才是好政府。通过指导年轻的继承人来影响政策的机会是不能违背良心加以拒绝的。[9]

他们是很久以前知名的专业知识的个人提供者的典型，但他们不代表后来在欧洲和亚洲影响政策制定的所有受过良好训练的那些人。在中世纪，城市文明的扩张与分化带来了有利于专业知识发展的职业结构。王公贵族和国王招募政策专家在他们很少能作出有效决定的事情上提供建议和技术帮助，例如金融、战争和法律。德国社会学家马克斯·韦伯对受过专门训练的政策专家的兴起进行了如下描述：

> 在欧洲，根据劳动分工，专家官员是经过 500 年的逐渐发展而来的。在君主制政体国家和诺尔曼征服者（the Norman conquerors）的国家中，意大利最先出现了这种分工。但决定性的一步和王公管理金融有关……金融领域经不起统治者的半点无知——那时的统治者仍旧首先得是爵士。战争技术的发展需要专门和专业的指挥官；法律程序的分化需要受过良好训练的法官。在这三个领域——金融、战争和法律——较先进的国家的专家官员在 16 世纪无疑是成功的。[10]

专家官员［韦伯（Weber）称为“职业政治家”（professional politicians）］的发展在世界各地呈现出了不同的形式。在中世纪的欧洲、印度、中国、日本和蒙古，神职人员是有文化修养的，因而严格来说是有用的。基督教徒、教养好的人、佛教教徒和喇嘛，和一些现代的社会、行为科学家一样，不受实际政治和政治权力与经济利益的诱惑，赢得了公正与无私的好名声。在文学方面受过良好教育的人——相当于今天的专业总统顾问——一直影响着政策制定，直到贵族院的出现，贵族院后来逐渐支配和控制了政治和外交服务，取代了这些文学家。在英国，小贵族和城市投资者在政府中无偿任职，目的是根据他们的利益来管理地方政府。受过罗马法和法学教育的法官对政策制定有着很重要的影响，尤其是在欧洲大陆。他们对中世纪晚期国家的变化以及向现代政府的演进起了重要作用。

工业革命时期也是人类的启蒙运动时期，在该时期，在政策制定者及其顾问中，相信通过科技能推动人类进步的观点占据了支配地位。自然和社会科学理论的开发和检验逐渐被看作是理解和解决社会问题的唯一客观手段。政策相关知识的提供开始以经验主义和科学方法的标准为根据。

19 世纪的演变

在 19 世纪的欧洲，政策相关知识的创造者开始把他们的研究建立在通过观察得来的数据的系统记录上。在此以前，哲学家和政治家已经对政策制定及其在社会上的作用进行了系统解释。然而，几千年来，调查和解决社会、经济和政治问题的方法之间具有连续性，基本是一致的。如果要论证一个特定观点，一般都要基于权威专家的呼吁、老规矩或哲学学说这些根据。19 世纪的新发展是，用以理解社会和社会问题的方法有了根本的变化，其表现为经验的、定量的和政策定向的研究的出现。[11]

最早的人口普查是由美国（1790 年）和英国（1801 年）开展的。就是这个时候，统计学（国家数学）和人口学作为专门领域开始发展。建立于 19 世纪 30 年代的曼彻斯特和伦敦统计协会（the Manchester and London Statistical Societies）促成了社会对政策相关知识的新看法。在银行家、工业家和学者的组织下，协会致力于用观察分析城市化和失业对工人及其家庭的影响的方法取代传统的思考社会问题的方法。在曼彻斯特协会，对量化的推崇是和社会变革的努力联系在一起的。[12]伦敦协会在托马斯·马尔萨斯（Thomas Malthus，1766—1834）和其他学者的影响下，采用了一种更为公正无私的方法："为了把注意力严格限定在事实——并且，尽可能地，集中在能被量化或图表化的事实上，统计协会将会把从其会刊和出版物中仔细排除意见视为行动的首要和最根本的原则。"[13]曼彻斯特和伦敦统计协会使用问卷进行研究，拿报酬的"代理人"和现在的专业访谈者同义。在法国、德国和荷兰也有类似的发展。

阿道夫·奎特莱特（Adolphe Quetelet，1796—1874）是对社会统计和调查研究的方法作出卓越贡献的人，他是一个比利时数学家和天文学家，是丹麦和比利时政府的重要科学顾问。[14]当代调查设计和分析教科书中的大多数议题都是他提出的：问卷设计，数据收集、分析和解释，数据整理和保存，收集数据的条件的识别与鉴定。同一时期，弗里德里克·李·普勒（Frederic Le Play，1802—1882）写成了《欧洲工人》[*Les Ouvriers Europeans*（*The European Workers*）]这一著作，它是对欧洲几个国家工人家庭收入及其支出的详细经验调查和科学研究。在德国，厄恩斯特·恩格尔（Ernest Engel，1821—1896）试图从以统计形式表述的经验数据中找出"社会经济学"的规律。

在英格兰，亨利·梅耶（Henry Mayhew）和查里斯·布斯（Charles Booth）的著作是利用经验方法研究社会问题的代表，他们研究了自然（我们现在称为"田野"）条件下城市贫民的生活和就业条件。梅耶的《伦敦劳工和伦敦贫民》（*London Labour and the London Poor*，1851）描述了构成伦敦城市底层的劳工、小贩、表演者和娼妓的生活。在写作《伦敦人的生活和劳动》（*Life and Labour of the People in London*，1891—1903）过程中，布斯用学校督察员作为信息来源。布斯通过在城市贫民中间生活的亲身体验，利用我们现在所说的参与式观察获取了关于城市贫民实际生活条件的第一手经验资料。作为皇家贫民法委员会（the Royal Commission on the Poor Law）的成员，布斯对老年养老金政策的修订产生了重要影响。在美国，布斯的著作也被视为政策研究的榜样，包括《蜗居分布图》（*Hull House Maps and Papers*，1895）和 W. E. B. 杜波依斯的《费城黑人》（*The Philadelphia Negro*，1899），这两本著作都试图用资料来说明市区贫困的范围和严重性。

19 世纪的变化不是宣告遵循逻辑经验主义和科学方法的准则的结果，这种宣告直到 20 世纪才出现，20 世纪维也纳的哲学家忙于物理学的逻辑重建，目的是提出成功有效的科学实践应遵循的原则和规则（实际上自然和社会科学家很少遵循这些原则和规则）。相反，这一变革源于从农业社会到工业社会的变迁带来的不确定性，这一变迁发生在工业革命之前。后来，工业和工业化研究的高效运作需要稳定的政治秩序。政治稳定和深度的社会不稳定被联系在了一起。[15]

因此，在很大程度上，科学和技术没有促成最近的政治控制系统的集中化。虽然科学和技术导致了城市无产阶级及其家庭背井离乡、缺乏教育和无家可归的问题，具有政治性的政策分析却提供了部分解决方法。大多数社会团体把政策研究作为实现政治和行政控制的途径。例如，在生产制造领域，工作的政治化组织领先于科学和技术上的发展，科学和技术后来在专业分工和机器大生产过程中得到了飞速发展。[16]在公共政策领域，也有类似的发展。经验、定量和政策分析的方法使银行家、工业家、政治家和维多利亚中产阶级认识到以前的理解自然和社会的方法已经不够用了。当时的主要问题既是现实的又是政治的：城市无产阶级需要挣多少钱才能维持自己及其家人的生活？他们必须挣多少钱才有剩余纳税？他们必须从收入中储蓄多少才足以支付医疗和教育费用？资本家和国家在日间照料设施上应该投资多少才能让母亲全身心地高效工作？需要在公共事业项目——卫生、污水、住房、道路——上投入多少才能保持适当的公共健康标准，即不仅能供给有生产力的劳动力，而且能使中产阶级和上层阶级不被源于城市贫民区的传染病感染？

20 世纪

同 19 世纪相比，20 世纪的一个重要特征是，社会和行为科学学科及社会职业的制度化。在 20 世纪，政策相关知识的创造者不再是一个由银行家、工业家、新闻工作者和大学学者组成的混杂的群体，这些人支配和影响了早期统计协会和其他政策研究机构。20 世纪的政策相关知识的提供者是政策相关学科和专业的本科毕业生和研究生，他们和教授一起，在政府中占据要职或者根据协议和合同充当顾问或研究者。在背景、经验和动机上，他们是公认的职业领域的人员，这一职业多多少少要受到普遍接受的科学和职业准则的影响。

这些新一代的专业人士在伍德罗·威尔逊（Woodrow Wilson）当政时期发挥了重要作用，尤其是在第一次世界大战期间。后来，在赫伯特·胡佛（Herbert Hoover）共和国时期，社会科学家开展了两项较大的社会调查，《近来的经济走向》

(*Recent Economic Trends*) 和《近来的社会走向》(*Recent Social Trends*)。然而，社会科学家大量涌入政府是在富兰克林·罗斯福 (Franklin Roosevelt) 新政时期。大批的社会科学家就职于罗斯福当政时期成立的大量新机构 (国家复苏管理机构、工作计划管理机构、公共事务项目管理机构、安全与交流委员会、联邦住房管理机构)。

20世纪30年代社会科学家的主要作用是调查政策问题和提供可能的解决方案，而不是像后来那样，运用经济模型、决策分析或政策试验来识别和选择解决问题的具体方案。罗斯福政府的国家计划委员会 (the Roosevelt administration's National Planning Board) [后来改为国家资源计划委员会 (the National Resources Planning Board)]，为20世纪30年代具有代表性的政策问题的解决方法提供了很好的例证，该委员会的大多数成员都是专业社会科学家。委员会被看作"一个总参谋部，该参谋部通过详细彻底的调查和深思熟虑，收集和分析事实，研究众多政策的相互关系和执行情况，经常提出国家办事程序的可替代方案"[17]。对问题持类似看法的人包括农业部的经济学家、参与执行部门的重组过程的政治科学家和为印度事务局做研究的人类学家。社会科学家也对方法的变革作出了贡献；例如，农业部 (the Department of Agriculture) 率先把抽样调查发展成为了政府人口普查政策的一种新的研究方法和工具。[18]

第二次世界大战及其后来的再调整使得社会科学家获得了展示他们在解决实际问题中的价值的机会。在两次战争之间调查研究领域的成果为战争情报处 (the Office of War Information)、军需品生产委员会 (the War Production Board) 和价格管理办公室 (the Office of Price Administration) 运用访谈打下了基础，军事和民事机构利用社会科学家调查研究国家安全、社会福利、国防、军需品生产、物价和配给量的问题。战略服务办公室 (the Office of Strategic Services) 等机构的活动在战后先由海军研究办公室 (the Office of Naval Research)、空军部，后来由国防部的研究与发展委员会 (后来的RAND) 和中央情报机构接替。联邦政府成立了专门的研究机构，包括约翰斯·霍普金斯大学的运筹研究办公室 (the Operations Research Office of The Johns Hopkins University) 和乔治·华盛顿大学的人类资源研究办公室 (the Human Resources Research Office at George Washington University)。这一时期对政策研究的发展有巨大影响的是《美国士兵》(*The American Soldier*, 1950)，这本四卷的研究成果是由这个国家一些最有才干的实用社会科学家完成的。军队道德教育部门 (the Army Morale Division) 的主管在1941年把这一重大项目委托给社会学家塞缪尔·斯托夫 (Samuel Stouffer) 总负责。这个项目意义重大，不仅是因为其级别，而且是因为它表明了政府对政策研究和分析广泛支持模式的兴起。军事政策的制定者向社会研究者寻求的不仅是事实和真相，更是具有因果关系的推断和结论，这些推断和结论将影响到数百万士兵的生命。[19]这些大型的研究项目推动了多变量分析和其他定量技术的发展和改进，这些定量技术现在被研究者们广泛地用于所有社会科学学科。

第二次世界大战后，在社会和行为科学领域，《政策科学：研究领域和方法的最新发展》（*The Policy Sciences*：*Recent Developments in Scope and Method*，1951）是系统阐述政策的早期成果，该书的作者是政治学家丹尼尔·勒纳（Daniel Lerner）和哈罗德·拉斯韦尔（Harold D. Lasswell）。"政策科学"——在引言中，拉斯韦尔是这么称谓的——不只限于科学的理论目标，而且也有重要的实用性。并且，他们的目的不仅仅是帮助制定有效的决策，而且"要为改善民主实践提供必要的知识。总之，这里特别强调的是民主的政策科学，其最终目的是在理论和现实中实现人的尊严"[20]。

对公共政策的系统研究也来源于公共行政，公共行政当时属于政治科学领域。在1937年，哈佛大学成立了公共行政研究生院（the Graduate School of Public Administration），该学院在一定程度上关注着公共政策。在20世纪40年代后期，为了开发公共政策的课程资料成立了大学校际委员会，其主要成果之一就是哈罗德·史坦因（Harold Stein）的《公共行政和政策发展：案例读本》（*Public Administration and Policy Development*：*A Case-Book*，1952）。大学校际委员会由教授和公共行政从业者组成，它说明了第二次世界大战前后政策分析和公共行政之间的密切关系。[21]

政策分析方法和技术发展的推动力——与其理论和方法论不同，并不是源于政治科学或公共行政。政策分析的技术性更多是源于工程学、运作研究、系统分析、应用数学，在较少的程度上源于应用经济学。负责开发方法和技术的大多数人受过社会科学方面的正规教育。第二次世界大战促进了专家的参与，这些专家认为，从狭义上讲，政策主要是分析性的。"分析"这一概念开始和分解与剖析问题的尝试联系起来，例如，把国防问题分解为可以估计后果的政策方案（核武器，载人轰炸机，常规地面部队）。这种分析中心论[22]容易妨碍或限制对公共政策的政治性、社会性和行政性的关注，例如，对方案的政治可行性或方案对民主进程的影响的关注。虽然"分析中心论"这一发展变化代表了对拉斯韦尔政策科学多学科和规范视角的改变[23]，但它为选择政策方案提供了更系统的程序——从决策分析到应用微观经济学。[24]

分析中心论的发展趋势是和非营利研究机构（思想库）的影响日益扩大同时发生的，例如兰德公司（Rand Corporation），它促进了系统分析及相关技术在政府机构和学术团体中的传播。[25]项目规划和预算系统的开发（PPBS）在很大程度上要归功于兰德公司（the RAND Group）查尔斯·希契（Charles Hitch）带领的运筹学家和经济学家的努力。兰德公司的这一团队想找到"国家'购买'国家安全的最有效的方法——应该从国民财富中拿出多少用于国防，用于国防的资金在不同军用工事上应该如何分配，如何确保这些资金被最有效地使用"[26]。虽然PPBS在1965年被国防部采用，后来中央下令用于所有联邦机构，但很难执行。1971年以后，PPBS变成可以根据情况采用，并且很快就不再被使用了。尽管对其作为政策分析的工具是否成功结论不一，但是PPBS看起来的确受到了政府和大学分析家的关注，他们重视选择和评价政策方案的系统程序。[27]

随着私人基金会的快速发展，分析中心论的发展趋势在一定程度上受到了冲击，私人基金会的使命是支持社会科学和人文学科研究的传统方向。这些基金会中3/4以上是在1950年以后成立的。[28]同一时期，尽管政府研究经费的绝大部分仍然给了自然科学，但是，联邦政府开始拿出资金用于社会科学领域中的应用及政策相关研究。1972年，政府研究经费中的5%用于了社会科学的研究，但是在1980—1990年，对社会科学领域的应用研究和基础研究的资助减少了大约40%。[29]同时，值得关注的是，由政府、非营利组织和私人组织资助的所有研究中有95%以上是对实际问题的应用研究。

截至20世纪70年代，很多社会科学学科都成立了专门从事应用及政策相关研究的机构。这些机构包括政策研究组织（政治学）、社会问题研究协会（社会学）和社会问题的心理研究协会（心理学）。每个机构都有自己的期刊。在20世纪80年代，由于多学科专业协会的出现，例如公共政策和管理协会（the Association for Public Policy and Management），政策定向的社会科学的制度化进程有了进一步的发展，公共政策和管理协会每年举办一次研讨会并出版期刊《政策分析和管理杂志》（*Journal of Policy Analysis and Management*）。新发行的杂志，包括《政策科学》（*Policy Science*）、《政策研究杂志》（*Policy Studies Journal*）和《政策研究评论》（*Policy Studies Review*），要比主流杂志更关注技术和应用。除了主流期刊，还有数百种期刊在关注健康、福利、教育、刑事公正、科学和技术及其他方面的特定议题。[30]

同一时期，美国和欧洲的大学设置了新的政策分析专业的研究生课程和学位。在美国，在福特基金会（Ford Foundation）公共政策与社会组织项目的资助下，一些新的课程得以确立。在美国，大多数研究性大学都有政策中心或机构，它们同数千个具有独立性的非营利政策研究组织和倡导性团体一起被收录到《协会百科全书》（*Encyclopedia of Associations*）。这些团体大多数成立于1950年后。在华盛顿和大多数州政府所在地以及欧盟地区，"政策分析家"指的是一个正式职业。全国州长联合会和全国城市联合会都有政策分析机构。美国所有的政府机构、欧洲联盟理事会和包括联合国、世界银行在内的国际组织都有类似的机构。在互联网上很快就能检索到世界各地的数十个政策"思想库"（think tank）。[31]

在21世纪的第一个十年里，社会公众逐渐认识到现在政府所面临的问题的复杂性要求充分利用自然和社会科学家来帮助提出政策和评价政策结果。英国、美国和欧洲联盟对以根据为基础的政策制定（evidence-based policy making）的呼吁是对这一复杂性的回应；社会公众也认识到意识形态、宗教和政治——通常是难以发现和不明朗的——对健康、教育、福利、国家安全和环境政策的制定已经产生了不利影响。用英国众议院（British House of Commons）最近一份题为《科学的建议、风险和以根据为基础的政策制定》（*Scientific Advice*, *Risk*, *and Evidence Based Policy Making*，2006）的报告指出，以根据为基础的政策制定"根源于政府仔细检查受意识形态驱动的政策的承诺……这种政府对政策制定者有更多期望。提出更多的新主意，更愿意质疑传统的做事方式，在政策制定中更好地利用证据和研究，更关注具有长远意义的政策"[32]。在英国和欧盟，以根据为基础的政策制定有不同的表现形式，包括规范性影响评价（regulatory impact assessment，RIA），它是指在采纳政策之前利用科学的分析检查政策的成本、收益、风险和结果。在美国，主要的政策分析家和项目评估专家推动了有根据的政策的发展，他们为卓越政府委员会（the Council for Excellence in Government）有根据的政策建立了同盟。管理和预算办公室的一些办事程序就是以有根据的政策分析为依据的，尤其是项目评估的方法和标准。[33]虽然有的人把向有根据的政策制定的转变看作是对公共政策和民主问题明显有害的逻辑实证主义的（科学至上的）方法的延续[34]，但是，并不能确定这种否定性评价本身是否是经过深思熟虑和有根据的。

2.2 政策制定过程

政策分析的发展是对现实问题和危机的回应。虽然找出这些实践的起源很重要，但是对历史的知晓本身并不能告诉我们那一过程的一些特征以及它是如何运作的。

我们必须牢记政策分析在本质上是社会进程中必然出现的一种智力活动。这个包括政治、心理和文化因素的社会过程通常被称为政策制定过程（policy-making process），或者简称为政策过程（policy process）。把这一过程看成是由一系列相互依赖的活动按照时间排列而成的对理解政策过程非常有帮助，这一系列活动包括议程建立、政策形成、政策采纳、政策执行、政策评价、政策调整、政策延续和政策终结（见表 2—1）。[35]分析者根据不同的情况提供政策制定过程某一个、几个或者全部阶段的相关情况和信息。

政策过程由复杂的圆或周期组成（见图 2—1）。在前后循环中，政策周期（policy cycle）中的每一个阶段都和下一个阶段相连接，作为一个整体，这一过程没有确切的起点和终点。个人、利益团体、政府的各级办事处、机关、部门和部委通过合作、竞争和冲突参与到政策周期中。政策周期的一种形式是政策调整（policy adaption），在这里，反馈环节将回过头来和前面的几个阶段相连接。政策周期的其他形式是政策延续（policy succession）和政策终结（policy termination），在政策延续时，要在原来政策的基础上产生新政策和组织机构。尽管政策终结对提上公众议程的议题有影响，但政策终结可能会意味着一个政策或项目的结束，从这个意义上看，政策终结代表了另一种政策周期。

在一些情况下，政策是先被采纳，然后再建立政策议程进行论证，建立政策议程是为了通过问题的阐述或重新阐述来论证政策的合理性。在不同的团体同时提出政策时，平行周期就会出现，在这里，会出现向前的［树状（arborescent）］分支，也会出现向后的［装配（assembly）］分支，即从一个阶段回到前面几个阶段，或者从一个阶段前进到后面几个阶段。邻近的阶段可能会被连接在一起或者被一起跳过，出现“短路”。问题和解决方案的不断变化所带来的复杂性促使“垃圾箱”（garbage cans）、“政策原生汤”（primeval policy soups）和“有组织的无政府状态”（organized anarchies）等比喻的出现。[36]

表2—1 政策制定过程的各个阶段

阶段	特征	举例说明
议程建立	当选和被任命的官员把问题列入公众议程。一些问题根本不会被提上议事日程，而其他一些问题只有在拖延了很长时间后才会被提上议事日程。	一名州议员同其支持者一起准备了一份议案，提交给健康与福利委员会研究和表决，这个议案压在委员会那里，没有进行投票表决。
政策形成	官员提出了解决问题的多种政策。这些政策表现为行政命令、法院判决和立法法令。	州法院考虑禁止使用诸如SAT这样的标准成绩测试，理由是这样的测试对妇女和少数族裔有偏见。
政策采纳	由于立法机构大多数人的支持、机构负责人的一致同意或法院决定，政策被采纳。	在罗诉韦德案（*Roe v. Wade*）中，最高法院做出了一个以多数票通过的决定，即妇女有权通过堕胎中止妊娠。
政策执行	所采纳的政策由行政机构根据政策需要调动资金和人力来执行。	市财政主管雇用了更多的职员，来确保新法律的贯彻执行。这项新法令要对那些不再具有税收免除资格的医院课以税收。
政策评价	政府的审计和财务部门对行政机构、立法机构和法院是否符合政策的法定要求和是否达成了目标做出决定。	财务部对有子女家庭援助计划（AFDC）这种社会福利项目进行监控，用以确定福利欺诈的范围。
政策调整	审计和评估机构向负责提出、采纳和执行政策的机构报告说，由于蹩脚的书面规则、资源有限、训练不足等，需要对政策进行调整。	劳动和工业部评估了积极行动训练项目，发现雇员们错误地认为对歧视的投诉将会送交很少顾及这些歧视的直接主管，而不是送交积极行动主管。
政策延续	负责政策评估的机构和政策制定者本人都认识到政策不再需要了，因为问题结束了。政策没有被终结，而是被延续下来，用以解决新的问题和达成新的目标。	国家高速公路安全管理部门（NHTSA）在说服国会保留55英里/小时时速限制，因为它正在实现减少交通伤亡和财产损失这一新目标。
政策终结	负责评估和失察的机构决定（正确地或错误地）某项政策或整个机构应被终结，因为已经不再需要它了。	国会终结了技术评估办公室（OTA）及其项目，理由是其他机构和私人部门能够评价技术的经济和社会影响。终结这一问题在政治上是有争议的。

2.3 政策变化模型

像垃圾箱、政策原生汤和有组织的无政府状态这些比喻很难理解，因为在这些条件下的政策制定似乎没有任何规律可循。

下面这个故事将会清楚地说明这些比喻及其在政策制定中的重要性。[37]

在很久以前，在一个军事基地里，有报告称可能有人来偷取军事秘密。每天，在大约同一个时间，一个推着一辆大型独轮手推车的工人都会试图通过大门离开基地。

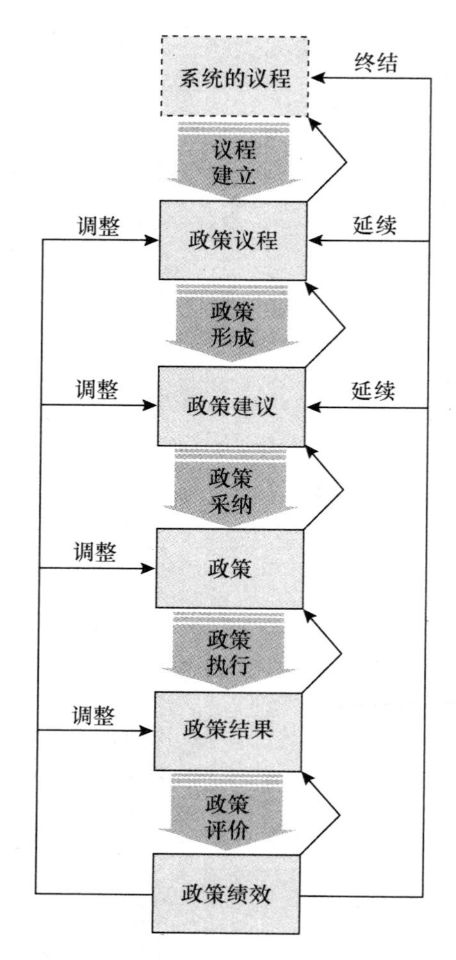

图 2—1 政策制定过程的多种周期

第一天，值班的士兵问这个工人独轮手推车上有什么，他回答说“只有垃圾”，士兵用警棍在独轮手推车里拨弄了几下，没有发现什么，就让这个工人通过了。在这个星期接下来的几天里，工人和士兵重复着同样的手续。第二个星期，士兵变得越来越怀疑，他们让这个工人把箱子倒空，把里面的东西倒到路上。这一次，士兵用了一个耙子来检查箱子里的东西。除了脏土，他们仍然没有任何发现。就这样又过了两个星期。

在第三个星期，士兵叫来了一个特别调查小组。他们不仅把箱子翻了个底朝天，并且还使用了一种专门的扫描设备。他们还是没有发现任何东西。结果，这个工人被允许自由出入大门。

在该月月底，报告称有数辆独轮手推车不见了。

构造形式和内容一样重要。政策制定的概念模型是特殊的构造类型，它能帮助理解政策制定过程。这些概念模型是根据“垃圾箱”、“有组织的无政府状态”和“原生汤”这些比喻对政策制定过程的抽象表现。其他比喻是“政策气象站”

(policy observatory)、"问题就像传染病"(problems as infectious diseases)、"政策衰退"(policy decay)、"向贫困开战"(war on poverty)和"理性"(rationality)自身。[38]

全面理性

全面理性(comprehensive rationality)模型把政策制定描述成竭尽全力追求效益的过程。一个理性经济人被看作是经济人(homo economicus),即衡量所有可能方案的成本和收益,采取行动受到利益最大化驱使的个人或集体决策者。经济理性模型的主要观点如下:在所有(广泛的)可能的解决方案中一个备选方案的净收益(看得出的收益多于成本)越大,越有可能被选作政策行动和变革的(理性)依据。[39]当个人或集体决策者遇到以下情况时,会出现政策变革:

- 找出一个利益相关人有足够共识以至于决策者能代表他们采取行动的政策问题。
- 明确解决问题所要实现的目标并对其排序。
- 找出实现每一个目标的最优政策方案。
- 预测每一个方案的结果。
- 根据对目标的实现情况,对政策结果进行比较。
- 选择最能实现目标的方案。
- 执行所选的方案,在政策制定过程中进行变革。

理性选择还有其他问题,包括选择时包含了制度交易成本[40];从政治、社会、组织或道德角度[例如,政治人(homo politicus)]对成本和收益的重新定义[41];以及限制性条款:决策者不具备完备的知识、计算能力有限,是容易犯错误的学者;在公共机构环境中容易犯错误。[42]

次优理性

对理性经济模型的主要批评源于阿罗不可能性定理(Arrow's impossibility theorem)。该定理表明,民主社会的决策者不可能满足经济理性模型要求的全部条件。[43]个人的理性选择不能通过多数人表决程序汇总起来从而产生一个对所有党派都最优的选择。不可能产生一个包含可传递性偏好(如果 A 优于 B,B 优于 C,那么,A 优于 C)的集体决策称为"投票人悖论"。

假设有一个由三个人组成的委员会:布朗(Brown)、琼斯(Jones)和史密斯(Smith)。这个委员会想决定太阳能、煤炭和核能这三种能源哪一种应该被用来解决能源危机。布朗,是一个能源正义组织的领袖,他认为太阳能优于煤炭,而煤炭优于核能,理由是这种排序对公众的威胁最低。因为布朗的选择是可传递的,它遵循如下法则:如果 A 优于 B,B 优于 C,那么,A 优于 C。琼斯和史密斯是煤炭和核工业的代表，他们也有可传递的偏好。琼斯认为煤炭优于核能，核能优于太阳能，煤炭则优于太阳能。理由是煤炭是最有利可图的，往后依次是核能和太阳能。反过来，史密斯认为核能优于太阳能，太阳能优于煤炭，核能则优于煤炭。理由是核能是最有利可图的。太阳能没有煤炭有利可图，但是对环境的危害较少。史密斯认为煤炭是三个选择中最不可取的。

从每个人的角度看，三个选择都是理性的和可传递的。然而，一旦这三个人试图通过多数人投票规则达成一个民主决策，就出现了矛盾（见表2—2）。当我们要求他们在太阳能和煤炭中选择时，我们会发现太阳能以2比1（布朗和史密斯对琼斯）胜过煤炭。同样，当我们要求他们在煤炭和核能中做出选择时，我们注意到煤炭以2比1（布朗和琼斯对史密斯）胜过核能。然而，如果我们运用可传递性定理，就会发现，如果A优于B（太阳能优于煤炭），B优于C（煤炭优于核能），那么A优于C（太阳能优于核能）。但是，这不是集体选择的结果，因为有两个人（琼斯和史密斯）认为C优于A（核能优于太阳能）。因此，个人偏好是可传递的，而集体选择是循环的，这意味着方案不能用一贯的价值偏好进行排序。基于这一原因，理性选择是不可能的。

表2—2　投票人悖论

委员会成员	偏好
布朗	A（太阳能）优于B（煤炭） B（煤炭）优于C（核能） A（太阳能）优于C（核能）
琼斯	B（煤炭）优于C（核能） C（核能）优于A（太阳能） B（煤炭）优于A（太阳能）
史密斯	C（核能）优于A（太阳能） A（太阳能）优于B（煤炭） C（核能）优于B（煤炭）
多数人投票	A（太阳能）优于B（煤炭） B（煤炭）优于C（核能） C（核能）优于A（太阳能）

阿罗不可能性定理用逻辑推理证实了运用民主程序（例如多数人投票规则）来达成具有可传递性的集体决策是不可能的。任何民主决策程序都有五个“合理的条件”：(1) 选择不受限制（nonrestriction of choices），即个人选择的所有可能组合必须都被考虑到；(2) 集体选择没有被滥用（nonperversity of collective choice），即集体选择必须始终考虑个人的选择；(3) 独立于不相关的方案（independence of irrelevant alternatives），即选择应该限制在给定的一套备选方案中，这些备选方案独立于所有其他备选方案；(4) 公民的自主性（citizen's sovereignty），即集体选择一定不能受先前决策的影响和约束；(5) 非强制性（nondictatorship），即个人或集体不能通过把自己的偏好强加给其他人来决定集体选择的结果。

为了避免非传递性偏好的两难处境，我们可以把集体选择授权给一些被认为能够达成一致的决策者（例如政治和技术精英），这样，就是一个可传递性选择了。这样能解决非传递性偏好的问题，却不能妨碍公民的自主性和非强制性这些条件。除此之外，我们可以把其他的方案加进来以期能够产生一致，但这违背了不相关方案的独立性这一条件。在实践中，以多数人投票规则为基础的政治体系运用这两种方法来实现集体选择。[44]这些选择被称为次优决策。

非连续渐进主义

政策变化的非连续渐进模型（disjointed-incremental model）认为，政策选择很少能符合经济理性模型的要求。[45]非连续渐进理论的基本假设是政策变化发生在边缘状态，因此在 t 时间的行为和在 $t+1$ 时间的行为是稍微不同的。根据非连续渐进主义，在以下情况下会发生变化：

- 决策者仅仅考虑那些对现状稍有变化（即有一小点）的方案——有巨大变化的方案不可能产生成功的政策变革。
- 决策者限制每一个方案的预期结果的数量。
- 决策者对目标和方案进行调适。
- 决策者在获取新信息的过程中继续对问题和方案进行阐释。
- 决策者对方案进行连续分析和评价，这样方案可以随着时间不断修订，而不是在行动之前某一时刻做出。
- 决策者持续不断地纠正现存问题，而不是试图在最后某一时刻彻底解决问题。
- 决策者和社会上的一些团体分担分析和评价的责任，所以，决策过程是局部的或不连续的。
- 通过按选中的政策行动进行渐进的和补救性的政策变革。

有限理性

经济理性模型的另一个替代理论是有限理性（bounded rationality）。根据该模型，政策制定者在考虑和权衡所有备选方案时不会试图做到全面理性[46]，虽然选择是理性的，但是由于决策和所处的现实条件，该理性是有限的。有限理性理论的基本假设是，政策变革发生在决策者使用“大拇指规则”做出难以被接受的选择时。有限理性模型的开创者是多学科的政治学家赫伯特·西蒙（Herbert Simon），他认为，“单个的、孤立的个人的行为不可能实现任何理性高度（any high degree of rationality）。他需要搜寻的方案是如此之多，评价方案所需要的信息是如此庞大，以至于即使是接近客观的理性也是难以想象的”[47]。

这一论断认识到了当决策者寻求价值最大化时全面、经济理性选择的局限性，与这种最大化行为（maximizing behavior）不同，西蒙提出了满足最低要求行为

(satisficing behavior）的概念。满足最低要求是指决策者努力找出“足够好”的行动方案的决策行为，即在该决策行为中，综合满意和足够两个方面做出“满足最低要求的”选择。换句话讲，决策者不考虑所有的备选方案，这些备选方案从原则上讲或许能带来收益的最大化（即最大化行为），决策者需要考虑的仅仅是明显能产生可观收益的方案（即“满足最低要求”行为）。有限理性和非连续渐渐主义有密切关系，有限理性研究个人理性选择的局限性，而非连续渐进主义研究的是集体理性选择的局限性。

意识到信息成本带来的约束，满足最低要求行为可以被看作是使效果最大化。用两位该理性模型的支持者的话说：

> 还不能确定理性决策分析者是否主张决策者应系统地研究和评价所有对他来讲可能的备选方案。这种研究不仅耗时，而且成本高，进行最优选择时应把这些因素考虑进来……决策的成本应该计入最大化模型。[48]

由于需要考虑搜寻和评价新的备选方案的成本和收益，在这点上，理性是有限的。

混合扫描

另一种政策变化模型是混合扫描（mixed scanning)。该理论是对经济理性、非连续渐进主义和有限理性的一种选择和取舍。[49]虽然埃佐尼（Etzioni）及其他人[50]认可对经济理性模型的批判，但同时他们也指出了渐进模型的局限性。渐进主义被认为对现状太保守，这样很难符合决策中的创新和变革要求。鉴于此，渐进主义意味着（正确地）社会上势力最强的利益群体制定了一些最重要的政策，因为尽可能小地改变政策现状的最大受益者就是这些利益群体。最后，渐进主义没有意识到政策选择在范围、复杂程度和重要程度上的不同。例如，重要的战略性选择和日常的操作性决策是不同的，渐进理论没有对这种不同给予充分考虑。

混合扫描对战略性选择和操作性选择的要求进行了区分，战略性选择确定基本的政策方向，操作性选择为战略性决策打下基础，有助于战略性决策的实现。混合扫描理论的基本假设是，政策变革发生在根据决策者所面临的问题的本质对方案加以调整时。因为在一种情况下是理性的，而在另一种情况下未必就是理性的，混合扫描有选择性地综合了全面理性和非连续渐进主义的要素。用埃佐尼的话说，

> 假设我们打算利用气象卫星建造一个世界性的气象监测系统，理性的方法（即全面理性理论）会通过能进行精细观察的摄像机以及尽可能经常安排对太空的回顾和评论，从而对气象条件进行全面彻底的观察和研究。这样会带来大量烦琐的细节和小事，分析成本昂贵，可能会超出我们的行为能力（例如，会

给干旱地区带来雨水或发展成飓风的“促成”云的形成)。渐进主义会关注最近几年来进行类似实践的地区,或者附近的一些区域,这样就会忽略所有如果在没有料想到的地区出现应注意的信息。[51]

混合扫描同这两种方法的单打独斗不同,它基于全面理性和非连续渐进主义两种方法作出选择。两种方法的具体组合取决于问题的性质。问题的战略性越强,全面经济理性方法越适合。相反,问题的操作性越强,渐进性的方法越适合。在所有情况下,都有必要综合运用这两种方法,因为问题的关键并不是指采纳一种方法就抛弃另一种方法,而是要把两种方法恰到好处地综合起来使用。

疑问理性

对上述政策变化模型的一个质疑是疑问理性(erotetic rationality)。疑问理性是指一个提出问题和回答问题的过程。虽然疑问理性对那些要求在分析之前先恰当地详述模型的人来说,是不尽如人意的,但它是很多推理过程的核心。[52]在评论司法环境中成本—收益分析的作用时,艾伯特(Albert)简要地论述了疑问理性的主要原则:“无知是理性的必要条件。”[53]在一些最为重要情况下,分析者只不过不知道政策、政策结果和评价政策结果所依据的价值观之间的关系。在这一点上,对无知的供认不讳是能够致力于提出问题和解决问题这一过程的先决条件,该过程给出了“超出固有的经验范围和知识范围已经在我们的掌控中”这一问题在理性上的最佳答案。[54]疑问理性和问题构建关系密切,问题构建是政策分析的中心指挥系统(见本书第3章的相关内容)。疑问理性在物理学领域最近的变革中发挥了核心作用,这一点在混沌理论的提出者伊尔亚·普里戈根(Ilya Prigogine)的著作中有说明:“20世纪物理学不再是确定性的学问,它是问题的学问之一……并且无论在哪儿,我们都会遭遇变化、不稳定性和发展,而不是古典科学教育我们去自然中寻找的现象和永恒。”[55]

关键性聚敛

关键性聚敛(critical convergence)是指和有多条支流的河口三角洲相像的政策过程,河口三角洲的多个支流在经过河滩蜿蜒流向大海的过程中,时而分开,时而汇合。[56]如果我们想通过从大海里取一桶水来理解这一过程的“结果”,就无法发现水到达大海所经过的不同的路途。但是,如果我们能够监测整个过程及其构造的话,就会发现一些支流经常汇合形成更深的河道,这些河道短期内的流向是可以预期到的。

河口三角洲及其多个支流的比喻说明了政策制定过程的某些复杂性,但并没有丢弃识别影响这一过程的构造这一责任。在政策制定中,为了建立议程和形成政策，个人和群体总是相互影响。但是，他们成功与否，取决于识别关键时刻（“政策窗”）的能力，此刻三类溪流——问题、政策和政治——汇合。[57]关键性聚敛模型的基本假设是，政策变化发生在这些关键时刻。政策分析者的部分职责就是找出这些汇合的关键时刻。

点断平衡论

上述一些模型的问题在于，它们都没有令人满意地说明非连续渐进模型所预言的占有优势的缓慢渐进的变化模式出现严重偏离的原因。在《洁净空气法案》（the Clean Air Act）颁布后环保政策突然的、不连续的变化是比较罕见的。[58]由于认识到重大的政策变化可能 25 年左右才能发生一次，萨贝提尔（Sabatier）和杰肯斯-史密斯（Jenkins-Smith）[59]提醒大家要注意外部变异或外生震动在影响不连续的和范围广泛的政策变化中的重要性。这些变化包括相当迅速的社会经济变化，表现为经济衰退、经济萧条和石油危机；发生在越南战争（the Vietnam War）后期的公众舆论的突然转变；以及 2001 年 9 月 11 日世贸大厦（the World Trade Center）和五角大楼（the Pentagon）遭袭之后民族主义和个人不安全感的戏剧性发展。

点断平衡模型（punctuated equilibrium model）把政策变化的过程比喻为生物进化过程。[60]大多数政策是相当稳定的，在很长时间里变化。在政策竞争和冲突中有动态的平衡，很像林德布洛姆（Lindblom）和布雷布鲁克（Braybrooke）所提出的团体相互适应的过程。[61]团体相互适应允许并且确实需要相对自治的政府机构之间的竞争过程。政府机构的官员为了资源和酬劳而竞争，符合这些组织（“在这些组织里，你的地位取决于你的职位”）的机构动机和薪酬结构。由于新的政治形象的要求，政策会周期性地发生突然变化（点断），反过来，新的政治形象也是“政策地震”和其他外部巨变的结果。点断平衡模型的基本假设是，外部的巨变是重要政策变化的必要条件但不是充分条件。重要政策变化的充分条件是，为回应这些巨变，新的政治形象和对政治世界的理解忽然出现。但是，如果新的政治形象、信念和价值观需要经过很长一段时间逐步发展，那么这个过程就不是“点断的”[62]。

2.4 政策过程中的政策分析

政策分析的主要目的是改善政策制定。如果我们把一些最重要的政策变化看作是逐步的、不连续的和渐进的，这就不是一个简单的任务。巨大的、不连续的变化相当罕见，它们根源于政策制定过程外生的巨变，而不是政策制定过程中分析产生的相对微弱的影响。不管怎么说，由于政策相关信息对于改善政策制定的潜在作用，多学科的政策分析是重要的（见图 2—2）。

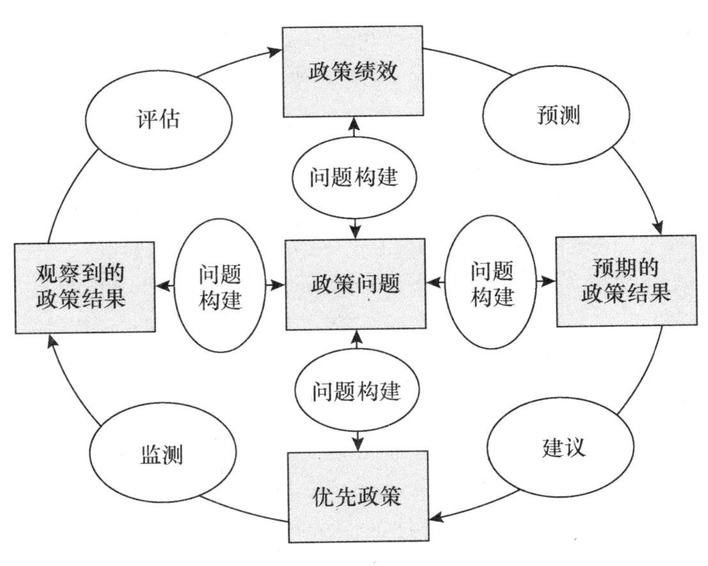

图 2—2　政策分析的过程

分析的潜在用途

好的分析有可能产生更好的政策，在政策分析者中，这一点是大家都默认的。在政策分析方法的目的中，这种可能性的原因是显然的。

问题构建（problem structuring）。问题构建方法提供的政策相关信息可以用来质疑政策制定中议程建立阶段问题界定的潜在假设（见表 2—1）。问题构建有助于发现潜在的假设、诊断原因、规划可能的目标、综合有冲突的观点和设想、发现以及设计新的政策备选方案。例如，美国在每年进行的大约 200 万次标准化测试中种族和性别歧视这一问题，在整个 20 世纪 80 年代晚期被多个州提上了立法议程。在宾夕法尼亚州（Pennsylvania），分析者在综合和评价了不同利益相关者所建议的测试偏见方面的研究之后，对测试偏见是一个需要采取立法行动——例如，立即禁止标准化测试——的问题这一假设提出了质疑。在少数族裔和白人成就测试得分中所看到的众多差异没有被视为测试偏见问题，而是被视为教育机会不平等的指示器或者测量表。分析者建议继续使用标准化测试来监测和缓和这些不平等。[63]

预测（forecasting）。预测预期政策结果的方法提供了关于后果的政策相关信息，在政策规划（policy formulation）阶段，这些后果可能随着优先政策（包括什么也不做）的采纳而出现。预测有助于检验合理的、潜在的以及规范价值的未来；评价现有政策和推荐的政策的结果；明确实现目标的可能的限制因素；评价不同备选方案的政治合理性（支持和反对）。例如，卫生保健资金管理部门（the Health Care Finance Administration）的分析者运用预测方法来评估财政收入差额对医疗保健托管基金的影响，认为托管基金在下一个十年可能会耗尽。由于没有新的卫生保健政策出台，医疗保健部门未来的收益会减少 400 亿～500 亿美元，使计划减少

50%。同时，没有健康保险的大约400万人在数量上可能还会增加。[64]

建议（recommendation）。为选择优先政策方案的方法提供预期政策结果的成本和收益——通常是实用性或效用——方面的政策相关信息，因此，在政策采纳阶段对决策者有帮助。通过推荐偏好政策，分析者可以估计风险和不确定性的程度，识别外部性和意外效果，明确选择的标准，分配政策执行中的行政管理责任。例如，美国对最高时速限制的讨论焦点是选择时速限制在55和65英里时每防止一次恶性事故的成本，在20世纪80年代，基于55英里/小时的时速限制避免的恶性事故将继续低于2%～3%这一结论，有人建议把维持时速限制的开支转投到购买烟雾探测器上，这将拯救更多生命。[65]截至1987年，大约40个州尝试实行更高的时速限制。在1995年，55英里/小时的时速限制被完全取消了。

监测（monitoring）。监测可能的政策结果的方法提供所采纳的政策的结果的信息，因此，在政策执行（policy implementation）阶段有用。一些机构利用健康、教育、住房、福利、犯罪和科技方面的指示器，定期监测政策影响和结果。[66]监测帮助评价一致的程度，发现非政策和计划本意的结果，识别执行障碍和限制因素，指出政策偏离的责任根源。例如，在美国，经济和社会福利政策由几个机构的分析者监测，包括人口普查局（the Bureau of the Census）和劳动统计局（the Bureau of Labor Statistics）。1991年的分析结论是，美国真正的中产阶级家庭的收入在1969—1989年间仅仅增加了2%。同一时期，排名前五位的家庭收入在国民收入中所占份额从43%增加到47%，所有其他群体的收入所占份额都有下降。在这种情况下，政策监测揭示了1969—1989年收入不平等的显著增加，中产阶级的衰落，以及生活水平的降低。[67]1989—2000年收入不平等的形势更加明显了。

评估（evaluation）。评估观察到的政策结果的方法提供实际政策效果和预期政策效果的差异方面的政策相关信息，在政策评价、政策调整、政策延续和政策终结阶段有用。评估不仅能得出问题在多大程度上得到了缓解的结论，而且也可以帮助澄清和评估促成政策的价值，帮助调整或者重新规划政策，以及为重新构建问题提供依据。一个好的评估事例是这种分析，该分析通过建议用道德推理扩大当前占优势的技术推理促成的欧洲共同体及世界其他地区的环境政策，帮助澄清、评价和讨论价值观。[68]

实践中分析的用途

在理论上讲，政策分析有可能产生更好的政策。但是，实际上，政策分析及其他社会（自然）科学具有下列一些或全部的局限性。[69]

- 作用是间接的、迟缓的，以及普通的。政策分析很少被直接用作改善包含人力和物力分配的具体决策的依据。分析的作用非常间接和普通，并且单个人的分析几乎不重要，除非他们是某一议题的较大规模的信息机构的成员。如果我们认识到政策制定是一个由许多周期，从政策终结和延续到政策调整和短路，组成的复杂过程的话，那么，作用的间接性和普遍性特征是可以理解的。

● 改善是有争议的。运用政策分析时，是什么促成了政策改善取决于观察者的政治、思想意识或道德立场。那些认为通过向最富有的人收税来帮助生活最糟糕的人，公共利益就得到满足了的人所认为的“改善”不同于另外一些人，这些人认为当个人在没有政府干预的情况下解决了自己的问题时，公共利益才算是满足了。虽然“效率的提高”这一目标有时被看作是一种每个人都支持的东西，但它也是一个思想意识或道德的问题，因为它涉及价值和准则的取舍。

● 有用反映了个人的、专家的和公共机构的利益。作为社会科学家和作为个人，政策分析者努力想提高他们个人和他们所在机构的地位和行业报酬。同拥有政治权利、特权或经济地位的人建立密切关系的机会——成为他们的顾问、辩护律师或者职员——是成为一名分析者的部分动机。

围绕政策分析的实际用途的大量难题根源于没有认识到在政策制定过程中使用政策分析就像政策制定本身一样复杂。考虑一下切斯特·巴纳德（Chester Barnard）对决策的描述，他是一位成功的 CEO 以及行政管理领域的重要贡献者。在论述把一个电话基站从路的一边移动到另一边的命令、或政策时，巴纳德接着说道：

> 我想，它差不多能说明，执行那一命令需要 15 个地点的 100 个人作出大约 1 万次决定，要求对环境中社会的、道德的、法律的、经济的和物质的现状进行连续的分析，需要对目标进行 9 000 次重新定义和提炼。如果由上述那些工作构成的调查负有责任的话，可能有不到半打的决策会被回忆起来或者被认为值得提起……其他的会被认为是“理所当然的”，都是在了解自身的本分和职责。[70]

因此，很明显，政策分析的运用是一个多方面的复杂的过程[71]：

● 使用者的构成。无论是个人还是集体——例如，机构、部门、办事处、法院、立法机关、议会——都使用政策分析。如果使用分析时涉及个人信息利用的获益（或损失），那么使用分析的过程就是个人决策（个人使用）。相反，如果使用过程涉及很多人，那么它就是集体决定或决策（集体使用）。

● 使用的预期效用。使用政策分析既有认知效用也有行为效用。认知效用包括政策分析对思考问题和解决方案（概念上的效用）的效用，对所选择的问题和方案合法化的效用（符号效用）。相比之下，行为效用包括把政策分析用作实现具体的活动或功能的方法或工具（工具效用）。对个人和集体使用者，知识都有概念和行为效用。[72]

● 使用信息的范围。政策制定者所使用的信息的范围从具体到一般。“流行观念”的使用在范围上是一般的（一般使用），而具体建议的使用是具体的（具体使用）。[73]个人和集体运用不同范围的知识带来概念上的和行为上的影响。

实际上，知识运用的这三个方面是有重叠的。在第 9 章我们将会知道它们之间的交叉为评价和改善政策分析的效用提供了根据。

本章小结

这一章阐述了政策制定过程中政策分析的作用。从起源来看，政策分析的目的是为政策制定者提供用于解决实际问题的信息。政策分析是植根于政策制定这一社会过程中的智力活动。虽然，政策制定可以被看作一系列有先后顺序的阶段，这些阶段的组织常常被比喻为“垃圾箱”或“有组织的无政府状态”。有很多模型可以说明政策变化是如何和为何发生的。这些模型都抓住了政策制定过程的一个重要特征。政策分析在政策制定中的作用有两个方面。一方面，分析可以用来提供政策相关信息，这些政策相关信息对政策制定的各个阶段都有潜在作用。另一方面，在实践中，政策分析的作用是间接的、迟缓的、普遍的，以及从道德上讲是有争议的。考虑到由于其使用者的构成、使用范围及其预期效用的交叉和重叠，可以预料到知识利用有多种方式。

学习目标

- 理解政策分析是一个植根于社会过程的智力活动
- 解释政策分析的历史发展是对实际问题和危机的反应
- 比较本书所界定的政策分析和基于证据的政策制定
- 描述政策制定这一包含议程建立、政策形成、政策采纳、政策执行、政策评估、政策调整、政策延续和政策终结的复杂的周期性过程
- 比较和评价不同的政策变化模型
- 比较政策分析的潜在用途和实际用途
- 区分信息使用的构成、范围和预期效用
- 分析一个政策制定者利用政策研究和分析的个案研究

关键术语与概念

分析中心论	政策制定过程
阿罗不可能性定理	后工业社会
有限理性	点断平衡论
全面理性	规范性影响评价（RIA）
关键性聚敛	次优理性
非连续渐进主义	技术顾问
疑问理性	技术指导

以证据为基础的政策制定　　投票人悖论
混合扫描

复习思考题

1. 如何理解政策分析是一个提供政策制定过程及制定过程中的知识的过程？

2. 社会团体（社会）所面临的问题和所谓的“分析中心论”观点之间有什么关系？

3. 比较政策制定的智力性和社会性这两个方面，并举例。

4. 什么是“有组织的无政府状态”？它和政策制定的“垃圾箱”模型有什么关系？

5. 在你的经验中，哪一种政策变化模型最有用？为什么？

6. 考虑信息使用的三个方面，你如何知道政策制定者何时已经使用了政策分析？你会如何做？

7. 对基于证据的政策制定的正反两方面的意见是什么？思考本章所提供的个案研究中“技术指导”和“技术顾问”这两个概念。

参考文献

Barber, Bernard. *Effective Social Science: Eight Cases in Economics, Political Science, and Sociology*. New York: Russell Sage Foundation, 1987.

Council for Evidence Based Policy. 1301 K Street, NW, Suite 450 West, Washington, DC 20005. www. excelgov. org/evidence; www. evidencebasedprograms. org/

De Leon, Peter. *Advice and Consent: The Development of the Policy Sciences*. New York: Russell Sage Foundation, 1988.

Fischer, Frank. *Technocracy and the Politics of Expertise*. Newbury Park, CA: Sage Publications, 1990.

Freidson, Elliot. *Professional Powers: A Study of the Institutionalization of Formal Knowledge*. Chicago: University of Chicago Press, 1986.

Horowitz, Irving L., ed. *The Use and Abuse of Social Science: Behavioral Science and Policy Making*. 2d ed. New Brunswick, NJ: Transaction Books, 1985.

Jasanoff, Sheila. *The Fifth Branch: Science Advisors as Policymakers*. Cambridge, MA: Harvard University Press, 1990.

Kingdon, John W. *Agendas, Alternatives, and Public Policies*. Glenview, IL: Scott, Foresman, 1984.

Lerner, Daniel, ed. *The Human Meaning of the Social Sciences*. Cleveland, OH: World Publishing Company, 1959.

Lindblom, Charles E. *Inquiry and Change: The Troubled Attempt to Understand and Change Society*. New Haven, CT: Yale University Press, 1990.

Lindblom, Charles E., and David K. Cohen. *Usable Knowledge: Social Science and Social Problem Solving*. New Haven, CT: Yale University Press, 1979.

Lindblom, Charles E., and Edward J. Woodhouse. *The Policy-Making Process*. 3d ed. Englewood Cliffs, NJ: PrenticeHall, 1993.

Machlup, Fritz. *Knowledge: Its Creation, Distribution, and Economic Significance*. Vol. 1 of *Knowledge and Knowledge Production*. Princeton, NJ: Princeton University Press, 1980.

Macrae, Duncan Jr. *The Social Function of Social Science*. New Haven, CT: Yale University Press, 1976.

Parsons, Wayne. "From Muddling Through to Muddling Up: Evidence Based Policy-Making and the Modernisation of British Government." Unpublished paper. London: University of London, 2004.

——*Public Policy: An Introduction to the Theory and Practice of Policy Analysis*. Edward Elgar Publishing Inc, Northampton MA, 1995.

Ravetz, Jerome. *Science and Its Social Problems*. Oxford: Oxford University Press, 1971.

Sabatier, Paul A. *Theories of the Policy Process*. Boulder, CO: Westview Press, 1999.

Schmandt, Jurgen, and James E. Katz. "The Scientific State: A Theory with Hypotheses." *Science, Technology, and Human Values* 11 (1986): 40-50.

United Kingdom, House of Commons, Science and Technology Committee. *Scientific Advice, Risk and Evidence Based Policy Making*. Seventh Report of Session 2005-2006, Volume Ⅰ. London: HMO Printing House, 2006.

Weiss, Carol H. *Social Science Research and Decision Making*. New York: Columbia University Press, 1980.

注 释

[1] Harold D. Lasswell, *A Pre-view of Policy Sciences* (New York: American Elsevier Publishing, 1971), pp. 1-2. 政策制定过程的知识是指“对如何制定和执行政策的系统的、经验的研究”，而政策制定过程中的相关知识是指对“决策的现实情况在一定程度上依赖于可利用信息储备的获取程度”的认识和理解。

[2] 社会科学研究中对政策制定者的作用的理论研究进行最全面的总结的著作之一是 Carol H. Weiss, *Social Science Research and Decision Making* (New York: Columbia University Press, 1980)。

其他总结性著作包括 William N. Dunn and Burkart Holzner, "Knowledge in Society: Anatomy of an Emerging Field," *Knowledge in Society* (later titled *Knowledge and Policy*) 1. no. 1 (1988): 1-26; and David J. Webber, "The Distribution and Use of Policy Information in the Policy Process," in *Advances in Policy Studies since 1950*, ed. Dunn and Kelly (New Brunswick, NJ: Transaction, 1991), pp. 415-441. 关注这些问题的期刊包括 *Knowledge: Creation, Diffusion, Utilization* (Sage Publications-out of print) and *Knowledge and Policy: The International Journal of Information Transfer and Utilization* (Transaction Publishers)。

[3] 例如, Edith Stokey and Richard Zeckhauser, *A Primer for Policy Analysis* (New York: W. W. Norton, 1978)。

[4] Lasswell, *A Pre-view of Policy Sciences*, pp. 9, 13.

[5] *The Code of Hammurabi*, trans. Robert F. Harper (Chicago: University of Chicago Press, 1904).

[6] Lasswell, *A Pre-view of Policy Sciences*, p. 11.

[7] Donald T. Campbell, "A Tribal Model of the Social System Vehicle Carrying Scientific Information." In *Methodology and Epistemology for Science: Selected Papers*, ed. E. Samuel Overman (Chicago, IL: University of Chicago Press, 1988), pp. 489-503.

[8] Edward A. Suchman, "Action for What? A Critique of Evaluative Research," in *Evaluating Action Programs*, ed. Carol H. Weiss (Boston, MA: Allyn and Bacon, 1972), p. 81; and Martin Rein and Sheldon H. White, "Policy Research: Belief and Doubt," *Policy Analysis* 3, no. 2 (1977): 239-271.

[9] J. A. K. Thompson, *The Ethics of Aristotle: The Nichomachean Ethics Translated* (Baltimore, MD: Penguin Books. 1955), p. D. 11.

[10] Max Weber, "Politics as a Vocation," in *From Max Weber: Essays in Sociology*, ed. Hans C. Gerth and C. Wright Mills (New York: Oxford University Press, 1946). p. 88.

[11] Daniel Lerner, "Social Science: Whence and Whither?" in *The Human Meaning of the Social Sciences*, ed. Daniel Lerner (New York: World Publishing, 1959), pp. 13-23.

[12] Nathan Glazer, "The Rise of Social Research in Europe," in *The Human Meaning of the Social Sciences*, ed. Daniel Lerner (New York: World Publishing, 1959), p. 51.

[13] Ibid., pp. 51-52.

[14] 关于统计学和统计学家的一部重要历史性著作是 Stephen M. Stigler, *The History of Statistic: The Measurement of Uncertainty before 1900* (Cambridge, MA: Harvard University Press, 1900)。

[15] J. H. Plumb, *The Growth of Political Stability in England, 1675—1725* (Baltimore, MD: Penguin Books, 1973), p. 12.

[16] Stephen A. Marglin, "What Do Bosses Do? The Origins and Functions of Hierarchy in Capitalist Production," *Review of Radical Political Economy* 6, no. 2 (1974): 33-60.

[17] Gene Lyons, *The Uneasy Partnership: Social Science and the Federal Government in the Twentieth Century* (New York: Russell Sage Foundation, 1969), p. 65.

[18] Harry Alpert, "The Growth of Social Research in the United States," in *The Human Meaning of the Social Science*, ed. Daniel Lerner (New York: World Publishing, 1959), pp. 79-80.

[19] Howard E. Freedman and Clarence C. Sherwood, *Social Research and Social Policy* (Englewood Cliffs, NJ: Prentice Hall, 1970), p. 25.

[20] Harold D. Lasswell, "The Policy Orientation," in *The Policy Sciences: Recent Developments in Scope and Method*, ed. Daniel Lerner and Harold D. Lasswell (Stanford, CA: Stanford University Press,

1951)，p. 15.

[21] H. George Frederickson and Charles Wise，*Public Administration and Public Policy*（Lexington，MA：D. C. Heath，1977).

[22] Allen Schick，"Beyond Analysis，" *Public Administration Review* 37，no. 3（1977)：258-263.

[23] Peter de Leon，Advice and Consent：*The Development of the Policy Sciences*（New York：Russell Sage Foundation，1988)，ch. 2.

[24] Martin Greenberger，Matthew A. Crenson，and Brian L. Crissey，*Models in the Policy Process：Public Decision Making in the Computer Era*（New York：Russell Sage Foundation，1976)，pp. 23-46.

[25] Bruce L. R. Smith，*The Rand Corporation：A Case Study of a Nonprofit Advisory Corporation*（Cambridge，MA：Harvard University Press，1966).

[26] Greenberger，Crenson，and Crissey，*Models in the Policy Process*，p. 32.

[27] 例如，Alice Rivlin，*Systematic Thinking for Social Action*（Washington，DC：Brookings Institution，1971)；and Walter Williams，*Social Policy Research and Analysis：The Experience in the Federal Social Agencies*（New York：American Elsevier Publishing，1971)。

[28] Irving Louis Horowitz and James E. Katz，*Social Science and Public Policy in the United States*（New York：Praeger Publishers，1975)，p. 17.

[29] National Science Foundation，*Federal Funds for Research，Development，and Other Scientific Activities*（Washington，DC：NSF，1973)；and National Science Board，*Science and Engineering Indicators—1989*（Washington，DC：NSB，1989).

[30] 迈克尔·马林（Michael Marien）是《探寻未来》杂志（*Future Survey*）（一本记录未来社会的期刊）的编辑，他估计政策期刊的数量将超过400家。Marien，"The Scope of Policy Studies：Reclaiming Lasswell's Lost Vision，" in *Advances in Policy Studies since 1950*，vol. 10，*Policy Studies Review Annual*，ed. William N. Dunn and Rita Mae Kelly（New Brunswick，NJ：Transaction，1991)，pp. 445-488.

[31] 例如，见 www. nira. go. jp（世界思想库指南），一个日文版的指南，以及 www. policy. com。

[32] United Kingdom，House of Commons，Science and Technology Committee. *Scientific Advice，Risk and Evidence Based Policy Making*. Seventh Report of Session 2005—2006，Volume Ⅰ（London：HMO Printing House，2006).

[33] Council for Evidence Based Policy. 1301 K Street，NW，Suite 450 West，Washington，DC 2005 www. excelgov. org/evidence；www. evidencebasedprograms. org.

[34] Wayner Parsons，"From Muddling Through to Muddling Up：Evidence Based Policy-Making and the Modernization of British Government." Unpublished paper（London：University of London，2004).

[35] 政策周期，或者阶段法，是由皮特·德·里恩概括出来的，见 Peter de Leon，"The Stages Approach to the Policy Process：What Has It Done? Where Is It Going?" in *Theories of the Policy Process*，ed. Paul A. Sabatier（Boulder，CO：Westview Press，1999)。又见 Charles O. Jones，*An Introduction to the Study of Public Policy*，2d ed.（North Scituate，MA：Duxbury Press，1977)；James A. Anderson，*Public Policy Making*（New York：Praeger，1975)；Gary Brewer and Peter de Leon，*Foundations of Policy Analysis*（Homewood，IL：Dorsey Press，1983)。对上面所引用的文献有影响的经典著作是哈罗德·D·拉斯韦尔的 *The Decision Process：Seven Categories of Functional Analysis*（College Park：Bureau of Governmental Research，University of Maryland，1956)。

[36] Michael Cohen，James March，and Johan Olsen，"A Garbage Can Model of Organization Choice，" *Administrative Science Quarterly* 17（March 1972)：1-25；John W. Kingdom，*Agendas，Alternatives，and Public Policies*，2d ed.（New York：Harper Collins，1995).

[37] John Funari，源自我和他的私下交流。

[38] 瑞恩和斯考恩称它们为“有创造力的隐喻”因为它们为说明政策问题提供了结构框架。见 Martin Rein and Donald A. Schon ，“Problem Setting in Policy Research,” in *Using Social Research in Public Policymaking*，ed. Carol Weiss (Lexington，MA：D. C. Heath，1977)，pp. 240－243。

[39] 对理性选择模型的回顾和评论，见 Elinor Ostrom，“Institutional Rational Choice：An Assessment of the Institutional Analysis and Development Framework,” in *Theories of the Policy Process*，ed. Sabatier，pp. 35－72。对全面理性选择的经典评论，见 Charles E. Lindblom，*The Policy-Making Process* (Englewood Cliffs，NJ：Prentice Hall，1968)。

[40] Oliver E. Williamson，*The Economic Institutions of Capitalism* (New York：Free Press，1985).

[41] David J. Silverman，*The Theory of Organizations* (New York：Free Press，1972).

[42] Elinor Ostrom，*Governing the Commons*：*The Evaluation of Institutions for Collective Action* (New York：Cambridge University Press，1990)；and *Mancur Olson*，*The Logic of Collective Action*：*Public Goods and the Theory of Groups* (Cambridge，MA：Harvard University Press，1965).

[43] Kenneth J. Arrow，*Social Choice and Individual Values* (New York：John Wiley，1963).

[44] 在议程上设定议题顺序是一个违背公民主权和无专政原则的典型例子。见 Duncan Black，*The Theory of Committees and Elections* (Cambridge，MA：Cambridge University Press，1958)。关于这些问题的评论，见 Norman Frohlich and Joe A. Oppenheimer，*Modem Political Economy* (Englewood Cliffs，NJ：Prentice Hall，1978)，ch. 1。

[45] Charles E. Lindblom and David Braybrooke，*A Strategy of Decision* (New York：Free Press，1963).

[46] 见 Herbert A. *Simon*，*Administrative Behavior* (New York：Macmillan，1945)。由于他对经济组织中决策研究的贡献，西蒙获得了 1978 年诺贝尔奖。西蒙其他一些重要著作有 *Models of Man* (New York：Wiley，1957) 和 *The Sciences of the Artificial* (New York：Wiley，1970)。

[47] Simon，*Administrative Behavior*，p. 79.

[48] Zeckhauser and Schaefer，“Public Policy and Normative Economic Theory,” in *The Study of Policy Formation*，ed. Raymond A. Bauer (Gencoe，IL：Free Press，1966)，p. 92.

[49] 见 Amitai Etzioni，“Mixed-Scanning：A ‘Third’ Approach to Decision Making.” *Public Administration Review* 27 (December 1967)：385－392。

[50] Yehezked Dror，*Ventures in Policy Sciences* (New York：American Elsevier，1971).

[51] Etzioni，“Mixed-Scanning”，p. 389.

[52] Nicholas Rescher，*Induction* (Pittsburgh，PA：University of Pittsburgh Press，1980)，pp. 6－7.

[53] Jeffrey M. Albert，“Some Epistemological Aspects of Cost-Benefit Analysis,” *George Washington Law Review* 45，no. 5 (1977)：1030.

[54] Rescher，*Induction*，p. 6.

[55] Ilya Prigogine，“A New Model of Time，a New View of Physics,” in *Models of Reality*，ed. Jacques Richardson (Mt. Airy，MD：Lomond Publications，1984). 引自 Rita Mae Kelly and William N. Dunn，“Some Final Thoughts,” in *Advances in Policy Studies since 1950*，ed. Dunn and Kelly，p. 526。

[56] 亚历克斯·威廉恩曼把这一隐喻归功于系统理论家斯塔福德·比尔。

[57] 为了和 Kingdon，Agendas，*Alternatives*，*and Public Policies* (见前面的注释 36) 进行区别，我使用“河口三角洲”替代“垃圾箱”。“溪流”、“垃圾箱”和“窗户”的组合提供了一个十足混合的隐喻。

[58] 见 Charles O. Jones，*Clean Air* (Pittsburg，PA：University of Pittsburg Press，1975)。Jones

称他的非连续变化模型为“思维的放大”。

[59] Paul A. Sabatier and Hank C. Jenkins-Smith，“The Advocacy Coalition Framework：An Assessment，” in *Theories of the Policy Process*，ed. Sabatier，pp. 117－166. 影响政策变化的两个偶然相关的条件是外生震动和核心价值观。他们的“拥护同盟构架”相当于生物学上的群动力理论。

[60] 见 James L. True，Frank. R. Baumgartner，and Bryan D. Jones，“Punctuated-Equilibrium Theory：Explaining Stability and Change in American Policymaking，” in *Theories of the Policy Process*，ed. Sabatier，pp. 97－116；and Frank R. Baumgartner and Bryan D. Jones，*Agendas and Instability in American Politics*（Chicago：University of Chicago Press，1993）。

[61] Charles E. Lindblom and David Braybrooke，*A Strategy of Decision*（New York：Free Press，1963）.

[62] 见 Sabatier and Jenkins-Smith，“The Advocacy Coalition Framework.”

[63] William N. Dunn and Gary Roberts，*The Role of Standard Tests in Minority-Oriented Curricular Reform*，这是一份于 1987 年 2 月提交给宾夕法尼亚州众议院调查联络立法办公室的政策报告。

[64] Sally T. Sonnefeld，Daniel R. Waldo，Jeffrey A. Lemieux，and David R. Mckusick，“Projections of National Health Expenditures through the Year 2000.” *Health Care Financing Review* 13，no. 1（fall 1991）：1－27.

[65] 例如，见 Charles A. Lave and Lester B. Lave，“Barriers to Increasing Highway Safety，” in *Challenging the Old Order：Towards New Directions in Traffic Safety Theory*，ed. J. Peter Rothe（New Brunswick，NJ：Transaction Books，1990），pp. 77－94。

[66] 对政策指标的作用进行全面而深刻的阐述的是 Duncan MacRae Jr.，*Policy Indicators：Links between Social Science and Public Debate*（Chapel Hill：University of North Carolina Press，1985）。

[67] Gordon Green，Paul Ryscavage，and Edward Welniak，“Factors Affecting Growing Income Inequality：A Decomposition，” paper presented at the 66th Annual Conference of the Western Economic Association International. Seattle，Washington. July 2，1991.

[68] 例如，见 Silvio O. Funtowicz and Jerome R. Ravetz，“Global Environmental Issues and the Emergence of Second Order Science”（Luxembourg：Commission of the European Communities，Directorate-General for Telecommunications，Information Industries，and Innovation，1990），以及 Funtowicz and Ravetz，“A New Scientific Methodology for Global Environmental Issues，” in *Ecological Economics*，ed. Robert Costanza（New York：Columbia University Press，1991），pp. 137－152。

[69] 下面的讨论是根据 Carol H. Weiss，“Introduction，” in *Using Social Research in Public Policymaking*，ed. Weiss，pp. 1－22；and Carol H. Weiss with Michael J. Bucuvalas，*Social Science Research and Decision Making*（New York：Columbia University Press，1980）。

[70] Chester I. Barnard，*The Functions of the Executive*（Cambridge，MA：Harvard University Press，1938，1962），p. 198. 引自 Carol Weiss，“Knowledge Creep and Decision Accretion，” *Knowledge：Creation，Diffusion，Utilization* 1，no. 3 (March 1980)：403。

[71] William N. Dunn，“Measuring Knowledge Use，” *Knowledge：Creation，Diffusion，Utilization* 5，no. 1 (1983)：120－133. 又见 Carol H. Weiss and Michael I. Bucuvalas，“Truth Tests and Utility Tests：Decision Makers' Frames of Reference for Social Science Research，” *American Sociological Review* 45 (1980)：302－313；and Jack Knott and Aaron Wildavsky，“If Dissemination Is the Solution，What Is the Problem?” in *The Knowledge Cycle*，ed. Robert F. Rich（Beverly Hills，CA：Sage Publications，1981），pp. 99－136.

[72] 关于概念上的效用、工具性效用和符号性效用的区别，见 Carol H. Weiss，“Research for

Policy's Sake: The Enlightenment Function of Social Research," *Policy Analysis* 3 (1977): 200-224; Weiss, "The Circuitry of Enlightenment," *Knowledge: Creation, Diffusion, Utilization* 8, no. 2 (1986): 274-281; Nathan Caplan, Andrea Morrison, and Roger Stambaugh, *The Use of Social Science Knowledge in Policy Decision at the National Level* (Ann Arbor, MI: Institute for Social Research, Center for the Utilization of Scientific Knowledge, 1975); Robert F. Rich, "Uses of Social Science Knowledge by Federal Bureaucrats: Knowledge for Action versus Knowledge for Understanding," in *Using Social Research in Public Policy Making*, ed. Weiss, pp. 199-211; and Karin D. Knorr, "Policymakers' Use of Social Science Knowledge Symbolic or Instrumental?" in *Using Social Research in Public Policy Making*, ed. Carol H. Weiss, pp. 165-182。

[73] 关于"流行观念"这一概念的讨论，见 Donald A. Schon, "Generative Metaphor: A Perspective on Problem Setting in Social Policy," in *Metaphors and Thought*, ed. A. Ortony (Cambridge: Cambridge University Press, 1979), pp. 254-283。

第 3 章

构建政策问题

一些人认为政策问题只是客观条件，通过确定既定条件下的“事实”可以了解它。对政策问题的这种幼稚的看法不能认识到，对于同样的事实——例如，表明犯罪、贫困和全球变暖正在增长的统计数字，不同的政策利益相关者作出不同的解释。因此，同样的政策相关信息能而且的确能得出相互对立冲突的对“问题”的定义。这并不是因为事实是不同的，而是因为政策利益相关者对同样的事实有相互对立的不同解释，解释受对人性的不同假设的影响、政府角色的影响以及知识本身的性质的影响。政策问题在一定程度上是一种主观认定。

这一章对政策问题的本质进行了概述，剖析了政策分析中问题构建的过程。在对不同政策模型进行分析和比较之后，所有模型都是问题构建的结果，我们思考了构建政策问题的方法。这一章表明问题构建是植根于政治过程的，在政治过程中，“备选方案的界定是最重要的权力工具”[1]。

3.1 政策问题的本质

政策问题是没有实现的需要、价值，或者是改进的机会。[2]正如我们在第 2 章所看到的，关于问题的本质、范围和严重性的信息是通过使用问题构建这一政策分析程序提供的。问题构建是政策探寻的一个阶段，在政策探寻过程中，分析者搜寻不同利益相关者相互对立的问题阐述，问题构建很可能是政策分析者所做的最重要的活动。问题构建是最重要的指挥系统或转向装置，它影响到政策分析其他各阶段成功与否。遗憾的是，政策分析者失败的原因似乎更多的是因为他们解决了错误的问题，而不是因为找到了解决正确问题的错误方法。

超越问题解决

政策分析常常被认为是一种解决问题的方法。虽然这在一定程度上是对的——分析者的确成功地发现了公共问题的解决方法[3]——但是政策分析的问题解决影像会误导大家。问题解决影像给出错误的判断，分析者不用花费相当宝贵的时间和精力去阐述问题，就能成功地识别、评价和建议问题的解决方案。政策分析最好被视为一个能动的、多层次的过程，在该过程中，构建问题的方法比解决问题的方法更重要（见图 3—1）。

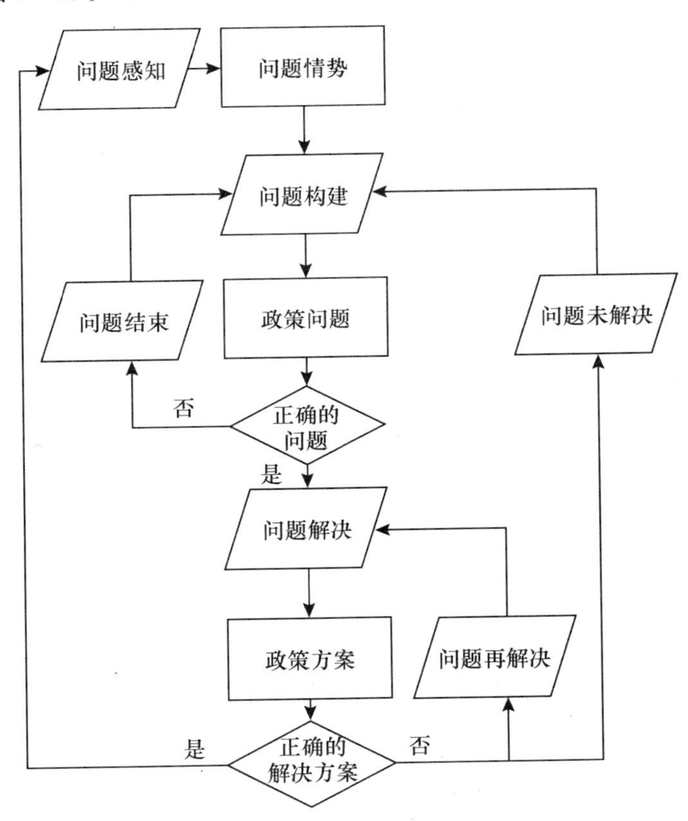

图 3—1　政策分析中问题构建的重要性

资料来源：William N. Dunn，"Methods of the Second Type：Coping with the Wilderness of Conventional Policy Analysis，" *Policy Studies Review* 7，no. 4（1988）：720－737.

图 3—1 说明了构建问题的方法在解决问题的方法前面，比解决问题的方法更重要。某一层次上的方法在下一个层次上是不适当的和无效的，因为两个层次上的

问题是不同的。例如，关于控制工业污染的备选方案的净收益（收益减去成本）的较低层次的问题已经假定工业就是问题。在接下来的较高层次，必须回答的问题包括污染的范围和严重性、造成污染的条件以及减少或消除污染的潜在方案。在这一点上，分析者很可能会发现对问题的最恰当的阐述与美国人的开车习惯有密切关系，对美国人来说，石油燃料的价格相对世界标准比较便宜，并且受到政府高额补贴。这是一个问题构建的问题，而前者是一个问题解决的问题。这种区别在图 3—1 的流程中是明显的。

- 问题感知（problem sensing）与问题构建（problem structuring）。政策分析过程并不是始于表达清楚的问题，而是始于漫无边际的焦虑感和刚开始的紧张感。[4]这些漫无边际的焦虑感和刚开始的紧张感不是问题，而是分析者和其他利益相关者感知到的问题情势（problem situations）。相反，政策问题“是思想作用于环境的产物，它们是通过分析从这些情势中概括出来的问题情势的构成要素”[5]。
- 问题构建与问题解决（problem solving）。政策分析是一个多层次的过程，该过程包括较高层次的问题构建的方法，也包括较低层次的问题解决的方法。这些较高层次的方法及适合用这些方法的问题是最近有些人作为政策设计或者设计科学一直在讨论的东西。[6]较高层次的问题构建的方法是元方法——也就是说，它们在较低层次的问题解决的方法之上，通过较低层次的问题解决的方法体现。如果分析者使用较低层次的方法去解决复杂的问题，那么他们就是在冒着犯第三类错误的危险：解决错误的问题。[7]
- 重新解决问题（problem resolving）与不解决原问题（problem unsolving）和问题结束（problem dissolving）。重新解决问题、不解决原问题和问题结束这些概念是指纠错过程的三种类型。[8]虽然这三个概念源于同一个词根（拉丁文 solvere，解决或结束），但是它们所指的纠错过程发生在不同的层次上（见图 3—1）。重新解决问题是指再次分析正确构建的问题以减少测量口径上的错误，例如，减少在检验政策对某一特定政策结果没有影响这一原假设的过程中出现Ⅰ类或Ⅱ类错误的可能性。不解决原问题，相比之下，是指放弃根据错误的问题阐述形成的方案——例如，在 20 世纪 60 年代中心城市所实行的城市重建政策——以及返回到问题构建阶段以尝试阐述正确的问题。反过来，问题结束是指放弃被不正确地阐述的问题，不再花任何工夫重新构建或者解决它。

问题的特征

政策问题有几个重要的特征：

1. 政策问题的相互依赖性（interdependence of policy problems）。一个领域（例如，能源）的政策问题常常影响其他领域（例如，健康保健和失业）的政策问题。在现实中，政策问题不是独立的个体，它们是被称为一团糟的整个问题系统的组成部分，即在社会的不同群体中产生不满的外部条件系统。[9]问题系统（一团糟）很难或者不可能通过单纯的分析方法（analytic approach）解决——即把问题分解为其构成要素或部分的一种方法——因为问题很少能独立于其他问题被单独界定和解决。有时候“同时解决十个相互关联的问题比单独解决一个问题更容易”[10]。相互影响的问题系统需要整体分析法（holistic approach），整体分析法把问题视为由相互关联的部分构成的系统的不可分割的重要组成部分。[11]

2. 政策问题的客观性（subjectivity of policy problems）。促使问题产生的外部条件是被有选择地进行界定、分类、解释和评价的。虽然问题有一定的客观性——例如，空气污染可以用大气中二氧化碳气体和可吸入颗粒物的水平来表示——但是关于污染的同样数据可以用截然不同的方式解释。原因是，政策问题是分析者从这些情势中概括出来的问题情势的构成要素。问题情势不是问题，问题就像原子或细胞，在一定程度上是一种主观构成。[12]

3. 问题的人为性（artificiality of policy problems）。只有当人类对改变一些问题情势的愿望做出判断时，政策问题才是可能的。政策问题是人们主观判断的产物；政策问题也开始被认为是社会客观条件的合理性界定；政策问题在社会上被构建、保留和改变。[13]离开了界定它们的个人和群体，问题就不能存在，这意味着没有社会的“自然”状态，社会的自然状态本身构成了政策问题。

4. 政策问题的能动性（dynamics of policy problems）。对问题的界定有多少，对既定问题的解决方案就有多少。“问题和解决方案是不断变化的，因此问题不会停留在被解决了的状态……即使它们所针对的问题还存在，问题的解决方案也会过时。”[14]

问题不是松散的机械实体，它们是有明确目标的（有目的的）系统［purposeful（teleological）systems］。在该系统中，（1）任何两个组成部分在特征或表现上都是不同的；（2）每一部分的特征或表现都会影响到系统的整体特征或表现；（3）每一部分的特征或表现及其影响系统整体的方式，取决于至少一个该系统的其他部分的特征和表现；（4）部分的所有可能的子群对系统整体具有非独立性影响。[15]这意味着，不可能把问题系统——犯罪、贫困、失业、通货膨胀、能源、污染、健康、安全——分解成独立的子集（部分），而不冒为错误的问题提出正确的解决方案的风险。

问题系统的一个主要特征是，整体大于——即在性质上不同——部分的简单相加。一堆石头可以被界定为所有单个石头的总和，但是也可以界定为一个金字塔。同样，一个人

> 能够写或跑，但是其构成部分都不能。并且，系统的构成部分这一身份要么增进要么降低每个构成要素的能力；而不会让它们不受影响。例如，不是活的身体的组成部分的大脑不能工作。由此，作为一个国家或公司的成员的个人，不能做一些不是该国家或公司成员时可以做的事情，而他能够做其他一些不是该国家或公司成员时不能做的事情。[16]

最后，对问题的相互依赖性、主观性、人为性和能动性的认识提醒我们注意不

曾预料到的结果（unanticipated consequences），这些结果可能来自于根据错误的问题的正确解决方案做出的政策。例如，想一想，西欧各国政府在20世纪70年代后期面临的问题。法国和联邦德国努力想通过在莱茵河（Rhine River）畔建造核电厂来增加可用能源的供给，它们界定能源问题的方法是假设核能的生产是独立于其他问题的。结果，能源和更广泛的问题系统的关系没有进入问题阐述。一名观察员甚至预测：

> 在下一个十年里，在欧洲疟疾将会成为一种主要的流行病，原因是德国和法国建造原子能发电站的决定，发电站利用河水作为冷却系统，使得水温处于适合按蚊（传播疟疾寄生虫的蚊子）繁殖的范围。[17]

虽然这一预言不正确，但是把能源政策理解为包含一个问题系统的政策是正确的。

全球变暖是一个系统问题。

问题对议题

如果问题是系统，那么政策议题也是系统。政策议题（policy issues）不仅包括对实际或潜在行动过程的分歧，而且它们也反映了对问题本质的冲突性看法。例如，一个表面上清晰的政策议题——政府是否会对工业实施空气质量标准——显然是对污染本质具有冲突的假设的结果[18]：

1. 污染是资本主义的必然结果，资本主义是一种工业主试图保持和增加其投资的收益的经济体制。对环境的一些损害是实现健康的资本家经济需要付出的必然代价。

2. 污染是工业经理满足权力和声望需要的结果，他们试图在大型职业导向的机构中得到提拔。污染在没有追逐利润的私有者的社会主义体制下是同样严重的。

3. 污染是高消费社会消费者偏好的结果。为了确保公司的生存，所有者和经营者必须满足消费者对高性能发动机和汽车旅行的偏好。

识别问题情势、政策问题和政策议题的区别的能力对于理解共同的经历被解释为不同意见的不同方法很关键。问题阐述受到不同的政策利益相关人对政策情势的假设的影响。反过来，不同的问题阐述影响政策议题的界定方式。在上面的环境污染案例中，对健康的资本家经济的运行的假设可以导致对政府在工业中实施空气质量标准的相反意见，而对公司经理人行为的假设可以导致肯定的立场。相比之下，对消费者偏好和公司生存的假设会影响到政府规定是没有争议的这一观点，因为政府不能对消费者的需求立法。

政策议题的复杂性可以通过思考形成政策议题时的组织化程度来想象（见图3—2）。政策议题可以根据类型等级进行分类：首要的、次要的、实用的以及低级的。首要议题（major issues）是那些联邦、州和地方最高司法机构经常遇到的议题。首要议题常常涉及机构使命的问题，即政府机构的性质和目的的问题。健康和公众服务部门是否应该努力消除导致贫困的条件这一议题是一个机构使命的问题。次要议题（secondary issues）是那些联邦、州以及地方一级的机构的行动方案层次的问题。次要议题可能涉及行动方案的先后设定和目标群体以及利益群体的界定。如何界定贫困家庭的议题是一个次要的议题。实用议题（functional issues），相比之下，是那些位于项目和方案层次的问题，这些问题涉及预算、资金和获得的问题。最后，低级议题（minor issues）是那些在具体方案层次最常遇到的问题。低级议题包括员工、职员安排、雇员收益、休假时间、工作时间，以及标准的操作程序和规则。

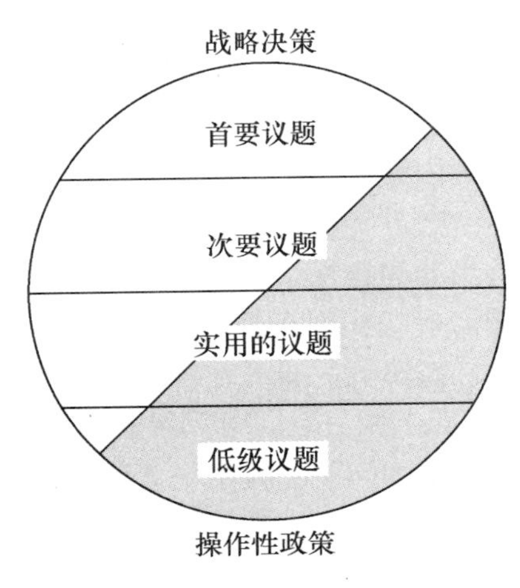

图 3—2　政策议题的类型等级

从政策议题类型等级往上移动时，问题变得越来越具有相互依赖性、主观性、人为性和能动性。虽然，这些层次本身是相互联系的，但是，一些议题需要战略性政策，而另一些议题需要操作性政策。战略性政策（strategic policy）是决策结果相对不可更改的政策。诸如美国是否应该向波斯湾（Persian Gulf）派遣部队，或者行政事务是否应该被重组这类议题，就需要战略性政策，因为行动的结果经过很多年都不能被更改。相比之下，操作性政策（operational policies）——即决策的结果是相对可更改的政策——不涉及在较高层次会出现的风险和不确定性。虽然所有类型的政策是相互联系的——例如，一个机构使命的实现在一定程度上取决于其员工行为的胜任情况——但是，认识到政策的复杂性和不可逆转性随着政策议题类型等级的上移而增加是重要的。

政策问题的三种类型

政策问题有三种：构建恰当的问题、构建适度的问题以及构建不好的问题。[19]这三种问题中每一种问题的结构都取决于问题的相对复杂性。通过思考其共同的构成要素的变化，构建恰当的问题、构建适度的问题和构建不良的问题之间的区别，可以得到最好的说明（见表3—1）。

表3—1　三种政策问题的结构上的区别

构成要素	问题的结构		
	构建恰当的问题	构建适度的问题	结构不良的问题
决策者	一个或少数几个	一个或少数几个	很多
备选方案	有限	有限	无限
效用（价值）	一致	一致	冲突
结果	确定性或风险性	不确定性	未知
概率	可计算	不可计算	不可计算

构建恰当的问题（well-structured problems）是那些包含一个或少数几个决策者和少量政策备选方案的问题。效用（价值）反映了目标一致，并且按决策者的偏好进行了清楚的排序。每个备选方案的结果可以完全确定（确定无疑）或者其可能的错误（风险）处于可接受的限度。构建恰当的问题的原型是完全计算机化了的决策问题，在这里，所有政策备选方案的所有结果被事先编程。公共机构中相对较低层次的操作性问题为构建恰当的问题提供了范例。例如，替换机构的车辆的问题是相对简单的问题，这些问题需要找到旧车辆应该被置换成新车辆的最有利的时机，考虑旧车辆的平均维修成本和新车辆的购买和折旧成本。

构建适度的问题（moderately structured problems）是那些包括一个或少数几个决策者和相对有限的备选方案的问题。效用（价值）也反映了对排序清楚的目标的一致。不过，备选方案的结果既不是确定的（决定的），也不是在可接受的错误（风险）限度内可计算的。构建适度的问题的原型是政策模拟或博弈，其中一个范例是所谓的“囚徒困境”（prisoner's dilemma）[20]。在这个博弈中，两个囚徒被分开关押在小牢房里，在那里被公诉律师审问，公诉律师必须从囚犯中的一个或两个那里获取供认用以定罪。诉讼人有足够的证据证明每个囚犯都有轻微的罪，他告诉每个囚犯，如果两个人都不供认，他们都将被判较轻的刑罚；如果两个人都供认出更严重的罪行，他们将得到减刑；但是，如果只有一个人供认，他将受到缓刑，而另一个人将受到最严厉的判决。假定两个人都不能预料另一个人的选择结果，那么每个囚徒的“最优”选择是供认。但是，恰好是这个选择导致两个囚徒都被判囚禁5年，因为两个人都可能试图让自己的判决最轻。这个例子不仅说明当结果不能确定时做出决策的困难，而且表明在其他情况下“理性的”个人选择可能导致小群体、政府机构和社会的集体的不理性。

结构不良的问题（ill-structured problems）是那些包含很多不同的决策者，决策者的效用（价值）既是未知的也不可能被以一贯的方式排序。构建恰当的和构建适度的问题反映了一致性，而构建不好的问题的主要特征是对立的目标之间的冲突。政策备选方案和其结果也是未知的，对风险和不确定性的估计也是不可能的。抉择不是指去发现已知的决定性联系，或者去计算政策备选方案的风险和不确定性，而是去界定问题的本质。构建不好的问题的原型是完全不具传递性的决策问题，即在该决策过程中，不可能选出一个比其他所有备选方案都更受欢迎的单一的政策备选方案。构建恰当的和构建适度的问题包含可传递的偏好排序——即若方案 A_1 优于方案 A_2，方案 A_2 优于方案 A_3，那么方案 A_1 优于方案 A_3——而构建不好的问题的偏好排序是不可传递的。

一些最重要的政策问题都是构建不好的。政治学、公共管理和其他学科的一个教训是在复杂的治理环境中很少出现构建恰当的和构建适度的问题。[21]例如，假设存在一个或者少数几个具有相同偏好（效用）的决策者是不现实的，因为公共政策是由很多政策利益相关者在很长一段时间内做出的一些相互联系的决策，并受他们的影响。一致是很罕见的，因为公共政策制定常常涉及竞争性利益相关者之间的冲突。最后，识别解决问题的所有备选方案是不可能的，一部分原因是由于信息获取的局限性，一部分原因是达成一个让人满意的问题阐述常常是困难的。构建不好的问题对公共政策分析为何如此重要的原因已经被很多社会科学家巧妙地进行了总结概括。[22]

3.2　政策分析中的问题构建

解决构建不好的问题要求具备的条件和那些解决构建恰当的问题要求具备的条件不同。构建恰当的问题可以使用常规方法，而构建不好的问题要求分析者主动和自觉参与问题本身性质的界定。[23]在主动界定问题性质的过程中，分析者不仅要在一定程度上关注问题情势，而且必须运用深思熟虑的判断力和洞察力。问题解决仅仅是政策分析的一部分功能：

> 问题解决观点认为，政策工作开始于表达清晰和显而易见的问题。据推测，如果出现下列情况，政策就开始：出现可识别的问题，可以猜测可能的行动过程，可以清楚地表达问题的目标……出现的不是清晰的问题，而是漫无边际的焦虑。政治压力群体变得异常活跃，或者他们的活动变得越来越有效；正式的和非正式的社会指示器都表明了不利的倾向，或者可以被视为不利的倾向。这时，就有了问题的信号，但是仍没有人知道问题是什么……换句话说，现在的情况是问题本身就是有问题的。政策分析包含发现和构建问题的过程；它包含问题设定（构建）的目的是解释该系统中刚出现的压力信号。[24]

问题构建中的创造性

问题构建是否成功的标准和那些用来判断问题解决是否成功的标准也是不同的。成功的问题解决要求分析者获得相当精确的专业解决方案，并且针对的是阐述清楚的问题。相比之下，成功的问题构建要求分析者为模棱两可或构建不好的问题提出创造性解决方案。判断创造性行为的一般标准也适用于判断问题构建中的创造性。在以下程度上看，问题构建是具有创造性的[25]：（1）分析的成果是全新的（novel），是大多数人在同样的解决方案上不能够或者不可能得出的；（2）分析的过程是非常规的（unconventional），需要对先前接受的思想加以修正或舍弃；（3）分析的过程要求足够强的动力和毅力（high motivation and persistence），因为分析工作具有很高的强度或者需要很长的时间；（4）分析的成果被认为是有价值的（valuable），因为它提供了恰当的解决问题的方案；（5）最初提出的问题是如此含糊不清（ambiguous）、不明确（vague）和界定错误的（ill defined），以至于阐述问题本身就是个艰巨的任务。

问题构建的步骤

问题构建是一个由四个相互联系的步骤构成的过程：问题搜寻（problem search）、问题界定（problem definition）、问题详述（problem specification）和问题感知（problem sensing）（见图 3—3）。问题构建的前提是对一个问题情势的意识或“感知存在”。从问题情势开始，分析者努力进行问题搜寻。在各个阶段，目的不是发现单一的问题（例如，代理人或分析者的问题），而是发现不同利益相关者的多种问题表达。实践分析者通常面临着一个巨大的、乱糟糟的冲突性问题表达网，这个网是能动的、社会构建的以及遍布于政策制定的整个过程的。实际上，分析者面临着元问题[26]（metaproblem）——一个构建不好的问题的问题，因为不同利益相关者的问题表达的范围似乎是难以控制的大。[27]主要的任务是构建那个元问题，即一个可以界定为所有一阶问题的类的二阶问题，一阶问题是二阶问题的组成成员。除非这两个层次有明显区别，否则分析者会由于混淆了类和属，而冒阐述错误的问题的风险。由于没能区分出这些层次，分析者违背了“不管是什么子集的集合一定不是集合的一个子集”[28]这一准则。

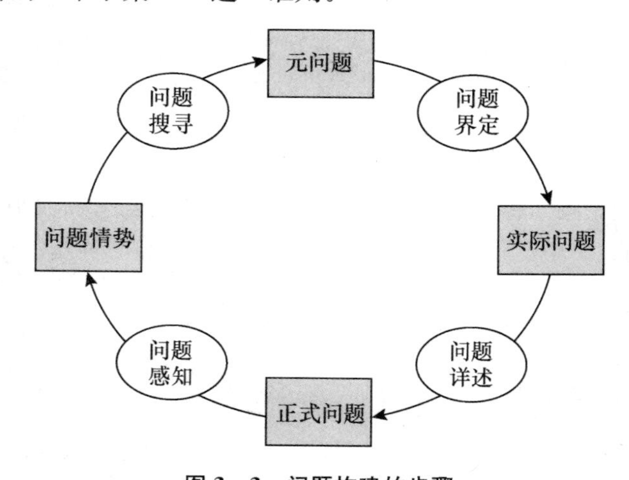

图 3—3 问题构建的步骤

在从元问题到实际的问题（substantive problem）的转变过程中，分析者试图从其最基本和最一般的意义上界定问题。例如，分析者可能会断定该问题是否是一个经济学、社会学、政治学、工程学等方面的问题。如果这个实际问题被认为是经济学方面的一个问题，那么分析者会从和商品与劳务的生产和分配有关因素的角度来看待它——例如，把市场价格看作公共项目的成本和收益的决定因素。另一方面，如果问题被看作政治学的或社会学的问题，分析者会从权力和势力在竞争性利益群体、精英或各阶层间的分配角度来对待它，概念框架的选择常常和世界观、思想体系或者大众神话的选择相似，它表明了对某一现实观的信奉。[29]

为了说明世界观、思想体系和大众神话在构建实际问题中的重要性，想一想界定贫困的各种方式，贫困可以被界定为社会的意外事故或不可避免的状况的结果，坏人行为的结果，或者穷人自己的缺陷的结果。[30]这些对贫困的界定包含世界观、神话或思想体系的因素，因为每个界定都包含了对问题情势构成要素的选择性看法。世界观、思想体系和大众神话常常是部分正确和部分错误的；它们可能是有用的，同时也可能是危险的。在这个例子中，把贫困归结为历史的偶然或不可避免的状况表明了在社会问题上的自然主义观点（naturalistic perspective），该观点通过声称财富的分配问题是无意义的来歪曲现实，但是同样的神话通过指出已知的社会都没有彻底地解决该问题这一事实，也会使分析者意识到对贫困界定的相对性。同样，把贫困归结为罪恶的或道德败坏的资本家歪曲了资本家的真实动机。但是，这种道德主义的观点（moralistic perspective）从假定的道德缺陷的角度解释贫困，也使我们注意到了私人所有权导致浪费、剥削和社会不负责任的方式。最后，把贫困归结为穷人自己的缺陷，不仅导致了对受害者而不是该负责任的社会力量的指责，而且也指出了一些穷人选择生活在其他人称为是“贫困”的状态下这一事实。这种环境保护论的观点（environmentalist perspective）把贫困和其他社会问题归结为受害者目前状况的特征，它常常给人道主义打上所谓的“指责受害者”的自相矛盾的烙印。人道主义者可以

> 把他的慈善爱好聚集到受害者的过失上，谴责（很久以前）导致过失的不具体的社会和环境压力，忽略（此刻）指责社会力量的持续性影响。对于证明一个用来改变社会受害者而不是大家可能会预料到的社会的荒谬的社会行动，它是一个非常好的思想体系。[31]

一旦一个实际问题已经被界定，一个更详细和具体的正式问题（formal problem）将会被构建。从实际问题到正式问题的过程是通过问题详述实现的。问题详述需要开发一个实际问题的形式数学上的表示（模型）。在这里，会出现困难，因为构建不好的实际问题和该问题的正式表示之间的关系可能是含糊的（微妙的）。[32]从形式数学的角度看，构建不好的问题的详述可能是不成熟的或者不适当的。这里的主要任务不是获得正确的精确的解决方法而是界定问题本身的性质。

第三类错误

问题构建的一个关键问题是实际问题与正式问题和最初的问题情势的实际一致程度。如果问题情势包含复杂问题的整个系统，那么对政策分析的一个主要要求是对充分表现了那种复杂性的实际问题和正式问题的阐述。既定问题情势和实际问题的一致程度是在问题界定阶段决定的。在这里，分析者比较问题情势和实际问题的特征。后者会以对人性、时间和通过政府行为进行社会变革的可能性的绝对假设或信仰为根据。然而，同样重要的是，问题情势和正式问题之间的一致程度，正式问题通常用一个数学公式或一组方程式来详述。

在第一个实例（问题搜寻）中，不能努力搜寻或者提前停止搜寻的分析者会冒选择元问题的错误边界的风险。元问题的重要方面——例如，那些被安排或即将被安排执行政策的人所抱有和相信的问题阐述——可能会很容易地被遗漏在元问题的边界外。在第二个实例（问题界定）中，分析者本应该选用正确的世界观、思想体系或大众神话，但他们却冒着用错误的世界观、思想体系或大众神话去界定问题情势的风险。在第三个实例（问题详述）中，主要的风险是本应选择正确的却选用了错误的对实际问题的正式表达（模型）。在任何情况下，分析者都可能会犯第三类错误（$E_{Ⅲ}$）。[33]决策理论家霍华德·雷法（Howard Raiffa）已经对第三类错误进行了如下描述：

> 在数学上，一个最通俗的范例描述了一个研究者要么接受，要么拒绝一个所谓的原假设的情况。在统计学的第一堂课上，学生就知道了他必须经常在犯第一类错误（即在原假设正确时拒绝它）和犯第二类错误（即在原假设错误时接受它）之间进行权衡……所有的从业者也常常犯第三类错误：解决错误的问题。[34]

问题构建的过程提出了大量议题，这些议题对于政策分析及一般科学的方法论很重要。问题构建的每个阶段都要求不同的方法技巧和推理。例如，最适合发现元问题的技巧是观察性的；对实际问题来说所需要的技巧主要是观念性的。数学和统计学学科（经济学或运筹学）主要和正式问题的详述有关。问题构建还提出了关于理性的不同含义的问题，因为理性不仅仅是一个找到一个问题情势的相对准确的正式表达的事情。这是对理性的标准的专业性界定，由于其在形式上使复杂过程过于简化而受到批判。[35]理性可以被界定在更基本的层次上，在该层次，对世界观、思想体系或大众神话的无意识的或不加鉴别的选择会歪曲实际问题及其潜在的解决方案的概念化。在这种情况下，政策分析可能会是一个伪思想体系。[36]

3.3　政策模型与问题构建

政策模型（policy models）是对一个问题情势简化了的表达（说明）。[37] 因此，政策模型的提出是问题构建的一种形式。正如政策问题是根据对问题情势的构成要素的界定和详述所进行的主观构建一样，政策模型是对现实的构建和重构。政策模型可能会表现为概念、图解、图表或数学公式，不仅可以用于描述、解释和预测问题情势的构成要素，而且通过推荐行动过程可以用于改善问题情势。政策模型从来不是对问题情势的本义描述。像政策问题一样，政策模型是对问题情势进行排序和解释的人为手段。

政策模型是有用的甚至是必不可少的。他们通过减少分析者工作中遇到的复杂性并使这些复杂性变得可以控制，简化了问题系统。政策模型可以帮助区分问题情势的基本和非基本特征，强调重要因素或变量之间的关系，以及帮助解释和预测政策选择的结果。通过要求分析者明晰自己的假设和质疑传统的分析观点和方法，政策模型还可以在政策分析中发挥自我批判和创造性的作用。在任何情况下，政策模型的运用都不是一个选择的问题，因为每个人都会运用多种模型。用政策模型家杰伊·弗里斯特（Jay Forrester）的话说：

> 我们每个人都经常使用模型。每个人在他的私人生活和他的工作中本能地使用模型来决策。你装进大脑里的对你周围世界的主观印象就是一个模型。人的大脑里没有城市或政府或国家。人只是选择了概念和联系用以说明这个真实的系统。一个主观印象是一个模型。我们所有的决定都是根据模型作出的。问题不是去使用或不使用模型。问题只是在模型中进行选择。[38]

通过简化问题情势，模型不可避免地导致了对现实的选择性歪曲。模型本身不能告诉我们如何区分非常重要的问题和不重要的问题，也不能解释、预测、评价或提出建议，因为这些判断是模型外在的（作用）而不是模型本身的一部分。但是，模型可以帮助我们承担这些分析任务，关键在“我们”，因为是我们而不是模型提出了解释模型所描述的现实世界的特征的假设。最后，政策模型——尤其是那些用数学的形式表达的模型——常常是很难传达给政策制定者和其他利益相关者的，对这些人来说，设计模型是为了帮助改善决策。

描述性模型

描述性模型（descriptive models）的目的是解释和/或预测政策选择的原因和结果。描述性模型被用于监测政策行动的结果，例如，管理和预算办公室或欧盟统计局（Eurostat）所公布的社会指标的年度目录上所列的结果。描述性模型也被用于预测经济绩效。例如，经济顾问委员会（the Council of Economic Advisers）为总统经济报告的结论准备了一个年度的经济预测。

规范性模型

相比之下，规范性模型（normative models）的目的不仅是解释和/或预测，而且也包括为最有效地实现一些效用（价值）提出建议。政策分析者所使用的多种规范性模型包括：有助于确定服务能力的最佳水平的（矩阵模型）、有助于确定服务和修补的最佳时机的（替代模型）、有助于确定命令的最佳强度和时机的（详单模型）以及有助于确定公共投资的最佳回报的（成本—收益模型）模型。规范性模型通常采用以下形式：发现会产生最大效用的控制（政策）变量的价值，该价值是根据政策制定者希望改变的结果变量的价值来估量的。通常（但不是总是）该价值用诸如美元（$）或欧元（€）等货币表示。

一个简单的大家熟悉的规范性模型是复合利息。在生命中的一个点或其他点，许多人已经使用了该模型的一些变量去发现储蓄会产生最多利息的一个“政策”变量的价值（例如，把钱存在银行还是存在信用合作社），该价值是根据经过既定年数他可以预期的钱的数量来估量的。这就是一个人希望改变的结果变量的价值。用于复合利息的分析模型是：

$$S_n=(1+r)^n S_0$$

在这里 S_n 是在既定的（n）年里将积累的储蓄的数量，S_0 是最初的储蓄量，$(1+r)^n$ 是投资（1）加上利息率（r）在既定时期（n）里的固定回报。如果一个人（政策制定者）知道不同储蓄机构的利息率并希望使储蓄的回报最大化，假若没有其他重要的因素需要考虑（例如，存款的安全性或主顾的特权），这个简单的规范性模型应该可以让他很容易选择那个提供最高利息率的机构。但是，注意，这个规范性模型还对选择不同方案的情况下储蓄的积累进行了预测，由此指出了所有规范性模型的一个特征：它们不仅使我们能估计过去、现在和将来的结果变量，而且也使我们能够最有效地实现一些价值。

口头模型

规范性和描述性模型可以用三种方式表示：口头上的，符号上的，以及过程上的。[39]口头模型（verbal models）是用日常的语言而不是符号逻辑的语言（如果 $p>q$，$q>r$，那么 $p>r$）或数学的语言（$\log_{10}10\,000=3$）表达。在使用口头模型时，分析者会用预言的形式做出推理判断并提供建议。推理判断是政策论证的构成部分，而不是以量化的价值表现的结果。专家和门外汉之间交流口头模型相当容易，口头模型的成本低。口头模型的一个潜在的局限性是提出的预测和建议的理由可能是没有言明的或难以发现的，这使得我们难以重新构建和批判性地检查整个论证。在 1962 年古巴导弹危机（Cuban Missile Crisis of 1962）期间，是否对苏联海军实行封锁的争论是口头政策模型的一个典型例子。肯尼迪总统关于危机的口头模型实际上主张实行封锁是美国唯一现实的选择：

首先，在维护我们自己的重要利益时，核武器必须避免那些给选择丢脸的撤退或核战争造成阻力的对抗。在核能时代采取那种过程将只能说明我们——希望人类集体死亡政策的破产。[40]

符号模型

符号模型（symbolic models）使用数学符号来描述被认为能描述问题的特征的主要变量之间的关系。通过使用数学的、统计学的和逻辑的方法，符号模型可以使我们获得预测或最佳解决方案。符号模型难以在门外汉之间交流，包括政策制定者，甚至专业模型家，他们对模型的基本要素有误解。[41]假若把花费在公共讨论上的时间和精力考虑进来，符号模型的成本很可能没有口头模型高，公共讨论是说明口头模型的主要工具。符号模型的一个现实局限是，它们的结果不容易解释，即使是在专家中间，因为符号模型的符号和假设的含义不能被充分界定。符号模型可以改善决策，但是只有在以下情况下才能成立：

对构建模型的前提进行明确说明……根据理论和证据声称是模型的常常只是学者的先入之见和偏见，这些先入之见和偏见伪装成科学严谨的样子，并用大规模的计算机模拟加以美化。离开以观察为依据的证明就很难保证这种应用的结果是可靠的，或者很难确保它们能适合规范性的政策目的。[42]

虽然我们已经考虑了一个为规范性目的（复合利息）而设计的简单的符号模型，但是，其他符号模型的目的是描述性的。一个经常使用的符号模型是简单线性方程：

$$Y=a+bX$$

这里，Y是分析者试图预测的变量的值，X是可以被政策制定者控制的一个政策变量的值。X和Y之间的关系被称为线性函数，它意味着X和Y之间的关系在图上绘出时将形成一条直线（见图3—4）。在这个模型中，符号b代表由于X的变化导致的Y的变化的量，可以通过直线的斜率描绘出来（斜率越大，X对Y的影响越大）。符号a（称为截距）代表X值为零时直线在纵轴或Y轴上的位置。在图3—4中，沿着虚线Y的所有值都是X值的一半（即$Y=0+0.5X$），而沿着实线，它们是相等的（即$Y=0+1.0X$）。这个线性模型预示着政策变量（X）需要变化多少才能使结果变量（Y）达到既定值。

过程模型

过程模型（procedural models）描绘了被认为能描述问题及解决方案的特征的变量间的能动关系。预测和最佳解决方案是通过模拟和探寻可能的关系获得的——例如，在未来几年里的经济增长、能源消耗和粮食供给，由于难以获得可靠的数据，这些关系是不能被充分地描述的。模拟和探寻过程一般是在计算机的辅助下进行的，计算机事先设定好了程序用以在不同的假设情况下给出不同的预测。

过程模型也利用符号进行说明。符号模型和过程模型的主要区别是前者常常使用真实数据来估计政策和结果变量之间的关系，而过程模型假设（模拟）这些关系。和口头模型及符号模型相比，过程模型的成本相对较高，主要是因为开发和操作计算机程序需要时间。同时，过程模型可以用相对非技术性（专业）的语言来表述，由此便于门外汉之间的交流。过程模型的优势是它们允许创造性模拟和探寻，但有时难以找到证实模型假设的证据。

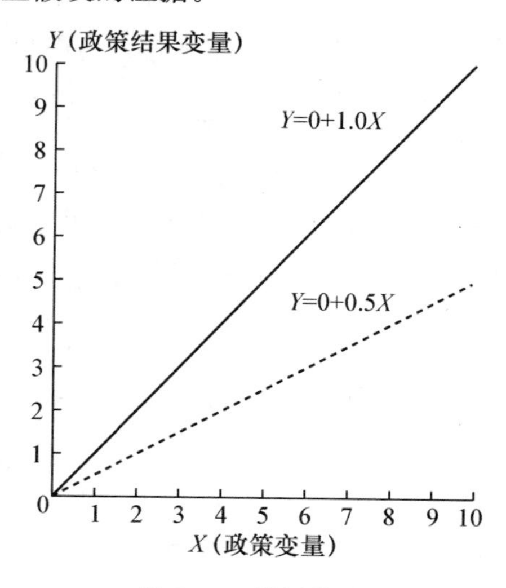

图 3—4 符号模型

过程模型的一个简单形式是决策树，它是通过规划若干可能的政策结果创造出的。图 3—5 表示的是一个简单的决策树，该决策树对减少污染的若干政策方案的可能性都进行了判断。[43]在根据现有数据难以计算风险和不确定性的条件下，决策树有助于对关于不同政策选择的可能结果的主观判断进行比较。

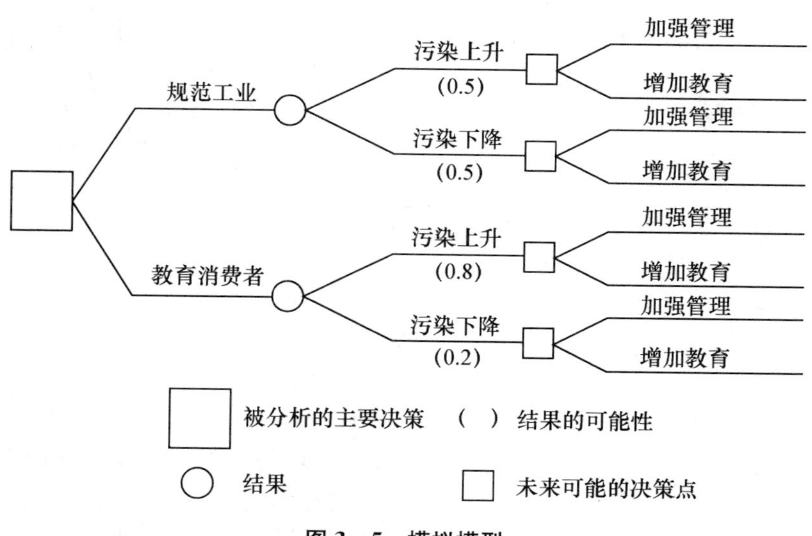

图 3—5 模拟模型

作为替代或透视图的模型

政策模型的一个极其重要的方面和它们的假设有关。政策模型，不管其目的或表达方式是什么，都可以被看作替代或透视图。[44]替代模型（surrogate model）被认为是实际问题的一个替代。替代模型有意或无意地以这样的假设为根据，即正式问题是实际问题的真实表现。相比之下，透视图模型（perspective models）被看作构建实际问题的若干可能的方式之一。透视图模型认为，正式问题永远不可能是实际问题的完全真实的表现。

在公共政策分析中，替代模型和透视图模型的区别特别重要，在公共政策分析中，正如我们所看到的，许多最重要的问题是构建不好的。大多数公共政策问题的结构是如此复杂以至于使用替代模型大大增加了犯第三类错误（$E_{Ⅲ}$）的可能——即本应该解决正确的问题，却解决了错误的问题。通过思考政策分析中形式模型（formal modeling）的两个例子可以说明这一点。第一个例子和符号模型的使用有关，而第二个例子和口头模型有关。[45]

假定一个分析者已经构建了一个简单的用线性函数表述的符号模型，就像前面图3—5中描述的那样。通过使用函数$Y=a+bX$（后面我们将把该函数写成$Y=b_0+b_x$），分析者可以运用观察标出X和Y的实际值，见图3—6。假定分析者也假设X和Y的观察值构成因果关系是无疑问的，认为在该因果关系中，政策变量（X）对结果变量（Y）有重要影响。这时，分析者将很有可能把形式符号模型的结果作为实际问题结构的证据。例如，分析者将把直线的斜率解释为X对Y的影响的程度，而观察到的Y值（数据点）和那些函数预测的值（在直线上的点）之间的相关性将被看作是对预测的准确性的判断。结论很可能就是政策变量的值的变化将

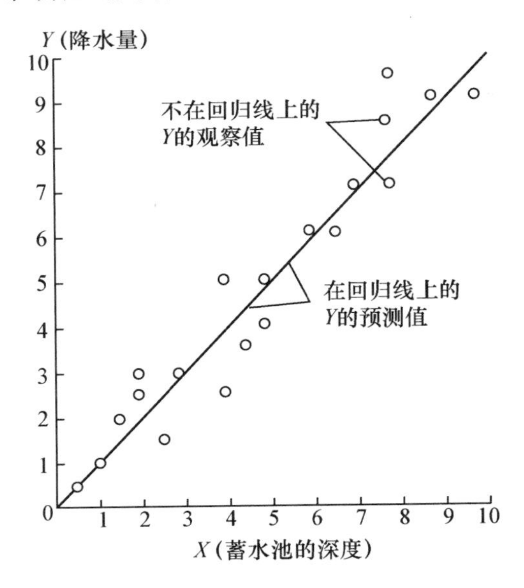

图3—6　X对Y的假设影响

会使结果变量的值产生相应的变化。

这个例子的要点是，形式符号模型本身在回答 X 是否是 Y 的原因这个问题时没有提供指导。如果 X 碰巧是失业，Y 碰巧是贫困，假设为了提供合理理由让大家相信是失业导致了贫困，实际问题已经被这样界定，那么，就会出现所预测的关系的一个实例。但是，这个信息没有包含在符号模型中；它来自于模型外部。假若已经根据贫困不是一个经济现象而是一个文化现象这一假设对实际问题进行了界定，我们所观察到的 X 和 Y 之间的关系或许恰好可以被看成是贫困对失业有影响的证据。例如，可以从“贫困文化”的角度来界定问题，“贫困文化”降低了人们工作和赚钱的动机。

这个例子的教训是，对实际问题的概念化控制着符号模型的解释。实际问题的形式上的表达是透视图而不是替代。为了进一步说明这一点，让我们回到前面讨论过的形式符号模型：

> 例如，假定 X 表示一个蓄水池的年平均深度，Y 表示该地区的年降水量……因为蓄水池管理政策是可以改变的，因此，蓄水池的深度是一个受政策控制的政策变量，年降水量是一个我们可能会有兴趣控制的变量，并且，常识清楚地表明降水量和蓄水池深度的关系是没有疑问的……然而，尽管这样，分析所提出的结论——我们可以通过更迅速地从蓄水池排水来减少降水量……看起来是荒唐可笑的。这是因为分析中假定的因果关系——蓄水池的深度是降水的原因——和我们所了解的降水量决定蓄水池深度的常识相违背。[46]

现在考虑当我们混淆了替代和透视图模型时遇到的麻烦的第二个例子。这一次我们将利用一个说明口头模型的例子，口头模型，即用日常语言表述的模型。假定你是一个政策分析者，面临如下问题情势：州政府交通运输部门的负责人已经提出要求，要求通过研究找到把该州中心地区的九个交通枢纽连接起来的最省钱的方式。作为该机构的政策分析者，你被指派去展示如何用四条相连的高速路把九个枢纽都连接起来。你还被告知，这四条线必须是直的（不允许弯曲），并且每一条线必须从上一条截止的地方开始（将不允许建筑队折回）。接下来，你将看到一张这个地区的地图（见图 3—7），并被要求提出解决该负责人的问题的建议。

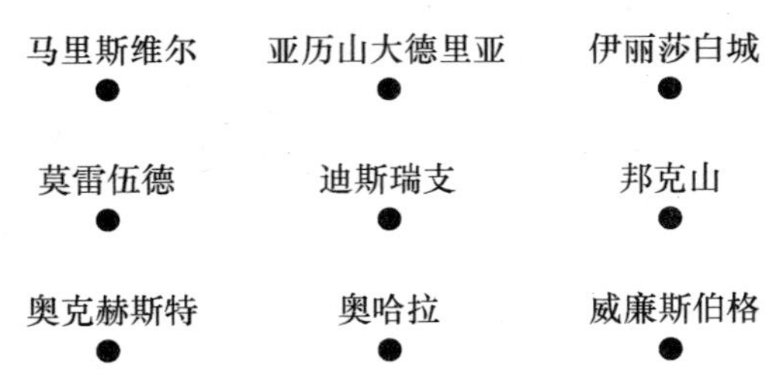

图 3—7　中心地区的交通枢纽图

除非你已经熟悉了这种典型的概念性问题（简称“九点问题”），否则极有可能解决不了。很少有人能自己找到解决办法，不是因为问题在技术上复杂（实际上它很简单），而是因为他们总是犯第三类错误（$E_{Ⅲ}$），当他们本应解决正确的问题时却解决了错误的问题。这是因为大多数人用绝对的假设对待问题情势，使得解决问题变得不可能。不过，关键在于，这些假设是分析者自己提出的，他们不是问题情势的构成部分。换句话说，分析者自己提出了一个解决不了的实际问题。

九点问题的解决方法呈现在图 3—8 中。这个解决方法看起来出奇的简单、新颖和非同寻常，也就是说，它具有前面所讨论的创造性的若干主要特征。在分析过程中，我们会突然清晰地意识到自己一直在解决错误的问题。只要假定解决方法一定在我们口头模型所设定的范围内——即由九个点组成的长方形——那么，找到解决方法就是不可能的。然而这个限定条件不是由形式口头模型提出的，而是由“方形”这个绝对假设提出的，该假设影响了我们对实际问题的界定。设想一下，如果我们已经把口头模型转换成了符号模型，会发生什么，例如，通过使用平面几何得到对点与点之间距离的定量估计。这不仅会让我们越来越远离解决方法；它还会制造出一种科学严谨和准确的气氛，该气氛会使专家权威得出该问题“无法解决”的结论。最后，这个例子有助于说明在政策分析中使用口头、符号和过程模型时一个简单而重要的观点。形式模型本身不能告诉我们，当我们本应解决正确的问题时，我们是否在解决一个问题的错误表达形式：地图不是版图。

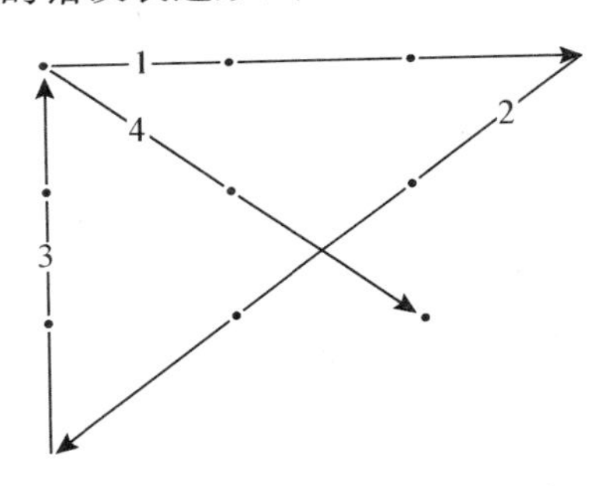

图 3—8 九点问题的解决方法

3.4 问题构建的方法

问题构建是生成和检验关于问题情势的不同备选概念的过程。正如我们在图 3—3 中所看到的，问题构建包括四个相互联系的阶段：问题感知、问题搜寻、问题界定和问题详述。在每一个阶段有许多方法和相关技巧可以帮助我们进行问题构建。这些方法及它们各自的目的、程序、知识来源和绩效标准见表 3—2。

表 3—2 **问题构建的方法**

方法	目的	程序	知识来源	绩效标准
边界分析	估计元问题的边界	饱和抽样、问题探寻	知识系统	限定范围内的正确性的累积
类别分析	澄清概念	概念的逻辑划分和分类	个人分析者	逻辑一致性
层次分析	识别可能的、似乎的和可争议的原因	原因的逻辑划分和分类	个人分析者	逻辑一致性

续前表

方法	目的	程序	知识来源	绩效标准
共同研讨法	认识问题的相似性	构建个人的、直接的、符号的和想象的类比	个人分析者或群体分析者	相对真实性
头脑风暴法	提出观点、目标和策略	提出和评价观点	群体	一致
多角度分析	提出深刻的见解	综合利用专家、组织和个人的观点	群体	洞察力的提高
假设分析	创造性综合各种冲突性假设	识别利益相关者，假设的提出、质疑、共用和综合分析	群体	冲突
论证图形化（规划）	评价假设	对真实性和重要性进行排列和图形化	群体	最佳真实性和重要性

边界分析（boundary analysis）

问题构建的一个主要任务是估计我们称作元问题的个人问题表述系统是否相对完满。这一任务类似于克莱恩（Kline）在他关于数学中的确定性之谜的随笔中描述的农场主（homesteader）的工作。[47]开垦田地时，农场主知道敌人就潜伏在还没有开垦的荒野中。为了增加安全感，农场主开垦的土地越来越多，但是从来没有感到完全安全。他们必须经常在是开垦更多的田地还是在已开垦的农场里照料他们的庄稼和驯养动物之间做出决定。他们尽了最大努力抵制荒漠的推进，但是也很清楚潜伏在空地另一边的敌人可能会突然袭击和毁灭他们。他们希望在该选择去开垦更多的田地时不用选择去照料庄稼和牲畜。

农场主的类推法突出强调了政策分析中问题构建的一个主要问题。政策分析者所面临的问题很少是单一的和容易界定的；相反，他们面临着多种多样的问题，这些问题贯穿于整个政策制定过程，由想法和行为相互依存的利益相关者以明显不同的方式进行界定。在这些情况下，分析者看起来就像在难以操纵的范围里工作的农场主，或者相当于忙于“对现实进行无休止的讲道的戴奥吉尼斯，目的是发现事物的更多方面、行动的更多方面和更多改善的机会”[48]。

为了充分利用这一章所描述的问题构建方法和技巧，学习边界分析是很重要的。刚才所讨论的问题构建的方法，以及假设问题已经被构建了的相关方法[49]，它们本身不能提供任何方法了解一组问题表述是否是相对完满的。问题表述是否相对完满可以根据如下三个步骤来判断。[50]

1. 饱和抽样（saturation sampling）。利益相关者的饱和（雪球）抽样可以通过一个多阶段的过程获得，该过程开始于一组对政策持不同看法的个人和群体。在起始阶段可以面对面或者通过电话联系利益相关者，并要求他们说出另外两个最支持和最不支持所讨论的论点和主张的利益相关者的名字。这个过程一直持续到没有新的利益相关者被提名。假若该组利益相关者不是一个更大的总体的子样本，那么就没有抽样变异，因为特定领域的（例如，一个卫生保健改革议案或一个保护环境的法院决定）政策利益相关者的工作组的所有成员都已经被联系过了。[51]

2. 引出问题表述（elicitation of problem representations）。这个步骤是为了引出可能的问题表述，赫克洛称问题表述为“观点、基本范式、明显的隐喻、标准的操作程序，或者我们用来指称把事件和意思联系起来的解释系统的其他任何东西”[52]。通过面对面的访谈，或者通过电话访谈和在饱和抽样阶段从利益相关者那里获得的资料，可以获得描述这些问题表述的特征所需要的论据。在大多数分析者时间有限的情况下，通过电话访谈和在饱和抽样阶段从利益相关者那里获得的资料，是更实际可行的。

3. 边界分析（boundary estimation）。第三步是估计元问题的边界。在该阶段，分析者构建了一个渐增的频率分布图，其中利益相关者被排列在横轴上，新的问题构成要素——观点、概念、变量、假设、目标、政策——被标在纵轴上（见图3—9）。随着每个利益相关者的新的完全不同的问题要素被标出，曲线的坡度表明了不同的变化速度。开始变化速度很快，后来变化速度变慢了，最后就停下了，从这个点开始，曲线变平坦了。从这个点往后，收集关于问题本质的更多信息未必能提高集体问题表述的准确性，因为已经对元问题的边界做出了判断。

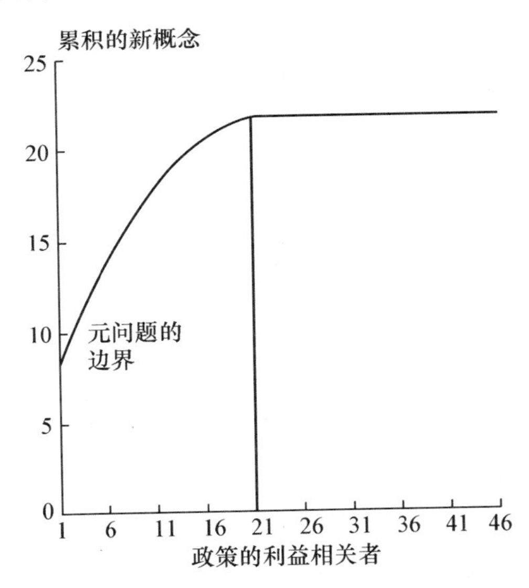

图3—9 元问题的边界

总的来说，上面所描述的判断程序符合正确推理判断的要求：特性、协调、成本—效率、在限定范围内是正确的。[53]在其他复杂的领域里类似程序的运用——例如，对科学文献、图书馆藏书、语言、文学作品和消费者偏好的边界的判断——表明了知识体系发展模式和界限中的法定规则。[54]和其他政策分析程序一样，边界分析得出的结论是似然的和不确定的。和其他问题构建方法与技巧一起，这些边界分析程序降低了政策分析中第三类错误出现的可能性。

类别分析

类别分析（classificational analysis）是一种澄清用以界定问题情势和对问题情势进行分类的概念的方法。[55]感知问题情势时，政策分析者在一定程度上必须对他们的经验进行分类。即使是最简单的问题情势的描述也是建立在通过归纳推理对经验进行分类的基础上的，归纳推理是一个通过体验特定的（具体的）客体或情势形成一般（抽象）概念的过程，例如贫困、犯罪和污染。当我们用一种方式对问题情势进行分类时，常常排除了用另一种方式分类的机会，正如“九点问题”所表明的那样。

类别分析主要以两个程序为基础：逻辑划分和逻辑分类。如果我们选择了一个门类并把它分解成其构成部分，这个过程就叫逻辑划分（logical division）；相反，把环境、客体或个人组合成更大的群体或门类的过程就叫逻辑分类（logical classification）。所有归类的依据都是分析者的目的，反过来，分析者的目的又依赖于对问题情势的实际了解。

例如，考虑一下对美国贫困问题的分析。在美国所有的家庭可以被分成两个子类：家庭收入在美国社会保障部（U. S. Social Security Administration）所确立的贫困线以下的和家庭收入在其以上两类。如果分析者在逻辑划分的过程中停留在这一步，他或她将会得出这样的结论，即美国的贫困问题是逐渐减少的，并且可能会声称贫困问题的日渐减少是经济健康运行的结果。但是如果逻辑划分的过程再向前推进一步，根据政府转移支付之前的家庭收入和政府转移支付之后的家庭收入把贫困家庭再划分成两个子类，分析者将得出一个截然不同的问题概念。这时分析者将毫无疑问地得出结论，贫困的减少是公共福利和社会保障计划的结果，并且很可能声称贫困问题不能通过私人的企（事）业系统解决，因为1968—1972年间，居于贫困线以下的家庭的数量无论是绝对数量还是相对于总人口的比例都增加了（见表3—3）。

虽然没有办法确切地知道分类方法的依据是否正确，但是以下几条原则可以帮助我们确保分类和问题情势相关并且在逻辑上一致：

1. 真实的相关性（substantive relevance）。分类的依据应该根据分析者的目的和问题情势的本质而定。这一原则在理论上看似简单，它意味着类和子类应尽可能和问题情势的“真实情况”保持高度一致。但是由于我们对问题情势的理解程度在一定程度上和我们用来体验它的概念密切相关，因此不存在绝对的准则，来告诉我们何时已经正确地理解了问题。例如，贫困可以被归类为一个收入不足的问题、一个文化缺乏的问题，或者一个心理动机的问题——它可能是所有这些问题甚至更多方面的问题。

表 3—3 **生活在贫困线以下的家庭的数量，1965—1972 年**[a]

类别	1965 年		1968 年		1972 年	
	数量（百万）	占总数的比例（%）	数量（百万）	占总数的比例（%）	数量（百万）	占总数的比例（%）
转移支付前的家庭数[b]	15.6	25.7	14.9	23.2	17.6	24.8
转移支付后的家庭数[c]	10.5	17.3	10.1	15.7	10.0	14.1

注：

a. 美国社会保障部把贫困界定为收入低于以下水平：\$3 223（1965 年），\$3 553（1968 年），\$4 275（1972 年）。这是为一个有四口人的非农家庭设立的年现金收入标准。

b. 不包括政府的以下形式的转移支付：现金（社会保障、公共援助）、营养补贴（食物券）、住房、健康（医疗、保健）、社会服务（OEO）、就业和人力以及培训。

c. 包括政府各种形式的转移支付。

资料来源：R. D. Plotnick and F. Skidmore，*Progress against Poverty. Review of the 1964—1974 Decade*，Institute for Research on Poverty，Poverty Policy Analysis Series No. 1（New York：Academic Press，1975）.

2. 穷尽（exhaustiveness）。分类体系中的种类应该是全面的（穷尽的）。意思是分析者感兴趣的客体或情势必须被“用光”。在上面的例子中，美国所有的家庭必须被划分到不同种类中的一种当中。如果我们发现一些家庭没有收入，无论是因为政府的转移支付还是家庭本身的问题，那么，一个新的类就产生了。

3. 相斥性（disjointness）。种类必须互相排斥。每个客体或情势必须被归入一个并且只能是一个种类或亚类。例如，在家庭分类中，他们必须被归入两个主要亚类（收入低于和高于贫困线）中的一个或另一个，这意味着没有家庭可以被“计入两次”。

4. 一致性（consistency）。必须根据单一的分类标准划分类和亚类。违反该原则导致亚类重叠，称为交叉分类错误。例如，如果我们根据是否高于贫困线或收到福利补贴来对家庭进行分类，就会犯交叉分类错误，因为许多家庭两个种类都不属于。该原则实际是穷尽和相斥性的延伸。

5. 层次上的不同（hierarchical distinctiveness）。分类体系中层次的含义（类、亚类、次亚类）必须加以仔细区分。这一准则，实际上是解释分类体系的准则，它源于前面所讨论的简单但是重要的原则：集体总体不等于集合中的个体。人类是所有单个人的集体；但是人类本身不是个人。同样，贫困作为 140 万家庭的一个特征不能被理解成一个家庭乘以 140 万的行为。140 万贫困家庭的人口和一个家庭不仅在量上不同，而且在质上也不同，因为它是一个在经济、社会和政治上具有相互依赖性的整体系统。

层次上的不同这一准则值得进一步详细说明，因为它是问题构建的中心。在构建政策问题时，分析者常常忽视集合和集合的元素之间的区别，但是集合不是其自身的元素。回到“九点问题”就能很好地说明这一点（见图 3—7）。当一个人第一次试图解决该问题时，

他的假设是这九个点构成一个矩形，问题的解决方案一定要在这个矩形里面找到，这是一个提问者并非没有要求的自加条件。因此，他之所以失败，不

是因为任务不可能完成，而是因为他试图在矩形内解决问题。既然已经设定了问题，他现在用四条线选择连接方式，用什么样的顺序都已经无关紧要了，他最终总会有一个点连接不上。这意味着他可以试遍第一顺序变化的各种可能方式（即在矩形的集合的构成元素的层次上的那些）……但是永远不可能完成这个任务。解决方法是一个第二顺序的改变（即包含集合的全部的一个变化），该改变就是离开这一范围，不能局限于自身的内部变化，因为……它包含了集合的全部，因此不能成为其中一个部分。[56]

一个对类别分析有用的方法是集合思维（set thinking）。[57]集合思维研究集合之间以及集合和子集之间的关系，其中，集合被界定为一个有明确界限的客体或要素的总体。集合和子集相当于分类体系中的类和亚类，并且可以用维恩图（Venn diagram）帮助直观说明。[58]在图 3—10 的维恩图中，可以用矩形代表美国所有的家庭。在集合用语中，被称为全集（universal set，U）。它的两个子集用矩形中的圆 A 和圆 B 表示，用来表示高于或低于贫困线的家庭。如果我们运用穷尽原则、互斥原则和一致性原则，所有家庭将被划入集合 A 或集合 B，这样，这两个集合反映了不会交叉的不同收入水平。在集合用语中，集合 A 和集合 B 的并集等于所有家庭的全集 U。并集的符号为∪，读作“并”。

两个集合交叉形成一个子集，这样原来两个集合的特征也交叉在一起，如图 3—11 所示。例如，非贫困家庭（A）和贫困家庭（B）的交集 D 可以被用来说明两类群体中收到政府转移支付的一些家庭。在集合用语中，A 和 B 的交集等于 D，用符号表示是 $A\cap B=D$，读作“A 交 B 等于 D”。并集和交集是两个最重要的集合运算，可以被用来构建分类方案（图 3—12）和交叉分解（图 3—13）。交叉分解是用来以表格形式组织数据的逻辑划分的一种基本形式。

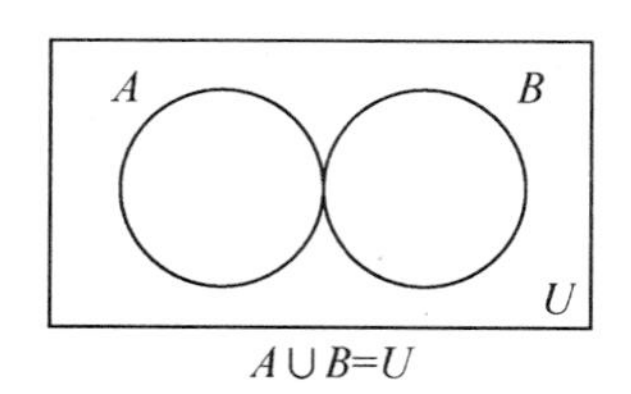

图 3—10　并集

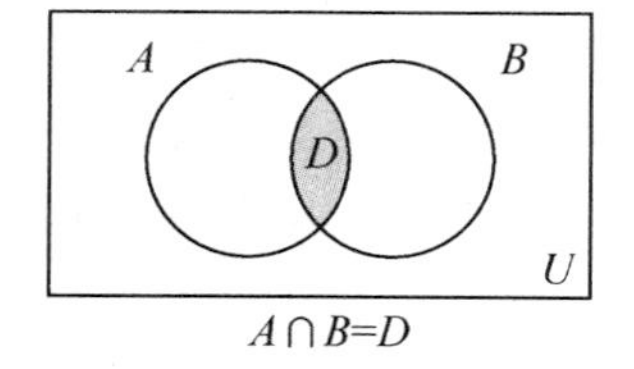

图 3—11　交集

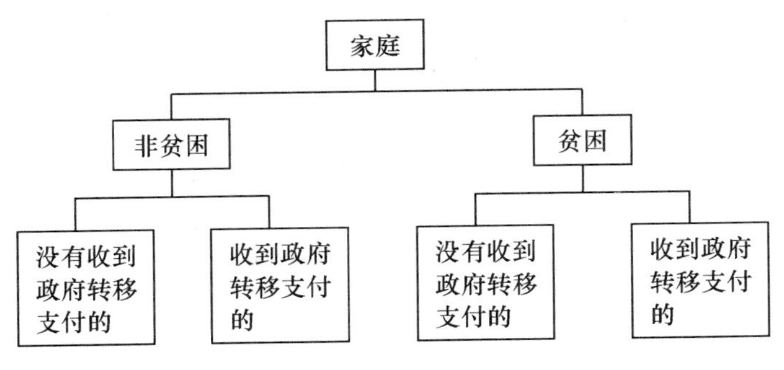

图 3—12　分类方案

维恩图、分类方案和交叉分解是构建政策问题的重要方法。但是，类别分析方法专注于个人分析者，而不是群体分析者，并且用逻辑一致作为评价分析者对问题界定好坏的主要标准。尽管分类方案的一致性是其充分性的一个重要方面，但是，没有办法确切地知道任何类或亚类的实际根据是正确的。因为不同的分析者对于分类的实际依据常常达不成一致，类别分析的个人关注可能会排除提出其他分类方案的机会。总之，类别分析是一个有助于澄清既定概念及概念间关系的方法。类别分析不能保证概念具有真实的相关性。

	A_1	A_2
B_1	B_1A_1	B_1A_2
B_2	B_2A_1	B_2A_2

A_1=非贫困家庭
A_2=贫困家庭
B_1=未收到政府转移支付
B_2=收到政府转移支付

图 3—13　交叉分解

层次分析

层次分析（hierarchy analysis）是识别问题情势可能的原因的方法。[59]形式逻辑和许多社会科学理论在识别可能的原因方面几乎没有提供指导。没有方法能从结果推论出原因，或者从原因推论出结果，社会科学理论常常如此概括或抽象，以至于在具体情况下几乎没有用。为了识别造成问题情势的可能的原因，具备概括在既定情况下起作用的许多原因的概念性框架是有帮助的。

层次分析帮助分析者识别三种原因：可能的原因（possible causes）、合理的原因（plausible causes）和可争议的原因（actionable causes）。可能的原因是指无论多么微小（遥远），都会促使既定问题情势出现的事件或行为。例如，抵制工作、失业，以及权利与财富在精英层的分配都可以被看作贫困的可能的原因。相反，合理的原因是指根据科学研究或直接经验，被认为对某一问题情势的出现具有重要影响的原因。在前面的例子中，抵制工作不可能被看作贫困的一个合理的原因，至少在经验观察者看来不是，而失业和精英层认为是。最后，权力和财富在精英层的分配不可能被看作可争议的原因——可争议的原因是指可以被政策制定者控制或者操纵的原因——因为任何一个或一组用于解决贫困问题的政策都不能改变整个社会的结构。在这个例子中，失业不仅是贫困的合理的原因，而且是可争议的原因。

政治学家斯图尔特·内格尔（Stuart Nagel）和玛利亚·内夫（Marian Neef）提供了一个很好的例子，来说明层次分析对构建政策问题的潜在作用。许多观察者总是愿意接受这样的解释，即监狱过度拥挤的主要原因是大量的人被逮捕并关进监狱等待审判。由于这个原因，取保候审政策——即在正式审判前释放一些被逮捕的人（通常是因轻微罪行被逮捕的）——一直被许多改革者所拥护。

和该政策所依据的因果关系解释一样，这一政策的问题在于，它忽视了作为监狱过度拥挤的若干似然原因之一的诉辨交易。诉辨交易在美国的审判体系中被广泛采用，在诉辨交易中，被告同意认罪以换取控方同意降低罪名或减轻刑罚。如果诉辨交易和取保候审一同使用的话，会出现以下结果：

> 如果取保候审的被告的比例增加，那么成功的诉辨交易的比例将很有可能减少……现在，如果由于取保候审增加认罪的情况减少了，那么审判的数量将很有可能增加……并且如果审判的数量增加了，那么被拖延的审判的数量也将增加，除非审判系统增加公诉人、法官和公共辩护者的数量……如果由于一般原因，包括监狱中的被告，使得审判中的拖延增加，那么监狱中的人数会增加，由于其关押人数不仅取决于被关在监狱里的被告的数量，还取决于被告被关在监狱里的时间。由于取保候审增加而导致的减少的关押人数可能会超过被审判延误以及审判前拘留时间延长而增加的关押人数，审判延误和审判前拘留时间的延长是由于取保候审的增加和随之发生的认罪情况减少和审判数量增加造成的。[60]

这个例子不仅说明了层次分析在构建政策问题中潜在的创造性作用，而且表明层次分析可以帮助发现这样一些公共政策的可能存在的未料到的结果，即结果看起来是不言而喻的公共政策。什么能比取保候审将导致关押人数减少更明显呢？答案在于对导致最初问题情势的似然原因有一个符合要求的理解。图 3—14 对层次分析在火灾的可能的原因、合理的原因和可争议的原因中的应用进行了简要说明。

进行层次分析的原则和进行类别分析的原则一样：真实的相关性、穷尽、互斥、一致和层次上的差别。同样，逻辑划分和归类程序也可以应用到这两种分析中。类别分析和层次分析的主要区别是，前者涉及一般概念的划分和归类，而层次分析创建可能的、似然的和可争议的原因的具体概念。尽管如此，两种分析形式都关注个人分析者并使用逻辑一致性作为评价问题构建好坏的主要标准，并且，两种分析方法都不能保证找到概念的合适的真实依据。因此，层次分析也会通过把个人分析者而不是群体分析者作为信息源而排除提出其他因果关系解释的机会。

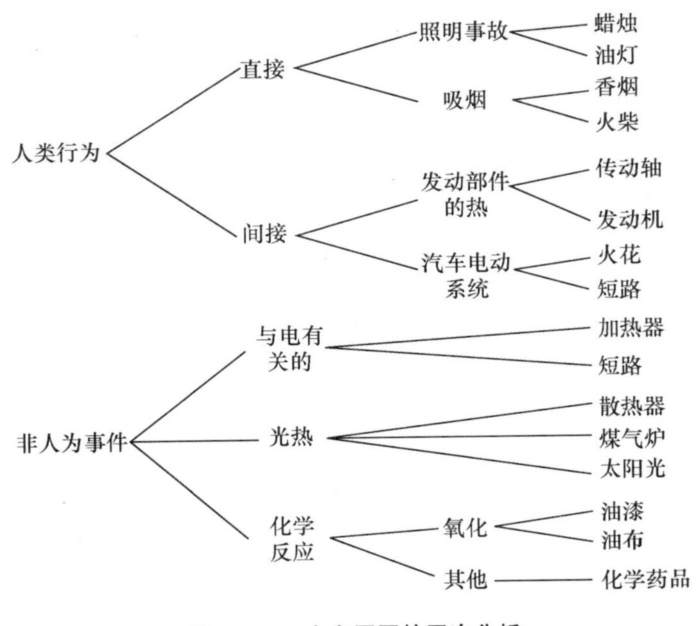

图 3—14　火灾原因的层次分析

资料来源：John O'shaughnessy，*Inquiry and Decision*（New York：Harper & Row，1973），p. 76.

共同研讨法

共同研讨法（synectics）是一种促进对相似问题的认识的方法。[61] 共同研讨法，概括地讲是指具有相似之处的调查研究，它帮助分析者在构建政策问题时创造性地利用类推法。许多研究表明，人们常常认识不到看似是一个新问题的问题实际上是一个伪装起来的旧问题，那个旧的问题可能包含看起来是新问题的问题的解决方法。共同研讨法的根据是这一假设，即意识到问题之间的同一或相似关系将大大提高分析者解决问题的能力。

在构建政策问题时，分析人员可以作以下四种类比：

1. 个人类比（personal analogies）。在构建个人类比时，分析者试图设想他们和其他一些政策利益相关者（例如，一个政策制定者或委托群体）一样亲身经历了问题情势。个人类比在发现问题情势的政治性方面尤其重要，因为“除非我们愿意并且能够从政治上思考——但愿能作为角色扮演——否则，我们将不能进入政策制定者的现象学的世界，不能理解该政策过程”[62]。

2. 直接类比（direct analogies）。在进行直接类比时，分析者要寻找两个或更多问题情势之间的相似关系。例如，在构建吸毒问题时，分析者可以根据控制传染病的经验构建直接类比。[63]

3. 符号类比（symbolic analogies）。在进行符号类比时，分析者试图发现既定问题情势和一些象征性过程之间的相似关系。例如，常常可以在各种自动控制装置（恒温调节器、自动驾驶仪）和政策过程之间进行符号类比。在每个阶段，类似的调试过程都被看作是对环境不断进行反馈的结果。[64]

4. 想象类比（fantasy analogies）。在进行想象类比时，为了探索问题情势和一些设想的事件状态之间的相似性，分析者是完全自由的。例如，防御政策分析者，有时使用想象类比来构建预防受到核武器袭击的问题。

共同研讨法依赖于个人分析者和群体分析者做出恰当的类比。评价问题构建好坏的主要标准是比较的真实性，即既定问题情势和其他作为比照物的东西的实际相似程度。[65]

头脑风暴法

头脑风暴法（brainstorming）是一种提出观点、目标和战略，帮助识别和界定问题情势的方法。亚里克斯·奥斯本（Alex Osborn）最早使用它作为提高创造性的方法，头脑风暴法可以用来提出大量的关于问题解决方案的建议。[66]头脑风暴法包括如下几个简单的程序：

1. 应根据所研究的问题情势的性质组建头脑风暴小组。这通常意味着要挑选对既定情势特别在行的人，即专家。

2. 观点的提出和评价过程应该被完全分开，因为热烈的群体讨论可能会受到过早的批评和争论的抑制。

3. 头脑风暴活动的氛围应尽可能开放，在观点提出阶段应尽可能自由。

4. 只有第一个阶段所提出的所有观点都已经说完了才能开始进入观点评价阶段。

5. 在观点评价阶段结束时，群体应该把观点区分优先次序并把它们写进包含问题含义和其潜在解决方案的提案中。

头脑风暴法是一个有很多用途的方法，根据分析者的目标和实际条件的限制，它可以开展比较有组织的或比较无组织的活动。比较无组织的头脑风暴活动常常发生在政府机构和公共以及私人的“思想库”。在那里，政策问题的讨论是非正式的，并且在很大程度上是自发的，需要若干科学学科或领域的通才和专家的配合与合作。[67]通过各种协调或集中群体讨论的工具，头脑风暴活动也可以是比较有组织的。这些工具包括建立连续决策研讨小组（continuous decision seminars），努力避免会议委员会的限制性气氛，连续决策研讨小组是一个具有很高积极性的专家小组，这些专家在若干年里频频碰面。[68]

协调和集中头脑风暴活动的另一个工具是构建脚本（scenarios），脚本是对有待证实的未来事件的概述，这些有待证实的未来事件可以改变某些问题情势。脚本写作已经被用于探索潜在的军事和政治危机，它是创造性运用想象力描述未来情势的某些方面的结果。脚本有两个主要类型：操作（行动）分析型的和自由形态的。在构建自由形态的脚本时，分析者是“一个攻击传统观念的人，一个模型破坏者，一个假设的质疑者，以及——在极少的情况下——一个标新立异的追风者”[69]。相反，操作分析型脚本的目标有限：

> 不是对无拘束的虚构或组成一个作者所渴望的乌托邦式的创造进行描述，操作分析型脚本立足于世界的现有状态，说明一个未来状态如何一步步从现有状态演进成一个似乎是真实的状态。[70]

比较有组织的头脑风暴的一个很好的例子是“2000 年规划项目”（the Year 2000 Planning Program），这是一个由美国统计局（U. S. Bureau of the Census）实施的为期两年半的项目。[71]在该项目中，120 名来自各级统计局及其分支机构的自荐参加者，从秘书到小组长到主任，被要求尽可能自由地对未来进行思考并创作自由形式的脚本，该脚本表明在 2000 年统计局应该是什么样子。参加者要写出小组报告，小组报告后来会被由小组代表组成的执行小组整合为最终报告。随后，最终报告会提交给统计局执行参谋部，也会提交给美国统计联合会（the American Statistical Association）、美国营销协会（the American Marketing Association）和美国经济协会（the American Economic Association）的顾问委员会。

“2000 年规划项目”在以下几个方面是成功的。报告得到了所有群体的适度赞成，大多数成员认为该项目应该以某种形式继续，或许是永久性的。该项目的两个创造性成果，一是设立保护统计数据使用者利益的调查官员舞弊情况的政府官员这一建议，一是设立统计大学以促进和实施统计局的持续教育计划。那些对该报告深信不疑的人倾向于对构建不好的问题的战略性考虑；对构建良好的问题持战术性或操作性定位的人对报告的态度则不那么积极。由于上级统计机构的全体职员，包括主任，意识到统计局面临着重要的长期问题，该问题的结构高度复杂和“混乱”，由此使该项目本身变得可能。最后，虽然该项目需要投入大量的资源，但是实施该项目看起来似乎没有多大的风险。

头脑风暴法和其他问题构建方法的主要区别是，它的关注点是知识渊博的群体而不是个别专家。并且，头脑风暴活动不是根据逻辑一致性或比较的真实性来评价的，而是根据头脑风暴群体成员间的一致来评价。用一致作为问题构建效果的评价标准的主要局限性在于，关于问题性质的冲突会被压制，由此排除了提出和评价可能正确的观点、目标和战略的机会。“2000 年规划项目”试图创造一个开放和自由的气氛，但项目是否成功的最终评价取决于权威决策者（机构执行参谋）和专家（专业协会的顾问委员会）之间的一致。简言之，该项目和其他比较有组织的头脑风暴活动没有提供明确的方法，用以在构建政策问题时促进对冲突的创造性利用。

多角度分析

多角度分析（multiple perspective analysis）是通过从个人、组织、技术角度系统地看待问题情势，从而对问题及其潜在的解决方案有更多洞察的一种方法。[72]与在计划、政策分析、技术评价、社会影响评价和其他领域中几乎专门强调所谓的理性技术方法不同，多角度分析直接用于构建不好的政策问题。每一种视角都有许多特征，它们的主要特征如下：

1. 技术的角度。技术的（T）角度根据最优模型看待问题和解决方案，并且运用以概率理论、成本—收益和决策分析、计量经济学和系统分析为基础的技术。技术的角度，据说是建立在科学技术世界观基础上的，它强调因果关系思考、客观分析、预测、最优化和有限的不确定。T角度的一个典型例子是向日本投掷原子弹的决策。该问题被看作包含五个备选方案——轰炸和封锁、侵入、不带警告的原子弹袭击、警告之后再用原子弹袭击、在无人居住的岛上轰炸。考虑到要在盟军生命损失最少和对日本破坏最小的情况下使日本无条件投降这一目标，选择第三个备选方案（不带警告的原子弹袭击）是更可取的。

2. 组织的角度。组织的（O）的角度把问题及其解决方案看作是从一种组织状态到另一种组织状态有序演进（伴随着较少的但暂时的危机）的一部分。标准的操作方法、规则和制度化程序是O角度的主要特征，它常常反对T角度并且极少关心目标的实现和绩效的改善。投掷原子弹的决策为O角度提供了典型例子，也说明了它和T角度是如何不同的。从O角度来看，不投掷原子弹的决定会产生深远的组织性担心，因为在没有征得国会同意的情况下花费了20亿美元的资金。投掷原子弹向国会表明资金没有被浪费，同时，也向对美国造成威胁的苏联提出挑战，并拉开了冷战的序幕。

3. 个人的角度。个人的（P）角度根据个人的看法、需要和价值观看待问题及其解决方案。个人的角度的主要特征是强调把直觉、魅力、领导权和私利作为控制政策及其影响的因素。原子弹的例子也说明了P角度是如何提出T角度和O角度都不能提供的见解的。在1945年新总统杜鲁门是罗斯福总统机构（FDR establishment）的圈外人，罗斯福集团在罗斯福三次任期内得到了增强和巩固。杜鲁门缺少必需的合法权和影响力去向罗斯福集团挑战，包括牢固地确立其官僚的利益及政策，因此，在他担任总统的早期，不投掷原子弹的决定被当代人和后来的历史学家看作是软弱的表现。杜鲁门具有强烈的历史使命感，他希望表现为一个勇敢的和果断的领导。

多角度分析和在公共政策制定、公司战略规划、区域发展及其他领域中发现的所有社会技术性问题都有关，为了使用多角度分析，林斯图恩及其同事提出了以下一些准则：

- 跨行业的组合（interparadigmatic mix）。根据跨行业组合而不是跨学科的组合来组建团队。例如，一个由商人、律师和作家组成的团队比一个由经济学家、政治学家和心理学家组成的团队更可取。跨行业的组合之所以更可取是因为它使在团队中了解T、O和P角度的机会最大化。

- 角度间的平衡（balance among perspectives）。在计划和政策分析活动开始之前，是不可能对T、O和P角度的侧重程度做出判断的。当团队开始工作后，找到三者之间的恰当平衡点将使向T、O和P分配任务成为可能。同时，均等分配是更可取的。

- 不同的复制性（uneven replicability）。T角度一般使用可复制的方法（例如，实验设计）。O和P角度是不可复制的。例如陪审团审判，其过程是不能复制的，非例行的执行决策也是不能复制的。

● 恰当的交流（appropriate communications）。根据信息选择恰当的交流媒介。摘要、口头报告、脚本和小插图适合同持 O 和 P 角度的人交流时使用。模型、数据、变量清单和分析程序适合于持 T 角度的人。

● 延期整合（deferred integration）。把角度整合交给委托人或政策制定者，但是要指出 T、O 和 P 角度之间的联系以及他们所提出的不同的结论。

多角度分析已经被大量用于技术评价领域和公共政策的其他领域。多角度分析的方法是基于外交政策和知识体系设计的早期成果发展起来的[73]，它是处理构建不好的问题的复杂性的一种方法，构建不好的问题产生于科技和技术含量高的社会技术系统。

假设分析

假设分析（assumptional analysis）是一种对政策问题的冲突性假设进行创造性综合的方法。[74]在许多方面，假设分析是所有问题构建方法中最全面的，因为它包括结合其他方法一起使用的程序，并且可以以群体、个人或者两者为关注点。假设分析最重要的特征是，它是专门为对付构建不好的问题设计的，构建不好的问题是指政策分析者、政策制定者及其他利益相关者在如何表述问题上不能达成一致的问题。评价问题表述是否恰当的主要标准是关于问题情势的冲突性假设是否已经浮出水面，是否已经受到质疑，以及是否已经被进行了创造性综合。

假设分析方法的提出是为了克服政策分析的四个主要局限性：(1) 政策分析的依据常常是这样的假设，即一个单一的决策者，拥有优先次序明确的价值标准，这些价值标准可以在某一时刻实现；(2) 政策分析常常不能系统、详细地思考关于问题性质及其潜在的解决方案的截然不同的观点；(3) 大多数政策分析是在这样的组织中进行的，这些组织的“自动封闭”特征使得我们很难或不可能对占主流的问题表述提出质疑；(4) 用于评价问题及其解决方案的正确性的标准通常涉及表面特征（例如，逻辑一致性），而不涉及问题概念背后隐含的基本假设。

假设分析清楚地认识到冲突和承诺的正面和负面特征。“为了通过极对立的政策的存在搜寻出政策制定者的潜在假设并对其提出质疑，冲突是需要的。另一方面，如果每个政策的拥护者打算为他们各自的观点提出最强有力的可能理由（未必是最好的），承诺也是必要的。”[75]假设分析需要使用以下程序步骤：

1. 识别利益相关者（stakeholder identification）。在第一阶段，利益相关者被识别、排列，并区分优先次序。识别、排列和区分利益相关者优先次序的依据是他们对政策过程的影响程度以及受政策过程影响的程度。该方法可以识别出在政策问题的分析中通常被排除在外的利益相关者——例如，行政官员或委托人中持不同政见的群体。

2. 提出假设（assumption surfacing）。在第二个阶段，分析者从所推荐的问题解决方案向后追溯精心选择的数据，这些数据为所推荐的方案及背后的假设提供支持，这些建议及其背后的假设和数据一起，能够让人以数据的结论的形式推论出建议。政策利益相关者推荐的每一个解决方案都应该包含明确地或含蓄地支持该建议的假设清单（说明）。通过列出所有的假设——例如，假设贫困是历史的偶然事件的结果、精英统治的结果、失业的结果、文化剥夺的结果等——对每个建议所针对的问题进行了明确表述。

3. 质疑假设（assumption challenging）。在第三个阶段，分析者对众多建议及其背后的假设进行比较和评价。该工作是通过系统比较假设和与类似假设明显不同的反向假设完成的。在该阶段，前面识别出的每个假设都要通过反向假设受到质疑。如果一个反向假设不太可能成立，就不用再进一步考虑了；如果可能成立，就要检验它以确定它是否可以作为问题及其解决方法的全新概念的依据。

4. 汇总假设（assumption pooling）。质疑假设阶段一旦完成，前一个阶段产生的多种建议方案就要汇总。这里，根据假设对不同利益相关者的相对确定性和重要性区分假设的优先次序而议定假设（而不是建议）。只有最重要的和最不确定的假设会被汇总。最终的目的是创建一个尽可能多的利益相关者赞同的、可接受的假设清单。

5. 综合假设（assumption synthesis）。最后一个步骤是针对问题提出组合的或综合的解决方案。可接受的假设的综合可以作为提出新的问题概念的依据。当关于问题概念及其潜在解决方案方面的议题到了这个阶段，利益相关者会选择合作，其活动也会越来越富有成效。

假设分析的最后四个阶段在图 3—15 中进行了说明，该图有助于使该方法的重要特征形象化。首先，该方法从推荐问题的解决方案开始，而不是从假设开始。这是因为大多数政策利益相关者知道所提出的问题解决方案，但是很少意识到背后隐藏的假设。该方法从推荐方案开始，从利益相关者最熟悉的方面入手，而后继续用他们熟悉的解决方案作为要求他们明确思考潜在假设的抓手。该方法的第二个重要特征是，它尽可能地把注意力集中在同一组数据或政策相关信息上。这么做的原因是，围绕问题概念的冲突不是“事实”的问题，而是对同样的数据解释不同的问题。虽然数据、假设和推荐的解决方案是相互联系的，但并不是问题情势（数据）控制着问题的概念化，而是分析者及其他利益相关者对问题情势的假设控制着问题的概念化。最后，假设分析系统地阐述了政策分析的一个主要问题，即使用多种方法创造性地处理冲突的问题。

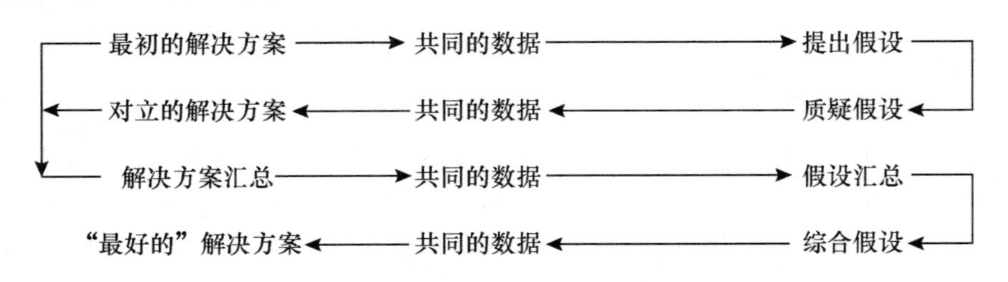

图 3—15 假设分析的过程

资料来源：改编自 Ian I. Mitroff and James R. Emshoff, “On Strategic Assumption-Making: A Dialectical Approach to Policy and Planning.” *Academy of Management Review* (1979).

假设分析的目的和方法和第 8 章所论述的政策论证方式密切相关。[76]每种政策论证方式都包含明显不同的假设，这些假设可以用来提出问题情势的不同概念。因此假设分析是一个对政策问题的性质进行合乎逻辑的讨论的重要工具。假设分析可以供实际参与问题构建的政策利益相关者群体使用，或者供个人分析者使用，这些个人模仿利益相关者的假设，目的是和自己进行合乎逻辑的讨论。假设分析可以帮助减少第三类错误（E_{III}）。

论证图形化

假设分析方法和论证图形化（argumentation mapping）密切相关，论证图形化的根据是后面第 8 章要讲述的政策论证方式。政策论证方式——权威专家的、统计的、分类的、分析为中心的、因果的、直觉的、实用主义的和价值批判的——是以截然不同的假设为根据的。这些假设一旦和同样的政策相关信息组合，将产生对立性的知识主张。

假设分析的一个重要技巧是利用图表展示来绘制政策论证要素的真实性和重要性。该过程的第一步是在两个序数等级上给这些要素——即根据、支持和反驳——定级。例如，建议废弃 55 英里/小时时速限制［1973 年国家最高时速法令（National Maximum Speed Law of 1973）］的提议就是基于这一根据，即慢速驾驶所造成的时间机会成本的损失增加了高收入汽车驾驶员冒险驾驶的次数。而反对方可能提出年轻驾驶员的事故发生率比较低，该主张的根据是年轻驾驶员的收入较低，机会成本低，很少冒险，因此发生事故比较少。该根据会被不同的利益相关者在有九个级别的真实性和重要性序数等级上定级（1 表示低，9 表示高），并在如图 3—16 所示的图表上绘制出来。[77]

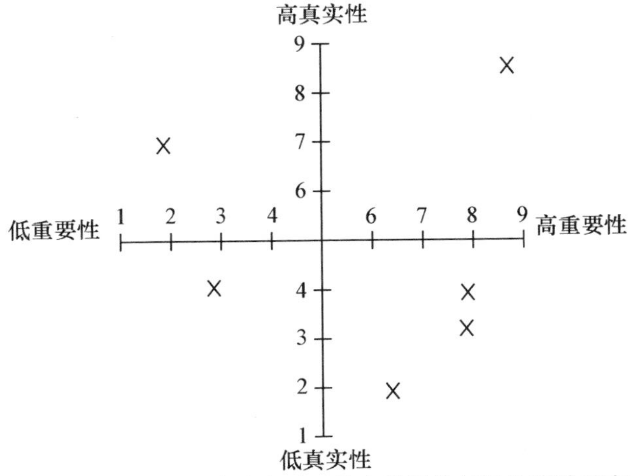

图 3—16 根据真实性和重要性的分布

图 3—16 展示了六个利益相关者的真实性和重要性定级。从图中我们可以看出，利益相关者分布在四个象限里，说明了关于根据的真实性和重要性，他们的意见存在重大分歧。如果利益相关者是问题构建小组的成员，那么在图表右侧（即高重要性）的利益相关者的明显的分歧可以被讨论，并且可能因为赞成最真实的知识主张而得到解决。但是，一般的情况是分析者必须识别一系列的利益相关者，并且根据陈述利益相关者的论证和假设的电话访谈和文献，对利益相关者对根据、支持和反驳很可能赋予的真实性和重要性做出判断。例如，回顾 55 英里/小时时速限制文献资料表明，尽可能高地给根据的真实性定级（$P=9$）的利益相关者是经济学家，而给根据的真实性定级低（$P=2$）的利益相关者是人种论者，人种论者对年轻驾驶员的文化比较在行，并根据对年轻驾驶员、父母、教师、法律实施人员及其他利益相关者的访谈进行分析。[78]

根据符合逻辑的论证和这两个资料所提供的证据——以及关于不同利益相关者的假设信息和可得到的不同年龄段事故和死亡率的统计数据——分析者将毫无疑问地得出结论：这个特定根据的真实性低。并且这个根据具有高重要性——无论其是否是真实的，它和论证的结论高度相关。

本章小结

本章概括性介绍了政策问题的性质，描述了问题构建的过程，检验了政策模型之间的关系，介绍了问题构建的方法。政策分析者所面临的最重要的挑战之一是减少第三类错误的可能性，即明确地叙述错误的问题。

学习目标

- 能够区分问题构建和问题解决
- 理解政策问题的主观性、系统性和相互依赖性
- 比较问题情势和问题
- 对照和比较构建恰当的问题、构建适度的问题和构建不好的问题
- 区分不同类型的政策模型
- 讨论问题构建的不同方法的优缺点
- 分析政策分析中问题构建的三个案例

关键术语与概念

论证图形化	透视图模型
假设分析	问题

指责受害者	问题情势
边界分析	过程模型
头脑风暴	利益相关者分析
类别分析	符号模型
描述模型	共同研讨法
层次分析	替代模型
构建不好的问题	有目的的系统
构建适度的问题	第三类错误
多角度分析	口头模型
规范模型	构建恰当的问题

复习思考题

1. 林登·约翰逊在任总统时说，“我们的问题不是做正确的事，我们的问题是知道什么是正确的”。思考本章所讨论的政策问题的主要特征和类型，在何种程度上我们可以提前知道哪项政策是“正确的”？

2. 大学和政府里的许多政策分析者普遍接受的一个观点是，政策分析可以是客观、中立和公正的。结合构建不好的问题的特征，思考该观点在多大程度上是可能的。

3. 根据你自己的经验，举出两个或三个例子，说明世界观、思想体系和大众神话影响政策问题的阐述。

4. 政策规划所处的组织结构类型大概有几个。一种类型是“官僚”结构，其特征是集中化、层级指挥链、分工专业化和信息完整。官僚制组织要求对所想要的政策结果达成一致，也要求对备选行动方案将产生这些结果的确定性达成一致[J. D. Thompson，*Organizations in Action*（New York：McGraw-Hill，1967），pp. 134－135]。如果我们许多最重要的政策问题是构建不好的，那么，这说明在规划和解决此类问题时官僚制组织的适当性如何？

5. 如果我们的许多最重要的问题是构建不好的，那么有多大的可能性让个人政策制定者、政策分析者和计划者在政治上和道义上为他们的行为负责？[关于该问题的更多讨论，见 M. M. Webber and H. W. J. Rittel，“Dilemmas in a General Theory of Planning，” *Policy Science* 4，no. 2（1973）：155－169。]

6. 下面所描述的构建不好的问题来自刊登在期刊《政策分析》（*Policy Analysis*）[现更名为《政策分析与管理杂志》（*Journal of Policy Analysis and Management*）]上的题为“无意识的后果部门”的案例。

> 几千年来，埃及的农业依赖于尼罗河流水带来的沉淀物施肥。但是，现在已经变了。由于意在改善农民由来已久的命运的昂贵的现代技术，现在埃及的田地必须进行人工施肥。约翰·盖尔在《纽约时代杂志》（*New York Times Magazine*）（1976年12月26日）上报道说，尼罗河的沉淀物

现在沉淀在了阿斯旺水坝的纳塞尔湖。水坝发的许多电被用于向由于建设水坝才变得必要的新化肥厂提供大量电力。

伊利诺伊州立大学的生态学家能够解释某种有害的田鼠是如何从出生地蔓延到以前从来没有发现过田鼠的区域的。它们利用新的、限制进入的、越野高速路，这些地方被证明是几乎没有障碍的易于逃脱的路线。比较旧的高速路和公路，以及高速铁路每隔几里就要驶进村庄或城镇，有效地阻止了田鼠的迁移。该伊利诺伊州小组发现在州际高速路穿过伊利诺伊州中心前，一种老鼠只局限在一个地区。但是在六年的高速公路建设过程中，这种四寸长的生物越过州中心已经向南蔓延了 60 英里。老鼠是一种喜欢啃树的物种，生态学家关注老鼠，是想避免其成为有大量苹果园的中部和南部地区的一种威胁（*Wall Street Journal*，December 1，1977）。

爱德华·J·穆德……很有说服力地提出，对撒旦的崇拜能使反常的人变得正常。因此，不要让普通人知道他们自己内心的邪恶力量及其存在，应督促他们行为举止尽可能坦诚。当然，这样做的效果是形成更有效的社会关系——这就是一开始就援引撒旦的名字的目的！（P. E. Hammond，"Review of Religious Movements in Contemporary America，" *Science*，May 2，1975，p. 442）

旧金山的北海岸地区的居民现在必须支付 10 美元才有权在自己家附近停车。最近实施的一项居民停车计划是为了阻止通勤者把该地区作为日间停车场。但是根据《旧金山湾监护人》上的一个故事（1978 年 3 月 14 日），该计划根本没有改善居民的停车环境。很多来自城市边远地区的通勤者只是把他们的汽车登记地改到北海岸。一个北海岸的居民——现在花费了 10 美元——仍然要花费一些时间在街区里寻找停车位。

选择上述几个问题中的一个写一篇简短的随笔，主题是如何使用类别分析、层级分析和共同研讨法构建该问题。

7. 就如下一个问题在 2050 年的状态，创建一个脚本。

公共交通的可利用性

武器控制和国家安全

犯罪预防和公共安全

公立学校体系的质量

世界生态系统的状态

8. 从两份报纸［例如，《纽约时报》（*The New York Times*），《华盛顿邮报》（*The Washington Post*），《经济学人》（*The Economist*），《勒·蒙德》（*Le Monde*）］或者两份新闻杂志［例如，《新闻周刊》（*Newsweek*），《新团体》（*The New Republic*），《全国评论》（*National Review*）］上选择两篇对当前公共政策议题的专题评论，读完后：

a. 使用论证分析的方法（第 8 章）说明对立的主张及其背后的假设。

b. 把假设定级并根据它们的真实性和重要性标出它们（见图 3—16）。

c. 哪一个论证是最真实的?

参考文献

Ackoff, Russell L. *Redesigning the Future*. New York: Wiley, 1974.

Adams, James L. *Conceptual Blockbusting*. Stanford, CA: Stanford Alumni Association, 1974.

Adelman, L., T. R. Stewart, and K. R. Hammond. "A Case History of the Application of Social Judgment Theory to Policy Formulation." *Policy Sciences* 6 (1975): 137-159.

Bobrow, Davis B., and John S. Dryzek. *Policy Analysis by Design*. Pittsburgh, PA: University of Pittsburgh Press, 1986.

Brunner, Ronald D. "The Policy Movement as a Policy Problem." In *Advances in Policy Studies since 1950*. Vol. 10 of *Policy Studies Review Annual*. Edited by William N. Dunn and Rita Mae Kelly. New Brunswick, NJ: Transaction Books, 1992.

Churchman, C. West. *The Design of Inquiring Systems*. New York: Basic Books, 1971.

Dery, David. *Problem Definition in Policy Analysis*. Lawrence: University Press of Kansas, 1984.

Dror, Yehezkel. *Public Policy Making Reexamined*. Rev ed. New Brunswick. NJ: Transaction Books, 1983.

Dryzek, John S. "Policy Analysis as a Hermeneutic Activity." *Policy Sciences* 14 (1982): 309-329.

Dunn, William N. "Methods of the Second Type: Coping with the Wilderness of Conventional Policy Analysis." *Policy Studies Review* 7, no. 4 (1988): 720-737.

Dunn, William N., and Ari Ginsbero. "A Sociocognitive Approach to Organizational Analysis." *Human Relations* 39, no. 11 (1986): 955-975.

Fischhoff, Baruch. "Clinical Policy Analysis." In *Policy Analysis: Perspectives, Concepts, and Methods*. Edited by William N. Dunn. Greenwich, CT: JAI Press, 1986.

——. "Cost-Benefit Analysis and the Art of Motorcycle Maintenance," *Policy Sciences* 8 (1977): 177-202.

George, Alexander. "Criteria for Evaluation of Foreign Policy Decision Making." *Global Perspectives* 2 (1984): 58-69.

Hammond, Kenneth R. "Introduction to Brunswickian Theory and Methods." *New Directions for Methodology of Social and Behavioral Science* 3 (1980): 1-12.

Hofstadter, Richard. *Godel, Escher, Bach*. New York: Random House, 1979.

Hogwood, Brian W., and B. Guy Peters. *The Pathology of Public Policy*. Oxford: Clarendon Press, 1985.

Linder, Stephen H., and B. Guy Peters. "A Metatheoretic Analysis of Policy Design." In *Advances in Policy Studies since 1950*. Vol. 10 of *Policy Studies Review Annual*. Edited by William N. Dunn and Rita Mae Kelly. New Brunswick, NJ: Transaction Books, 1992.

Linstone, Harold A. *Multiple Perspectives for Decision Making*. New York: North-Holland, 1984.

Mason, Richard O., and Ian I. Mitroff. *Challenging Strategic Planning Assumptions*. New York: Wiley, 1981.

Meehan, Eugene J. *The Thinking Game*. Chatham, NJ: Chatham House, 1988.

Mitroff, Ian I., Richard O. Mason, and Vincent P. Barabba. *The 1980 Census: Policymaking amid Turbulence*. Lexington, MA: D. C. Heath, 1983.

Saaty, Thomas L. *The Analytic Hierarchy Process*. New York: McGraw-Hill, 1980.

Schon, Donald A. *The Reflective Practitioner*. New York: Basic Books, 1983.

Sieber, Sam. *Fatal Remedies*. New York: Plenum Press, 1981.

Warfield, John N. *Societal Systems: Planning, Policy, and Complexity*. New York: Wiley, 1976.

Watzlawick, Paul, John Weakland, and Richard Fisch. *Change: Principles of Problem Formation and Problem Resolution*. New York: W. W. Norton, 1974.

注　释

[1] E. E. Schattschneider, *The Semisovereign People* (New York: Holt, Rinehart and Winston, 1960). p. 68.

[2] 见 David Dery, *Problem Definition in Policy Analysis* (Lawrence: University Press of Kansas, 1984)。

[3] 例如，见 Bernard Barber, *Effective Social Science: Eight Cases in Economics, Political Science, and Sociology* (New York: Russell Sage Foundation, 1987)。

[4] Martin Rein and Sheldon H. White, "Policy Research: Belief and Doubt," *Policy Analysis* 3, no. 2 (1977): 262.

[5] Russell A. Ackoff, *Redesigning the Future: A Systems Approach to Societal Problems* (New York: Wiley, 1974), p. 21.

[6] 见 Stephen H. Linder and B. Guy Peters, "From Social Theory to Policy Design," *Journal of Public Policy* 4. no. 4 (1985): 237−259; John Dryzek, "Don't Toss Coins into Garbage Cans: A Prologue to Policy Design," *Journal of Public Sector Performance: A Turning Point*, ed. T. C. Miller (Baltimore: Johns Hopkins University Press, 1985)。

[7] Howard Raiff, *Decision Analysis* (Reading, MA: Addison-Wesley, 1968), p. 264.

[8] 见 Russell L. Ackoff, "Beyond Problem Solving," *General Systems* 19 (1974): 237-239; and Herbert A. Simon, "The Structure of Ill Structured Problems," *Artificial Intelligence* 4 (1973): 181-201。

[9] Russell L. Ackoff, *Redesigning the Future: A Systems Approach to Societal Problems* (New York: Wiley, 1974), p. 21.

[10] Harrison Brown, "Scenario for an American Renaissance," *Saturday Review*, December 25, 1971, 18-19.

[11] 见 Ian I. Mitroff and L. Vaughan Blankenship, "On the Methodology of the Holistic Experiment: An Approach to the Conceptualization of Large-Scale Social Experiments," *Technological Forecasting and Social Change* 4 (1973): 339-353。

[12] Ackoff, *Redesigning the Future*, p. 21.

[13]Peter L. Berger 和 Thomas Luckmann 关于这一问题的不同观点的比较，见 *The Social Construction of Reality*, 2d ed. (New York: Irvington, 1980)。

[14] Ackoff, *Redesigning the Future*, p. 21.

[15] Mitroff Blankenship, "Methodology of the Holistic Experiment," pp. 341-342.

[16] Ackoff, *Redesigning the Future*, p. 13.

[17] Ivan Illich in conversation with Sam Keen, reported in *Psychology Today* (May 1976).

[18] 见 Ritchie P. Lowry, *Social Problems: A Critical Analysis of Theories and Public Policy* (Lexington, MA: D. C. Heath and Company, 1974), pp. 23-25。

[19] 见 Ian I. Mitroff and Francisco Sagasti, "Epistemology as General Systems Theory: An Approach to the Design of Complex Decision-Making Experiments," *Philosophy of the Social Sciences* 3 (1973): 117-134。

[20] 见 Anatol Rapoport and Albert M. Chammah, *Prisoner's Dilemma* (Ann Arbor: University of Michigan Press, 1965)。

[21] 例如，见 David Braybrooke and Charles E. Lindblom, *A Strategy of Decision* (New York: Free Press, 1963); and Herbert A. Simon, "Theories of Decision-Making in Economic and Behavioral Science," *American Economic Review* 1009 (1959), 255-257。

[22] 例如，见 Thomas R. Dye, *Understanding Public Policy*, 3d ed. (Englewood Cliffs, NJ: Prentice Hall, 1978), pp. 30-31; Richard O. Mason and Ian I. Mitroff, *Creating a Dialectical Social Science* (Dordrecht, The Netherlands: D. Reidel, 1981); and James G. March and Johan P. Olsen, "The New Institutionalism: Organizational Factors in Political Life," *American Political Science Review* 78, no. 3 (1984): 739-749。

[23] 见 John R. Hayes, *Cognitive Psychology* (Homewood, IL: Dorsey Press, 1978), pp. 210-213。

[24] Martin Rein and Sheldon H. White, "Policy Research: Belief and Doubt," *Policy Analysis* 3, no. 2 (1977): 262.

[25] 见 Alan Newell, J. C. Shaw, and Herbert A. Simon, "The Process of Creative Thinking," in *Contemporary Approaches to Creative Thinking*, ed. H. F. Gruber, G. Terrell, and M. Wertheimer (New York: Atherton Press, 1962), pp. 63-119; 又见 James L. Adams 的优秀著作 *Conceptual Blockbusting* (Stanford, CA: Stanford Alumni Association, 1974)。

[26] 见 Yehezkel Dror, *Design for Policy Sciences* (New York: Elsevier, 1971)。

[27] 构建不好的问题的另一个显著特征是其边界巨大得难以处理。见 P. Harmon and D. King, *Expert Systems: Artificial Intelligence in Business* (New York: Wiley, 1985)。

[28] Alfred North Whitehead and Bertrand Russell, *Principia Mathematica*, 2d ed., vol. Ⅰ (Cambridge: Cambridge University Press, 1910), p. 101. 又见 Paul Watzlawick, John Weakland, and Richard Fisch, *Change: Principles of Problem Formation and Problem Resolution* (New York: W. W. Norton), p. 6。

[29] Ian Mitroff and Ralph H. Kilmann, *Methodological Approaches to Social Science* (San Francisco, CA: Jossey-Bass, 1978). 又见 Thomas Kuhn, *The Structure of Scientific Revolutions*, 2d ed. (Chicago: University of Chicago Press, 1971); and Ian G. Barbour, *Myths, Models and Paradigms* (New York: Harper & Row, 1976)。

[30] Lowry, *Social Problems*, pp. 19-46.

[31] William Ryan, *Blamming the Victim* (New York: Pantheon Books, 1971), p. 7.

[32] 见 Ralph E. Strauch, "A Critical Look at Quantitative Methodology," *Policy Analysis* 2 (1976): 121-144。

[33] 见 Ian I. Mitroff and Frederick Betz, "Dialectical Decision Theory: A Meta-Theory of Decision-Making," *Management Science*, 19. on. 1 (1972): 11-24。Kimball 把第三类错误界定为"由于把正确的答案给错误的问题所犯的错误。"见 A. W. Kimball, "Errors of the Third Kind in Statistical Consulting," *Journal of the American Statistical Association* 52 (1957): 133-142。

[34] Howard Raiffa, *Decision Analysis* (Reading, MA: Addison-Wesley, 1968), p. 264.

[35] 例如，参见 Ida R. Hoos, *Systems Analysis in Public Policy: A Critique* (Berkeley: University of California Press, 1972)。

[36] Laurence Tribe, "Policy Science: Analysis or Ideology?" *Philosophy and Public Affairs* 2, no. 1 (1972): 66-110; and "Ways Not to Think about Plastic Trees," in *When Values Conflict: Essays on Environmental Analysis, Discourse, and Decision*, ed. Laurence Tribe, Corinne S. Schelling, and John Voss (Cambridge, MA: Ballinger Publishing, 1976).

[37] 见 Saul I. Gass and Roger L. Sisson, ed., *A Guide to Models in Governmental Planning and Operations* (Washington, DC: Office of Research and Development, Environmental Protection Agency, 1974); and Martin Greenberger, Mathew A. Crenson, and Brian L. Crissey, *Models in the Policy Process* (New York: Russell Sage Foundation, 1976)。

[38] Jay W. Forrester, "Counter-Intuitive Behavior of Social Systems," *Technological Review* 73 (1971): 3.

[39] 当各种各样的材料被用于说明人类器官、城市或机器时，模型也可以从生理上进行阐述。这些模型的基本局限是它们不能说明人类行为，人类行为涉及交流过程、社会学习和选择。

[40] 引自 Graham T. Allison, "Conceptual Models and the Cuban Missile Crisis," *American Political Science Review* 63, no. 3 (1969): 698。

[41] 见 Greenberger and others, *Models in the Policy Process*, pp. 328-336。

[42] Gary Fromm, "Policy and Econometric Models," cited by Greenberger and others, *Models in the Policy Process*, p. 72.

[43] 见 Gass and Sisson, *A Guide to Models in Governmental Planning and Operations*, pp. 26-27。

[44] Strauch, "A Critical Look at Quantitative Methodology," pp. 136-174.

[45] 这些例子改编自 Strauch, "A Critical Look at Quantitative Methodology," pp. 131-133; and Watzlawick, Weakland, and Fisch, *Change*。

[46] Strauch，"A Critical Look at Quantitative Methodology，" p. 132.

[47] Morris Kline，*Mathematics：The Loss of Certainty*（New York：Oxford University Press，1980）. 又见关于现代数学中的不确定性和创造性的重要文章 Michael Guillen，*Bridges to Infinity*（Ithaca，NY：Cornell University Press，1988）。

[48] Dery，*Problem Definition in Policy Analysis*，pp. 6-7.

[49] 这些其他方法包括分析的层级过程、解释型结构模型、政策找准和 Q 方法。分别参见 Thomas L. Saaty，*The Analytic Hierarchy Process*（New York：McGraw-Hill，1980）；John N. Warfield，*Social Systems：Planning，Policy，and Complexity*（New York：Wiley，1976）；Kenneth R. Hammond，*Judgment and Decision in Public Policy Formation*（Boulder，CO：Westview Press，1977）；and Stephen R. Brown，*Political Subjectivity：Applications of Q-Methodology in Political Science*（New Haven，CT：Yale University Press，1980）。运用这些方法所需要的电脑软件可以找得到。

[50] 见 William N. Dunn，"Methods of the Second Type：Coping with the Wilderness of Conventional Policy Analysis，" *Policy Studies Review* 7，no. 4（1988）：720-737。

[51] 关于这些观点在社会经济抽样和饱和抽样中的普遍使用，见 Seymour Sudman，*Applied Sampling*（New York：Academic Press，1976）。

[52] Hugh Heclo，"Policy Dynamics，" in *The Dynamics of Public Policy*，ed. Richard Rose（Beverly Hills，CA：Sage Publications，1976），pp. 253-254.

[53] 见 Nicholas Rescher，*Induction*（Pittsburgh，PA：University of Pittsburgh Press，1980），pp. 24-26。关于政策分析中问题构建的要求的更详细的论述，见 Dunn，"Methods of the Second Type"。

[54] 关于这些规则的一篇简短但具有启发性的文章，见 Herbert A. Simon，"The Sizes of Things，" in *Statistics：A Guide to the Unknown*，ed. Judith M. Tanur and others（San Francisco，CA：Holden-Day，1972），pp. 195-202。

[55] 见 John O'Shaughnessy，*Inquiry and Decision*（New York：Harper & Row，1973），pp. 22-30。

[56] Watzlawick and others，*Change*，p. 25. 又见 Gregory Bateson，*Steps to an Ecology of Mind*（New York：Ballantine Books，1972）。

[57] 集合理论，提出者是德国数理逻辑学家乔治·坎特（Georg Canter，1874—1897），它是关于实体总体的集合的数学理论。

[58] 维恩图，常常用于说明集合问题，它是以英国逻辑学家约翰·维恩（John Venn，1834—1923）的名字命名的。

[59] 见 O'Shaughnessy，*Inquiry and Decision*，pp. 69-80。

[60] Stuart S. Nagel and Marian G. Neef，"Two Examples from the Legal Process，" *Policy Analysis* 2，no. 2（1976）：356-357.

[61] 见 W. J. Gordon，*Synectics*（New York：Harper & Row，1961）；and Hayes，*Cognitive Psychology*，pp. 72，241。

[62] Raymond A. Bauer，"The Study of Policy Formation：An Introduction，" in *The Study of Policy Formation*，ed. R. A. Bauer and K. J. Gergen（New York：Free Press，1968），p. 4.

[63] 例如，见 Mark H. Moore，"Anatomy of the Heroin Problem：An Exercise in Problem Definition，" *Policy Analysis* 2，no. 4（1976）：639-662。

[64] 例如，见 David Easton，*A Framework for Political Analysis*（Englewood Cliffs，NJ：Prentice Hall，1965）。

[65] 例如，见 Herman Kahn，*On Thermonuclear War*（Princeton，NJ：Princeton University Press，

1960）。例如，见 Philip Green，*Deadly Logic：The Theory of Nuclear Deterrence*（Columbus：Ohio State University Press，1966）。

［66］Alex F. Osborn，*Your Creative Power*（New York：Charles Scribner，1948）.

［67］见 Edgar F. Quade，*Analysis for Public Decisions*（New York：American Elsevier Publishing，1975），pp. 186－188；and Olaf Helmer and Nicholas Rescher. *On the Epistemology of the Inexact Sciences*（Santa Monica，CA：Rand Corporation，February，1960）。

［68］Harold D. Lasswell，"Technique of Decision Seminars，" *Midwest Journal of Political Science* 4，no. 2（1960）：213－226；and Lasswell，*The Future of Political Science*（New York：Atherton Press，1963）.

［69］Seyon H. Brown，"Scenarios in Systems Analysis，" in *Systems Analysis and Policy Planning：Applications in Defense*，ed. E. S. Quade and W. I. Boucher（New York：American Elsevier Publishing，1968），p. 305.

［70］Olaf Helmer，*Social Technology*（New York：Basic Books，1966），p. 10. 引自 Quade，*Analysis for Public Decisions*，p. 188。

［71］见 Ian I. Mitroff，Vincent P. Barabba，and Ralph H. Kilmann，"The Application of Behaviorial and Philosophical Technologies to Strategic Planning：A Case Study of a Large Federal Agency，" *Management Science* 24. no. 1（1977）：44－58。

［72］见 Harold A. Linstone，*Multiple Perspectives for Decision Making：Bridging the Gap between Analysis and Action*（New York：North-Holland Publishing，1984）；and Linstone and others，"The Multiple Perspective Concept：With Applications to Technology Assessment and Other Decision Areas，" *Technological Forecasting and Social Change* 20（1981）：275－325。

［73］外交政策和知识体系设计方面的早期成果，分别是 Graham Allison，*Essence of Decision：Conceptual Models and the Cuban Missile Crisis*（Boston，MA：Little，Brown and Company，1962）；and C. West Churchman，*The Design of Inquiring Systems*（New York：Basic Books，1971）。

［74］见 Ian I. Mitroff and James R. Emshoff，"On Strategic Assumption-Making：A Dialectical Approach to Policy and Planning，" *Academy of Management Review* 4，no. 1（1979）：1－12；Richard O. Mason and Ian I. Mitroff，*Challenging Strategic Planning Assumptions：Theory，Cases，and Techniques*（New York：Wiley，1981）；and Ian I. Mitroff，Richard O. Mason，and Vincent P. Barabba，*The 1980 Census：Policymaking amid Turbulence*（Lexington，MA：D. C. Heath，1983）。

［75］Mitroff and Emshoff，"On Strategic Assumption-Making，" p. 5.

［76］对使用第 8 章所论述的论证的结构模型进行假设分析的详尽阐述，见 Mitroff，Mason，and Barabba，*The 1980 Census*，*passim*。

［77］名为声称游戏（Claim Game）的电脑软件使人能够进入、保存、存储和获取复杂的政策论证的系统。该程序使政策分析者能够对有九个级别的可能性和真实性的论证的每一个要素进行定级，并在坐标轴上绘制出利益相关者及其假设。

［78］见 Thomas H. Forrester，Robert F. McNown，and Larry D. Singell，"A Cost-Benefit Analysis of the 55mph Speed Limit，"*Southern Economic Journal* 50（1984），reviewed by George M. Guess and Paul G. Farnham，*Cases in Public Policy Analysis*（New York：Longman，1989），p. 199。关于对年轻司机的人种分析及其对事故和死亡率的意义——和经济论所预测的不同——见 J. Peter Rothe，*Challenging the Old Order*（New Brunswick，NJ：Transaction Books，1990）。

第 4 章

预测预期的政策结果

对预期的政策结果进行预测的能力对政策分析的成功和政策制定的改进十分重要。通过预测活动，我们可以获得关于未来的远景，或是一种预见，从而增强我们的理解、控制和社会指导能力。然而，我们应该知道，各种各样的预测方法——无论是基于专家判断，简单的历史趋势外推，还是技术上较为复杂的计量经济模型——都容易因下列原因而出现偏差：有缺陷的或不合情理的假设；机构激励机制中的错误放大效应；从卫生、福利和教育到科学、技术和环境这些政策议题领域中日益增加的复杂性（见图 4—1）。

在本章开始，我们对政策分析中预测的形式、作用和结果进行综述，并强调用来评价不同预测方法的优势与局限的一系列标准。随后，我们对获取政策结果信息的三种主要手段：外推预测、理论性预测和判断性预测，进行比较和对比。最后，我们介绍和这三种手段配合使用的预测方法和技术。

4.1 政策分析中的预测

预测（forecasting）是以先前关于政策问题的信息为基础，生成关于未来的社会状态的真实信息的过程。预测的形式主要有三种：推断、预言和猜测。

1. 推断（projection）是基于目前和历史趋势向未来进行外

推的一种预测形式。推断根据来自方法和相似情况的论证提出指示性主张，这些论证假设某些分析方法（如时间序列分析）有效或某些情况之间（如过去与未来的政策）有相似之处，以此来确立其主张的说服力。可以用来自权威（如专家意见）和理由（如经济和政治理论）的论证来对推断进行补充。

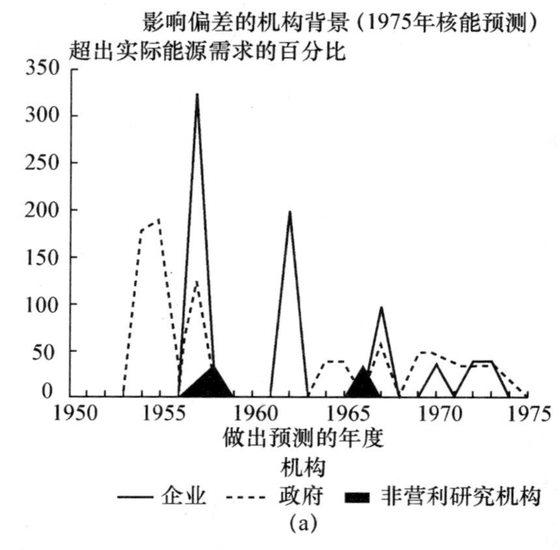

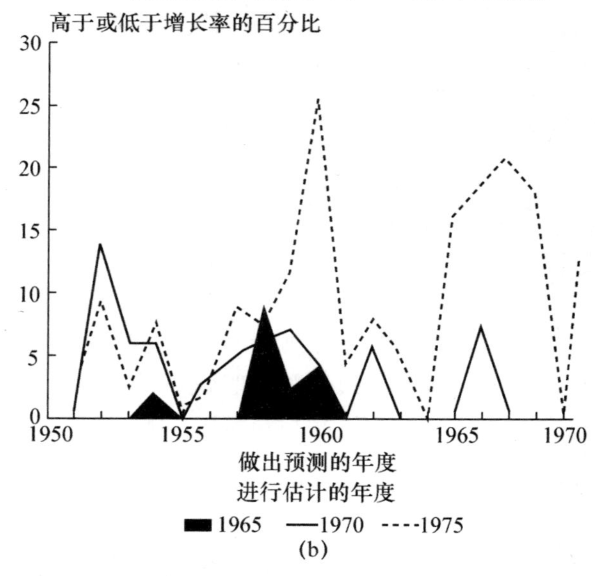

图 4—1 影响预测准确性的背景

注：百分数是标准差。
资料来源：摘自 William Ascher, *Forecasting: An Appraisal for Policy Makers and Planners* (Baltimore, MD: Johns Hopkins University Press, 1978).

2. 预言（prediction）是以明确的理论假设为基础的一种预测。这些假设可以采用理论法则（如货币的效用递减法则）、理论主张（如市民的骚乱是由期望与能力之间的差距引发的）或者是类比（如在政府的成长和生物有机体的成长之间进行的类比）的形式。预言的关键特征在于它明确说明了原动力（“原因”）和后果（“效果”），或被认为引起联系的相似过程或关系（“类比”）。我们可以用来自权威（如有根据的判断）和方法（如计量经济模型）的论证对预言加以补充。

3. 猜测（conjecture）是根据专家对未来社会状态的判断进行的预测。这些判断可采用直觉论证的形式，在这种论证中，用利益相关者（如政策知情人）的洞察力、创造性或灵感等来支持关于未来的指示性主张。这些判断也可以采用动机论证的形式，通过现在的或未来的目标、价值观和目的来确立主张的合理性。例如，对未来的社会价值观（如闲暇）的猜测可用于这一主张，即在未来 20 年内每周平均工作时间应降低到 30 个小时。此外，我们还可以用来自权威、方法、因果的论证对猜测进行补充。

预测的目的

政策预测，无论是基于外推法、理论或是有根据的判断，都有几个重要目的。首先也是最为重要的是，预测为政策的未来变化及其结果提供有关信息。许多科学以及社会科学研究的目的在于寻求理解并控制人类及物质环境，而预测的目的与此类似。不过，为预测未来社会状态而付出的努力“尤其与控制活动相关——即试图通过计划和制定政策，从而可以从未来提供的若干可能性中选出最佳的行动方案”[1]。

预测使我们通过了解过去的政策及其结果从而能进行更有力的控制，这个目的意味着未来由过去决定。但是，预测也使我们不管过去发生了什么，都能积极地影响未来。在这一点上，以未来为导向的政策分析人员必须问：什么样的价值观能够并且应该指导未来的行动。但是，这又引出了第二个同样重要的问题：分析人员应该怎样评价某一既定事态未来的可期望性？

> 即便支持目前行动的价值观非常清晰，但在未来它们会仍然有效吗？正如伊克尔（Ikle）指出的，“‘指导性预测’是不完备的，除非它们对关于不同将来的预测的可期望性进行了评价。如果我们假设是由未来而非我们现在的偏好决定了我们的愿望……那么，要想使我们对未来的预测具有意义，首先我们要预测一下我们自己的价值观”。[2]

这种对未来价值观的关注可以弥补传统社会科学学科强调的预测以过去和现在价值观为基础这一观点的不足。虽然过去和现在的价值观可以决定未来，但这也只有在下列情况下才能实现：政策相关人员的深思熟虑没有让他们改变自己的价值观和行为；或者没有出现不可预料的因素引发深刻的社会变革，包括不可更改的混乱状态以及突发状态。[3]

预测的局限

自 1985 年以来，世界上发生了很多意外的、令人吃惊的、违反直觉判断的政治、社会和经济变革。例如，苏联解体，东欧剧变，两德统一，围绕缓解全球变暖政策产生着日益增多的不确定性。这些变化立即引发人们的关注，他们注意到在日益复杂、混乱、多变的社会背景下预测政策未来的重要性及面临的困难。不过，我们应该根据过去30年或更长时间里各种预测方法表现出的优缺点来理解预测活动中不断增加的困难。[4]

1. 预测的准确性（forecast accuracy）。用单个变量进行趋势外推这样相对简单的预测，或是以用数百个变量做成的模型为基础进行的相对复杂的预测，它们的准确性都是有限的。例如，在1983年前的连续5年里，管理和预算办公室以每年平均580亿美元的数额低估了联邦预算赤字。另外一项类似的工作记录更易于我们对一些规模最大的计量经济预测公司做出的预测进行描述，这些公司包括大通计量经济所（Chase Econometrics）、华顿计量经济预测中心（Wharton Econometrics Forecasting Associates）和数据资源公司（Data Resources）。例如，在1971—1983年间，平均预测误差占到了实际GNP变化的大约50%。[5]

2. 效果的相对性（comparative yield）。以复杂的经济和能源系统理论模型为基础的预测，其准确性不比以简单外推模型为基础的推断或以合理的（专家）判断为基础的猜测更高。如果说这些模型的一个重要优点在于对出乎人们意料的或违反直觉的未来事件具有敏感性的话，那么技术上简单的模型比技术上较为复杂的模型有优势，因为建立和使用复杂模型的人倾向于机械地应用它们。阿舍（Ascher）的看法一语中的："如果假设的含义很明显，不需要借助模型就能'想出来'，那么要模型有什么用呢？如果假设的含义令人难以预料，复杂模型的长处就在于从若干假设中抽取出其中的含义……"[6]然而，准确地说，因为它们与模型中的假设不相符，这些假设和含义——例如，预计汽油消费大增会导致汽油税（在预测模型中它被当做一个常量来处理）变化这层意思——就被忽略或摒弃了。

3. 背景（context）。模型的假设及其结果对三类背景具备敏感性：机构的、时间的、历史的背景。各种机构中激励机制的差异是机构背景差异中的核心部分，具有代表性的是政府、企业和非营利研究机构。非营利研究机构中预测的准确性往往高于企业或政府机构［见图4—1（a）］。反过来，预测的时间背景——由进行预测的时间长度来代表（例如三个月或一年相对五年或更长时间）——也影响着预测的准确性。时间越长，预测越不准确。最后，预测的历史背景影响准确性。最近时期的相对更大的复杂性会降低预测的准确性，1965年以来预测失误的增加可以印证这一点［见图4—1（b）］。

如此看来，预测的准确性和效果的相对性与做出预测的机构、时间及历史背景密切相关。同时，我们不难想象，它们也跟人们带入预测过程中的假设有关。正如阿舍指出的：评价预测结果的一个困难之处在于确定建立和使用模型的人所持的假设。许多预测都存在严重的"假设拉动"[7]（assumption drag）问题，即建立和使用模型的人趋向于坚持模型中的假设，而在某些情况下，这些假设是值得怀疑的或者是不合理的，例如，定价政策和石油生产国政府会保持稳定这一假设。我们或许可以从"假设拉动"现象中引申出一点：构建政策问题这项任务对于预测者进行预测至关重要。事实上，和对政策分析的其他阶段一样，通过重新构建问题或不去解决问题来纠正失误对于预测来说也是十分重要的。

4.2　未来社会状态的类型

政策预测，无论是以推断、预言的形式作出还是以猜测的形式作出，都是用来对未来的三种社会状态进行估计：可能的未来、合理的未来、规范的未来。[8]可能的未来（potential futures）［有时称作另一种未来（alternative futures）］是将来可能发生的社会状态，它不同于未来必然要发生的社会状态。未来的状态在其实际发生之前，都是不确定的，存在许多种可能性。合理的未来（plausible futures）是以对自然和社会的因果假设为基础，在政策制定者不干预事件发展方向的条件下，被认为有可能发生的社会状态。与之相比较，规范的未来（normative futures）是与分析人员对未来的需要、价值观和机会的构想相一致的潜在的和合理的未来。规范的未来的具体要求缩小了潜在的和合理的未来的范围，从而将预测活动与具体目的和目标联系起来（见图 4—2）。

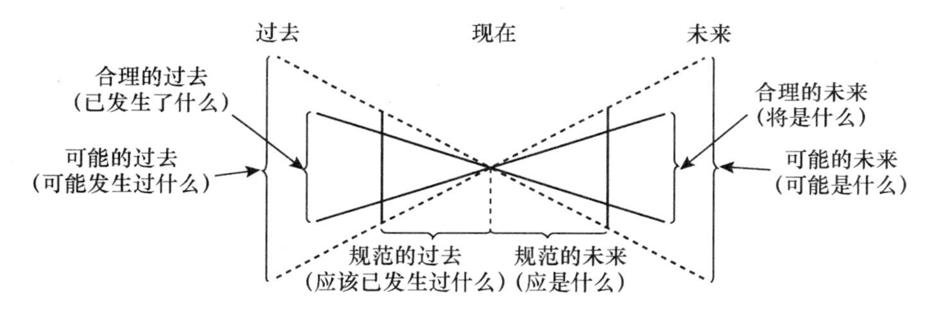

图 4—2　未来社会状态的三种类型：可能的未来、合理的未来和规范的未来

规范的未来的目的和目标

规范的未来的一个重要方面是明确目的和目标。但是，当今的价值在未来可能会改变，从而使得用现有的各种偏好来界定未来变得困难。因此，分析人员必须关注政策目的和手段的未来变化。在思考政策结果的时候，有必要对目的和目标加以比照。尽管目的和目标都是以未来为导向的，但是目的表达的是宏观意义上的愿景，而目标体现的是具体的行动意图；目的很少以可操作性的定义来表达——可操作性定义指的是明确说明了一系列用以衡量某些事项所必需的操作活动的定义——而目标却常常如此；目的是非量化的，但是目标却可以而且经常被量化；对于目的的阐述一般不指定政策达到预期结果的时间，而对目标的陈述却要这么做；最后，目的对目标群体的定义较为宽泛，而目标则明确界定目标群体。两者的对比见表 4—1。

表 4—1　　目的和目标的比较

特征	目的	目标
目的的明确性	宽泛的（……提高卫生保健的质量……）	具体的（……把医生的人数增加 10%……）
术语的界定	书面化的（……卫生保健的质量是指医疗服务的可及度……）	操作性的（……卫生保健的质量是指每 10 万人所拥有的医生数……）
时间段	不确定的（……将来……）	确定的（……在 1990—2000 年……）
衡量的方法	非量化的（……充分的医疗保险……）	常常是量化的（……每千人中覆盖的人数……）
对目标群体的处理	宽泛界定的（……需要照顾的人）	明确界定的（……年收入低于 19 000 美元的家庭……）

对规范的未来的定义不仅要求我们澄清目的和目标，还要求我们明确哪些政策方案与目标的实现相关。这些问题看似简单，实际上并不容易。分析人员应该用谁的目的和目标作为预测的重点？分析人员怎样在大量的方案中进行选择以实现特定的目的和目标？如果分析人员使用现有的政策来确定目的、目标和方案，他们在冒运用过于保守的标准的风险。然而，如果他们提出全新的目的、目标和方案，他们又会被指责为将自己的信念、价值观和方案强加给别人，或者做出的选择在利益相关者之间厚此薄彼。

目的、目标和方案的来源

选择目的、目标和方案的一个方法是要考虑它们各种可能的来源。方案必然包含目的和目标，正如目的和目标必然包含政策方案一样。政策方案、目的和目标的来源包括以下几方面：

1. 权威（authority）。在寻求方案以解决问题时，分析人员可能求助于专家。例如，总统的防范暴力委员会（the President's Commission on the Causes and Prevention of Violence），可以作为解决枪支控制问题的政策方案（枪支的注册登记，限制性发放执照，增加对持枪犯罪的惩处）的一个来源。[9]

2. 洞察力（insight）。分析人员也可求助于被认为对某一问题有特别认识的人，其直觉、判断力有助于问题的解决。这些“有识之士”虽然不是普通字面意思上的专家，却是政策方案的重要来源之一。例如，教育部下属的儿童发展办公室的有关人士曾被请来就儿童福利领域的政策方案、目的和目标提供有见地的判断。[10]

3. 方法（method）。也可以从新的分析方法中寻求方案。例如，系统分析的新方法有助于确定各种方案，对多个相互冲突的目标进行排序。[11]

4. 科学理论（scientific theories）。自然和社会科学做出的解释也是政策方案

的重要来源。例如，社会心理学的学习理论曾作为幼儿教育项目的一个来源，例如启蒙和跟踪计划。

5. 动机（motivation）。信仰、价值观以及相关人士的需要也可以作为方案的来源。方案可以从特定职业群体的目的和目标中推演而来。例如，工人们变动的信念、价值观和需要形成了一个新的“工作准则”（work ethic），它涉及对闲暇和弹性工作时间的需要。

6. 类似事件（parallel case）。其他国家、州和城市的经验是政策方案的一个重要来源。纽约市和加利福尼亚州的金融政策改革经验可为其他州所效仿。

7. 类推（analogy）。不同问题中的相似之处是政策方案的又一个来源。用来增加妇女的平等就业机会的法案就是比照保护少数族裔权益的有关政策来确定的。

8. 伦理体系（ethical systems）。政策方案的另一个重要来源是伦理体系。由哲学家和其他社会思想家提出的社会公平理论就为许多问题领域的政策方案所用。[12]

4.3　预测的方法

一旦决定了目的、目标和方案，就能够选择一种预测方法。选择预测方法意味着三件事情：分析人员必须（1）决定要预测的是什么，即预测的对象（objects）；（2）决定怎样进行预测，即选择一个或若干个预测的根据（bases）；（3）就确定下来的对象和根据选择最适当的技巧（techniques）。

对　象

预测的对象是推断、预言或猜测的参照点。预测有四个对象[13]：

1. 现行政策结果（consequences of existing policies）。政府没有采取行动时，可以用预测来估计可能发生的变化。现状即“不作为”，它就是现行政策。例如，美国人口普查局（the U. S. Bureau of the Census）所做的人口推断和美国劳工统计局对 1985 年女性劳动力参与的推断。[14]

2. 新政策结果（consequences of new policies）。在新政策得以采纳时预测社会变化。例如，可以以假设采纳规范工业污染的新政策为根据推断 1995 年的能源需求。[15]

3. 新政策内容（contents of new policies）。预测可用来估计新政策内容的变化。例如，议会研究服务机构（the Congressional Research Service）根据这一假设——政府和工会将会效仿多数欧洲国家每年 4～5 周带薪休假制度，预测出本国可能实行 4 周的带薪休假制。[16]

4. 政策利益相关者的行为（behavior of policy stakeholders）。预测也可被用来估计新政策可能遇到的支持或反对意见。例如，可用评价政治可行性的方法来预测不同的利益相关者对从政策采纳到实施的各个阶段支持或反对该项政策的可能性。[17]

根　据

预测的根据是一套假设或数据，用来对现行政策或新政策的结果、新政策的内容或利益相关者行为的合理性进行估计。预测的根据主要有三种：趋势外推、理论假设和合理的判断。其中每一种根据都与之前讨论过的三种预测形式相关联。

趋势外推（trend extrapolation）是指用过去观察到的趋势推测未来。这种方法假设在没有新政策出台或不存在不可预测的其他事件进行干预的情况下，过去发生的事情在将来也会发生。趋势外推法以归纳逻辑（inductive logic）为基础，即从个别的观察（如时间序列数值）进行推理，从而形成一般的结论或看法。我们通常以一组时间序列的数据开始，将过去的趋势推向未来，然后援引支持预测的规律和假设。趋势外推法的逻辑关系见图 4—3。

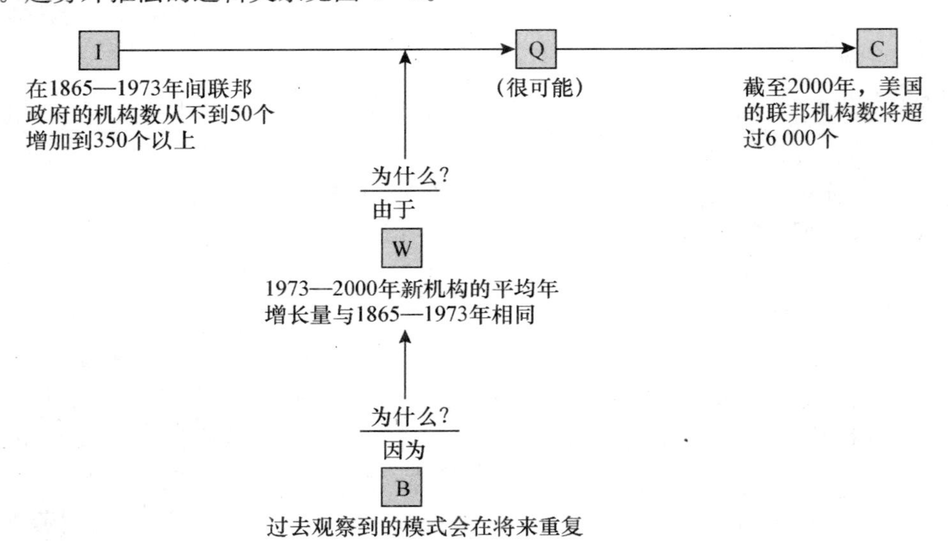

图 4—3　趋势外推法的逻辑：归纳推理

理论假设（theoretical assumptions）是被系统地构造并在经验上可以测试的一套规律或建议，以一个事件为基础来预测另一个事件的发生。理论假设在形式上是因果关系，它们的具体作用是解释和预测。使用理论假设法是一种演绎逻辑（deductive logic），即从一般的陈述、规律或议题再到具体的信息和主张。例如：有意见认为，在“后工业化”社会中，政策分析人员所掌握的知识越来越成为一种稀缺资源，从而加强了他们的权力。据此，我们可以从政府中专业性政策分析增加这一信息得出以下预测性主张，即政策分析人员在未来几年将比决策者握有更多的权力（见图 4—4）。

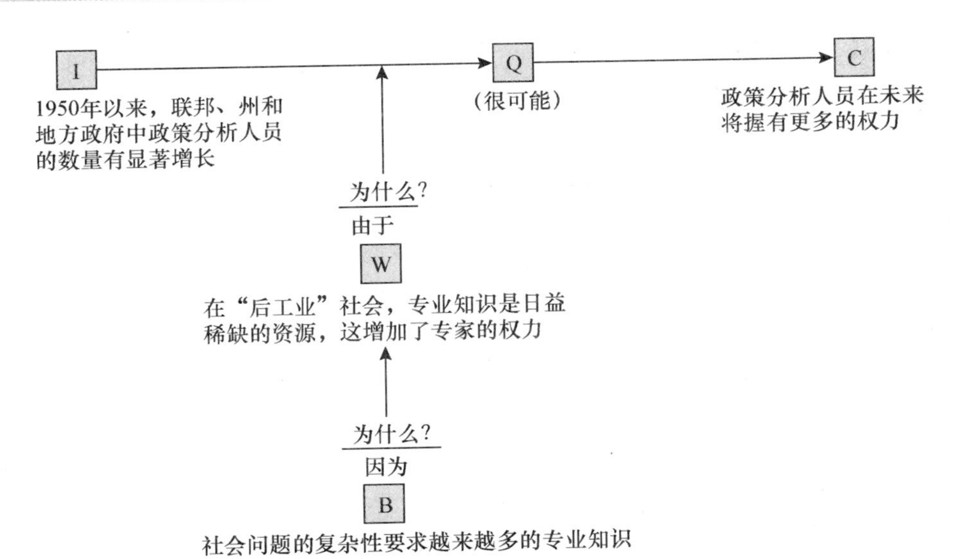

图 4—4　理论性预测的逻辑：演绎推理

合理的判断（informed judgments）是指以经验和洞察力为基础的、而非以演绎或归纳推理为基础的知识。这些判断通常由专家或有识之士来表述，在理论或政府数据缺乏或信息不充分的情况下使用。这种方法以逆向逻辑（retroductive logic）为基础，即从对未来的看法入手，逆向推理，取得支持这一看法的信息和假设。通过科学家或其他有识之士推断未来的技术变化就是一个好例子。通过逆向逻辑，专家们可以形成一个方案，认为在 2000 年会出现汽车自动导航的自动化的高速公路。然后，专家们回过头来寻找用于支持这一方案的信息和假设（见图4—5）。

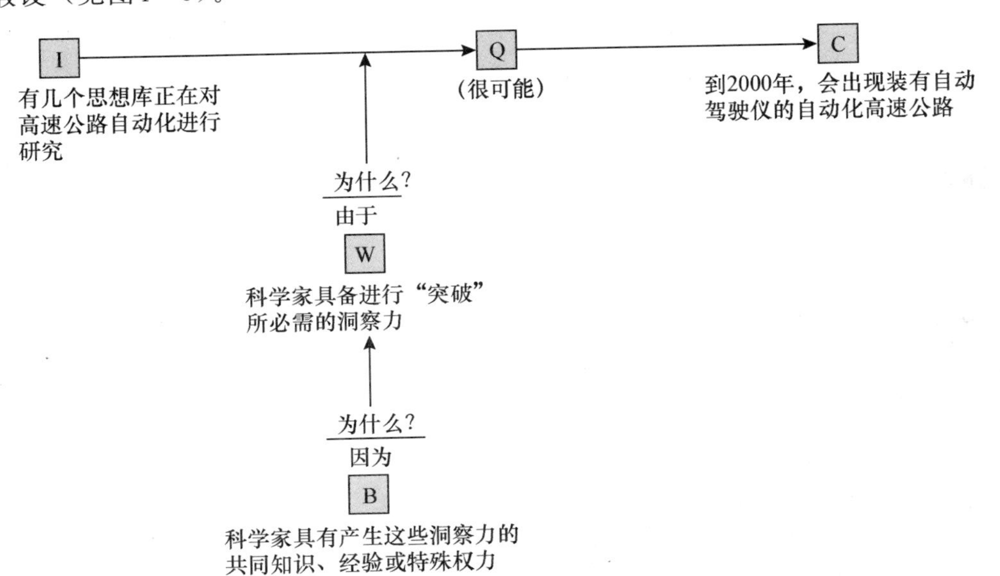

图 4—5　经验判断的逻辑：逆向推理

实际上，归纳、演绎和逆向推理的边界常常模糊不清。逆向推理常常是探究怎样从当前预计可能的未来的一种创造性方法，而归纳法和演绎法则产生新的信息和理论，从而得出未来社会状态的看法。然而，归纳和演绎推理可能是保守的，因为对过去事件信息的利用和对现有科学理论的运用都可能限制对可能的未来（不同于合理的未来）的思考。过去事件和现有科学理论的限制性影响的例子来自众所周知的天文学家威廉・H・皮可林（William H. Pickering，1858—1938）：

> 大众的想法是设想装载着无数乘客的飞行器快速地穿越大西洋，就像我们现代的蒸汽船……说这个想法完全不符合实际似乎合理，而且即使真的有一种飞行器能载运 1～2 个乘客穿越大西洋，其成本也将令人望而生畏。[18]

选择方法和技术

选定一个对象和根据有助于指导分析人员采用合适的方法和技术。然而，有记载的就有数百种预测方法和技术可供选择。[19]一个有用的方法就是按前面讨论的预测根据来对它们进行分组。表 4—2 概括了三种预测方法以及这些方法的根据、适当的技术以及相应的结果。这个表是对这一章剩下部分的概述。

表 4—2　三种预测方法

方法	根据	适当的技术	结果
外推预测	趋势外推	传统的时间序列分析、线性趋势估计、幂的加权、数据转换、剧变法	预言
理论性预测	理论	理论图形化、因果模型、回归分析、点和区间估计、相关分析	推断
判断性预测	合理的判断	常规德尔菲法与政策德尔菲法、交叉影响分析、可行性评价	猜想

4.4　外推预测

外推预测（extrapolative forecasting）的方法和技术使分析人员能根据目前的和历史的数据推断未来的社会状况。外推预测通常以时间序列分析（time-series analysis）的某些形式为基础，时间序列分析就是对在不同时点上收集并按顺序排列的数值所进行的分析。时间序列就过去和未来的若干年变化的数量和频率提供总计量（平均值）。外推预测已应用于预测经济增长、人口衰落、能源消耗、生活质量和机构的工作量负荷等领域。

用来进行推测时，外推预测则依赖三个基本假设：

1. 持续性（persistence）。过去观察到的模式会在将来持续出现。如果能源消耗在过去是增长的，将来也会如此。

2. 规律性（regularity）。过去的趋势变动会在将来定期出现。如果在过去每隔 20 年或 30 年就要发生战争，那么，这个战争也会在将来周期性地重复。

3. 数据的可靠性和有效性（reliability and validity of data）。对趋势的衡量是可靠的（即相对准确或内部一致）和有效的（即衡量了所要衡量的）。例如，对犯罪的统计相对而言就不是实际刑事犯罪的精确衡量。

如果这三个假设条件都满足，那么外推预测就可以帮助洞察动态的变化，使我们更好地理解未来社会的可能状态。而如果违背其中任何一个假设，那么利用外推预测就可能得出不准确的结果，甚至会产生误导。[20]

传统的时间序列分析

进行外推预测时我们可以使用传统的时间序列分析（classical time-series analysis），将任何时间序列看作四个组成部分：长期趋势（secular trend）、季节性变动（seasonal variations）、周期性波动（cyclical fluctuations）和不规律变动（irregular movements）。长期趋势在时间序列里是一种平滑的长期增长和下降。图 4—6 表现了在 30 年中，芝加哥（Chicago）每千人犯罪数量增长的长期趋势。按常规，时间序列变量画在 Y 轴（Y-axis）上［纵坐标轴（ordinate）］，年度画在 X 轴（X-axis）上［横坐标轴（abscissa）］。用一条直线表示 1940—1970 年间每千人中的拘捕人数的增长趋势。在其他情况下（如死亡率），直线可以表示长期的下降趋势，而在另外一些情况下（如煤的消耗），则表现出曲线趋势（curvilinear trend），即时间序列中的数值形成一个弯弯曲曲的曲线。

季节性变动，正如其名称所言，是指在一年或少于一年的时间内定期重复的一种变动。季节性变动最典型的例子是随着气候条件和节假日变化而上下波动的产量与销售量。社会福利、健康和公用设施部门的工作负荷也经常随气候条件和节假日的变化而呈现出季节性变化的趋势。例如：家庭供暖燃料的消耗在冬季开始增加，而在每年 3 月份开始下降。

周期性波动，也是定期的，却可能出人意料地拖到若干年后。由于每个新的周期性波动都可能是未知因素影响的结果，故常常难以对这种周期加以解释。如图 4—7 所示，在一百多年中，芝加哥每千人的拘捕数至少有三个周期性波动。但是，对每个周期都很难做出解释，即便第三个周期性变化与禁酒令时代（1919—1933 年）和有组织犯罪的增加有关。这个例子提醒我们注意慎重选择适当的时间范围的重要性，因为看上去是长期趋势的有可能实际上是更长期的周期性趋势。另外，19 世纪 70 年代和 19 世纪 90 年代每千人拘捕数要比 1955—1970 年间的多数年份要高，这也值得注意。①

对周期性波动的解释常常由于不规则变动的出现而变得困难重重。不规则变

① 从图 4—7 看似 1955—1970 年间的多数年份每个人拘捕数要高于 19 世纪 70 年代和 90 年代，疑原书阐述有误。——译者注

动是时间序列内不可预测的、不遵循一定规律的变动，它的产生常常是许多因素的结果（政府变动、罢工、自然灾害）。只要这些因素未被考虑，它们就会被当作随机的错误，即影响变动的未知原因，而不能用长期趋势、季节性变动或周期性变动来解释。例如，1957 年以后被拘捕人数的不规则变动（见图 4—7），可被当作不遵循一定规律的不可预测变量。然而，再深究下去，被拘捕人数的临时性急剧上升可由档案记载的奥兰多·威尔逊（Orlando Wilson）受聘为警长产生的影响来解释。[21]这个例子指出了了解时间序列里隐含的社会历史和政治事件的重要性。

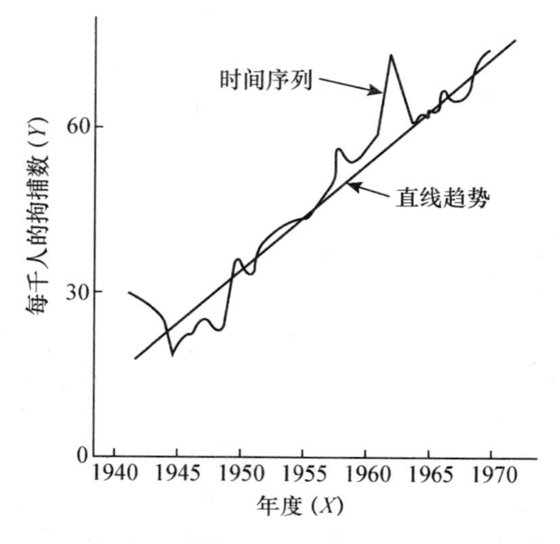

图 4—6 长期趋势示例：芝加哥 1940—1970 年每千人的拘捕数

资料来源：Ted R. Gurr, "The Comparative Analysis of Public Order," in *The Politics of Crime and Conflict*, ed. Ted R. Gurr, Peter N. Grabosky, and Richard C. Hula (Beverly Hills, CA: Sage Publications, 1977), p. 647.

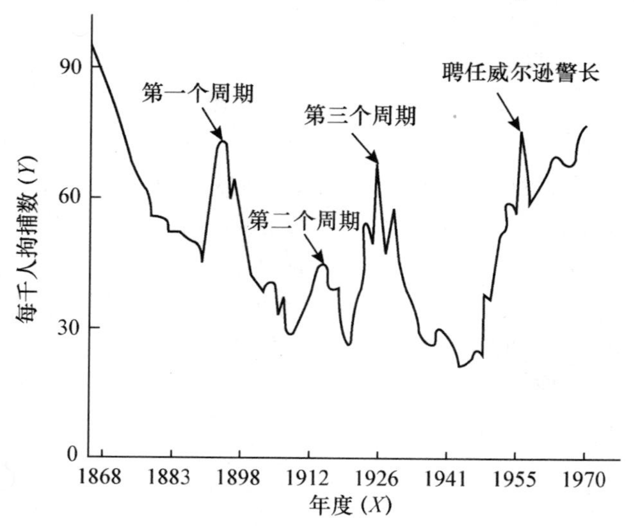

图 4—7 周期性变动示例：芝加哥 1868－1970 年每千人拘捕数

资料来源：Ted R. Gurr, "The Comparative Analysis of Public Order," in *The Politics of Crime and Conflict*, ed. Ted R. Gurr, Peter N. Grabosky, and Richard C. Hula (Beverly Hills, CA: Sage Publications, 1977), p. 647.

线性趋势估计

趋势外推法的一个标准技术就是线性趋势估计（linear trend estimation），它是这样一种方法，即以时间序列里的观察值为基础，利用回归分析来取得对未来社会状态的精确的数学估计。线性回归法以持续性、规律性和数据的可靠性为基础。当使用线性回归估计趋势时，时间序列里的观察值必须不是曲线的，因为任何对直线的重大偏离都会产生重大的预测失误。尽管如此，线性回归法也可以用来从说明季节性或周期性变动的时间序列中挑出线性趋势部分。

回归分析有如下两个重要属性：

1. 消除偏差（deviations cancel）。时间序列里的观察值和被计算的直线趋势［称为回归线（regression line)］上的值之间有一些差异，这些差异的总和总是等于零。因此，如果将时间序列中所有年份在回归线上的值（Y_t）减去其相应的实际观察值（Y），得到一些差，那么这些差［称为偏差（deviations)］的总和等于零。当某年的实际值在回归线之下时，偏差（$Y-Y_t$）总是负数。与此相反，如果实际值位于回归线上方，偏差（$Y-Y_t$）总为正。这些正负偏差相互抵消，使 $\sum(Y-Y_t)=0$。

2. 平方差最小（squared deviations are a minimum）。将每个偏差的平方相加，这些平方之和总是最小值。这意味着线性回归缩小了回归线与序列中所有的观察值 Y 的距离。换句话说，通过一系列观察到的数据点画出一条趋势线，这是最有效的方法。

以上两个属性见图 4—8。

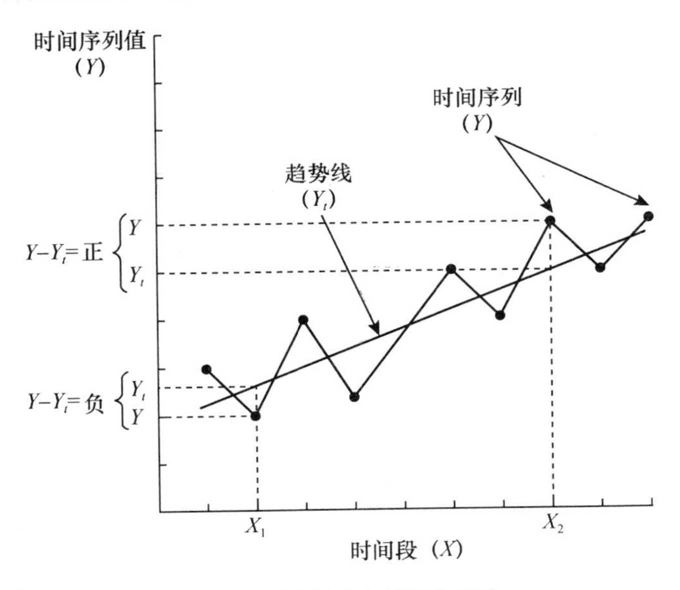

图 4—8 线性回归的两个属性

注：$\sum(Y-Y_t)=0$；$\sum(Y-Y_t)^2$ ＝最小值。

用线性回归法计算线性趋势的说明，见表4—3有关能源消耗的数据。在第三列中，注意，时间序列里的年度可以用每一年与整个时间段中部的1973年的差数（x）来表示。中部的1973年的数值为0，表示从它开始。x 是相对于开始的偏差，范围从−3到3。同时请注意看表第4、第5列所用的计算程序。xY 的值等于能源消耗值（Y）乘以时间代码值（x），在第4列中表示。第5列中的 x^2 的值由 x 乘以自身得到，也就是第3列中 x 的平方。最后，第6列代表时间序列变量（Y_t）的趋势值。这些值在图4—8中形成一条直线，按下列等式算出：

$$Y_t = a + b(x)$$

Y_t＝特定年份的趋势值

$a = Y_t$ 值（$x=0$）

b＝趋势线的斜率，表示每单位时间内 Y_t 的变动

x＝任何年度的时间值代码，由它们与起始年度的距离决定

表4—3　　线性回归中使用的总能源消耗方面的时间序列资料

年度 (X) (1)	能源消耗 (Y) (2)	时间值代码 (x) (3)	列（2）乘以列（3）(xY) (4)	列（3）的平方 (x^2) (5)	能源消耗趋势值 (Y_t) (6)
1970	66.9	−3	−200.7	9	68.35
1971	68.3	−2	−136.6	4	69.31
1972	71.6	−1	−71.6	1	70.27①
1973	74.6	0	0	0	71.24
1974	72.7	1	72.7	1	72.20
1975	70.6	2	141.2	4	73.17
1976	74.0	3	222.0	9	74.13
$n=7$	$\sum Y = 498.7$	$\sum x = 0$	$\sum(xY) = 27.0$	$\sum(x^2) = 28$	$\sum Y_t = 498.7$

$$Y_t = a + b(x)$$

$$a = \frac{\sum Y}{n} = \frac{498.7}{7} = 71.24$$

$$b = \frac{\sum(xY)}{\sum(x^2)} = \frac{27.0}{28.0} = 0.964$$

$$Y_t = 71.24 + 0.964(x)$$

$Y_{t(1980)} = 71.24 + 0.964(7) = 77.99$ 千万亿 BTUs②

a 和 b 一经算出，就可以对实际发生年度或未来年度的能源消耗总量进行估算。

① $Y_{t(1972)} = 71.24 + 0.964\ (-1) = 70.276$ quadrillion BTUs，四舍五入后应为70.28，原书数值为70.27，疑有误。——译者注

② BTU，bassic transmission unit，基本传输单位。这里是一种能量计量单位。——译者注

例如表 4—3 表明 1972 年能源消耗趋势值为 70.27 千万亿 BTUs。要计算 1980 年的消耗量，我们首先将 x 设为 7（即离 1973 年有 7 个时间段），解方程式$Y_{t(1980)}=a+b(x)$，得：

$$a=\frac{\sum Y}{n}$$

$\sum Y=$ 序列中实际值之和

$n=$ 所观察的时间序列中的年数

计算 b 的公式为：

$$b=\frac{\sum(xY)}{\sum(x^2)}$$

$\sum(xY)=$ 时间代码值乘以实际值再求和

$\sum(x^2)=$ 时间代码值平方之和

表 4—3 不仅使我们得以计算能源消耗的趋势值，也使我们能预测未来某年的消耗值。由此可以估计 1980 年［$Y_{t(1980)}$］的能源消耗总量为 77.99 千万亿 BTUs。

在上面的例子中，我们使用的年份总数是奇数，把居中的年份作为起点，赋予 0 值。显然，许多序列的年份总数是偶数，没有居中的年份，因此，需要用不同的程序来对每个（x）赋值。这样的程序将时间序列平分成两部分，将相邻的年份间距设定为 2 而不是 1。表 4—4 中，第 3 列中的相邻时间值相差 2，最高值和最低值分别是 7 和－7，而非 3 和－3。请注意，时间间隔不一定非 2 不可，用 3、4、5 或任何数字都可以，只要保证相邻的时间间隔相等即可。增加间距并不影响计算结果。

尽管线性回归对长期趋势的外推具有一定的准确性，但仍然受到几个条件的制约。第一，时间序列必须是线性的。即趋势线上的数值按时间顺序只能递增或递减。如果时间序列上的数值是非线性的（即数值按时间顺序变化是起伏的），就必须运用其他技术。这些技术中有些要求将不同种类的曲线套入非线性时间序列中。第二，必须有合理的依据表明过去的变化模式会持续下去，即在随后的年份中数值的变化趋势不变。第三，模式必须是有规律的，即没有表现出周期性波动或突然的断开。除非以上三个条件均得到满足，否则线性回归法就不能用于趋势外推。

表 4—4　　偶数序列的线性回归

年度 (X) (1)	能源消耗 (Y) (2)	时间值代码 (x) (3)	列（2）乘以列（3）(xY) (4)	列（3）的平方 (x^2) (5)	能源消耗趋势值 (Y_t) (6)
1969	64.4	－7	－450.8	49	66.14
1970	66.9	－5	－334.5	25	67.36
1971	68.3	－3	－204.9	9	68.57
1972	71.6	－1	－71.6	1	69.78

续前表

年度 (X) (1)	能源消耗 (Y) (2)	时间值代码 (x) (3)	列（2）乘以列（3） (xY) (4)	列（3）的平方 (x^2) (5)	能源消耗趋势值 (Y_t) (6)
1973	74.6	1	74.6	1	71.00
1974	72.7	3	218.1	9	72.21
1975	70.6	5	353.0	25	73.43
1976	74.0	7	518.0	49	74.64
$n=8$	$\sum Y = 563.1$	$\sum x = 0$	$\sum (xY) = 101.9$	$\sum (x^2) = 168$	$\sum Y_t = 563.1$

$$Y_t = a + b(x)$$
$$a = \frac{\sum Y}{n} = \frac{563.1}{8} = 70.39$$
$$b = \frac{\sum (xY)}{\sum (x^2)} = \frac{101.9}{168} = 0.607$$
$$Y_t = 70.39 + 0.607(x)$$
$$Y_{t(1980)} = 70.39 + 0.607(15) = 79.495 \text{ 千万亿 BTUs}$$

表 4—3 和表 4—4 中用手工计算的 SPSS 输出被表示在展表 4—1 中。将表 4—3 的内容与 SPSS 输出（展表 4—1 中的第 3 部分）相比，结果是一致的。SPSS 输出里的要素包括：因变量（即能源消耗），样本中的实际数值（$n=7$），表示时间和能源消耗之间关系的系数（R：0.729），相关系数的平方（SQUARED MULTPLIE R：0.531），相关系数的平方表示因变量“能源”（ENCONS）的变化在多大程度上是由自变量“年份”（TIMECODE）的变化引起的。

就当前的目的而言，SPSS 输出最重要的部分是常量系数 a，数值为 71.243，也就是当 x 值为 0 时，能源消耗 Y 的值。展表 4—1 中的第 3 部分给出了回归线的斜度系数 b，数值为 0.964，也就是每单位 x 变化引起的 Y 的变化。这部分数据使我们能使用相关系数建立回归等式，预测未来年度能源的消耗。表 4—3 的回归等式表示如下：

$$Y_t = 71.243 + 0.964(X)$$

表 4—4 的回归等式，时间序列包括 8 个年份而非 7 个，表示如下：

$$Y_t = 70.388 + 0.607(X)$$

请注意时间序列年份每增加一年导致的斜度变化。

许多为政策分析人员所关注的时间序列数据——如犯罪、污染、公共开支、程式化等都是非线性的。人们已经开发出多种技术，将非线性曲线套用于随时间变化数值变化趋势不一致的时间序列。尽管我们不对它们进行详细阐述，但我们仍将讨论它们的一些特点和隐含的假设。如果读者希望进一步了解这些预测技术，请参考更高层次的教材。[22]

展表 4—1　　表 4—3 和 4—4 的 SPSS 输出

Model Summary[b]

Model	R	R Square	Adjusted R Square	Std. Error of the Estimate	Durbin Watson
1	.729[a]	.531	.437	2.145 759 94	1.447

a. Predictors：(Constant)，TIMECODE
b. Dependent Variable：ENCONS

ANOVA[b]

Model		Sum of Squares	df	Mean Square	F	Sig.
1	Regression	26.036	1	26.036	5.655	.063[a]
	Residual	23.021	5	4.604		
	Total	49.057	6			

a. Predictors：(Constant)，TIMECODE
b. Dependent Variable：ENCONS

Coefficients[a]

		Unstandardized Coefficients		Standardized Coefficients		
Mode		B	Std. Error	Beta	t	Sig.
1	(Constant)	71.243	.811		87.843	.000
	TIMECODE	.964	.406	.729	2.378	.063

a. Dependent Variable：ENCONS

Residuals Statistics[a]

	Minimum	Maximum	Mean	Std. Deviation	N
Prediciled Value	68.349 998	74.135 712	71.242857	2.083 095 22	7
Residual	−2.571 429	3.357 142 9	8.120E-15	1.958 801 87	7
Std. Predicted Value	−1.389	1.389	.000	1.000	7
Std. Residual	−1.198	1.565	.000	.913	7

a. Dependent Variable：ENCONS

非线性时间序列

不具有线性、持续性或规律性特征的时间序列可以分为以下五类（见图 4—9）：

1. 摆动（oscillations）。只在几个年度、季度、月份或数天内偏离回归线。摆动有可能是持续的、有规律的（如警察常年大多在晚上 11 点至次日下午 2 点开展追捕行动），但在观察期内并不表现出持续的增减变化［见图 4—9（a）］。数年内的摆动可以与数年间的长期趋势共同存在，例如失业的季节性变动，政府机构工作负荷的每月变化和污染物水平的每日变化。

2. 周期（cycle）。周期是指数年或更长时间内发生的非线性波动。它可能是不可预测的也可能是持续的或有规律的。虽然周期的总体模式是非线性的，但其局部却可以是线性或曲线性的［见图 4—9（b）］。例如，商业周期或学术领域、科学出版物和文化的“生命周期”。

3. 增长曲线（growth curves）。持续数年、数十年或更长时间的非线性过程。增长曲线的表现形式可能是按增长率累计增加，也可能是按增长率累计减少，或者两者结合在一起［见图 4—9（c）］。其中，最后一种两者结合在一起的曲线呈 *S* 形，被称为 sigmoid 或 logistics 曲线。增长曲线，起初被应用于对生物有机体的研究，后来被用于预测工业、城区、人口、技术和科学的发展。尽管增长曲线不是线性的，但它们是持续的、有规律的。

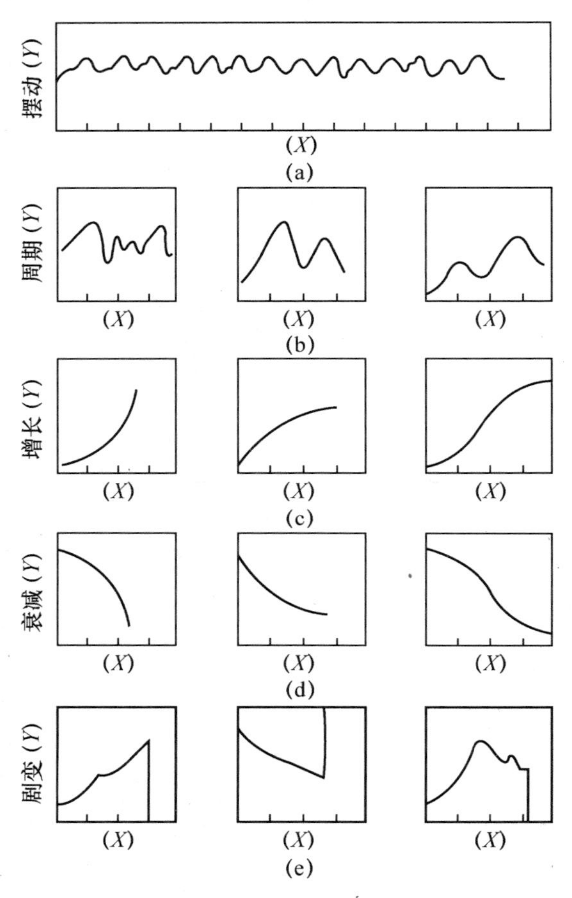

图 4—9 五种非线性时间序列

4. 衰减曲线（decline curves）。也是持续数年、数十年或更长时间的非线性过程。衰减曲线是相对增长曲线而言的，描述的是在时间序列中衰减率增加或减少的过程［见图 4—9（d）］。增加的衰减率和减少的衰减率可能结合起来形成不同形状的曲线。有时，衰减曲线被当作模型来研究文明、社会和城市的衰落等动态过程或“生命周期”。衰减曲线不是线性的，但它们是规律的、持续的。

5. “剧变”（catastrophes）。“剧变”的时间序列的数据的主要特征在于表现出突如其来的剧烈中断。它是由法国数学家勒内·汤姆创建的一种分析研究模型，不只涉及沿时间发生的非线性变化，也涉及中断的变化模式［见图 4—9（e）］，例如：战争时期政府政策的突然变化（投降或撤兵）、经济危机中股市的崩溃以及液体达到沸点后密度的突然变化。[23]

图 4—9（c）和图 4—9（d）中的增长和衰减曲线绝不是直线的趋势，其增长和衰减的模式并未或很少出现周期性的波动，这种趋势被称为幂的增长或衰减（exponential growth or decline），即某些数量的增减是按递增的比率变化的。1789—1973 年美国联邦政府机构（federal government organizations）的增长就是一个幂增长的例子（见图 4—10）。1789 年以后，机构数量增长放缓，大约到 1960 年，增长又突然加速。很明显，这一增长趋势和目前已考察过的长期和周期性变化有很大不同。[24]

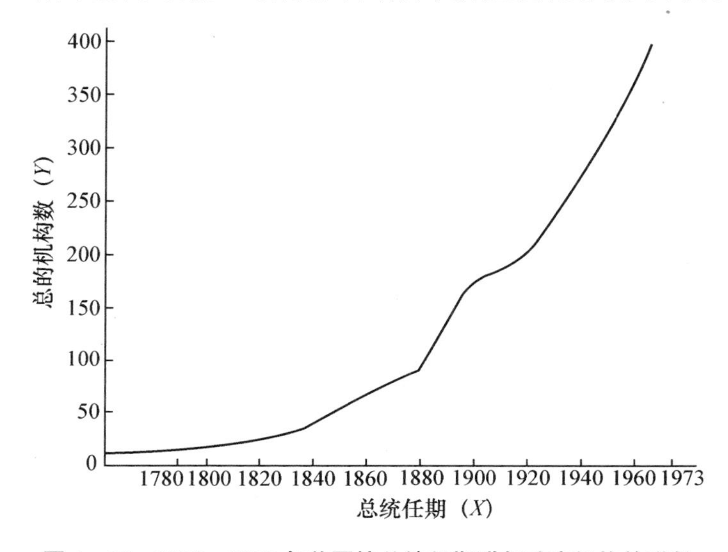

图 4—10　1789—1973 年美国按总统任期联邦政府机构的增长

资料来源：Herbert Kaufman，*Are Government Organizations Immortal*?（Washington，DC：Brookings Institution，1976），p. 62.

将曲线套用于分析增减过程的技术要比哪些估计长期趋势的技术复杂得多。许多类似的技术使用线性回归进行分析，但要求时间序列变量（Y）作不同的数据转换。有些涉及变量（Y）的方根，其他的则使用对数（$\log Y$）或幂（e^x）。其目的都是用数学方式表达时间序列中递增率或递减率的变化情况。在此，我们虽然不一一详述这些技术，但其逻辑对进一步深入分析公共政策十分重要。

下面我们以复利模型为例简单说明一下：

$$S_n = (1+r)^n S_0$$

S_n＝某一笔投资在 n 年后的积累值

S_0＝期初投资

$(1+r)^n$＝投资（1.0）加上利息率（r）在既定年（n）后的固定回报

假设一个有 10 000 人口的小城市的资金管理人面临下面的情况：为满足日常应急提现的需要，他在 1970 年决定将 1 000 美元单开一个特别支票账户保存。该账户使用起来非常方便，但无利息可得。从 1971 年开始的几年里，由于通货膨胀，管理人开始每年在这个特别账户内增加 100 美元。图 4—11（a）中表示的资金的增长是一种典型的线性趋势。时间序列值以每年100美元的固定数额增长，截至1980年，账户内已有2 000美元。这样，时间序列值（Y）就等于趋势值（$Y_t = Y$），因为所有的Y值都在趋势线上。

现在考虑如果管理人将资金放在一个带利息的特别账户会发生什么事情（我们假设不存在法定限制，提款不受任何惩罚）。设每年的复利年息为10%，10年间只有最初的1 000美元在账上，而不新增存款。城市资金的增长［见图4—11（b）］就是一个我们正讨论的增长趋势的典型案例。在10年间，城市资金以渐增的数额增长（利息保持不变），到1980年底，资金量达2 594美元，而不含利息的账户内只有2 000美元。请注意第一个例子（不含利息）中资金量在10年内翻了一番，而且超出最初1 000美元的资金中没有1分钱的积累来自利息收入。而在最后一个例子中，所有多出的部分1 594美元全部来自利息。计算1980年累积的值如下：

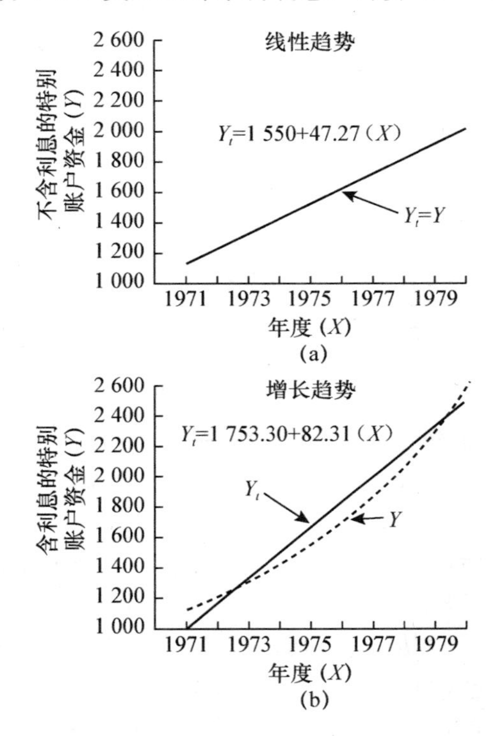

图4—11 线性和增长趋势

$$S_n = (1+r)^n S_0$$
$$= (1+r)^{10}(\$1\,000) = (2.593\,7)(\$1\,000)$$
$$S_{10} = \$2\,594$$

某年（如第5年的1975年）的累积量可简单地代入相应的值算出：

$$S_5 = (1+r)^5(\$1\,000) = (1.610\,5)(\$1\,000) = \$1\,610.51$$

现在，我们来考虑图4—11（b）中用线性回归法估计增长趋势的局限性。图4—11（b)的线性回归等式［$Y_t = 1\,753.30 + 82.31(x)$］可能会得出不准确的预测。例如，用这个线性回归公式对1990年的预测是：$Y_{t(1990)} = 1\,753.30 + 82.31(29) = 4\,140.29$

美元，相比之下，复利公式准确地说明了累积资金的非线性增长，用复利公式得出的正确数为：$S_{20}=(1.1)^{20}$ (1 000)=6 727.47 美元①。[25]因此，线性回归的估算相当不准确。

值得庆幸的是，线性回归技术可以得到调整。首先需要把原先的线性等式 $Y_t=a+b(x)$ 变为非线性。有很多方法可以达到这个目的，但是其中最为常用的是幂的加权和数据转换。

幂的加权

在幂的加权（exponential weighing）中，分析人员要在回归等式中增加一次方，例如，将 $b(x)$ 进行平方，或者增加另一个条件，也增加一次方，如 $c(x^2)$。增减变化越明显，需要增加的次数就越高。例如，有一些缓慢递增的变化，像图 4—11（b）中复利公式中所示的那些，可以给原来的线性回归公式 $Y_t=a+b(x)=1\,753.30+82.31(x)$ 增加一个条件 $c(x^2)$，如下：

$$\begin{aligned} Y_t &= a+b(x)+c(x^2) \\ &= 1\,753.30+82.31(x)+1.8(x^2) \end{aligned}$$

等式中唯一非线性的部分是 x^2，这意味着在任何特定年度内 x 的值，都要增加为二次方（如−5 和+9 分别增为 25 和 81）。由于大数平方后比小数平方后变化的幅度要大，所以原始的 x 值越高，变化幅度就越大。在直线方程式中时间 x 为 9，3 倍于时间值 3，那么在二次方程式中，这个比例变为 9 倍。

$$9/3=3 \text{ 和 } 9^2/3^2=9$$

现在就比较容易理解增长过程表现了在时间序列中的加速增长是什么意思了。

数据转换

对线性回归技术进行调整的第二种方法是数据转换（data transformation）。幂的加权需要清楚地建立一个新的非线性回归等式，如 $Y_t=a+b(x)+c(x^2)$，而数据转换则允许分析人员在对时间序列变量 Y 作适当变换后，用最简单的线性等式 $Y_t=a+b(x)$ 进行分析。其中，一种转换方法是取平方根，另一种方法是取常用对数或自然对数。一个数的常用对数（以 10 为底）就是为了得到这个数 10 所加的幂数。例如，2 是 100 的常用对数，因为 10 的 2 次方等于 100。一个数的自然对数（以 e 为底），就是为了得到这个数 e（=2.718 28）所加的幂数。例如，100 的自然对数为 4.605 2，因为 2.718 28 的 4.605 2 次方等于 100。以 10 为底的对数简写为 log，以 e 为底的对数简写为 ln。这样一来，对于从未接触过对数或根的读者来说，如果要研究表 4—5 中假设的加速增加的时间序列，就不难把握这些数据转换的性质了。如此，我们在解这些简单的线性回归方程之前，就能知道这些时间序列变量的方根和对数是多少了。

---

① 四舍五入后似应为 6 727.50 美元，但这一数据在下文中还将继续使用，出于尊重原著，这里予以保留。——译者注

注意，表 4—5 中使用的所有计算方法都与运用线性回归对趋势进行估计的方法相同。唯一的区别在于 Y 的值要么通过取平方根，要么通过取常用对数进行改变。很明显，线性回归方法完全不适用于描述每个时间段内以 10 的倍数来变化的过程。如表 4—5 中第（2）列，用线性回归等式 $Y=a+b(x)$ 预测的 1981 年的值为85 227，而实际数为 1 000 000（当然，有个前提假设，即 1981 年及以后年度系列均以 10 的倍数增长）。以平方根转换后的线性方程式 $[\sqrt{Y_t}=a+b(x)]$ 对这种爆炸性增长的时间序列无能为力，其估算数仅仅为 94 249。

只有用对数进行转换的等式 $[\text{Log}Y=a+b(x)]$ 才能使我们得出与 1981 年实际数相同的结果。实际上，我们所做的就是通过取 Y 的常用对数来拉直增长趋势，从而能够用线性方程式来进行趋势外推分析。这并不意味着该趋势实际上是线性的（显然它不是），它只是表明我们能用线性回归法来对 1981 年或其他任何一年的非线性趋势做出准确的预测。但请注意，为了预测 1981 年的趋势，我们必须把对数值（6.0）转换成 Y 变量的原始值。这一步可以通过取 6 的反对数（可简写为“antilog 6.0”）来完成，即 antilog6＝1 000 000（反对数就是与对数相对应的数。例如，antilog2＝100，antilog3＝1 000，等等），而且请注意，需要通过适当的幂次方得出趋势估计，从而将幂次方根转换回去（见表 4—5）。

表 4—5　表明快速增长的时间序列的平方根和对数①

年份 (X) (1)	时间序列变量的原始数值 (Y) (2)	时间序列变化的平方根 $(\sqrt{Y})_t$ (3)	时间序列变量的对数 $(\log Y)$ (4)	时间值代码 (x) (5)	时间值的平方 (x^2) (6)	(2)×(5) (xY) (7)	(3)×(5) $(x\sqrt{Y})_t$ (8)	(4)×(5) $(x\log Y)$ (9)	趋势估计 Y_t (10)	趋势估计 $\sqrt{Y_t}$ (11)	趋势估计 $\log Y_t$ (12)
1976	10	3.16	1.0	−2	4	−20	−6.32	−2	−19 718	−51.0	1.0
1977	100	10.00	2.0	−1	1	−100	−10.0	−2	1 271	20.6	2.0
1978	1 000	31.62	3.0	0	0	0	0	0	22 260	92.2	3.0
1979	10 000	100.00	4.0	1	1	10 000	100.00	4	43 249	163.8	4.0
1000	100 000	316.23	5.0	2	4	200 000	632.46	10	64 238	235.4	5.0
5	111 300	461.01	15.0	0	10	209 880	716.14	10.0	11 300	461.01	15.0

$$Y_t=a+b(x)$$

$$a=\frac{\sum Y}{n}=\frac{111\,300}{5}=22\,260$$

$$b=\frac{\sum(xY)}{\sum(x^2)}=\frac{209\,880}{10}=20\,988$$

$$Y_t=22\,260+20\,988(x)$$

$$Y_{t(1981)}=22\,260+20\,988(3)=85\,224$$

$$\sqrt{Y_t}=a+b(x)$$

$$a=\frac{\sum\sqrt{Y}}{n}=\frac{461.01}{5}=92.2$$

$$a=\frac{\sum(x\sqrt{Y})}{\sum(x^2)}=\frac{716.14}{10}=71.6$$

$$\sqrt{Y_t}=92.2+71.6(x)$$

$$Y_{t(1981)}=[92.2+71.6(3)]^2=94\,249$$

$$\log Y=a+b(x)$$

$$a=\frac{\sum\log Y}{n}=\frac{15}{5}=3.0$$

$$a=\frac{\sum(x\log Y)}{\sum(x^2)}=\frac{10}{10}=1.0$$

$$\log Y=3.0+1.0(x)$$

$$Y_{t(1981)}=\text{antilog}\ 3.0+1.0(3)=\text{antilog}\ 6.0=1\,000\,000$$

① 这张表格中有诸多疑似错误的地方，如第 1 列第 6 行似应为 1980，而非 1000；第 2 列第 7 行似应为 111 100，而非 111 300；等等。为尊重原著，保留原书数据未修改，相信读者自会判断。——译者注

既然我们已经了解了增长趋势估计的一些基本点，让我们再回到小城市资金管理人和复利的例子。我们知道，在复利模型中，以 10%的复利投资 1 000 美元到 1990 年底会得到 6 727.47 美元，即

$$S_n = (1+r)^n S_0$$
$$= (1+0.10)^{20}(\$1\,000)$$
$$S_{20} = \$6\,727.47$$

然而，如果使用线性回归等式推算，投资 1 000 美元，到 1990 年底，我们将得到4 140.29美元，偏差为 2 587.18 美元（6 727.47－4 140.29＝2 587.18 美元）。但如果我们一定要用线性回归等式来预测增长趋势的话，对如此之大的偏差又该如何处理呢？最简单的办法就是找出所有 Y 值的常用对数，将其应用于线性回归等式中。表 4—6 中，以对数转换值为基础的 1990 年趋势估算为 $\log Y_{t(1990)}=3.828$，其反对数（antilog 3.828）为 6 730 美元，相当接近用复利公式计算的结果。因此，通过对时间序列变量进行对数转换后，我们可以成功地将线性回归法用于非线性增长过程的分析。此外，这种方法也经常用于其他的政策分析，如国民收入、人口和政府开支等。

表 4—6　　时间序列对数转换的线性回归法①

年份 (X) (1)	时间序列变化 (Y) (2)	时间序列变化量的对数 ($\log Y$) (3)	时间代码 (x) (4)	时间值平方 (x^2) (5)	(3)×(4) ($x\log Y$) (6)	趋势估计 ($\log Y_t$) (7)
1971	1 100	3.041	−9	81	−27.369	3.041 3
1972	1 210	3.083	−7	49	−21.581	3.082 7
1973	1 331	3.124	−5	25	−15.620	3.124 1
1974	1 464	3.165	−3	9	−9.495	3.165 5
1975	1 611	3.207	−1	1	−3.207	3.206 9
1976	1 772	3.248	1	1	3.248	3.248 3
1977	1 949	3.290	3	9	9.870	3.289 7
1978	2 144	3.331	5	25	16.655	3.331 1
1979	2 358	3.373	7	49	23.611	3.372 5
1980	2 594	3.414	9	81	30.726	3.413 9
10	17 533	32.276	0	330	6.838	32.276 0

$$\log Y_t = a + b(x)$$
$$a = \frac{\sum \log Y}{n} = \frac{32.276}{10} = 3.277\,6$$
$$b = \frac{\sum (x\log Y)}{\sum (x^2)} = \frac{6.838}{330} = 0.020\,7$$
$$\log Y_t = 3.227\,6 + 0.020\,7(x)$$
$$\log Y_{t(1990)} = 3.227\,6 + 0.020\,7(29) = 3.828$$
$$Y_{t(1990)} = \text{antilog } 3.828 = 6\,745.27(\text{美元})$$

① 该表中存在一些错误，比如第 3 列第 5 行似应为 3.166，而非 3.165；表中最后一行 $Y_{t(1990)}$＝antilog 3.828 其结果似应为 6 729.77，而非 6 745.27；等等。为尊重原著，保留数据。——译者注

剧变法

无论我们通过调整线性回归来预测增长或衰减的方法有多成功，有一个条件必须满足：我们试图理解和推测的过程必须是平滑连续的。然而，正如我们在图4—9（e）中所见到的，许多时间序列是不连续的。在此，剧变法为我们提供了解决办法。剧变法（catastrophe methodology）是数学的一个称为拓扑学的特殊分支，涉及对不连续过程的系统研究和数学表达，专门被用来预测一个变量的细微变动（如时间）引起另一个变量发生剧变的趋势。某一变量的细微变动引发的另一变量突然剧烈的变动称为剧变，剧变法是一种将不连续过程分为五类的数学原理。按照其创始人勒内·汤姆（René Thom）的说法，它是一种研究自然和社会中不连续的基本类型的方法（而非一种理论）。[26]

剧变法十分复杂，在此不作过多探讨。但是我们应该了解它对公共政策分析的主要假设和运用：

1. 间断过程（discontinuous processes）。许多最重要的物理、生物以及社会过程不只是曲线性的，也存在突变和不连续的特点。举个社会领域里的例子，公众观点的转变过程往往是平缓的，但有时也会发生突如其来的大变动。

2. 作为整体的系统（systems as wholes）。社会系统作为一个整体，其所表现出来的变化往往不是其组成部分变化的简单加总。即便各个部分的变化很平稳，社会系统作为一个整体的结构，也可能发生剧变。例如，对重大的政策问题，公共舆论可能会突然产生分歧，产生激烈的辩论或冲突。而与此同时，市民个人的意见仍平稳变化。与此相似，即便公共舆论的方向是在逐渐变化的，公共政策也有可能发生突然变化。

3. 渐进延迟（incremental delay）。为了维持或建立公众支持，决策者倾向于选择对现有政策进行渐进式的改变。渐进选择需要“将已采纳的政策与所有相近的替代政策不停地连续地进行比较”[27]。导致延迟的因素有很多，包括信息不完整、直觉分析的盛行、政治上的忠诚与责任、制度的惯性，以及历史的先例等。

4. 剧烈的政策变动（catastrophic policy change）。由于不同利益集团的意见往往平稳地发生变化，不需要突然转向，所以渐进型的政策制定方法将剧烈的变动推迟到了最后一刻发生。对决策者来说，只是在某一时间点上，为了不丧失公众的支持，才被迫对政策做出突然的、间断性的改变。

到目前为止，剧变法在公共政策分析中的主要应用领域是公共舆论。[28]例如，剧变法可以用来解释联邦德国能源政策的突变，公众舆论是怎样逐渐变化的，怎样与渐进延迟作用在一起，导致政府突然决定中止在巴登—符腾堡州（Baden Wurttemberg）莱茵河岸的农业区建一座核电厂的计划。[29]听证会结束后，核电厂建设开始施工，一些人静坐示威，但被强行带走。随着事态的发生，公众舆论逐渐转为支持该地区的农业人口。最后，经过一系列的政策调整，政府投入了大量的成本，但最终工程被取消了。[30]

剧变法提供了理解间断性政策过程的概念和技术。它是一套概念和方法，而非一套“理论”。它假设过去发生的间断性过程在将来也会重复出现。尽管剧变法试图为未来事件的发生提供充分的理论依据（不仅仅只是相信过去的模式在将来一定会重现），但至少现在它最多被认为是一种外推预测技术。与其说它是根据理论，例如，混沌理论（见注释［26］），进行预测的方法，不如说它是一种对间断性政策的未来进行思考的方法。

4.5　理论性预测

理论性预测帮助分析人员以理论假设以及当前和历史数据为基础对未来的社会状况做出预测。外推预测法假设历史事件重复发生，而理论性预测则以多种理论中的因果假设为基础。外推预测法在逻辑上基本上是归纳性的，而理论性预测法则基本上是演绎性的。

演绎是一种推理方式，它利用某些一般的陈述（公理、规律、法则等）来推断其他具体陈述（包括预测）的真假。在政策分析中，演绎推理法经常与因果论断结合使用，即如果一个事件（X）发生，那么另一个事件（Y）就会随之发生。虽然理论性预测最显著的特点是从理论假设出发进行推理，但应该强调的是，演绎和归纳是相互联系的。如果理论上推断的预测能通过经验研究多次被证实，那么演绎推理的说服力就会大大增加。同理，如果一个孤立的经验性结论（“敌人受到威胁会选择撤退”）可以为一个或多个理论假设所支撑的话，其说服力会增加不少（“备用方案的成本越高，其被采用的可能性就越小”）。[31]

本节中，我们讲述了帮助分析人员进行理论性预测的几个方法：理论图形化、因果模型、回归分析、点和区间估计，以及相关分析。其中一些方法（如理论图形化）将理论假设加以明确并系统化，而另外一些方法则能够更好地通过理论性预测未来社会的状况。在讲述以上几种方法之前，我们必须认识到，这些技术本身不能真正进行预测，只有理论才能进行预测。借用对理论模型作出贡献的一位重要人物的话：

> 由于科学方法内在的特性，理论语言和研究语言之间有一条鸿沟。因果推理属于理论层面，而实际研究则只能建立临时的序列。所以，我们根本不可能在经验上真正验明因果规律。[32]

理论图形化

理论图形化（theory mapping）是帮助分析人员把一项理论或因果推论的关键假设加以明确并排列的技术。[33]它能帮助人们揭示四种因果推论：收敛的、发散的、序列的以及循环的。收敛推论（convergent arguments）使用两个或两个以上的原因假设来支持一个结论。发散推论（divergent arguments）使用单一的假设来支持一个或多个结论。序列推论（serial arguments）将一个结论作为假设来支持一系列结论。循环推论（cyclic arguments）是一种序列推论，其中，序列中的最后一个结论与最初的结论相互联系。其结果是肯定的或否定的自我强化。关于以上四种推论见图 4—12。

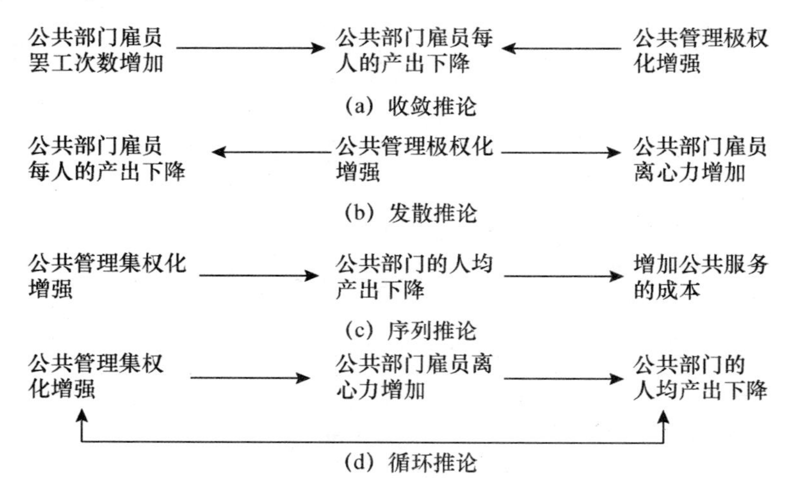

图 4—12 因果推论的四种类型

一种理论可能包含收敛、发散、序列和循环四种推论。用来揭示一个观点或理论总体结构的步骤有四个：（1）将每个假设（可能是真理、规律或意见）分开并编号。（2）将表示观点的词（如"因此"、"所以"）加上下划线。（3）如果有明确词（如"因此"等）被遗漏但有明确暗示，那么就用括号标上适当的逻辑符号。（4）将编号的假设和观点用带箭头的图排列，以说明因果推理或理论的结构。

让我们将这些步骤实际运用到公共政策制定的一个重要理论上。该理论被称为"公共选择"，它关注的是构成高效政府行政管理基础的体制条件。[34]公共选择理论家们曾试图在理论层面探讨各种不同的体制安排，特别是民主的行政管理是否会带来更高的效率和更强的公共责任。公共选择理论也是充满争议的，因为它表明了美国政府的主要问题（无效率、缺乏公正、反应速度慢）部分原因在于公共管理教学。这门学科 50 多年来一直强调集权、官僚制以及加强行政权力。

为了解释政府部门的低效率，公共选择专家文森特·奥斯特罗姆（Vincent Astrom）提出了以下观点。这段话已用方括号将关键词标出。

> 戈登·塔洛克（Gordon Tullock）在《官僚政治》（*The Politics of Bureaucracy*，1965）一书中分析了当［假设］理性的、追求自身利益的个人在大型公共机构内追求最大化战略时所产生的结果。［因此］塔洛克的"经济人"是在机构里寻求个人职业升迁机会的野心勃勃的雇员。**由于**一个人的职业发展依赖上司的鼎力举荐，以职业升迁为导向的雇员必然想方设法取悦上司。［所以］他们会报喜不报忧。［由于］信息的扭曲会削弱控制力，并产生偏离行动结果的期望。**因此**，大型机构易发生错误，而且难以适应快速变化的条件。

> ［又因为］通过加强控制来纠正机构的失效只会放大错误，［因此］削减规模就成为必然之举。［因为］机构越庞大，其活动的产出就越小，管理的成本也会越高。[35]

在上面这段话里，我们已经用到了理论图形化的第二步和第三步。我们就表明假设和观点的词语用黑体字标出，将隐含逻辑关系的词语添加了方括号。这段论述以众所周知的“经济人”假设开始。这个假设十分基本，可以说是一个公理。公理是真实的、可以自圆其说的，往往是不言自明的。另外，请注意这是一个十分复杂的推理，很难简单地通过阅读这段话来把握其总体结构。

通过完成步骤（1）和步骤（4），我们能更加全面地描述这段推理的结构。第（1）步，我们将每种意见及其依据的假设分开并编号，对其中一些文字进行修改以使原来的意见更易理解。

［由于］1. 在特别大的公共机构里工作的雇员是理性的、追求自身战略利益最大化的人（“经济人”）。

［以及］2. 升职是对自我利益合理的追求。

［因此］3. 公共机构的雇员会努力增加其升职机会。

［由于］4. 升职是上级积极推荐的结果。

［并且］5. 上级在收到下级有利信息的情况下才会给下级以积极推荐。

［所以］6. 力求升职的下属会对上级只报喜不报忧（压制不利信息）。

［由于］7. 压制不利信息会导致管理错误，降低适应快速变化的外部条件的灵活性。

［而且］8. 压制不利信息削弱了管理层的控制力。

［所以］9. 管理者通过加强控制来弥补控制不利带来的损失。补偿性地加强控制会进一步鼓励对不利信息的压制，并进一步增大管理失误。进一步失控则诱发进一步加强控制。

［而且］10. 补偿性地加强控制是大型公共机构的必然做法。

［由于］11. 补偿性的控制要求在管理活动上消耗大量精力，减少对产出活动的投入。

［因此］12. 公共机构规模越大，投入到产出活动中的精力所占的比例就越小，即规模效益就越低。

通过把每种意见和支持性假设加以分开和编号，我们逐渐将争论意见的逻辑结构展开。请注意，在这个政府失效的理论中，存在不同类型的因果推论。这段话的第一部分包含了一段推论，强调雇员的动机对信息错误和管理控制的影响。第二部分则包含另一段推论，强调公共机构规模的重要性。此外，还包含一段循环推论（失误放大的恶性循环）以及几个发散性和收敛性的推论。

只有当我们完成了第四步并画出矢量图来描绘推论的因果结构时（见图 4—13），整个推论的结构才能完整地表现出来。首先，在图 4—13 中，有两个序列推论（1，2，3）和（5，4，3）。第二个序列推论（5，4，3）可以脱离第一个序列推论（1，2，3）而独立存在，第一个序列推论（1，2，3）则完全由“经济人”原理衍生而来。其次，图 4—13 中有一个发散性推论（5，4，6），表明因素（5）可导致多个结果。另外，图 4—13 还包含三个收敛性推论（4，2，3），（3，5，6）和（8，10，9），其中，每一个推论都表明，两个因素同时存在才能解释同一事件的发生。

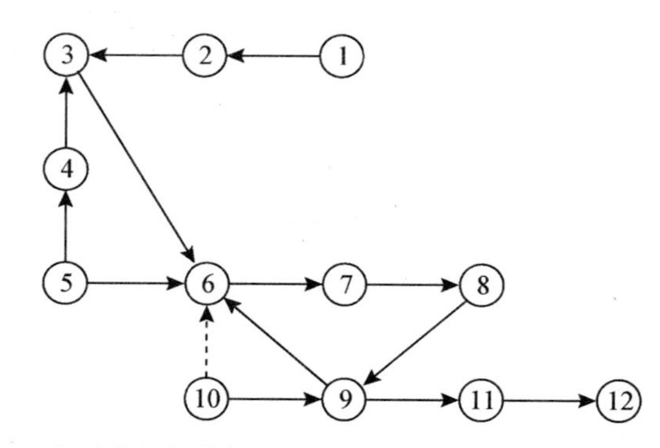

1. 合理的自我利益　　2. 升职的愿望
3. 努力推动升职机会　　4. 向上司的积极推荐
5. 来自下属的有利信息　　6. 压制不利信息
7. 管理失误　　8. 管理失去控制
9. 补偿性控制加强　　10. 公共机构的规模
11. 管理上的支出　　12. 规模效益

图 4—13　一个推论的因果结构矢量图

通过矢量图，我们可以看出这一理论推论存在两个主要特征。首先，（10）和（6）之间的虚线明确了一个潜在的关系，即公共机构的规模可以独立地影响信息传递或压制的趋势。其次，矢量图表现出了一个十分关键的循环推论：（6，7，8，9）。这一循环推论实际上认为，信息压制、管理失误、管理控制的缺失、补偿性的管理控制加强以及由此而来的进一步信息压制最终形成了一个恶性循环，导致管理失误逐渐累积增加。这个周期性的推论也被称之为正反馈环（positive feedback loop）（之所以是正的，是因为循环中的变量值持续增加），它表明任何一个以公共选择理论为基础的预测都可以预言管理失误和政府失效的曲线性增长趋势。

在没有使用过理论图形化方法的情况下，我们能否揭开包含在该理论结构中的收敛、发散、序列以及循环推论是值得怀疑的。例如，假设公共机构的规模会与补偿性的加强控制相结合来共同压制不利信息，这个假设就没能在最初的段落中得到陈述。由于理论图形化使意见和假设的结构得以明确，从而使我们能够利用理论模型。

理论模型化

理论模型化（theoretical modeling）是指用来建立理论的简化表达形式（模型）

的一系列技术和假设。制作模型是理论性预测中的一个关键部分，因为分析人员很少能直接通过理论来做预测。即使分析人员从理论出发进行分析，他们也必须以理论为基础建立模型才能实际预测未来事件。因为理论往往很复杂，所以在应用于政策问题前必须对它们进行简化。也因为评价合理性的数据分析过程涉及对理论模型而不是理论本身的建立和测试，所以理论模型化是十分重要的。

上一章，我们就模型的目标（描述性、规范性），表达形式（口头、符号、程序）以及方法上的功能（替代物、透视图）作了比较和对比。由于大部分模型寻求的是预测而不是结果最优化，所以，它们主要是描述性的。同时，也有许多是通过符号，即数学符号和方程式的形式来表达的。请注意，我们已经有过将若干符号模型与外推预测相结合的例子，如回归等式模型 $Y_t=a+b(x)$。尽管它不是一个因果模型（没有明确的因果推论），但它却是用符号来表达的。

在公共政策分析中，有许多标准的符号模型可以帮助我们进行理论性预测：因果模型、线性规划模型、投入一产出模型、计量经济模型、微观经济模型、系统动态模型。[36] 由于详述这些模型不在本书范围之内，所以，我们只将精力集中在因果模型上，概括其主要假设、优缺点以及在实际中的应用。

因果模型

因果模型（causal models）是一种简化的表达形式，用以解释和预测公共政策的因果关系。其基本假设是：两个或两个以上变量的关联变动是潜在的原因和结果的反映。如美国人均收入增加和福利开支增加的关联变动。在理论和模型中包含着规律和意见，它们体现了原因和结果之间的关系。回到政策选择的例子上来：“在管理活动中投入的努力的比例取决于公共机构的规模”，这是一个理论建议，可用模型 $Y=a+b(x)$ 表示，其中 Y 为管理与非管理人员的比率，a、b 为常数，X 为不同规模的公共机构中雇员的总数。

因果模型的长处在于它们迫使分析人员将因果假设明确化，局限性在于分析人员易于将统计分析揭示的关联变动与因果推理混淆起来。因果推论总是来自模型之外，即来自规律、建议或假设。用因果模型先驱休厄尔·赖特（Sewall Wright）的话来说，建立因果模型的程序“并不是为了完成由相关系数的值推断出因果关系这样一个不可能完成的任务”[37]。

因果模型已广泛应用于交通、健康、教育和福利等问题领域，帮助确定经济、社会和政治的决定因素。[38] 以因果模型为基础的一项主要研究观点认为，政治结构的差异（如一党制或多党制）并不直接影响诸如教育和福利开支等政策结果。与此相反，社会经济发展水平的不同（收入、工业化、城市化）决定了政治结构的差异，这种差异回过头来又影响了教育福利的开支。这个结论充满争议，因为它看上去与通行的假设相矛盾。通行的假设认为，公共政策的内容由政治结构和过程决定，包括选举、代表机制和党派竞争。

因果模型中一项主要的统计方法是路径分析（path analysis），路径分析是使用多个而非单个独立变量的特殊线性回归法。通过路径分析，我们希望确定那些单独决定因变量（如福利开支）变化的自变量（如收入），或与其他变量（如政党参与）相结合决定因变量变化的自变量。自变量被认为是因变量的原因。对因果的估计称为路径相关系数，在自变量和因变量之间表示单向的因果关系。

描述因果关系的一个标准方式是路径分析。如果不考虑路径分析中自变量对因变量影响力的估计，它看上去就与用来标明公共选择理论的矢量图十分相像。在图4—14中，我们用一个路径分析来模拟公共选择理论的一部分。路径分析和因果模型的优势在于它们使得以关于原因的明确的理论假设（个别公共机构内雇员数）及其结果（管理人员和非管理人员比率及每单位公共服务的税收成本）为基础进行预测成为可能。但正如我们已经提到的，这些方法的局限性在于，它们并不能用来通过估计变量之间的关系来推导因果。尽管变量之间没有关系就足以让人们推断说因果关系不存在，但是只有理论才能让我们进行因果推断及预测。

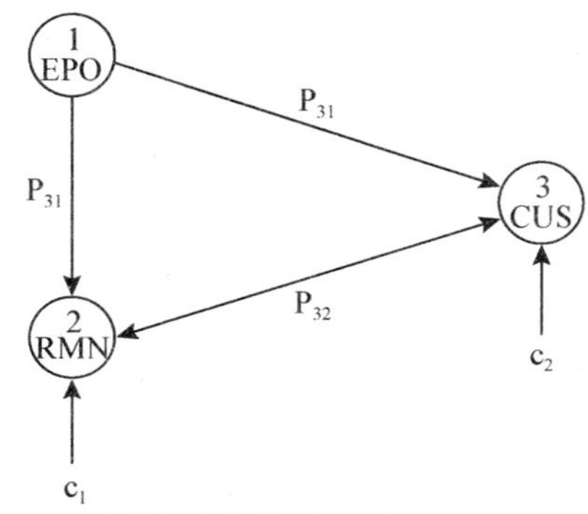

1. 公共机构雇员（EPO）
2. 管理人员和非管理人员比率（RMN）
3. 单位服务税收成本（CUS）

图 4—14　说明公共选择模型的路径图

注：符号 P 代表因果路径及其方向。P_{31}指变量 3 由变量 1 引起变化。没有原因的变量称为外生变量（即它们的原因来自系统外），所有其他变量称为内生变量。符号 e（有时写作 u）是一个偏差条件，指考虑了路径图中某一内生变量之前的内生变量的影响后剩余的、不能解释的（残留的）变动的部分。偏差条件之间，以及与其他变量之间不能有任何联系。

回归分析

在理论性预测模型中估计变量间关系的一项有用的技术是回归分析。我们已经在趋势估计的讨论中，考察过形式微调后的回归分析（regression analysis）。它是一种一般性的统计程序，能对某一因变量和一个或多个自变量的关系模式作准确估计。当回归分析只考虑单个自变量时，称为简单回归分析（simple regression），而当它同时考虑两个或两个以上自变量时，称为多元回归分析（multiple regression）。尽管许多理论性预测问题需要运用多元回归分析，但在本章节剩下的部分，我们只探讨简单回归分析。[39]

回归分析在理论模型中特别有用，它为自变量和因变量之间的关系模式提供总体衡量。这些总体衡量包括回归线，使我们能通过自变量的值简单地估算因变量的值，以及全面地衡量实际数值与回归线的垂直距离。可以看出，这些距离值使我们得以计算预测中出现的偏差。由于回归分析以最小平方的原理为基础，它具有特殊的优势，即通过实际值与估计值差距的最小平方，在数据和回归线之间提供了最佳“结合点”。[40]

回归分析的第二个优势在于，它迫使分析人员决定两个（或两个以上）变量中孰是因，孰是果，即确定谁是自变量（独立变量，原因），谁是因变量（结果变量，结果）。然而，在做出决定之前，分析人员必须运用一些理论来说明为何某一变量要被当做另一变量的原因。尽管回归分析特别适用于根据原因预测结果，它最擅长的还是为一项理论所预测的关系提供准确的估计。然而，预测是由理论及理论的简化表达（模型）来作出的，而不是由回归分析作出的。回归分析只能对基于某一理论已经以预测的形式表述出的变量之间的关系作出估计。[41]正因如此，分析人员在进行回归分析之前，应首先运用理论图形化法。

为了说明回归分析如何应用于理论性预测，我们假设市政决策者有两种不同方案来使用警察巡逻车，其维护成本有所差异。方案一是定期巡逻，以此控制交通事故和刑事案件的数量。1980 年 10 台车的总成本为 18 250 美元，平均每台车 1 825 美元，10 台车总里程数为 535 000 英里，平均每台车 53 500 英里。现在想考虑一个新方案，旨在建立影响力更大的巡逻方式，包括扩大巡逻范围，对市民求助电话更快地做出反应，增加嫌疑犯被拘捕的概率，最终达到遏制犯罪的目的。[42]

地方政府对任何减少犯罪的方式都感兴趣。然而，收支赤字越来越大，导致几个市民团体要求削减市政人员数量。决策者需要根据里程数和车辆维护记录来进行预测：如果 10 台车中的几台每年多运行 15 000 英里，会增加多少成本。

我们可以通过回归分析有效解决这个预测问题。在问题中，维修成本的主要决定因素是汽车的使用量，由英里数计算。[43]分析人员可以在散点图（scatter diagram）上描出自变量（X）和因变量（Y）的值，而在散点图上可以显示每台车的年英里数和维护成本之间关系的模式（线性或非线性）、关系的方向（正相关或负相关），以及相关程度（强、中、弱）（见图 4—15）。我们假设相关的模式、方向和相关程度分别是线性、正相关、强相关，如图 4—15（a）所示。

回归分析假设变量以线性模式相关，线性回归分析也可用于负的线性关系［见图 4—15（b）］。但如果它用于图 4—15（c）和图 4—15（d）所示的散点图模式，则会产生重大错误。在这样的情况下，必须在运用常规的线性回归技术之前，使用非线性回归或者对变量的值进行转换（如取对数）。当数据如图 4—15（e）所示很分散时，回归分析的结果就不会太准。而如果数据如图 4—15（f）中那样未表现出相关性，那么对 Y 的变化的最好估计就是取平均值。

回想一下，我们在趋势估计的讨论中，将反映变量 X 和 Y 之间关系的直线叫做回归线（regression line）。在散点图中，用来表示回归线的等式与用来估计线性趋势的等式是相同的，只有几个很小的差别。符号 Y_t（t 代表趋势值）由 Y_c（c 代表计算值）代替。这种差别告诉我们，回归用于两个实际变量，而线性趋势估计中，

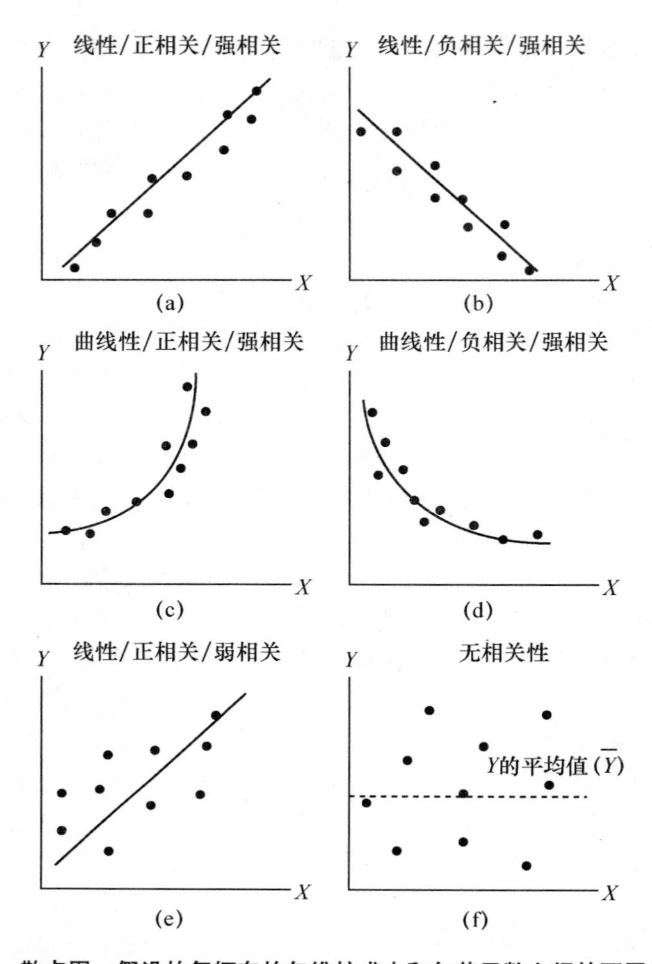

图 4—15 散点图，假设的每辆车的年维护成本和年英里数之间的不同关系及模式

其中一个变量却是时间。回归等式如下：

$Y_c = a + b(X)$

a＝X 为 0 时 Y_c 的值，称为 Y 的截距，代表计算的回归线与 Y 轴的交点

b＝单位 X 变动导致的 Y_c 值的变动，称为回归线的斜率

X＝自变量的特定值

回归和趋势等式第二个小差别在于 a、b 值的计算。在回归分析中，我们并不使用 Y 的原始数值以及 X 的代码值，而是使用平均差（mean deviations）。平均差是 X（或 Y）的值与所有 X（或 Y）值的平均数之间的差。有关公式如下：

$$X \text{ 的平均数是 } \bar{X} = \frac{\sum X}{n}$$

$$Y \text{ 的平均数是 } \bar{Y} = \frac{\sum Y}{n}$$

$$X \text{ 的平均差是 } x = X - \bar{X}$$

Y 的平均差是 $y = Y - \overline{Y}$

回归等式中 a、b 值的计算公式如下：

$$b = \frac{\sum(xy)}{\sum(x^2)}$$

$$a = \overline{Y} - b(\overline{X})$$

现在让我们回到市政府分析人员的问题。表 4—7 为我们提供了解开回归等式所需的所有数据。通过观察可知：第 1 列列出了 10 台车的顺序，在第 2 列和第 3 列中列出的分别是每年行车里程数（X）和维护成本（Y），为了便于计算，里程数和成本分别用千英里和千美元为单位。在第 1 列和第 2 列下部我们还计算了 X 的和（$\sum X$）与 Y 的和（$\sum Y$），以及它们各自的平均值（$\overline{X} = \sum X/n = 53.6$ 和 $\overline{Y} = \sum Y/n = 1.785$）。第 4 列和第 5 列是每个 X 和 Y 与它们各自的平均值的差。这些平均差（$x = \overline{X} - X$）和（$y = Y - \overline{Y}$）表示每个 X 值和 Y 值围绕其各自平均值的分布情况。同时请注意：由于这些数据是平均数，可以保证超出平均数的部分正好与低于平均数的部分抵消，所以平均差的总和为 0（见第 4 列和第 5 列底部）。

表 4—7　　从每辆车年度英里数估计未来的维护成本的工作表格①

车辆数 (1)	每车里程 (1 000 英里) (X) (2)	每车维护成本 (1 000) 美元 (Y) (3)	X 平均差 ($X-\overline{X}$) (x) (4)	Y 平均差 ($Y-\overline{Y}$) (y) (5)	交叉乘数 (xy) (6)	X 平均差的平方 (x^2) (7)	Y 平均差的平方 (y^2) (8)	估计的 Y 值 (Y_c) (9)
1	24	0.45	−29.5	−1.335	39.38	870.25	1.782 0	0.838
2	23	1.25	−30.5	−0.585	17.84	930.25	0.342 0	0.806
3	30	0.85	−23.5	−0.985	23.15	552.25	0.970 0	1.030
4	40	1.15	−13.5	−0.685	9.25	182.25	0.469 0	1.400
5	48	1.95	−5.5	0.115	−0.633	30.25	0.013 0	1.606
6	65	1.85	11.5	0.015	0.173	132.25	0.000 2	2.150
7	65	2.35	11.5	0.515	5.923	132.25	0.265 0	2.150
8	60	2.65	6.5	0.815	5.298	42.25	0.664 0	1.990
9	90	2.55	36.5	0.715	26.098	1 332.25	0.511 0	2.950
10	91	3.25	37.5	1.415	53.063	1406.25	2.0020	2.982
$n = 10$	$\sum X = 536$ $\overline{X} = 53.6$	$\sum Y = 17.85$ $\overline{Y} = 1.785$	0.0	0.0	$\sum(xy)$ $= 179.54$	$\sum(x^2)$ $= 5\,610.5$	$\sum(y^2)$ $= 7.02$	$\sum(Y_c)$ $= 17.85$

$$b = \frac{\sum(xy)}{\sum(x^2)} = \frac{179.54}{5\,610.50} = 0.032$$

$a = \overline{Y} - b(\overline{X}) = 1.785 - 0.032(53.6) = 0.068\,8$ 或 0.07

$Y_c = a + b(X) = 0.07 + 0.032(X)$

$Y_{150} = 0.07 + 0.032(150) = 4.87 = 4\,870$(美元)

① 这张表格存在一些数据错误，如第 4 列的所有数，小数点后一位似应为 6，而非 5，为尊重原著，保留原文。——译者注

平均差（x 和 y）展现的是每个值围绕 X 和 Y 的平均值的分布。但是由于它们的总和为 0，所以不能用作这种分布的总体性计量。为了弥补这点，我们将平均差进行平方（见第 7 列和第 8 列）来消除负号，然后再求和，这些和就是“平方和”（平均差的平方的和），这样就可以从总体上衡量 X 和 Y 围绕各自平均值的分布情况。最后，在第 6 列中，我们将平均差（x 和 y）相乘来得到偏差的交叉乘数（deviation cross-products），（xy），这些乘数可以表示 X 和 Y 相关的模式和强度。

在对新的警察巡逻计划中的成本进行估算之前，我们必须要解出下面的公式：

$$Y_c = a + b(X)$$

用表中的值代替 a 和 b，从而，有

$$b = \frac{\sum(xy)}{\sum(x^2)} = \frac{179.54}{5\,610.50} = 0.032$$

$$a = \bar{Y} - b(\bar{X}) = 1.785 - 0.032(53.6) = 0.07$$

$$Y_c = 0.07 + 0.032(X)$$

这个回归等式表明，回归线与 Y 轴在 0.07 千美元（即 70 美元）处相交；每 1 000 英里的里程增加 0.032 千美元（即 32 美元）的成本。由此我们可根据每台车每年的英里数来准确估计维护成本：根据每个 X 的原始值可以算出一个相应的 Y_c 值，将它们绘在图上，就可以建立一条回归线。最后，我们估计，新的计划将增加 4 870 美元的费用，因为多跑 15 万英里会花费 $Y=0.07+0.032(150)=4.87$ 千美元。

点和区间估计

正如我们所见，回归分析可以帮我们在回归线和数据间形成一种关系，即数据点和回归线的距离的平方最小（见表 4—8）。这意味着回归分析不仅用到了（而不是丢掉了）有关成本和里程变动的信息，还使我们能对一个关系中的集中化趋势做出充分估计，并把这个估计与散点图中的观察值做比较。由于回归线与各数据点之间的距离被缩到最小，所以回归估计比其他方法的误差要小，而且我们还可以利用回归分析算出可能的偏差值。具体操作方法有很多（见表 4—8），如把 Y_c 的每个值（表中第 3 列）从其对应实际值（第 2 列）中减去可得知每对估计值与实际值间的差距。回归估计的误差由 Y 和 Y_c 之间的数值差表示，并且与分散程度成正比——点越分散，估计越不准确。

计算误差的另一个方法是对这些距离之和求平均值。由于线性回归的一个特点是距离之和为 0，[即 $\sum(Y-Y_c)=0$]，所以在求平均数之前必须进行平方。表 4—8 第 5 列表明平均方差（也称为估计方差）为 1.304。这种误差表达方式虽然对某些时候描述某些计算有用，却很难理解，幸好平均方差的平方根和误差比较接近，这些误差有 2/3 的几率会在回归分析中出现。[44]平均方差的平方根称为估计的标准差（standard error of estimate），由下列公式计算[45]：

$$S_{y.x}=\sqrt{\frac{\sum(Y-Y_c)^2}{n}}$$

$(Y-Y_c)^2$=因变量实际值与估计值之差的平方。

n=个数。

在上面例子中，标准误差是

$$S_{y.x}=\sqrt{\frac{\sum(Y-Y_c)^2}{n}}=\sqrt{\frac{1.304}{10}}$$
$$=\sqrt{0.1304}=0.3611 \text{ 千美元}$$
$$=361.11 \text{ 美元/年的维护成本}$$

表 4—8　　估计维护成本的标准误差的计算①

车辆数量 (1)	实际维护成本 (Y) (2)	估计维护成本 (Y_c) (3)	实际成本减去估计成本 ($Y-Y_c$) (4)	实际成本减去估计成本的平方 $(Y-Y_c)^2$ (5)
1	0.45	0.838	−0.388	0.151
2	1.25	0.806	0.394	0.155
3	0.85	1.030	−0.230	0.053
4	1.15	1.400	−0.300	0.090
5	1.95	1.606	0.294	0.086
6	1.85	2.150	−0.350	0.123
7	2.35	2.150	0.150	0.023
8	2.65	1.990	0.610	0.372
9	2.55	2.950	−0.450	0.203
10	3.25	2.982	0.218	0.048
$n=10$	$\sum Y=17.85$	$\sum Y_c=17.85$	$\sum(Y-Y_c)=0$	1.304

$$S_{y.x}=\sqrt{\frac{\sum(Y-Y_c)^2}{n}}=\sqrt{\frac{\sum(Y-Y_c)^2}{10}}=\sqrt{\frac{1.304}{10}}=0.36111$$
$$Y_t=Y_c\pm Z(S_{y.x})$$
$$Y_{t(150)}=4.87\pm2(0.3611)=4.87\pm0.72222$$
$$=4.14778\sim5.59222$$
$$=4147.78 \text{ 美元}\sim5592.22 \text{ 美元}$$

这意味着在 2/3 的情况中，实际成本可能比估计成本偏高或偏低 361.11 美元，361.11 美元即为一个标准差（1×361.11 美元），两个标准差为 722.22 美元（2×361.11 美元），以此类推。由于一个标准差单位会在 2/3（约 68.3%）的情况中发生，两个标准差单位发生的可能性为 95.4%，三个标准差单位发生的可能性为 99.7%。

① 这张表上第 4 列、第 5 列数据误差较多，如第 4 列第 3 行 1.25−0.806=0.444，而非 0.394 等等。为尊重原著，予以保留。——译者注

估计的标准差使我们在估计中将偏差系统地考虑进去，即我们可以按一个或多个标准差来对 Y_c 的值进行区间估计，而不是进行简单的点估计（point estimates）——即只产生一个 Y_c 值的估计——我们可以进行区间估计（interval estimates），该估计产生用一个或多个标准差单位来表示的 Y_c 的值。如果我们希望我们的估计的准确度达到 95%（这通常是准确度的最低标准），那么我们就要按与原先的估计相差两个标准差单位来表达我们的估计。用下面的公式我们可以找出在 95%的情况下，点估计值 4 870美元 [$Y_{150}=0.07+0.032$（150）$=4.87$ 千美元] 中预计有多大偏差：

$$Y_i=Y_c+Z(S_{y.x})=4.87\pm2(0.3611)$$
$$=4.87\pm0.72222$$
$$=4.14778\sim5.59222$$
$$=4\,147.78\text{ 美元}\sim5\,592.22\text{ 美元}$$

Y_c＝对 Y 的点估计

Z＝一个标准差单位，这里的取值是 2（95%的置信度）

$S_{y.x}$＝一个标准差单位的值（0.361 1）

Y_i＝Y 的区间估计（±0.722 22）

相关分析

回归分析对理论性预测来说具有特别的重要性，因为它使我们能用相关分析（correlational analysis）来解释变量之间的关系。回想一下散点图，它不只表明关系的模式，也反映了关系的方向和强度（见图 4—15）。然而，我们更希望对这些关系的方向和强度进行计量，而不仅仅是满足于散点图中的直观形象。根据表 4—7 中的数据可算出两个数，其一是决定系数（coefficient of determination）r^2，即对由自变量的平方根引起的因变量变动的总体衡量指标。第二个数是相关系数（coefficient of correlation）r，是在－1 和 1 之间，用以说明关系的方向和强度，如 r 为 0，两个变量不相关，±1.0 则表明最大程度的相关性。和相关系数 r 不同的是，r^2 只能是正值，介于 0.0 和 1.0 之间。针对表 4—7 中的两个系数的计算如下：

$$r^2=\frac{b(\sum xy)}{\sum(y^2)}=\frac{0.032(179.54)}{7.02}=0.818\text{ 或 }0.82$$

$$r=\sqrt{r^2}=\sqrt{0.818}=0.90$$

表 4—7 和表 4—8 中 SPSS 做出了之前由人工进行的分析（见展表 4—2），并且更为高效地算出了同样的系数和数值。在检查 SPSS 输出值时我们可以看到相关系数 r，标注为 R：0.905 以及决定值系数 r^2，标注为 R SQUARE：0.818。所有系数都与人工计算的结果相同，包括常数 a 的值（CONSTANT＝0.070）和回归线斜度（B＝0.032）。最后，表中的差异分析提供了平方和中受自变量影响的部分（REGRESSION＝5.746），同时也提供了平方和中受偏差影响的那部分，即 RESIDUAL＝1.275。如果用 REGRES-

SION 除以它与 RESIDUAL 之和，将得到决定系数，即

$$\frac{5.746}{5.746+1.275}=0.818=0.82$$

这两个系数告诉我们，年维护成本的变化有 82%是由于行驶英里数引起的（$r^2=0.82$）而且行驶里程 5 年维护成本之间存在强正相关关系（$r=0.90$）。请注意，这两个系数的大小随实际值与回归线的距离大小变化而变化。换句话说，两个系数与估计的标准差之间反向相关，偏差越大，相关性越小。由于能对区间进行预测并以两个系数作为补充，所以，和其他分析方式相比，回归分析能为决策者提供更相关的信息。例如，简单地对每英里成本进行估计，除相对不准确以外，也不能对关系的方向和强度做出总体衡量，而且难以用系统的方法对预测中的偏差做出估计。而回归分析可以在不同的情况下帮助决策者处理预测中的不确定性问题。

展表 4—2 **表 4—7 的 SPSS 输出**

Variables Entered/Removed[b]

Model	Variables Entered	Variables Removed	Method
1	Annual Miles Per Vehicle (000s)[a]		Enter

a. All requested variable entered

b. Dependent Variable: Annual Maintenance Costs Per Vehicle ($000)

Model Summary

Model	R	R Square	Adjusted R Square	Std. Error of the Estimate
1	.905[a]	.818	.796	.399 177 21

a. Predictors: (Constant), Annual Miles Per Vehicle (000s)

AMOVA[b]

Model		Sum of Squares	df	Mean Square	F	Sig.
1	Regression	5.746	1	5.746	36.058	.000[a]
	Residual	1.275	8	.159		
	Total	7.020	9			

a. Predictors: (Constant), Annual Miles Per Vehicle (000s)

b. Dependent Variable: Annual Maintenance Costs Per Vehicle ($000)

Coefficients[a]

		Unstandardized Coefficients		Standardized Coefficients		
Model		B	Std. Error	Beta	t	Sig.
1	(Constant)	6.973E-02	.312		.223	.829
	Annual Miles Per Vehicle (000s)	3.200E-02	.005	.905	6.005	.000

a. Dependent Variable: Annual Maintenance Costs Per Vehicle ($000)

4.6 判断性预测

与外推和理论性预测技术中经验数据和理论起关键作用不同，判断性预测试图

就各种判断进行推导和合成，并且常常以来自洞察的论证为预测基础。由于预测者的创造性假设常被用来保证对未来看法的正确性（而不是他们自身的社会地位），所以本质上，他们用直觉进行预测的逻辑是逆向推断——分析人员从设想的情况出发（如世界和平这一规范性的未来），然后再往回寻求支持这一设想的数据和假设。归纳、演绎和逆向推理在实际操作中从来都不是毫无关联、各自为政的。所以，判断性预测常常由不同的外推和理论性预测方法作为补充。[46]

在这部分，我们将考察三种直觉性预测推理方法：德尔菲法、交叉影响分析法及可行性评估法。它们和其他方法一起，大部分已被广泛运用于政府和工业部门，特别适用于解决我们在第5章中称之为“混沌的”、结构不良的或比较模糊的问题。结构不良问题的一个特征是可选择的政策方案和结果是未知的，所以在这样的情况下，不存在相关的理论或经验数据为我们的推测提供依据。因此，判断性预测就尤为有用和必要。

德尔菲法

德尔菲法（Delphi technique）是一种获取、交流并形成对未来事件的充分意见的方法。德尔菲法［以位于德尔菲的阿波罗神庙（Apollo's shrine）来命名，在那里，希腊预言家试图预测未来］，由兰德公司（Rand Corporation）的研究人员在1948年发明，至今已经被公共部门和私人部门运用在成百上千个预测活动中。德尔菲法原先应用于军事战略，后来才逐步拓展到其他领域，如教育、技术、营销、交通、大众媒体、医学、信息处理、研究开发、空间探索、住房、预算及生活质量。[47]它最初强调利用专家对以经验数据为基础的预测进行证实，后来，在20世纪60年代开始用于价值预测问题。[48]目前这种方法已经为美国、加拿大、英国、日本和前苏联地区国家的分析人员广泛使用。

德尔菲法的采用源于对委员会、专家小组及其他群体方法的无效性的关注，它的产生就是为了避免在小组工作中常常出现的信息交流扭曲问题：一个人或几个人支配整个小组；压力迫使人遵从地位或年龄相近的人组成的群体的意见；个性差异和人际冲突及公开反对权威的困难。对此，德尔菲法强调五个原则：(1) 匿名(anonymity)：所有专家都匿名发表意见，他们的姓名要严格保密；(2) 巡回（iteration)：个人的意见经过汇总，传递给参加讨论的所有专家。这个程序要进行两轮甚至更多，以便使专家能够相互交流，并修正以前的意见；(3) 反馈控制（controlled feedback)：汇总的意见以调查表的形式进行传递；(4) 统计学意义的小组反馈（statistical group response)：个人意见用集中趋势（中值）、离散趋势（四分位数）和频率分布的形式来表示；(5) 专家达成一致意见（expert consensus)。该方法的中心目的是要创造条件，尽可能使专家成员最终达成一致性意见。

以上这些原则代表了德尔菲法的特征。在实际应用中有两种德尔菲法应加以区分。一种是常规德尔菲法（conventional Delphi），到20世纪60年代晚期一直在该领域占支配地位；另一种是政策德尔菲法（policy Delphi），这种方法是对常规德尔菲法一些局限的创造性补充，而且试图创建一系列新程序来应对政策问题的复杂性。该方法的创始人之一说过：

> 创立和使用德尔菲法的最初目的在于处理一些技术问题，并且在专家成员间寻求一致性意见。而政策德尔菲法是要向重大政策问题的潜在解决方案提出最强有力的反对意见，因为政策问题只是由一些倡议者和所谓的立法者来进行确认的，缺少专家的意见。[49]

政策德尔菲法与常规德尔菲法有两个相同的原则（巡回和反馈控制），但政策德尔菲法也有许多独特的原则：

1. 选择性匿名（selective anonymity）。参与者只在预测过程的头几轮保持匿名状态，在不同的政策替代方案提出以后，参与者被要求公开进行争辩。

2. 有见地的多种倡议（informed multiple advocacy）。对参与者的选择以兴趣和知识面为标准，不是要挑选“专家”。因此，在具体情况下，调查者在组建德尔菲小组时，都尽可能地挑选由知情人的代表组成的小组。

3. 两极分化（polarized statistical response）。在总结个人意见时，使用一些方法、手段有目的地强化分歧和冲突。除使用常规方法外（中值、区间、标准差），在个人和小组中还广泛使用两极分化的方法。

4. 构建冲突（structured conflict）。以冲突是政策问题的正常特征为出发点，鼓励利用分歧来创造性地探讨各种方案及其结果。此外，还尽量对支持各种观点的假设和争议予以公开化。政策德尔菲法的结果是完全公开的，也就是说，结果可能是达成一致，也可能是继续存有争议。

5. 使用计算机召开会议（computer conferencing）。在可能的地方，使用计算机在相隔异地的个人之间构建连续的匿名互动过程。使用计算机召开会议不必再进行一系列的巡回，简化了程序。

使用政策德尔菲法的方式有多种，要根据该技术使用者的技能背景和创造性而定。同时由于它是一项研究活动，所以涉及大量的技术问题，包括抽样、问卷设计、可靠性与真实性以及数据的分析和解释。[50]尽管这些问题已超出本章范围，但它们对于全面了解政策德尔菲法的实施过程十分重要。政策德尔菲法可以看做一系列相互关联的步骤[51]：

第一步，明确问题。分析人员首先要决定什么样的具体问题应该由有见地的参与者提出。例如，如果关注的是国家的毒品滥用政策，其中一个问题就可能是“个人使用大麻是否应该合法化”。本步骤的中心问题是，有多大比例的问题应由参与人员提出，多大比例的问题应由分析人员提出。如果分析人员完全熟悉这个领域，他们就有可能在首轮德尔菲法之前，提出问题的目录。而且尽管答卷者可对这些问题进行随意增删，问题仍可包含在第一轮问卷中。

第二步，选择参与人。这一步目的在于把主要的利益相关者选择出来，应注意的是要选择代表冲突各方的参与人。在这一环节要使用明确的抽样程序：一种方法是“拓展”抽样法，即分析人员首先确定一个在该领域有影响的人，向他询问另外两个最同意或最反对他的意见者的名字，然后对这两个人进行同样的程序，这样，被挑选的人就像滚雪球一样越来越多。其中参与人应尽可能不同，这不只是指他们所处位置不同，而且是指他们的相对影响力、正式权威及派别归属上也要不同。样本大小为10～30人不等，依问题性质而定。问题越复杂，参与人越应具有异质性，样本也应该越大。

第三步，问卷设计。由于政策德尔菲法需进行若干轮，所有分析人员必须决定在第一轮和后几轮中所用问卷的具体项目。第二轮问卷要在第一轮问卷结果分析之后才能设计，同理，第三轮问卷要考虑第二轮的结果，所以，只有第一轮的问卷能事先拟就。尽管第一轮的问卷相对来说可能是非构建性的（包含许多开放性项目），但相对而言，只要分析人员充分了解主要问题，它们就也是构建性的。第一轮问卷可包含以下几种问题：（1）预测项。要求答卷者对特定事件的发生概率做出主观估计；（2）问题项。要求答卷者对问题重要性进行排序；（3）目标项。就特定目标的可行性及是否合乎需要进行磋商、判断。（4）选择项。要求答卷者明确那些有助于实现目标的不同方案。

有几种尺度可以衡量这四种问题的反馈意见。其中一个程序是使用不同尺度对不同项目进行衡量。例如，确定性尺度用于预测项，重要性尺度用于问题项，需要和可行性尺度用于目标项，若干尺度结合起来用于选择项。表4—9对此作了最好的说明。

表4—9　政策德尔菲问卷中常用的项及尺度

项目种类	项目	尺度				
预测	根据国家精神健康机构研究人员最近的一项估计，每千人中使用大麻的人数在1980—1990年之间会翻一番。你对这项估计的可信度有多大把握？	肯定可靠 1 [ ]	可靠 2 [ ]	风险大 3 [ ]	不可靠 4 [ ]	无判断 0 [ ]
问题	个人使用大麻应该/不应该合法化？（选择一个）这个问题与其他问题相比，有多重要？	很重要 1 [ ]	重要 2 [ ]	有一点重要 3 [ ]	不重要 4 [ ]	无判断 0 [ ]
目标	国家政策的一个目标是要增强公众对毒品使用（负责的）和滥用（不负责的）之间判别的认识。这个目标是否合乎需要？	非常需要 1 [ ]	需要 2 [ ]	不需要 3 [ ]	非常不需要 4 [ ]	无判断 5 [ ]

续前表

项目种类	项目	尺度				
选择	有人建议通过毒品滥用教育项目减少普通大众中潜在的毒品使用者。这个政策建议是否可行?	绝对可行 1 [ ]	可能可行 2 [ ]	可能不可行 3 [ ]	绝对不可行 4 [ ]	无判断 0 [ ]

注：更多信息，见 Irene Ann Jillson, "The National Drug Abuse Policy Delphi: Progress Report and Findings to Date," in *The Delphi Method: Techniques and Applications*, ed. Harold A. Linstone and Murray Turoff (New York: Addison-Wesley, 1975), pp. 124-159。

请注意，尽管允许对所有的项目回答“无判断”，但表 4—9 中的所有尺度都不允许中立的回答。这样设计的用意是要引导冲突和分歧的产生，这是政策德尔菲法的一个重要目标。设计问题的另外一个重要方面是要对抽样的参与者进行预先测试，以决定答卷是否可靠。

第四步，分析第一轮结果。第一轮问卷收回后，分析人员应试着对预测、问题、目标和选择提出初步的看法。通常情况下，会有一些项目被认为是合乎需要的或者重要的，但同时也会被认为是不可行的，或者与此相反。既然不同参与者的观点存在冲突，那么在进行总体衡量时，不仅要表现答卷集中化的趋势，也要表现出离散或两极分化的趋势。做到这一点十分重要。这些总体的衡量手段不仅是用来删去那些不很重要的、不需要的、不可行或不确定的项，同时，也用来在第二轮问卷中向参与者传达第一轮的结果。

对集中化趋势、离散和两极化的总体衡量的计算和表达最好用图表来说明。为说明问题，我们假设在第一轮政策德尔菲法中，10 个参与人就两个毒品控制目标（减少不合法毒品的供应和增加公众对负责与不负责地使用毒品的差别的认识）的必要性和可行性做出了不同的评价。假设得到的反馈如表 4—10 所示。

由表 4—10 可见，某些人（2、8、9 号）认为减少非法供应的目标非常不合需要，但可能或绝对是可行的，但另一些人（1、5、7、10 号）则认为这一目标很合乎需要，但绝不可行。当我们将这种不一致与目标 2（公众意识）的反馈相比较时，发现后者的不一致要小。这表明对目标 1 的反馈，尽管在必要性和可行性方面的平均值都较低，但也能够反映出政策德尔菲法要专门解决的重要冲突的种类。在本案例中，分析人员非但不会去掉这一项，他们还想要将其作为第二轮的一部分加以报告，要求参与人说出导致立场如此分歧的理由、假设或意见。把这种分歧表示出来的另一个办法是做一个平均的两极分化措施（polarization measure），或者称之为回答某一问题的所有参与人给分的绝对差值。[52]

表 4—10　　首轮政策德尔菲法的假设反应：毒品控制目标的必要性和可行性

参与人（建议者）	目标 1（减少供应）		目标 2（公众意识）	
	必要性	可行性	必要性	可行性
1	1	4	1	1
2	4	1	2	2

续前表

参与人（建议者）	目标 1（减少供应）		目标 2（公众意识）	
	必要性	可行性	必要性	可行性
3	3	3	2	1
4	4	2	1	2
5	1	4	2	1
6	2	3	2	1
7	1	4	1	1
8	4	2	1	2
9	4	1	2	2
10	1	4	1	2
	$\sum = 25$ 中值 = 2.5 平均值 = 2.5 极差 = 3.0	$\sum = 28$ 中值 = 3.0 平均值 = 2.8 极差 = 3.0	$\sum = 15$ 中值 = 1.5 平均值 = 1.5 极差 = 1.0	$\sum = 15$ 中值 = 1.5 平均值 = 1.5 极差 = 1.0

注：一组分数中的中值（Md）是指，当分数按大小顺序排列时，处在中间的分数值。如果分数的个数是偶数（如上），中值就是中间两个分值的平均数。当我们不知道计量间的间隔（例如，1 和 2 与 3 和 4 间的间隔）是否等距离时，一般用平均值（Mn）代替中值。

第五步，设计出后续问卷。为第二、第三、第四或第五轮（多数是为第三轮至第五轮）设计问卷是必要的。前面已经指出，前一轮的结果用作后一轮的基础，而政策德尔菲法的一个重要方面就在这里，因为参与人在此过程中有机会观察头一轮的结果，然后为各自的判断提出理由、假设和辩护。请注意，后几轮问卷并不仅仅包括有关集中化趋势、离散和两极化趋势的问题，它们也包括针对最具冲突性的判断的一个总体性意见。通过这种方式，促进了合理的论争，保证尽可能不遗漏非常规但又独具慧眼的意见。在最后一轮问卷完成之前，所有人都有机会陈述他们对预测、问题、目标和选择方案的立场。

第六步，召开小组会议。最后一个任务是召集参与人面对面地展开讨论。由于这种讨论发生在每个人都已经有机会表达对自己和他人立场的看法之后，所以，它可以创造一种普通的委员会机制中所缺乏的自信的氛围。同时，它还给参加人为自身立场辩护并马上得到反馈创造了条件。

第七步，准备最终报告。所有这些步骤并不能保证最终会达成一致意见，但该法一般可以取得创造性意见。创造性意见的结果是政策德尔菲法的最重要成果。最后结果的报告应审查不同的问题和可行的选择方案，确保所有不同立场和意见都能得以陈述，然后将报告呈递给决策者，作为其决策的一个信息来源。

交叉影响分析

德尔菲法和另一个广泛运用的判断性预测法——交叉影响分析密切相关。交叉影响分析（cross-impact analysis）同样由兰德公司中使用常规德尔菲法的研究人员[53]发明，是根据相关事件的发生或不发生来对未来事件的发生概率进行判断。

其目的在于，对那些促进或阻碍其他相关事件发生的条件加以确认。交叉影响分析法是专门为对常规德尔菲法进行补充而设计的。按它的两位早期发明人的说法：

> 德尔菲法和其他预测方法的一个缺点在于，它们可能忽略被预测事件之间的关系，预测中可能包括相互加强或相互排斥的项。交叉影响分析试图开发一种方法，通过该方法，预测组中某一项的概率可以鉴于对预测项的潜在交叉影响来加以调整。[54]

该方法的基本分析工具是交叉影响矩阵（cross-impact matrix），一个将所有相关事件沿着行和列的开头排列的对称的表格（见表 4—11），这种分析工具特别适用于一系列相互依赖的事件。例如，表 4—11 表示大量生产汽车之后的若干条件的相互关联。在对角线正上方以加号表示对大量生产汽车的正影响（这些影响排序为 1，2，3，4，5，6）。同时注意 E_2-E_1，E_3-E_1，E_7-E_4，E_7-E_5 这些正反馈影响。这些正反馈影响表明方便旅行和惠顾大型郊区百货店也可以影响汽车的生产，例如，通过增加对汽车的需求。同理，各种社会偏离会加剧目前的邻里疏远，加强对家庭成员的社会心理依赖。

本事例故意简化了事件之间的联系。在其他许多情况下，两个事件之间的正相关性是模糊的，一个事件及随后事件在时间上的顺序也不一定很清楚。此外，许多事件之间的联系也可能是负影响。所以，交叉影响分析考虑联系的三个方面：

1. 联系的模式（方向）。它指出一个事件是否会影响另一个事件的发生，如果是，那么这种影响的方向是正面的还是负面的？正面影响称为加强模式（enhan-

表 4—11　　**交叉影响矩阵图，说明大量使用汽车的结果**

		事件（E）						
		E_1	E_2	E_3	E_4	E_5	E_6	E_7
事件（E）	E_1		+	0	0	0	0	0
	E_2	⊕		+	0	0	0	0
	E_3	⊕	0		+	0	0	0
	E_4	0	0	0		+	0	0
	E_5	0	0	0	0		+	0
	E_6	0	0	0	0	0		+
	E_7	0	0	0	⊕	⊕	0	

E_1＝大量生产汽车
E_2＝方便旅行
E_3＝惠顾大型郊区百货店
E_4＝疏远邻居
E_5＝对近亲的高度社会心理依赖
E_6＝家庭成员无法满足共同的社会心理需要
E_7＝离异、酗酒、青少年犯罪等社会偏离

注：（+）表示直接的单向影响；（0）表示没有影响；（⊕）表示正反馈影响。
资料来源：引自 Joseph Coates，"*Technology Assessment：The Benefits，the Costs，the Consequences*，" The Futurist，5，no. 6（December，1971）。

cing mode)，而负面影响称为约束模式（inhibiting mode)。如汽车价格的增加会刺激合成燃料的研发，这是加强模式的例子，而军备竞赛和它对城市能否获得资金再发展之间，就是一种约束模式。无关联模式则是指无关联事件。

2. 联系的强度。指事件间联系的强弱，是加强模式还是约束模式。有些事件之间有较强的联系，意味着一个事件发生对另一事件发生的可能性有相当大的影响。而另外有些事件相互之间的联系很弱。一般来说，联系越弱，就越接近无关联模式。

3. 联系的时间间隔。指相互联系的事件发生的间隔时间（几周、几年或几十年)。即便事件的联系很紧密（无论是加强型还是约束型)，一个事件对另一个事件的影响也可能需要相当长的时间，例如，大量生产汽车与社会偏离之间的影响，间隔时间可长达数十载。

交叉影响分析依据的是条件概率原则。条件概率认为，一个事件发生的概率依赖于其他的事件。也就是说，两个事件不是相互独立的。条件概率可用 $P(E_1/E_2)$ 来表示，读作“在第二个事件 E_2 发生的条件下，第一个事件 E_1 发生的概率”。例如，一个候选人被党内提名（E_2）后，当选总统（E_1）的可能性（P）为 0.5，即有一半的机会赢得大选 [$P(E_1/E_2)=0.50$]。但是，如果没有获得党内提名（E_3），当选总统（E_1）的概率（P）就会很低，因为党派提名几乎是当选总统的先决条件 [$P(E_1/E_3)=0.20$]。

在交叉影响分析中也存在同样的逻辑。建立一个交叉影响矩阵之前，先要问一个问题：“在某个特定时间点之前，某一事件（E）发生的概率是多少?”例如，使用时间序列分析进行外推预测可以提供一个区间估计，该区间估计认为：截至 1995 年，能耗总量超出 10 万万亿 BTUs 的可能性有 90%（0.9）。随后要问的第二个问题是：“如果在它之前肯定会发生另一事件（E_1），那么这个事件（E_2）发生的概率是多少?”例如，如果不可预测的因素（新协议达成、政治动乱、偶然事件）导致油价（E_1）在 1995 年前翻一番，那么，能耗总量达到 10 万万亿 BTUs 的概率可能减至 0.5。请注意，在本例中，如果第一件事先发生，用来进行最初的外推预测的“客观”数据与对最初设计的事件的条件概率的“主观”判断是结合在一起的。

针对相当复杂的问题，建立交叉影响矩阵，设计数千次运算，需要借助计算机。在科技政策、环境政策、交通政策和能源政策等许多领域运用交叉影响分析，要经过一千多次运算，才能决定矩阵的一致性，即才能保证在对每个事件的最终概率进行计算之前，将条件概率的每个序列都考虑进去。尽管交叉影响分析的技术很复杂，但其基本逻辑很容易通过举例加以掌握。

假设一个专家小组用常规德尔菲法来估计四个事件（E_1，…，E_4）在未来几年的发生概率。并且假定 E_1 为每加仑油价上涨至 3 美元，E_2 为城郊居民变为城市人口，E_3 为按人口计算的犯罪数量翻倍，E_4 为短途电动汽车的大量生产。它们各自的概率为：$P_1=0.5$，$P_2=0.5$，$P_3=0.6$，$P_4=0.2$，倘若这些都是主观估计，现在要做的预测为：假设这其中的一个事件发生（即，$P=1.0$ 或 100%），那么其他事件发生的概率会如何变化?[55]

表 4—12 列出了构建交叉影响矩阵过程中第一轮的情况。如表所示，油价将涨至 3 美元的假设导致“郊区人口城市化”的主观概率发生了变化（从 0.5 变成 0.7），按人口计算的犯罪数量翻倍的可能性由 0.6 增至 0.8，电动汽车的大量生产的可能性由 0.2 增至 0.5，这些都反映出加强型的联系。与此不同，其他的联系则是约束型的。例如，如果假设从前的郊区人口驾车少，石油公司的油价会下降（从 0.5 降至 0.4），那么城市化就不太可能促使油价涨至 3 美元。最后，也有一些事件是不相关的。犯罪的增加对每加仑油价涨至 3 美元没有影响，大量生产电动汽车对城市化进程也没有影响（这两个概率都保持原有的 0.5 不变）。

交叉分析的优势在于，它使分析人员注意到在其他情况下会被忽略的事件之间的相互关联。它也使分析人员根据新的假设或证据对以前的概率进行连续修正。如果可以获得某些事件的新的经验数据（如犯罪率），就可能需要重新计算矩阵。或者，可以引入不同的假设——或许作为产生冲突性估计和论点的政策德尔菲法的结果——以确定某些事件对其他事件变化的敏感程度。最后，在分析过程的任何时候都可以对交叉影响矩阵中的信息进行归纳。

表 4—12　　**交叉影响矩阵中第一轮的假设性说明**

如果这一案件发生（$P=1.0$）	改变后的概率			
	E_1	E_2	E_3	E_4
E_1＝油价涨至每加仑 3 美元		0.7	0.8	0.5
E_2＝郊区人口城市化	0.4		0.7	0.4
E_3＝犯罪数量翻倍	0.5	0.4		0.1
E_4＝电动汽车	0.4	0.5	0.7	

事件	原始概率（P）
E_1	$P_1=0.5$
E_2	$P_2=0.5$
E_3	$P_3=0.6$
E_4	$P_4=0.2$

交叉影响分析可用于揭示和分析已被称为结构不良的问题的那些复杂的相互关系。这个方法也和与直觉预测有关的一系列方法相一致，包括技术评估、社会影响评估、技术性预测等。[56]我们已经指出，交叉影响分析法不只和常规德尔菲法相吻合，而且它实际上也代表着常规德尔菲法的调整和自然拓展。例如，一方面，交叉影响分析可由单个分析人员完成，另外一方面，如果利用德尔菲小组，主观判断的准确性就可以得到提高。

同其他预测方法一样，交叉影响分析法也有其局限性。第一，分析人员不能保证在分析中将所有潜在的相互关联事件都包括进去，这就再一次让我们注意到问题构建法（见第 3 章）的重要性。有些技术能帮助识别这些事件，包括：理论图形化，还有被称为关系树（见图 3—14）的网络图表等。第二，即便动用先进的计算机软件包和先进的计算机技术性能，建立并运行矩阵也是相当耗时耗力的。第三，尽管已经解决了许多困难，矩阵计算中仍然存在一些技术困难（如总是不能对未发生的情况进行分析）。[57]最后，也是最重要的是，现有交叉影响分析的应用有着常规德尔菲法同样的弱点，即不现实地强调专家意见的一致性。最适合运用交叉影响分析的，是那些冲突很分散的问题，而非一致性较为分散的问题。这样，就需要用问题构建法发现并讨论那些构成主观条件概率的基础的冲突性假设和意见。

可行性评价

我们在这一章要讨论的最后一个判断性预测方法，是为了对利益相关者未来行为提出构想而专门设计的。这个方法通常简称为可行性评价（feasibility assessment technique），它帮助分析人员预测利益相关者在支持/反对不同政策方案的采纳和/或执行时的可能影响。[58]在权力和其他资源分布不均衡的条件下，可行性评价特别适合这些问题，即要求对政策方案合法化的结果进行评估的问题。

可行性评价也可以用来预测利益相关者在政策制定过程中任何阶段（包括政策的采纳和实施）的行为。其特别有用之处在于，它对我们在审视其他直觉性预测方法时遇到的一个关键问题做出了回应：通常，没有一个相关的理论或现成的经验数据使我们能够对政策相关人士的行为做出预测。虽然社会科学家们已经提出，多种政策制定行为理论可以作为预测的来源，但它们大多数不够具体，不能运用到具体问题中去。[59]

可行性评价就是对以下问题的一些关注的回应，即政策分析中缺乏对政治可行性和政策实施的关注。尽管政策实施在大多数政策问题中占据重要地位，然而，许多当代政策分析理论却很少注意到这个问题。真正需要的是用系统的方法去预测“对于实施每个方案的组织来说，其能力、兴趣及激励因素有哪些”[60]。从实际意义上讲，这意味着除了政策本身的结果外，还必须对利益相关者的行为进行预测。只有如此，分析人员才能确保充分考虑对政策的采纳和实施至关重要的组织因素和政治因素。

同其他直觉性预测方法一样，可行性评价以主观估计为基础。它可以为单个分析人员所用，也可以为小组所用。可行性评价关注政治和组织行为的以下几个方面：

1. 问题的位置。在此，分析人员要估计不同的利益相关者支持、反对或不关心每个政策方案的概率。它们的立场被冠以支持（+1）、反对（−1）或无关（0）。然后，对每个人会采取的立场做出主观概率估计。这个估计（0～1.0）表示该问题对每个利益相关者的重要性。

2. 可利用的资源。在此，分析人员对每位利益相关者的可利用资源做出主观估计。包括：声望、合法性、预算、人员及能否利用信息和通信网络。由于利益相关者几乎总有其他问题需要投入资源，因此，可利用资源应以利益相关者掌握的总体资源的分数来表示（0～1.0）。请注意，某个利益相关者对政策提供支持的可能性很大（如 0.9），但同样是这个人，他可能几乎没有能力去影响政策的采纳或实施。这通常是由将资源（如声望、预算、人员）过多地调用到其他问题领域导致的。

3. 相对资源排序。在此，分析人员按资源来决定每位利益相关者的相对位置。相对资源排序，是对利益相关者的“权力”或“影响”的衡量，它提供关于每位利益相关者可利用的政治资源和组织资源的等级的信息。一位利益相关者用较高比例的资源（比如0.8）去支持一项政策，但他不一定能对政策的采纳和实施给予重大的影响，这是因为有些利益相关者掌握的资源有限。

由于可行性评价的目的是要预测政治冲突条件下的行为，所以，尽可能地确定有代表性的利益相关者就十分重要。在政策制定过程中，分析人员可以从不同选区，以及掌握不同资源、具有不同作用的组织和组织层级中确定有代表性的利益相关者。

表4—13对此作了说明。在这个例子中，一个市政分析人员已经完成了一项研究，这项研究表明，为了得到明年的开支，必须把地方财产税平均提高一个百分点。否则，就必须把市政服务开支减少相应的数量，这样做，需要解雇1 500名工作人员。由于大多数公务员都参加了工会，如果采取解雇方案，就有可能爆发持续2年以上的罢工，所以市长对采纳第二个方案很犹豫。同时，当地的纳税人团体又强烈反对增加税收，即便牺牲部分公共服务。在这种情况下，市长要求分析人员对政策方案提供可行性评价。

表4—13表明增税是不可行的。事实上，最后一栏指标中的负号（调整以前和调整以后两项）已表示反对大于支持。相反，削减预算的总体可行性指数（调整后）是正数，而且指标较低。总体范围为－1.0～＋1.0，这意味着不同的政策方案具备直接可比性。然而，请注意，对总体可行性指数作调整是必要的，因为这项指数所能取的最大值取决于它为（正值还是负值），以及所持不同立场（积极或消极）的数量。

例如，在表4—13（a）中，指数的最大负值取决于与积极立场相关的消极立场的数量。假设有两个组对可行性给了－1分，所有其他组对此不关心，给0分，那么积分总和的最大值就是－2.0。用它除以利益相关者的数量（$n=5$），得到指数－0.40，即使有的小组全力反对该方案。所以，我们必须先计算出TF的最大值，在这种情况下$TF_{MAX}=2/5=0.40$，要得出调整后的指数（TF_{ADJ}）值，我们只要用TF的原始值除以其最大值，即$TF/TF_{MAX}=TF_{ADJ}=-0.40/0.40=-1.0$。同理，也可算出表4—13（b）中的TF的最大值和调整后的正值。

可行性评估技术迫使分析人员做出明确的主观判断，而不是以随意或武断的方式处理政治问题和组织问题。它也可以使分析人员系统地评价政策立场和现有资源对政策方案变动的敏感性。在上一个例子中，如果更小幅度地增税，同时结合具体措施和计划来提高公务员的工作效率，就可能产生各种不同程度的可行性方案。

就局限性而言，可行性评价与已经讲过的其他方法相似。如同常规德尔菲法和交叉影响分析一样，可行性评价并不能系统地发现支持主观判断的假设和意见。或许解决这个困难的最佳办法就是采用政策德尔菲法或假设分析法（见第3章）。可行性评价的第二个局限在于，它假设利益相关者的立场是独立的，并且它们都发生在同一时点。但是这些假设并不现实，因为它们忽略了随着时间推移而产生的融合的过程，也忽视了一个利益相关者的立场常常取决于另一个人立场的变化这样一个事实。为捕捉各种立场在时间推移中的相互关系，可对交叉影响分析做出调整和运用。最后一点，像其他判断性预测法一样，在使用常规理论或经验数据无法解决复杂问题的条件下，可行性分析是最有效的。所以，当我们试图概括其局限性时，也应该了解它们的创造性和反直觉性等优势。

表 4—13　　在一个假设的城市里两项财政政策方案的可行性评价

(a) 方案 1（增加税收）					
利益相关者 (1)	立场 (2)	概率 (3)	现有资源 (4)	资源排序 (5)	可行性分数 (6)
市长	+1	0.2	0.2	0.4	0.016
市议会	−1	0.6	0.7	0.8	−0.336
纳税人协会	−1	0.9	0.8	1.0	−0.720
雇员工会	+1	0.9	0.6	0.6	0.324
大众传媒	+1	0.1	0.5	0.2	0.010
					$\sum F=-0.706$
可行性指数	$(\text{TF})=\frac{\sum F}{n}=\frac{-0.706}{5}=-0.14$				
调整了的总可行性	$(\text{TF}_{\text{ADJ}})=\text{TF}(5/2)=-0.14(2.5)=-0.35$				
(b) 方案 2（削减预算）					
利益相关者 (1)	立场 (2)	概率 (3)	现有资源 (4)	资源排序 (5)	可行性分数 (6)
市长	+1	0.8	0.2	0.4	0.192①
市议会	+1	0.4	0.5	0.8	0.160
纳税人协会	+1	0.9	0.7	1.0	0.630
雇员工会	−1	0.9	0.8	0.6	−0.432
大众传媒	−1	0.1	0.5	0.2	−0.010
					$\sum F=0.54$
可行性指数	$(\text{TF})=\frac{\sum F}{n}=\frac{0.54}{5}=0.11$				
调整了的总可行性	$(\text{TF}_{\text{ADJ}})=\text{TF}(5/3)=0.11(5/3)=0.11(1.66)=0.183$				

在结束本章时，我们需要注意的一点是不同的预测方法应是互补的。一种方法的长处常常是另一种方法的短处，反之亦然，而且每种方法的逻辑基础相互依存。因此，对预测的改进很可能来自不同方法和技术的创造性结合，即多重方法预测(multimethod forecasting)。多重方法预测结合了多种形式的逻辑推理（演绎、归

① 这一数字似有误，$1\times0.8\times0.2\times0.4=0.064$ 而非 0.192。从而 $\sum F$、可行性指数、调整了的总可行性都似有误，为尊重原著，予以保留。——译者注

纳、逆向推理)，多重基础（外推、理论、判断)，多重目标（新政策和现存政策的内容及结果，以及政策相关人的行为)。多重方法预测意识到精确和创造力本身都不是目的，因为看上去独具创意和洞悉一切的构想可能缺乏合理性，从而成为纯粹的投机或骗术，而高度精确的推测或预测则可能只不过是对错误的问题作了回答。所以，对预测是否合理的最终标准在于它是否提供了合理正确的结论。按一位卓有成效的政策分析家、前国防部副部长的话来说就是："大致的正确总比精确的错误要好。"[61]

本章小结

本章概括介绍了政策分析中预测的性质、种类和用途，并提出了几种具体的预测技术和手段，如外推预测、理论性预测和判断性预测。我们需要明确的一点是：对于预测的最终判定标准在于它是否对未来提出了合理正确的结论，而不在于它是由哪种方法得出的。总的来说，在预测活动中，大致的正确比精确的错误要好。

学习目标

- 区分推断、预言和猜测。
- 理解时间、历史和机构背景对预测的准确性的影响。
- 比较可能的、合理的和规范的未来。
- 描述预测的目标、根据、方法和结果。
- 比较和评价外推预测、理论性预测和判断性预测方法和技巧。
- 用统计软件对未来的政策结果进行点和区间估计。
- 分析一个环境法律制裁议题方面的政策预测案例。

关键术语与概念

剧变法
规范的未来
交叉影响矩阵
政治可行性
目的
推断
线性

非线性
预测
合理的未来
外推预测
预言
判断性预测
理论性预测

混沌理论
目标
演绎推理
可能的未来
归纳推理
逆向逻辑

复习思考题

1. 预测的三种方式是什么？它们各自与预测根据有何关系？

2. 除了可以对未来进行更好的理解之外，我们通过预测还能实现哪些目的？

3. 在哪种程度上，计量经济方法比外推或判断性预测方法更为准确？请解释。

4. 预测的时间、机构和历史背景是怎样影响预测有效性的？

5. 请对规范的未来、合理的未来和可能的未来进行区分。

6. 请列出目的与目标的主要不同点，并举例说明。

7. 请对归纳推理、演绎推理和逆向推理以及理论性预测和判断性预测分别进行对比。

8. 请列举并描述三种主要的预测技术，并举例说明。

9. 无论是线性或是非线性预测，它们中大多数是建立在对持续性和规律性的假设上的，那么在何种程度上这些假设是合理的呢？

10. 许多预测需要借助线性回归分析，也就是经典线性回归模型（CLR）。那么将 CLR 应用到预测活动中时的主要假设是什么？

11. 当 CLR 模型遭到违反时有何改正措施？

12. “大致的正确比精确的错误要好”这句话正确吗？你的回答会怎样影响到对预测手段的选择？

参考文献

Allen, T. Harrell. *New Methods in Social Sciences Research: Policy Sciences and Futures Research*. New York: Frederick A. Praeger, 1978.

Ascher, William. *Forecasting: An Appraisal for Policy Makers and Planners*. Baltimore, MD: Johns Hopkins University Press, 1978.

——. "The Forecasting Potential of Complex Models." *Policy Sciences* 13 (1981): 247–267.

Bartlett, Robert V., ed. *Policy through Impact Assessment: Institutionalized Analysis as a Policy Strategy*. New York: Greenwood Press, 1989.

Box, G. E. P., and G. M. Jenkins. *Time Series Analysis: Forecasting and Control*. San Francisco, CA: Holden-Day, 1969.

Dror, Yehezkel. *Policymaking under Adversity*. New Brunswick, NJ: Transaction Books, 1986.

Finsterbusch, Kurt, and C. P. Wolf, eds. *Methodology of Social Impact Assessment*. Stroudsburg, PA: Dowden, Hutchinson & Ross, 1977.

Gass, Saul I., and Roger L. Sisson, eds. *A Guide to Models in Governmental Planning and Operations*. Washington, DC: U. S. Environmental Protection Agency, 1974.

Guess, George M., and Paul G. Farnham. *Cases in Public Policy Analysis*. New York: Longman, 1989, ch. 3, "Forecasting Policy Options," pp. 49-67.

Harrison, Daniel P. *Social Forecasting Methodology*. New York: Russell Sage Foundation, 1976.

Liner, Charles D. "Projecting Local Government Revenue." In *Budget Management: A Reader in Local Government Financial Management*. Edited by W. Bartley Hildreth and Gerald J. Miller. Athens: University of Georgia Press, 1983, pp. 83-92.

Linstone, Harold A., and Murray Turoff, eds. *The Delphi Method: Techniques and Applications*. Reading, MA: Addison-Wesley, 1975.

Marine, Michael. *Future Survey Annual: A Guide to the Recent Literature of Trends, Forecast, and Policy Proposals*. Bethesda, MD: World Future Society, published annually.

——. "The Scope of Policy Studies: Reclaiming Lasswell's Lost Vision." In *Advances in Policy Studies since 1950*, vol. 10 of *Policy Studies Review Annual*. Edited by William N. Dunn and Rita Mae Kelly. New Brunswick, NJ: Transaction Books, 1992, pp. 445-488.

McNown, Robert. "On the Use of Econometric Models: A Guide for Policy Makers." *Policy Sciences* 19(1986): 360-380.

O'Leary, Michael K., and William D. Coplin. *Everyman's "Prince."* North Scituate, MA: Duxbury Press, 1976.

Schroeder, Larry D., and Roy Bahl. "The Role of Multi-year Forecasting in the Annual Budgeting Process for Local Governments." *Public Budgeting and Finance* 4, no. 1(1984): 3-14.

Thomopoulos, Nick T. *Applied Forecasting Methods*. Englewood Cliffs, NJ: Prentice Hall, 1980.

Toulmin, Llewellyn M., and Glendal E. Wright, "Expenditure Forecasting." In *Handbook on Public Budgeting and Financial Management*. Edited by Jack Rabin and Thomas D. Lynch. New York: Marcel Dekker, 1983, pp. 209-287.

U. S. General Accounting Office. *Prospective Evaluation Methods: The Prospective Evaluation Synthesis*. Washington, DC: U. S. General Accounting Office, Program Evaluation and Methodology Division, July 1989.

注 释

[1] Irene Taviss, "Futurology and the Problem of Values," *International Social Science Journal*, XXI, No. 4 (1969), 574.

[2] Ibid.; and Fred Charles Ikle, "Can Social Predictions Be Evaluated?" *Daedalus*, 96 (Summer 1967), 747.

[3] 见 Alasdair MacIntyre, "Ideology, Social Science, and Revolution," *Comparative Politics* 5, no. 3 (1973); and Ilya Prigogine and Isabelle Stengers, *Order Out of Chaos* (New York: Bantam Books, 1984)。

[4] 关于预测的重要著作是 William Ascher, *Forecasting: An Appraisal for Policy Makers and Planners* (Baltimore and London: Johns Hopkins University Press, 1978)。又见 Asher, "The Forecasting Potential of Complex Models," *Policy Sciences* 13 (1981), 247-267; and Robert McNown, "On the Use of Econometric Models: A Guide for Policy Makers," *Policy Sciences* 19 (1986), 360-380。

[5] McNown, "On the Use of Econometric Models," pp. 362-367.

[6] Ascher, "The Forecasting Potential of Complex Models," p. 255.

[7] 见 William Ascher, *Forecasting; An Appraisal for Pllicy Makers and Planners* (Baltimore, MD: Johns Hopkins University Press, 1978)。

[8] 见 David C. Miller, "Methods for Estimating Societal Futures," in *Methodology of Social Impact Assessment*, ed. Kurt Finsterbusch and C. P. Wolf (Stroudsburg, PA: Dowden, Htchinson & Ross, 1977), pp. 202-210。

[9] 见 National Commission on the Causes and Prevention of Violence, Final Report, *To Establish Justice, To Ensure Domestic Tranquility* (Washington, DC: U. S. Government Printing Office, 1969)。

[10] 例如，见 Ward Edwards, Marcia Guttentag, and Kurt Snapper, "A Decision-Theoretic Approach to Evaluation Research," in *Handbook of Evaluation Research*, Vol. 1, ed. Elmer L. Struening and Marcia Guttentag (Beverly Hills, CA: Sage Publications, 1975), pp. 159-173。

[11] 一个很好的例子是 Thomas L. Saaty and Paul C. Rogers, "Higher Education in the United States (1985-2000): Scenario Consturction Using a Hierarchical Framework with Eigenvector Weighting," *Socio-Economic Planning Sciences*, 10 (1976), 251-263。又见 Saaty, *The Analytic Hierarchy Process* (New York: Wiley, 1980)。

[12] John Rawls, *A Theory of Justice* (Cambridge, MA: Harvard University Press, 1971). 关于伦理体系是政策方案的一个来源的论述，见 Duncan MacRae Jr., *The Social Function of Social Science* (New Haven, CT: Yale University Press, 1976).

[13] 见 William D. Coplin, *Introduction to the Analysis of Public Policy Issues from a Problem-solving Perspective* (New York: Learning Resources in International Studies, 1975), p. 21。

[14] 例如，见 Howard N. Fullerton, Jr. and Paul O. Flaim, "New Labor Force Projections to 1990." *Monthly Labor Review* (December 1976)。

[15] 见 Barry Hughes, U. S. Energy, *Environment and Economic Problem: A Public Policy Simulation* (Chicago: American Political Science Association, 1975)。

[16] 见 Everett M. Kassalow, "Some Labor Futures in the United States," Congressional Research Service, Congressional Clearing House on the Future, Library of Congress (January 31, 1978)。

[17] 见 Michael K. O'Leary and William D. Coplin，*Everyman's "Prince"*（North Scituate，MA：Duxbury Press，1976）。

[18] 引自 Brownlee Haydon，*The Year of 2000*（Santa Monica，CA：The Rand Corporation，1976）。

[19] 例如，见 Daniel P. Harrison，*Social Forecasting Methodology*（New York：Russell Sage Foundation，1976）；Denis Johnston，"Forecasting Methods in the Social Science，" *Technological Forecasting and Social Change*，2（1970）；Arnold Mitchell and others，*Handbook of Forecasting Techniques*（Fort Belvoir，VA：U. S. Army Engineer Institute for Water Resources，December 1975）；and Miller，"Methods for Estimating Societal Futures"。

[20] 忠于这些以及其他一些方法上的假设不能确保准确性。根据作者的经验，两个或者更多预测中更加不准确者常是因为它严格遵循了技术上的假设。这就是为什么判断对所有预测形式，包括复杂的模型化如此重要的原因。

[21] 见 Donald T. Campbell，"Reform As Experiments，" in *Readings in Evaluation Research*，ed. Francis G. Caro（New York：Russelt Sage Foundation，1971），pp. 240－241。

[22] 见 G. E. P. Box and G. M. Jenkins，*Time Series Analysis：Forecasting and Control*（San Francisco：Holden-Day，1969）；and S. C. Wheelwright and S. Makridakis，*Forecasting Methods for Management*（New York：Wiley，1973）。

[23] 见 C. A. Isnard and E. C. Zeeman，"Some Models from Catastrophe Theory in the Social Science，" in The *Use of Modle's in the Social Sciences*，ed. Lyndhurst Collins（Boulder，CO：Westview Press，1976），pp. 44－100。

[24] 关于科学与其他领域发展过程的杰出著作是 Derek de Sólla Price，*Little Science*，*Big Science*（New York：Columbia University Press，1963）。

[25] 注意，该偶数序列的时间值代码是以 2 递进的（见下面的表 4—6）。1990 年和 1976 年的时间值代码差距为 29。注意，还可以用其他方式对不便于此处所要求的手工计算的时间进行编码（例如，1，2，…，h）。

[26] 见 Isnard and Zeeman，"Some Models from Catastrophe Theory in the Social Science"。汤姆的最主要的论著是 *Stabilite Structure et Morphogenese*，trans. D. H. Fowler（New York：W. A. Benjamin，1975）。与剧变法有关的是关于混沌理论的著作。见 Prigogine and Stengers，*Order out of Chaos*。

[27] Isnand and Zeeman，"Some Models from Catastrophe Theory，" p. 52. 渐进拖延通常被称为"拖延原则"（改变政策以增加局部性支持）。其他规则有"麦克斯韦尔规则"（改变政策以获得最大限度的支持）和"投票规则"（改变政策，以获得更多的基本支持）。

[28] 见 Isnard and Zeeman，"Some Models from Catastrophe Theory，" pp. 45－60。

[29] 见 Rob Coppock，"Decision-Making When Public Opinion Matters，" *Policy Science*，8（1977），135－146。

[30] 一个相似的例子，尽管不叫剧变法而叫"推测论证"，见 Charles O. Jones，*Clean Air*（Pittsburgh，PA：University of Pittsburgh Press，1975）。有趣的是，琼斯质疑"不连续渐进主义"的解释性价值（见本书第 2 章），而伊斯纳德和齐曼却认为它对剧变有很大的促进作用。

[31] 对社会科学的理论与经验资料（归纳）间的关系进行经典论述的是 Robert K. Merton，*Social Theory and Social Structure*，rev. ed.（Glencoe，IL：The Free Press，1957），pp. 95－99。

[32] Hubert M. Blalock，Jr.，*Causal Inferences in Nonexperimental Research*（Chapel Hill，NC：University of North Carolina Press，1964）p. 172.

[33] 引自 John O'Shauhnessy，*Inquiry and Decision*（New York：Harper&Row，1973），pp. 58－61；and M. C. Beardsley，*Thinking Straight*（Englewood Cliffs，NJ：Prentice Hall，1950）。

[34] 见 Vincent Ostrom，*The Intellctual Crisis in American Public Administration*，rev. ed.（University，AL：The University of Alabama Press，1974）。

[35] Ibrid.，p. 60. 为了说明理论图形化的程序，有些词用黑体字和方括号标出。

[36] 对这些以及其他标准模型形式的论述，见 Martin Greenberger and others，*Models in the Policy Process*（New York：Russell Sage Foundation，1976），Chap. 4；and Saul I. Gass and Roger L. Sisson，eds.，*A Guide to Models in Governmental Planning and Operations*（Washington，DC：U. S. Environmental Protection Agency，1974）。尽管此处的这些模型被看做描述性和符号性的，而有一些却常被看做是规范性的，如线性规划。同样，另一些被看做是程序模型。这强调了这样一个观点，即各种模型间的区别是相对的而不是绝对的。

[37] Sewall Wright，"The Method of Path Coefficients，" *Annuals of Mathematical Statistics*，5 (1934)，193. 引自 Fred N. Kerlinger and Elazar J. Pedhazur，*Multiple Regression in Behavioral Research*（New York：Holt，Rinehart and Winston，1973），p. 305。

[38]相关综述见 Thomas R. Dye and Virginia H. Gray，"Symposium on Determination of Public Policy：Cities，States，and Nations，" *Policy Studies Journal 7*，no. 4 (summer 1979)：279－301。

[39] 关于多元回归及相关技巧，见 Kerlinger and Pedhazur，*Multiple Regression in Behavioral Research*。

[40] 如果对这点不清楚，你应该回头看看外推预测这部分及图 4—8。

[41] 回顾替代模型与透视模型的区别，以及年降水量与水库深度的例子。这个例子以及另一个例子生动地说明了回归分析除了具有估计准确这一优点外，它不能回答哪一个变量预测另一变量的问题。

[42] 在法律实施协助机构的发动下，许多大城市实行了高密度的巡逻，取得了不同程度的成功。见 Elinor Chelimsky，"The Need for Better Data to Support Crime Control Policy，" *Evaluation Quarterly*，1，no. 3 (1977)，439－474。

[43] 这个例子表明，问题的原因从来不是确定的。一些情况下，保养成本会影响行驶英里数，例如，有成本意识的经理或警察因意识到高保养费用而限制车辆使用。同样，某些车辆的年英里数会意味着更大的巡查范围，这些巡查范围反过来可以设在路况更好（或更坏）的地方。

[44] 对于那些还记得正态曲线的读者来说，标准差是指平均方差的标准差，一个标准差是指一个正态分布平均数左边或右边的标准差单位，因此中心两旁各一个标准差的概率为 68.3%。在上例中，我们假设想解释的数据符合正态分布。

[45] 注意：我们除的是 n，因为 10 台车构成我们分析的完整总体。如果我们使用抽样数据，就需要除以 $n-1$，这样可以得到总体方差的一个无偏估计，所以许多计算机程序包都除以 $n-1$，尽管并未使用样本。

[46] 实际上，甚至大量的经济计量模型也依赖于判断性预测。关于这方面的材料见 Ascher，*Forecasting*；Ascher，"The Forecasting Potential of Complex Models"；and McNown，"On the Use of Econometric Models."。

[47] 关于德尔菲法的全面论述见 Harold Sackman，*Delphi Critique*（Lexington，MA；D. C. Heath and Company，1975)；and Juri Pill，"The Delphi Method：Substance，Contexts，a Critique and an Annotated Bibliography，" *Socio-Economic Planning Sciences*，5 (1971)：57－71。

[48] 例如，见 Nicholas Rescher，*Delphi and Values*（Santa Monica，CA：The Rand Corporation，1969）。

[49] Murray Turoff，"The Design of a Policy Delphi，" *Technological Forecasting and Social Change*，2，No. 2 (1970)：149－171. 又见 Harold A. Linstone and Murray Turoff，eds.，*The Delphi Method：Techniques and Applications*（New York：Addison-Wesley，1975）。

[50] 不幸的是，几乎没有捷径来为政策德尔菲法提供从方法上讲完美的问卷。关于问卷设计的最精确的介绍是 Earl R. Babbie，*Survey Research Methods*（Belmont，CA：Wadsworth，1973）。关于可靠性和有效性，见 Fred N. Kerlinger，*Foundations of Behavioral Research*，3rd ed.（New York：Holt，Rinehart and Winston，1985），pp. 442－478。Delbert C. Miller，*Handbook of Research Design and Social Measurement*，5th ed.（Newbury Park，CA：Sage Publications，1991）是关于以上问题的有用的指导性手册。

[51] 见 Turoff，"The Design of a Policy Delphi，" pp. 88－94。

[52] Ibid.，p. 92；and Jerry B. Schneider，"The Policy Delphi：A Regional Planning Application，" *Technological Forecasting and Social Change*，3，no. 4（1972）. 全部组合数（C）按公式 $C=k(k-1)/2$ 计算，其中 k 是针对一个特殊项目的应变量数，平均差异通过计算各个组合间的数值距离加总，然后除以应变量数而得，注意这里要略去正负符号。另外一种方法是保留符号，但先平方再加总后求平均。

[53] 这些研究者包括奥拉夫·赫尔默、T. J. 戈登和 H. 海沃德。人们认为赫尔默发明了术语"交叉影响"。见 T. J. Gordon and H. Hayward，"Initial Experiments with the Cross-Impact Matrix Method of Forecasting，" *Futures* 1，no. 2（1968）：101。

[54] Ibid.，p. 100.

[55] 另一方面，我们也可以问关于事件不发生的概率这一问题。因此，通常有必要构建两种矩阵：一是发生概率的矩阵，一是不发生概率的矩阵。见 James F. Dalby，"Practical Refinements to the Cross-Impact Matrix Technique of Technological Forecasting，" in *Industrial Applications of Technological Forecasting*（New York：Wiley，1971），pp. 259－273。

[56] 关于这些与直觉预测有关的方法见 Francois Hetman，*Society and the Assessment of Technology*（Paris：Organization for Economic Cooperation and Development，1973）；and Kurt Finsterbusch and C. P. Wolf，eds.，*Methodology of Social Impact Assessment*（*Stroudsburg*，PA：Dowden，Hutchinson & Ross，1977）。

[57] 见 Dalby，"Practical Refinements to Cross-Impact Matrix Technique，" pp. 265－273。

[58] 以下讨论内容改编自 Micheal K. O'Leary and William D. Coplin，"Teaching Political Strategy Skills with 'The Prince，'" *Policy Analysis*，2，no. 1（Winter 1976）：145－160。又见 O'Leary and Coplin，*Everyman's "Prince"*。

[59] 这些理论涉及精英、团体、联盟、个人聚合、领导。例如，见 Raymond A. Bauer and Kenneth J. Gergen，eds.，*The Study of Policy Formation*（New York：The Free Press，1968）；and Daniel A. Mazmanian and Paul A. Sabatier，*Implementation and Public Policy*（Lanham，MD：University Press of America，1989）。

[60] Graham T. Allison，"Implementation Analysis：'The Missing Chapter' in Conventional Analysis：A Teaching Exercise，" in *Benefit-Cost and Policy Analysis*：1974，ed. Richard Zeckhauser（Chicago：Aldine Publishing Company，1975），p. 379.

[61] Alain C. Enthoven，"Ten Practical Principles for Policy and Program Analysis，" in *Benefit-Cost and Policy Analysis*：*1974*，ed. Zeckhauser，p. 459.

第 5 章

建议优先政策

预测并不能回答我们为什么看重一种预期结果而非另一种。尽管预测能够回答“可能出现什么”这类问题，但不能回答“应该做什么”[1]。为了回答这类问题，需要引入建议的方法，建议有助于提供关于可能性方面的信息，即未来的行动对一些个人、团体或整个社会产生有价值的结果的可能性。

5.1 政策分析中的建议

建议的程序涉及信息转换，即把有关预期政策结果方面的信息转化为有关优先政策方面的信息。要对一项优先政策提出建议，首先要获取不同的选择方案将要产生的结果的信息。提供政策建议也要求我们确定那个政策方案最具有价值，其理由是什么。所以政策分析的建议程序是规范的，它和伦理道德问题密切相关。[2]

建议与多种倡议

美国是否应该通过增加援助和技术支持来增加它对欠发达国家的经济责任？国会是否应该通过立法来严格限制工业对环境和水源的污染？各州政府是否应该向穷人提供低成本的家庭供暖燃

料？市议会是否应该提高地方税收来建一个社区娱乐中心？联邦政府是应该保障全体市民最低的年收入水平，还是应投资于癌症的治疗？

所有这些议题都要求政策建议回答这样一个问题：应该做什么？任何答案都应当用一种规范的方法，而非知识经验或评价性的方法，因为这是一个有关正确行动的问题。行动的问题要求分析人员在多种应该做什么的倡议性主张中做出选择。[3]

倡议性主张有几个鲜明的特征，它们是：

1. 可操作的（actionable）。倡议性主张关注解决政策问题所采取的行动。尽管倡议性主张要求提供关于会发生什么和什么是有价值的先前信息，它们却并不限于这些“事实”和“价值”问题，还包括应该做什么去解决问题的论证。

2. 前瞻性的（prospective）。倡议性主张是前瞻性的，因为它们是在采取行动之前发生的。而政策分析的监督和评价程序是回溯的，因为它们是在行动之后被应用。预测和建议都是前瞻性应用。

3. 价值依赖的（value laden）。倡议性主张对“事实”和“价值”的依赖程度相同。要建议采用某一特定的政策方案，不仅要求建议的行动要达到预测的结果，而且要求预测的结果在个人、团体和整个社会看来是有价值的。

4. 在道德上复杂的（ethically complex）。倡议性主张背后的价值观在道德上是很复杂的。某一特定的价值（比如健康）既可以被看作是内在的，也可以被看作是外在的。内在价值（intrinsic values）是那些本身可以被看作目的的价值，外在价值（extrinsic values）被看成有价值的，是因为它们能够产生其他价值。健康本身可以被看作目的，也可以被看作取得其他价值，如安全、自由和自我实现的必要条件。同样，民主可以被看作目的（内在价值），也可以被当作政治稳定的方式（外在价值）。

多种倡议的观点应该和这种观点形成鲜明对比，即政策分析的作用是为了委托人的利益而通过搜集尽可能多的信息来支持预先确定的政治立场。多种倡议是一种对多种可能方案进行系统比较和严格评估的方法，而不是一种不惜代价去捍卫某一立场的方法。确实，分析人员最终会提出单一的一套建议，但这是对问题的多种可能解决方案的正反面进行了严格评价之后。多种倡议既是构建问题的方法，也是解决问题的方法。[4]当分析人员遵循多种倡议的准则时，他们就不太可能陷入众所周知的过度倡议陷阱（over-advocacy trap）（见专栏 5—1），即由于我们提出了错误的问题，结果常常导致提出错误建议的陷阱。实际上，提出合理政策建议的过程常要求我们在着手解决方案之前，先回到建构问题上来。

专栏 5—1

过度倡议陷阱

在《总统决策与外交政策：有效利用信息和建议》（*Presidential Decision Making and Foreign Policy: The Effective Use of Information and Advice*, 1980）中，亚历山大·乔治（Alexander George）列举了适用于国内政策和外交政

策的政策建议缺点和弱点，统称为过度倡议陷阱。* 它发生在下列情况下：

- 委托人和分析人员对问题的本质不加考虑就达成一致并作出反应。
- 包含在分析中的政策建议分歧并没有穷尽所有的政策选择方案。
- 分析人员忽略不受欢迎的政策方案。
- 分析人员没有提出要求委托人面对困难或不受欢迎的决定的建议。
- 分析人员依赖单一的信息来源。
- 委托人依赖单一的分析者。
- 政策的假设只由该政策的提议者（包括深陷其中的分析员或者委托人）进行评价。
- 委托人仅仅因为分析的结果是否定的或不合直觉的就对它置之不理。
- 委托人和分析人员不加批判地接受一致的结论，而不探究一致的基础以及如何达成了一致。

* Alexander George，*Presidential Decision Making in Foreign Policy*（Boulder，Co：Westview Press，1980），pp. 23-24. 为了说明他的观点和政策分析的相关性，我把他的话做了一些改动（例如，把“建议者”一词改成了“分析人员”）。

选择的简单模型

只有当分析人员面对在两个或多个方案中进行选择的情形时，倡议性主张才成为可能。在某些情况下，是在新的行动和现状之间进行选择。在其他情况下，选择可能因为存在多种方案而显得很复杂。

在最简单的条件下，选择是一个涉及三个相关部分的推理过程：（1）界定要采取行动的问题；（2）比较两个或更多解决方案的结果；（3）建议产生偏好结果的方案，即最满足需要、价值或机会的方案。例如，可以把选择描述为如下的推理过程：第一个方案（A_1）产生结果（Q_1），第二个方案（A_2）产生结果（Q_2），Q_1的价值大于Q_2（$Q_1>Q_2$）。有了这样的信息，分析人员不难建议将A_1作为优先方案。理由如下：第一个方案和第二个方案各有一个结果，第一个结果比第二个结果更有价值，所以应该建议采取第一个行动（见图5—1）。

$$A_1 \rightarrow Q_1$$
$$A_2 \rightarrow Q_2$$
$$Q_1 > Q_2$$
$$\therefore A_1$$

图5—1 选择的简单模型

这个简单的推理过程包含两个重要的选择因素：事实前提（factual premises）和价值前提（value premises）。第一个决策的前提表明A_1会导致Q_1，第二个决策的前提表明A_2会导致Q_2。这些都是事实前提，即以实践知识为根据，原则上讲可证明真或假的假设。第三个前提则是价值前提，即以某种价值观或道德体系为基础可判断好或坏的假设。价值前提表明，以某些价值尺度衡量，Q_1 优于 Q_2。这些前提不能诉诸事实前提而证明其对错，因为价值问题要求推理论证为什么所讨论的结果对某人、某个团体或整个社会是好的或是坏的。所有的选择都包括事实前提和价值前提。

简单模型的优势在于其指出事实前提和价值前提存在于所有的选择中，劣势在于其模糊了选择的复杂性。例如，我们要考虑使这个选择有效的条件[5]：

1. 单个决策者。选择必须局限于单个决策者。如果选择影响到多人或被多人影响，就有可能存在几套相互冲突的事实和价值前提。

2. 确定性。必须确切知道选择的结果，然而在现实中却极少如此。影响决策又被决策影响的人常常不能就事实和价值前提达成一致。而且，选择的行动过程并非结果的唯一原因，因为有许多不可控因素会加强或约束某一特定结果的发生。

3. 结果的及时性。行动的结果应该马上表现出来，然而在大多数选择情况下，行动的结果要经过很长的时间才会出现。因为结果不会立即出现，所以原先促使采取行动的价值会随着时间而改变。

现在，假设我们要用这个模型来解决是否为不熟练工人提供最低工资的问题。设想目前最低工资立法并不涵盖不熟练工人，我们由此进一步认为，在保持现状（无最低工资立法）的情况下，不熟练工人年平均收入为 4 000 美元。我们还可以预计如果实行每小时 4.5 美元的最低工资标准，那么被该政策所涵盖的不熟练工人的年平均收入可达 7 000 美元。如果假设收入高比收入低更好，那么就很容易做出下列选择：

$A_1 \rightarrow Q_1$（4 000 美元）

$A_2 \rightarrow Q_2$（7 000 美元）

$Q_2 > Q_1$

$\therefore A_2$

这个例子并未满足简单选择模型所必需的三个条件。第一，有多个而不是只有一个决策者。许多利益相关者，如立法者、选民、行政人员、雇主，都影响并受最低工资制度的影响。其中的每一方，都要给政策选择带来不同的事实和价值前提。所以，对于我们应该做什么，为什么这样做，可能存在大量的冲突。例如，某些立法者可能愿意增加不熟练工人的收入，而选民可能想要减轻伴随最低工资立法的实施和执行所产生的税负。第二，实行最低工资立法的结果有相当大的不确定性。除了立法因素以外，许多其他因素，如是否能把大学生作为不熟练工人的一个替代来源等，会决定雇主是否实际支付最低工资。第三，立法的结果要在相当长的时间后才能表现出来，这意味着其中的价值会发生改变。例如，如果生活成本因通货膨胀而急剧增加，那么以前支持每小时最低工资标准为 4.5 美元的人就会认为这个水平不能保证达到原有的效果。如果提出一个替代方案——每小时的最低工资标准为 5 美元，雇主可能更愿意雇用大学生而不愿以这个新的最低工资标准付酬给不熟练工人。简言之，这个简单的选择模型扭曲了为不熟练工人制定最低工作标准这个实际问题。

选择的复杂模型

设想我们花更多的精力去收集与最低工资这一政策问题相关的信息。除了原来的两个方案（最低工资和维持现状），第三个方案会被提出，如人员培训。该方案的提出是基于这样的假设，即问题不在于低工资，而是工人缺乏寻找薪酬较高的工作所需的必要技能。增加了第三个方案后，我们可以预测如下的结果：到 1991 年，第一个方案（A_1 或维持现状）会使 12 000 名不熟练工人每人的年平均收入为 4 000 美元；而第二个方案（A_2 或每小时 4.5 美元的最低工资）可以使 6 000 名不熟练工人每人的年平均收入为 7 000 美元，而剩余的人由于被大学生替代而进入失业的行列；第三个方案（A_3 或人员培训）可以使 10 000 名以前技术不熟练的工人找到工作，每人的年平均收入为 4 000 美元。

对不同的利益相关者来说，每个方案都有不同的结果。例如，对此问题投票的议员一定关心再选的前景。保持现状会使他们在劳工和福利权益组织力量强大的地区失去 50 个席位。最低工资法则不会对选举产生影响，因为其成本会转嫁给在立法中没有什么影响的小业主。最后，人员培训将会导致在强烈反对增加新税的地区失去 10 个席位。而且，培训的好处要若干年后才能完全表现出来，因为受训人员真实的挣钱能力是逐渐提高的，到 1993 年，12 000 名工人的年均收入可达到 5 000 美元。由于通货膨胀，接受最低工资标准的工人的实际收入可能维持不变，甚至下降。最后，三种方案对不同利益者带来不均等的成本。第一个方案（维持现状）不新增成本，但第二个方案要求小业主支付额外工资，第三个方案将成本分摊在为培训项目付账的纳税人中。

由于存在多个利益相关者，并受结果不确定和时间的影响，简单的选择模型很快就变得复杂。如果我们把这种新的、复杂的选择情况用图表表示（见表 5—1），就会发现很难做出选择。如果只考虑 1991 年的货币收入情况，并没有什么困难，因为 Q_1 大于 Q_4 和 Q_7，所以 A_1 是优先方案。但如果考虑 1993 年的未来货币收入，A_3 就是优先方案，因为 Q_8 大于 Q_2，Q_2 大于 Q_5。最后，如果关注 1994 年的政治结果，则 A_2 就是优先方案，因为 Q_6 大于 Q_9 和 Q_3（保住了更多的席位）。

表 5—1　　选择的复杂模型

A_1（现状）	Q_1（1991 年 48 000 美元收入）	Q_2（1993 年 48 000 美元收入）	Q_3（1994 年保住了 150 个席位）
A_2（最低工资）	Q_4（1991 年 42 000 美元收入）	Q_5（1993 年 36 000 美元收入）	Q_6（1994 年保住了 200 个席位）
A_3（人员培训）	Q_7（1991 年 40 000 美元收入）	Q_8（1993 年 60 000 美元收入）	Q_9（1994 年保住了 190 个席位）
$Q_1 > Q_4 > Q_7$；$\therefore A_1$ $Q_8 > Q_2 > Q_5$；$\therefore A_3$ $Q_6 > Q_9 > Q_3$；$\therefore A_2$			

复杂选择的问题在于我们无法在若干时点结合所有利益相关者的价值提出一个令人满意的建议。这种不能按照两个或两个以上的属性来对方案进行排序的情况，称为非传递性（intransitive）。非传递性选择涉及多个冲突的目标，应该和非传递性选择相对照。后者是指方案可以按照一个或多个属性进行排序：如果在选择组（A_1，A_2）中 A_1 优于 A_2，在选择组中（A_2，A_3）A_2 优于 A_3，那么在选择组（A_1，A_3）中 A_1 优于 A_3。传递性的选择可以通过给各方案赋值来实现，所以如果 A_1 优于 A_2 和 A_3，它就被赋予较大值。进行决策的人应通过选择具有最大值的方案来使效用最大化。传递性和非传递性选择的情形由表 5—2 来说明。

表 5—2　　传递性和非传递性选择

(a) 传递性			
选择	结果		
	1981 年收入	1983 年收入	1982 年选举
A_1	第一	第一	第一
A_2	第二	第二	第二
A_3	第三	第三	第三

(b) 非传递性			
选择	结果		
	1981 年收入	1983 年收入	1982 年选举
A_1	第一	第二	第三
A_2	第二	第三	第一
A_3	第三	第一	第二

理性的形式

原则上，选择的任何情形都能产生让所有其他人偏好的建议，因为它可以导致期望的结果。然而，大多数选择的情形涉及多个利益相关者、不确定性以及随时间而改变的结果。实际上，冲突和分歧是绝大多数政策问题的本质特征。

> 其属性排序相冲突的困难选择问题是公共政策制定者决定的核心。困难产生是因为决策会影响很多人。尽管政策 *A* 可能对一个团体来说较好，但政策 *B* 则可能对另一个团体较好。如果时间是关键因素，比如说，我们可能会发现政策 *B* 在 20 年后更为恰当。在第三种情况下，如果某些不确定事件被证明是有利的，那么政策 *A* 可能较优，但政策 *B* 可能对防范灾难性事件较有效。[6]

由于诸如此类的原因，似乎提出政策建议的过程并不是也不可能是“理性的”。尽管这个结论具有诱惑力，但是我们不能满足简单选择模型的条件并不意味着建议的过程不是也不可能是理性的。如果我们用“理性”（rationality）一词指一个有意识地运用推理论证来提出倡议性主张或捍卫倡议性主张的过程，那么我们会发现不仅许多选择是理性的，而且还可以看到它们多数是多元理性（multirational）的，这意味着大多数政策选择具备多种理性基础。[7]

1. 技术理性（technical rationality）。技术理性是这些推理选择的特征，即这些选择是以解决公共问题的有效性为依据来对方案进行比较的。在太阳能和核能之间进行选择就是一个技术理性的例子。

2. 经济理性（economic rationality）。经济理性是这些推理选择的特征，即这些选择是以解决公共问题的效率高低为依据来对方案进行比较的。根据各种医疗保健制度的社会总成本和总收益对方案进行比较的选择就具有经济理性的特征。

3. 法律理性（legal rationality）。法律理性是这些推理选择的特征，即这些选择是以方案是否与现存的法规或先例一致（legal conformity）为标准来对方案进行比较的。根据公司是否遵守反种族和性别歧视法来决定是否与他们签订公共合同的选择就是一个法律理性的例子。

4. 社会理性（social rationality）。社会理性是这些推理选择的特征，即这些选择是根据各种方案维护或促进公认的社会制度，或者说促进制度化（institutionalization）的能力来对方案进行比较的。扩大对工作的民主参与权的选择就是社会理性的一个例子。

5. 实质理性（substantive rationality）。实质理性是这些推理选择的特征，即这些选择包括对多种理性形式的比较——技术的、经济的、法律的和社会的，目的是在特定的情况下做出最合适的选择。例如，政府信息政策的许多议题涉及以下问题：新计算机技术的有用性，它们对社会的成本和收益，对隐私权的法律意义以及它们是否与民主制度相一致等。对这些议题的讨论就具有实质理性的特征。

政策建议的标准

可以用支持政策问题解决方法的具体决策标准来考察几种理性选择的形式。“决策标准”（decision criteria）一词是指构成行动建议基础的明确陈述的价值观。它有六个主要类型：效益、效率、充分性、公正性、回应性和适当性。[8]

效益（effectiveness）是指某一特定的方案能否实现有价值的行动结果，即目标。效益与技术理性密切相关，常常按产品或服务的数量或它们的货币价值来计量。如果核电站比太阳能设施产生更多的能量，前者就被认为更有效，因为它产生了更多有价值的结果。同理，如果优质的健康保健是有价值的结果（目标），那么一项有效的健康政策就是为更多的人提供更好的优质服务的政策。

效率（efficiency）是指为产生特定水平的效益所要付出的努力的数量。它与经济理性同义，是指效益和努力之间的关系，后者通常用货币成本计量。效率通常用单位产品或服务的成本（如每加仑灌溉用水的成本或每次医疗检查的成本），或者单位成本能提供的产品或服务的数量（如花费 1 美元能提供 10 加仑灌溉用水，或花费1 000美元可做 50 次医疗检查）来计量。用最低成本获得最大效益的政策被称为是有效率的。

充分性（adequacy）是指特定的效益能够满足引起问题的需要、价值或机会的程度。它明确了对政策方案和有价值的结果之间关系强度的期望。充分性标准可以指向下列四类问题（见表5—3）：

表5—3　充分性标准：四类问题

效益	成本	
	固定的	变动的
固定的	Ⅳ类 （等成本—等效益）	Ⅱ类 （等效益）
变动的	Ⅰ类 （等成本）	Ⅲ类 （变动成本—变动效益）

1. Ⅰ类问题。这类问题涉及固定成本和变动效益。当最大的允许预算开支形成固定成本时，其目标在有限的资源范围内使效益最大化。例如，给两个项目各限定100万美元的预算，健康政策的分析人员就会建议采纳能最好地改善社会保健服务质量的方案。对第Ⅰ类问题的回应称为等成本分析（equal-cost analysis），因为分析人员对成本相同但效益不同的方案进行比较。在此，最充分的政策是在固定成本的限制范围内实现目标最大化的政策。

2. Ⅱ类问题。这类问题涉及固定效益和变动成本。当期望的结果规定不变时，目标就是使成本最小化。例如，如果公共交通设施要求每年至少为10万人提供服务，问题就在于要明确各种方案——公共汽车、单轨铁路、地铁——中哪种能用最小成本实现固定水平的收益。对第Ⅱ类问题的回应称为等效益分析（equal-effectiveness analysis），因为分析人员对成本不同但效益相同的方案进行比较。在此，最充分的政策是以最低成本实现固定收益的政策。

3. Ⅲ类问题。这类问题涉及变动成本和变动效益。例如，选择一个最佳预算将机构目标最大化就是第Ⅲ类问题。对这类问题的回应称为变动成本—变动效益分析（variable-cost-variable-effectiveness analysis），因为成本和效益均自由变动。在此，最充分性的政策就是使效益和成本之比最大化的政策。

4. Ⅳ类问题。这类问题涉及固定成本和固定效益。涉及等成本—等效益分析（equal-cost-equal-effectiveness analysis）的第Ⅳ类问题通常特别难以解决。分析人员不仅要受成本不能超越某一特定范围的限制，还要受方案应实现预定效益的限制。例如，如果公共交通设施必须每年至少为10万人提供服务，同时成本又被固定在不切实际的水平，那么，任何政策方案都必须要么同时满足两个限制条件，要么被拒绝。在这种情况下，剩下的唯一选择就是什么都不做。

在以上四类问题中包含的对充分性的不同界定表明了成本和效益之间关系的复杂性。例如，有两个旨在提供市政服务（以给市民提供的服务数量为衡量标准）的方案在效益和成本上差异很大（见图5—2）。方案Ⅰ在总体效益上比方案Ⅱ强，但是方案Ⅱ在较低的效益水平上成本也较低。分析人员应该建议采纳效益最大的方案Ⅰ，还是成本最小的方案Ⅱ呢？

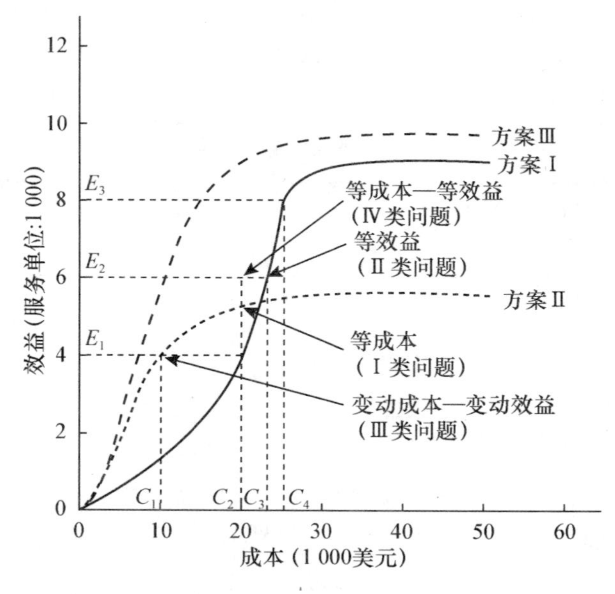

图 5—2　使用充分性四个标准进行成本—收益比较

资料来源：引自 E. S. Quade，*Analysis for Public Decision*（New York：American Elsever，1975），p. 93。

要回答这个问题，我们必须考虑成本和收益之间的关系，而不是孤立地看待它们。但这正是复杂之处（见图 5—2）。（1）如果我们正在处理的是第Ⅰ类问题（等成本），成本固定在 20 000 美元，那么方案Ⅱ就更为充分，因为它在固定成本限制的范围内实现了最高水平的收益。（2）如果我们面临的是第Ⅱ类问题（等效益），效益被固定在提供 6 000 单位的服务，那么方案Ⅰ更充分。（3）另一方面，如果我们正在处理的是第Ⅲ类问题（变动成本—变动收益），成本和收益可以自由变动，那么方案Ⅱ更充分，因为效益—成本比率（effectiveness-cost ratio）在 E_1 和 C_1 的交点处最大。方案Ⅱ以 10 000 美元的成本提供了 4 000 单位服务，比率为 0.4，而方案 Ⅰ 的效益—成本比为 0.32（25 000 美元提供 8 000 单位服务，即 8 000/25 000＝0.32）。[9]（4）最后，如果我们处理的是第Ⅳ类问题（等成本—等效益），效益和成本都被固定在 E_2 和 C_2，那么没有一个方案是充分的。这个不允许任何充分方案的两难处境，被称为标准过度具体化（criterion overspecification）。

此例证的教训是，我们很少有可能仅以成本或者效益为基础在两个方案之间进行选择。尽管有时候能够将效益的衡量转换成货币收益，这使得我们能通过从货币收益中扣除货币成本的办法来计算净收益，但对于多数重要的政策成果，很难用令人信服的货币等价物来衡量。通过交通安全计划拯救的生命值多少钱？由联合国教育科技文化活动所促成的国际和平及安全又值多少钱？通过环保立法保留的自然景观值多少钱？当我们讨论成本—收益分析时，可以进一步考虑这些问题，但认识到用货币来计量收益是一个复杂而困难的问题尤为重要。[10]

有时候能够确定一个同时满足所有充分性标准的选择方案。比如，图 5—2 中的虚线代表的第三个方案，充分满足固定成本和固定收益标准，而且还具有最大的效益—成本比率。由于这种情况很罕见，因此，几乎总是有必要明确何种程度的效益和成本才被认为是充分的。然而，在成本一定的情况下，这是一个关于什么才构成充分性效益的理性判断问题。

充分性问题不能任意采用某种单一标准来解决。比如，当成本固定，并且在总的固定成本范围内，具有最高成本—收益比率的单个方案可以被多次重复时，净收益（货币效益减去货币成本）就不是一个适当的标准。表 5—4 对此进行了说明。其中，方案Ⅰ可重复 10 次，固定成本达到上限 40 000 美元，净收益总量为 360 000 美元（3 600×10）。因为可以被重复 10 次，所以方案Ⅰ的收益—成本比率最高。但如果方案Ⅰ不能被重复——即如果三个计划中只有一个被选择——那么应选方案Ⅲ，因为即便它的收益—成本比率最低，其净收益也最高。

表 5—4　作为充分性标准的收益—成本比率与净收益的比较

方案	收益（千美元）	成本（千美元）	效益—成本比率	净收益（千美元）
Ⅰ	40	4	10	36
Ⅱ	64	8	8	56
Ⅲ	100	40	2.5	60

资料来源：Richard Zeckhauser and Elmer Schaefer，“Public Policy and Normative Economic Theory,” in *The Study of Policy Formation*，ed. R. A. Bauer and K. J. Gergen（New York：The Free Press，1968），p. 73.

公平标准和法律与社会理性密切相关，是指效果和努力在社会不同群体中的分配。一项公平的政策是指效果（如服务的数量或货币化的收益）或努力（如货币成本）能被公平或公正地分配。有时，设计用于重新分配收入、教育机会或公共服务的政策被建议就是根据公平的标准。一项给定的方案可能既有效益，又有效率，并且是充分的——比如，收益—成本比率或者净收益都优于其他方案——但它仍有可能因为导致成本和收益的不公平分配而被拒绝。这在下面的几种境况下就会发生：那些最需要的人并没有得到与他们的人数成比例的服务，最没有支付能力的人却要超出比例地分担成本，或者最得益者并未支付成本。

公平的标准和正义、公正这些竞争性概念密切相关，并且与围绕着社会中资源分配的合理基础所引发的道德冲突密切相关。有关“分配的正义”等诸如此类的问题，自古希腊以来就被人们广为讨论。当分析人员对影响社会中两个或者两个以上个人的行动进行建议时，这类问题就会出现。在明确界定社会整体的目标时，分析人员实际上在寻找一种衡量社会福利（social welfare）即社会成员总体满意度的方法。但是，众所周知，个人和群体有不同的价值观。满足某人或某群体的价值未必就能满足另一个人或群体。在这些情况下，分析人员必须思考一个重要的问题：政策怎样使社会福利最大化，而不只是使个别人或群体的福利最大化。可以通过以下几种方法找到答案：

1. 个人福利最大化。分析人员可以尝试同时使所有个人的福利最大化。这需要在所有个人价值的基础上进行单一的传递性偏好排序。但我们知道，阿罗不可能定理表明，即使在只有两个人和三种选择的情况下，这也是不可能的。

2. 保障最低福利。分析人员试图增加某些人的福利，同时要保障境况变糟的那些人。这个方法的依据是帕累托标准（Pareto criterion）。该标准认为，如果至少一个人境况变好，而同时没有另外的人变得更糟，这种社会状态就比其他状态要好。帕累托最优（Pareto optimum）是指一种社会状态，在这种状态下，不可能在不使另一个人的境况变坏的情况下使任何人的境况变好。帕累托标准很少具有实用性，因为多数政策决定都要通过向一些人征税使其受损，从而向另一些提供服务使其收益。

3. 净福利最大化。分析人员试图增加净福利（如总收益减去总成本），但是假设最终的收益可以用来补偿受损者。这种方法的基础是卡尔多-希克斯（Kaldor-Hicks）标准：如果在效益上有净收益（总收益减去总成本），并且获益者能补偿受损者，那么这种社会状态就优于另一种状态。从所有实际目的来看，这一标准并不要求受损者真正得到补偿，从而回避了公平问题。卡尔多-希克斯标准是传统的成本—收益分析的基石之一。

4. 再分配福利最大化。分析人员试图使社会中特定群体的再分配收益最大化，如受种族压迫群体、贫困群体或患病群体。哲学家约翰·罗尔斯（John Rawls）提出了再分配的一个标准：如果一个社会能使处于恶化条件的社会成员的收益增加，那么这种社会状态就优于另一种。[11]

罗尔斯的理论试图为公正的概念提供道德基础。它要求我们想象自己正处于一个“原始”的国家，在这里，公民社会尚未建立，人们也不了解他们在未来的公民社会中的位置、地位及资源的分配（即存在“无知之幕）。人们只能以上述再分配标准为基础去选择一种社会秩序，因为构建一个不使情况变得更坏的社会符合每个人的利益。

以这种“原始的”条件为出发点，人们就一个公正的社会秩序达成一致是可能的。应该拿这种条件和现行社会作一个对比。在现行社会中，既得利益使人们无法就公正的含义达成一致。罗尔斯的理论弱点在于它对冲突的解释过于简单，或者说它是在回避冲突。这个再分配标准只适用于机构优良的问题，而不适用于公共政策分析人员通常遇到的那些问题。虽然这并不意味着不能用再分配标准进行政策选择，但它的确意味着我们还未就社会福利的定义达成一个单一的基础。

公平的标准中没有一条是完全令人满意的。其理由在于：关于社会整体的合理性（社会理性）或关于保障财产权的法律规范的适宜性（法律理性）的冲突观点，并不能简单地靠正规的经济学规律（如帕累托标准或卡尔多-希克斯标准）或哲学原理（如，罗尔斯的再分配标准）来解决。平等、公平、公正是政治问题，也就是说，他们受社会中权力分配和权力合法化过程的影响。虽然经济学理论和道德哲学可以提高我们严格评价关于平等的各种相互冲突标准的能力，但它们却不能替代政治过程。

回应性（responsiveness）指政策满足特定群体的需要、偏好或价值观的程度。这个标准的重要之处在于，分析人员可能满足其他所有的标准——效益、效率、充分性、平等——却仍然不能对可能从政策中获益的某个群体（如老年人）的实际需要作出回应。一项娱乐方案可能实现了设施的公平分配，但是对特定群体（例如，老年人）的需要却没有回应性。实际上，回应性标准提出了一个现实问题：效益、效率、充分性和平等标准是否真的反映了特定群体的需要、偏好和价值观。

最后一个要讨论的标准是适当性（appropriateness），它与实质理性密切相关，因为政策适当性问题不是与单个的标准相关，而是与须同时考虑的两个或更多的标准有关。适当性是指一项计划的目标的价值和支持这些目标的前提是否站得住脚。虽然所有其他标准都将所定目标视为理所当然——例如，无论是效率还是平等标准，它们的价值都没有受到过质疑——而适当性标准却提出这些目标对社会是否适宜的问题。要回答这个问题，分析人员必须通盘考虑所有标准——即考虑多种理性形式之间的关系——然后再运用较高层级的标准（元标准），这个标准在逻辑上先于效益、效率、充分性、公平性和回应性标准。[12]

从定义上看，适当性标准是要超越任何一套现存的标准，所以，它必然是开放的。因为这个原因，不存在也不可能存在适当性标准的标准定义。我们能做的最多只是考虑几个例子：

1. 公平和效率（equity and efficiency）。当用来向穷人重新分配收入的计划如此无效，以至于只有一小部分再分配收益实际到达穷人手里时，罗尔斯的福利再分配的公平观是否是一种适宜的标准呢？当这些计划被看作用来向穷人分配收益的“漏斗”时，分析人员可以质疑平等是否是适宜的标准。[13]

2. 公平和权利（equity and entitlement）。当一些人并非通过社会合法的途径得到额外好处时，作为最低福利的平等，是否是适宜的标准？当一些人通过腐败、欺骗、歧视和分外的遗产获益（即使没有使任何人受损）时，分析人员可以质疑帕累托标准的适宜性。[14]

3. 效率、公平和人道主义价值（efficiency，equity，and humanistic values）。当用来实现一个效率或公平社会的手段与民主化进程相互冲突时，效率和公正是否适宜？当我们为实现效率或公平目的，为使决策合理化而付出努力，而这些努力又与自由解放和自我实现的目的相违背时，分析人员可以质疑效率或公平标准的合理性。[15]效率、公平和人道主义并不必然就是等同的。正如马克思和其他社会思想者所认识到的：隔离，并不能通过制造充分平等的社会而自动得以消除。

4. 公平和理性道德的争论（equity and reasoned ethical debate）。当罗尔斯的福利再分配公平观有违理性道德争论的机会时，它还是不是适宜的？公平标准可以根据这些受到质疑：它预先假定了人性的个人主义观念，在这些观念中，道德主张不再来自理性的论证，而是“个人持有的、受生物或社会影响的、随意的（即便它可以为人所理解）价值观的契约性组合……从而，罗尔斯的理论结构与工具理性密切呼应；其目的是外生的，在世界上，思想的唯一功能就是保证目的能最大限度地得以实现……（罗尔斯的假设）为了服务于急需，把所有思想简化为服务与诉求中的正式推理和精细手段的综合运作”[16]。

5.2 政策建议的途径

在进行政策建议的过程中，分析人员通常要提出许多相关联的问题。要考虑是谁的需要、价值观和机会？什么样的方案能满足他们？应取得什么样的目的和目标？怎样对它们进行衡量？实现目标需要多高的成本？有什么样的限制因素——预算的、法律的、行政的、政治的——会阻碍目标的实现？有没有应算作成本或收益的副作用、外溢性及能预料到或没能预料到的结果？成本或收益的价值怎样随着时间变化？预测的结果发生的可能性有多大？应做些什么？

公共选择和私人选择

对这些问题的回答是为了增强政策建议的说服力。尽管这些问题与公共部门和私人部门的政策制定都相关，但应记住这两个部门有下面几个重要区别[17]：

1. 公共政策过程的性质。公共部门决策涉及公民团体、立法机构、行政部门、规制委员会、企业及其他利益相关者之间的博弈、妥协和冲突。对产品和服务的单个生产者和消费者而言，他们的利润或福利并不能得以最大化。无数持有分歧或冲突价值观的利益相关者的存在，使得公共部门的选择比私人部门复杂。

2. 公共政策目标的集体性。公共部门的政策目标是集体性目标，应反映社会的偏好和更为广泛的“公共利益”。正如我们所看到的，这些集体目标的阐释往往涉及多重冲突的标准，从效果、效率、充分性到平等、回应性和适当性。

3. 公共物品的性质。公共物品和私人物品可以分为三类：特定物品、集体物品和准集体物品。特定物品（specific goods）是排他的，因为拥有者有法定的权利排除他人从中获益。特定物品（如汽车、住房、或医生的服务）的分配通常是以由供求决定的市场价格为基础。集体物品（collective goods）是非排他的，因为每个人都可以消费。没有人能置身清洁的水、空气和由政府提供的道路的消费之外。由于正常的供求关系在公共领域不起作用，所以通常不能以市场价格为基础对集体物品进行分配。准集体物品（quasi-collective goods）是其生产对社会具有重大外部效应的特定物品。尽管基础教育可由私人部门提供，但其外部效应如此之大，以致政府要在所有人能承受的成本范围内建立大量的公立学校。

公共部门和私人部门都生产者三类物品。但公共部门主要负责提供诸如国防、教育、社会福利、公共安全、交通、环保、娱乐和能源保护等集体和准集体物品。相对而言，私人部门主要生产特定物品，如食品、器具、机械和住房。两者的对比见图5—3。

由于三种物品性质不同，评估它们对生产者和消费者的价值的方法就有所不同。为社会生产特定物品的私人公司主要目的在于营利，也就是使总收入与总成本之差最大化。当一个私人公司要在成本和收入都不相同的两个或两个以上产品

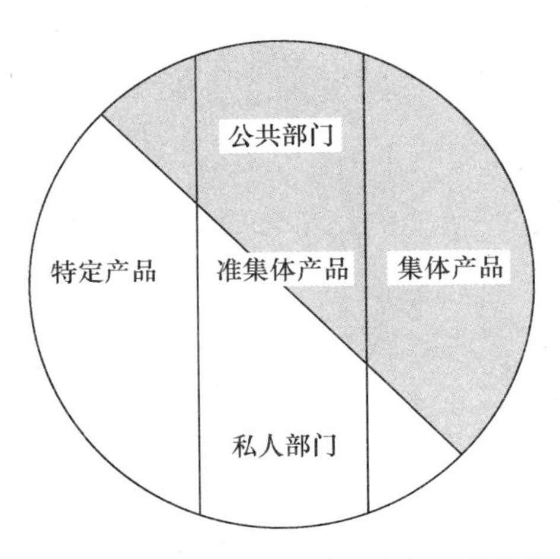

图5—3 公共部门和私人部门的三类产品

资料来源：H. H. Hinrichs and G.. M. Taylor，*Systematic Analysis*：*A Primer on Benefit-Cost Analysis and Program Education*（Pacific Palisades，CA：Goodyear Publishing，1972），p. 5.

之间进行选择时，公司会选择利润最大的产品（利润＝总收入－总成本）。如果公司决定投资于无论在短期或长期来看赢利都较少的产品，我们就可以估算这个决定的机会成本。机会成本（opportunity cost）指在可能选择另一个更有利的产品时，将资源投到生产某个产品中失去的收益。

供与求

私人部门的机会成本可以通过用市场价格衡量成本和收益来估计。特定物品的市场价格由供求关系决定。观察某一特定物品的若干价格和数量组合可以发现：(1) 当物品价格（P）下降，消费者的需求（Q）上升；(2) 随着物品价格（P）上升，生产者会供应更多物品（Q）（见图5—4）；(3) 价格与产量的组合产生消费者需求和生产者供应的某种平衡——即供求线的交点（见图5—4中的P_eQ_e）——这指明了市场上将要出售的特定物品的价格和数量。消费者和生产者愿意买卖某物品时若干价格和供应量的组合在图上形成需求曲线（demand curve）和供给曲线（supply curve），两曲线相交之处称为价格—数量组合的均衡（equilibrium price-quantity combination）。

在完全自由的情况下，价格—数量组合的均衡代表消费者和生产者愿意按某个价格生产和消费同样数量产品的那个点。如果我们知道某种特定产品（如电动牙刷）的均衡组合，就可以通过以均衡价格（P_e）和均衡数量（Q_e）出售某种产品的总收入减去生产该产品的总成本来确定某种投资的获益。知道了某种投资的获益，就有可能估计在可能选择另一个更有利的投资时，将资源投到生产某个产品中失去的收益。例如一个生产电动牙刷（特定产品）、年利润为100万美元的公司发现如果用同样成本（包括额外的劳动力、技术或营销人员）生产电动钻头可以公盈利200万美元，那么投资生产电动牙刷的机会成本就是100万美元。

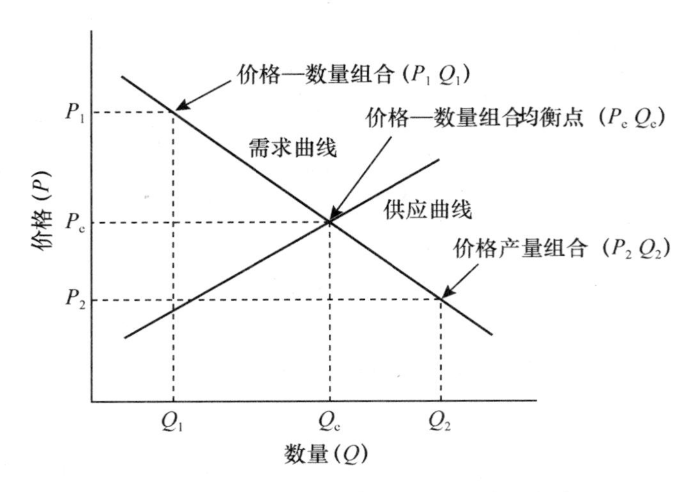

图 5—4　供求曲线和价格数量组合均衡点

私人部门利润最大化的逻辑可以扩展到公共政策领域。我们可以把公共项目视作追求利润最大化的私人公司。我们可以用净收益（总收益减去总成本）而非利润（总收入减去总成本）作为标准建议方案。我们也可以通过将公共项目看作由私人公司生产产品的投资来运用机会成本的概念。例如，如果政府投入 5 000 万美元建造一座大坝，为农民和其他受益人带来 1 000 万美元净收益，它必须从私人手上取得这 5 000 万美元的资源，而这些人本可以把这些钱投到别的地方。如果私人投资可以对私人产生 2 000 万美元的净收益（利润），建造大坝的机会成本就是 1 000 万美元（私人净收益 2 000 万美元减去公共净收益 1 000 万美元）。

公共选择

当我们考虑公共选择和私人选择的差异，包括在特定物品、准集体物品和集体物品之间进行对比时，这个逻辑就失效了。虽然利润最大化的逻辑可以运用于某些种类的公共物品（如生产水电），但我们有足够的理由认为，将利润、净收益和机会成本的概念应用于公共选择问题存在很大困难。

1. 多个合法的利益相关者。公共政策制定涉及多个利益相关者，他们对公共投资拥有的权益常常为法律所保障。虽然在政策制定中也存在许多利益相关者，但除了所有者和股东外，没有人可以对投资有法律上的要求。然而在公共领域，由于有太多的利益相关者，很难知道谁的利益应该最大化，谁应该承担公共投资的成本。

2. 集体和准集体物品。因为多数物品是集体物品（如清洁空气）或准集体物品（如教育），所以很难或不可能在市场上出售它们。在市场上，交易是以支付能力为基础的，因此用市场价格衡量净收益或机会成本通常是无效的，即使价格是以对居民的访谈调查为基础。因为有些人会表面上表示不愿购买某一公共产品，随后却以低于他们实际愿意支付的价格使用该产品。这就是所 谓的“搭便车”（free-

rider problem）问题。

3. 收入计量的有限可比性。即便公共投资和私人投资的净收益都可以用美元作为共同的计量单位，净收益较高的私人投资并不总是比净收益较低（甚至为零或为负）的公共投资更可取。例如，建设一座办公楼、年收益可达 100 万美元的私人投资不可能优于投资于癌症治疗、净收益为零或为负的公共项目。即便将比较局限于公共投资之间，使用收入的计量手段来提出建议也意味着增加总体收入目标“要比健康活着更好的教育、消除贫困的目标更为重要，还意味着这些目标只有在某种程度上增加未来的收入时才是合理合法的”。[18]

4. 对社会成本和收益的公共责任。除受法律（如防范污染理发）或道德习俗的约束外，私人公司只对自己的私人成本（private costs）和私人收益（private benefits），而不是社会成本（social costs）或社会收益（social benefits）负责。与此相比较，公共项目的成本和收益是社会化的，从而成为社会成本和社会收益，它们远远超出满足私人股东的需要。社会成本和社会收益（例如建造高速公路破坏自然环境的成本）很难量化，通常没有市场价格可以衡量。它们被称作是无形的。

将公共选择和私人选择进行对照并不意味着利润最大化的逻辑完全不适用于公共问题。然而，这种对比确实意味着，当这个逻辑应用于公共问题时存在着局限性。这些优势和弱点在我们考虑政策分析中两个最重要的方法——成本—收益和成本—效益分析时尤为明显。

成本—收益分析

成本—收益分析是一种方法，分析人员通过将政策的总货币成本和总货币收益量化来进行比较和提出政策建议。成本—收益分析可用于建议政策行为，在这种情况下，它被前瞻性地应用；也可以用于评价政策执行，在这种情况下，它被回溯性地应用。许多成本—收益分析建立在经济学中处理如何将社会福利最大化问题的基础上，社会福利即社会成员感受到的总体经济满意度。[19]这个领域被称为福利经济学（welfare economics），因为它特别关注公共投资有助于实现净收入最大化的方法，净收入是社会中总体满意度（福利）的一个衡量标准。

成本—收益分析已被广泛地应用于许多不同的公共项目和工程。它最早用在大坝建设和提供水资源，包括分析水力发电、洪水控制、灌溉、娱乐的成本—收益分析上。近期其他的运用包括交通、健康、人力资源培训及城市更新改造。

在用来为公共部门提供建议时，成本—收益分析有如下几个特征：

1. 它试图衡量一个公共项目可能对社会产生的所有成本和收益，包括许多很难用货币成本和收益来计量的无形部分。

2. 传统的成本—收益分析方法集中体现了经济理性，因为它最常用的标准是全面经济效率，如果一项政策或项目的净收益（net benefits）（即总收入减去总成本）大于零并高于其他公共或私人投资方案的净收益时，它就被认为是有效率的。

3. 传统的成本—收益分析方法是用私人市场（private marketplace）作为公共项目建议的出发点。公共投资的机会成本常常通过考虑投资于私人部门可能获得的收益来计算。

4. 当代的成本—收益分析，有时我们称之为社会成本—收益分析（social cost-benefit analysis），也可以用来衡量再分配的收益。由于它关注公平标准，所以与社会理性相一致。

成本—收益分析有很多优势。第一，成本和收益都以货币为共同的计量单位，从而使分析人员得以从收益中减去成本，这在成本—效益分析中是不可能的。第二，成本—收益分析使我们超越单一政策或项目的局限，将收益同社会整体的收入联系起来。这是有可能的，因为个别的政策和项目至少在原则上可以用货币来表示。第三，成本—收益分析使分析人员可以在更广泛的不同领域间进行项目比较（如健康和交通），因为经效率收益是用货币来表示的。这在用单位服务量来计量效益时就不可能，因为医生治疗的病人数不能直接与建造道路的英里数相比较。

无论是传统的或是当代的形式，成本—收益分析也有若干局限。第一，绝对强调经济效率意味着公平标准是无意义或不适用的。实际上，卡尔多-希克斯标准忽略了收益再分配问题，而帕累托标准很少解决效率和公平的冲突问题。第二，货币价值不能对回应性做出估量，因为收入的实际价值因人而异。例如，100 元的额外收入对一个贫困家庭的一家之主而言，就比对一个百万富翁要重要得多。这种有限的人与人的对比（limited interpersonal comparison），表明收入并不能恰当地衡量个人的满意度和社会福利。第三，当重要物品不存在市场价值时（如清洁空气或健康服务），分析人员常常被迫主观地估计公民愿意支付的产品价格，即影子价格（shadow prices）。这些主观判断可能仅仅是分析人员价值观的任意表达而已。

即便成本—收益分析方法考虑了重新分配和社会公正问题，它还是离不开用收入来衡量满意度。正因为如此，要讨论任何不能用货币形式来表达的目标的适当性都是很困难的。只考虑净收入或再分配收益常常妨碍我们对备选政策的伦理或道德基础进行合理的推断。因此，成本—收益分析可能已经接近于向我们提供"每一件东西的价格，同时却对其价值一无所知"。

成本和收益的种类

使用成本—收益分析的关键在于，要考虑一个政策或计划可能带来的所有成本和收益。虽然这种全面罗列成本和收益"库存"的做法在实际工作中很难实现，但它能在我们对一些成本和收益分析有所忽略的情况下减少错误的发生。防止此类错误发生的最佳方法就是将成本和收益分类：内部的和外部的，可直接计量的（"有形"）和可间接计量的（"无形"），主要（"直接"）和次要（"间接"），以及效率净值（"真实的"）和再分配（"货币的"），这些分类如图 5—5 所示。

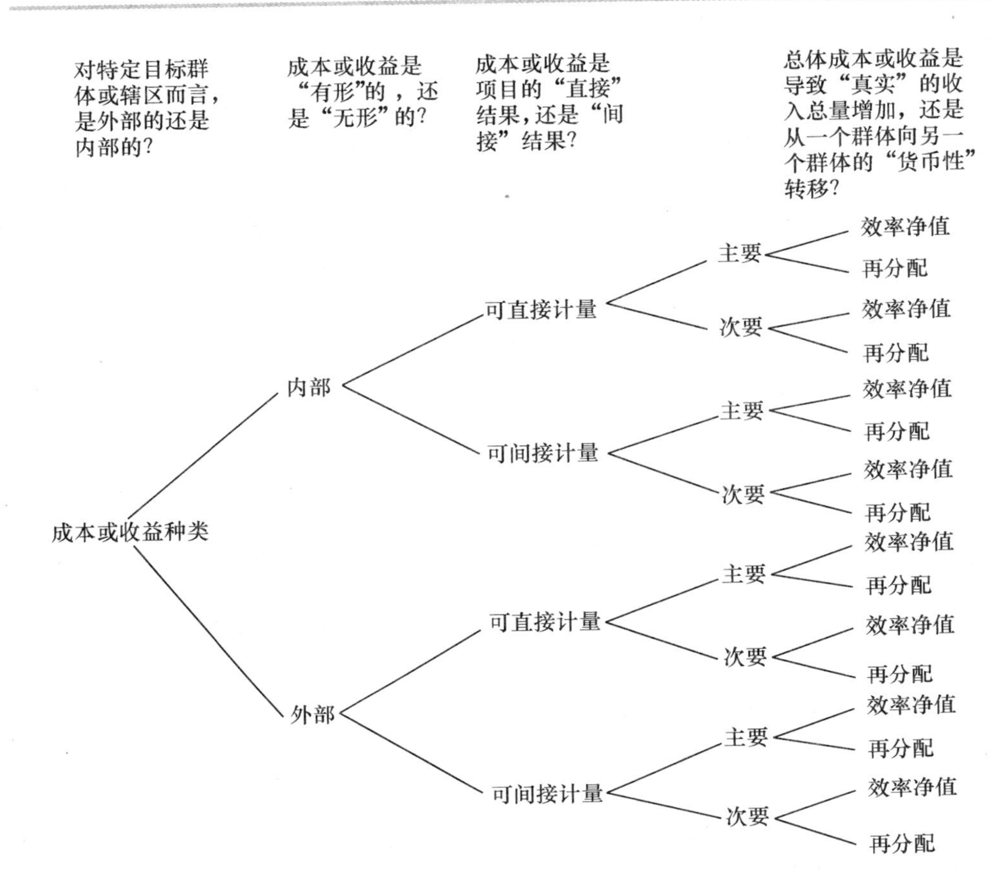

图 5—5　根据四种问题对成本和收益的分类

内部和外部成本与收益。这里的问题在于：某个特定成本或收益对特定目标群体或区域是内部的还是外部的。内部的成本或收益被称为内部性（internalities），外部的则被称为外部性（externalities）。一种情况下的内部性在另一种情况下就是外部性，其差异在于分析人员如何划定目标群体的边界。如果边界是社会整体，就不存在外部性，如果边界是特定的目标群体或区域，则既存在外部性，也存在内部性。外部性是对目标群体边界外的正溢出或负溢出。例如，作为城市更新改造项目的一部分，在城市中心区域建造高层公寓，会在城市辖区范围内发生成本、取得收益，包括建造成本和租金收入。同样的城市更新改造项目也会给郊区带来外部成本，因为流浪汉和罪犯无力在城市中心居住，他们会向郊区转移，郊区则必须在他们的居住区提供额外的消防和治安服务。

可直接计量和可间接计量的成本及收益。这里的问题是：成本或收益是有形还是无形的。“有形”（tangible）是指成本和收益可用已知的市场价格来计量，“无形”（intangible）是指成本和收益可间接地使用估计的市场价格来计量。在城市更新改造的例子中，分析人员可以试着通过估计不同群体愿意为更新改造项目所造成的社区氛围的破坏而支付的价格来计量机会成本。

主要和次要成本及收益。此处的问题是：成本或收益是项目的直接，还是间接结果。主要成本或收益（primary cost or benefit）是指与最重要的项目目标相关的成本或收益，次要成本或收益（secondary cost or benefit）的含义就不言而喻了。例如，城市改造项目最重要的目的在于为贫困人口提供低成本住房，那么首要的成本或收益就包括建造成本和租金收入。次要成本和收益包括无形成本，如社区氛围的破坏，以及有形收益，例如因为有更好的街道照明和防火设施所带来的消防和治安上的费用节省。

效率净值和再分配收益。这里的问题在于，总体成本和收益是使总收入增加还是仅仅引起不同群体间收入或其他资源的转移。效率收益净值（net efficiency benefits）指真正的净收入增加（总收益减去总成本），而再分配收益（redistributional benefits）是指以一个群体的牺牲为代价向另一群体"货币性地"转移收入，但并不增加效率收益净值。这两种变化各自被称为真实的收益和货币性收益。例如，城市改建项目可能产生 100 万美元的净效益收益。如果城市改建也使相邻地区的小商店的销售额增加——距离新的高层公寓比较远的商店的销售额减少——收入和损失的成本收益是"货币性的"，它们相互抵消，而没有改变净效益收益。

称一种收益为"真实的"，另一种却是"货币性的"，这种说法会让人产生相当大的误解：难道穷人可支配收入的增加不比社区净收益的改善更"真实"吗？所以，如果我们只能通过降低对收入和其他收益减少的人进行再分配的成本来获取再分配的增加所带来的净效率的提高，那么我们就不能把"真实的"和"货币性的"对立起来。这个被称为重复计算（double counting）的错误，可导致对效率收益净值的无效估计。

请注意，对这四个问题的回答可能产生成本和收益的多种组合。某个内部成本或收益可以是可直接计量的（有形），也可以是可间接计量的（无形）。无形成本或收益依不同目标的相对重要性又相应地成为主要的或次要的。主要的或次要的目标本身也可根据净效率或再分配来定义。通常，必须成为主要目标的要么是净效率要么是再分配，两者只能取其一，因为很少有可能在创造高效率收益净值的同时创造高的再分配收益。换句话说，这两种收益相互冲突。这代表一种要求放弃（trade offs）的情况，即努力确定为了获得一个目标，应该在多大程度上牺牲另一个目标。

成本—收益分析的任务

在进行成本—收益分析时，下面这些任务（见表 5—5）对提出最佳合理建议很重要。

表 5—5　　进行成本—收益分析的 10 项任务

任务	说明
问题构建	通过确定目的、目标、备选方案、标准、目标群体、成本和收益来阐述元问题
明确目标	把一般目的（目标）转换成既具体又可衡量的目的（目标）
明确备选方案	从构建问题阶段确定的多个潜在方案中选出少量最重要方案
信息的搜索、分析和解释	找到、分析并解释所需信息以预计具体方案的结果

续前表

任务	说明
明确目标群体和受益人	列出作为行动（如规制）或不行动（保持现状）目标或从中获益的所有群体（利益相关者）
估计成本和收益	估计备选方案中每一类成本和收益（内部的和外部的、可直接计量的和可间接计量的、主要的和次要的、效率的和再分配的）的货币价值
成本和收益折现	把货币成本收益根据具体折现率转换成目前的价值
估计风险和不确定性	使用敏感性分析等方法估计未来要发生的收益、成本的概率
选择决策标准	选择备选方案的标准：帕累托改进、净效率改进、分配性改进、内部回报率
建议	选择最合理的方案，考虑对立的道德或因果的假设

问题构建。寻求问题的种种阐述，确定元问题的边界（见图 3—9）是成本—收益分析的关键任务。问题建构并不仅仅是在成本—收益分析开始时发生，它贯穿于分析过程的始末，它产生关于可能的相关目的、目标、备选方案、标准、目标群体、成本和收益的信息以指导分析。在成本—收益分析过程中，问题构建也会多次导致错误解决问题、重新解决问题和不能解决问题（见图 3—1）。

明确目标。分析者通常以一般目标或目的开始，例如，控制可卡因吸毒。我们知道，目的必须变为既具体又可衡量的目标（见表 4—1）。控制可卡因吸毒这一目的可变为几个具体目标，如在 5 年内将可卡因供应量减少 50%。目标通常意味着不同的政策方案。减少供应意味着采取政策进度。而另一个目标——如将对可卡因的需求减少 50%，则不只意味着要禁毒以提高价格和降低需求，还标明应将禁毒康复作为减少吸毒者人数的手段，从而降低需求。在该案例和其他案例中，目标和政策方案间的关系依赖于因果假设，而这些假设会产生问题，或者明显就是错误的。

明确备选方案。一旦确定了目标，分析人员关于问题原因的假设及其潜在解决办法几乎都要不可避免地转化为实现目标的备选政策。问题的建构方式——例如，可卡因问题可定义为要求禁止毒品从南美流入的需求问题——因此决定了被认为是合适有效的政策。如果问题搜索受到严重的限制，无意地或者由于明确的政治和意识形态的原因，政策元问题就会排除有前途的政策方案。最终，问题的无法解决就成为必然（见图 3—1）。

信息的收集、分析和解释。此阶段的任务是收集、分析和解释与预测备选方案结果相关的信息。这时，预测的主要目标是上一分析阶段已经明确了的备选方案的成本或收益。可以从类似的现存计划的成本、收益的现有资料中取得有关的信息，例如，在毒品执法机关（Drug Enforcement Administration）建立之前，可以用已公布的关于美国海关（U. S. Customs Service）控制毒品活动成本的预算资料来估计新的禁毒政策成本。表现为毒品供求减少的禁毒收益是以经济和行政假设为依据的，而这些假设最终被证明存在很多疑问或明显错误。[20]

明确目标群体和受益人。此阶段的任务是对利益相关者进行分析，列出与政策问题相关的所有群体。这些群体因为政策建议的采纳和执行而受到积极和消极的影响。目标群体是新规定或限制令的客体，他们通常会失去一些自由和资源。例如，限制妇女终止妊娠的规定或一项增加中产阶级税负的新的税收计划。与此不同，受益者是从建议的采纳和执行中获益的群体，如卡车司机。20 世纪 80 年代后期，有 40 个州将时速限制从 55 英里提高到 65 英里，结果，卡车司机的净收入增加。

估计成本和收益。这可能是成本—收益分析中最难的。它要求对目标群体和受益人可能经历的所有成本和收益做出货币化估计。我们已经知道成本和收益的类型（见图 5—5）：内部的和外部的、可直接计量的和可间接计量的、主要的和次要的、净收益的和再分配的。在许多领域，公共政策很难甚至不可能对此进行估计。对通过强制实施座位安全带法、强制性的车辆检查或乳腺癌检查计划等而减少的死亡的货币收益，就引起了广泛的争议。特别是当这些防止死亡政策的成本要从人一生的收益中减去时，这些措施的有效性、可靠性和适当性就更值得怀疑。

成本和收益折现。如果要预计未来的一个时段内的成本和收益水平，就必须考虑本由于通货膨胀和未来利率变化所导致的实际货币价值的减少。成本和收益的实际价值以折现方法为基础，折现方法是根据成本收益目前的值来计算将来的成本和收益的程序。例如，有时我们用小时工资率乘以寿命来表示生命的价值。如果一个人有价值的生命是 20 岁，挣钱能力低——如果折现率为 10%——那么人生命的目前价值只有几千美元。这引起了对年轻的和年老的、穷人和富人、城市和农村人口生命价值可比性的激烈的道德争议。

估计风险和不确定性。这里的任务是运用敏感分析。敏感分析是用来指称这样一个程序的术语，即测试结果对关于各种成本和收益的出现概率的不同假设或不同折现率的敏感性的一个程序。要得出可靠的概率估计很难，因为对于同一未来结果的不同预测，在准确性上常常有很大的差异，这些差异根源于不同的制度、现状和历史背景。

选择决策标准。这里的任务是：为了在两个或更多具有不同成本与收益组合的方案中进行选择而明确决策标准或规则。标准有六种：效率、效益、充分性、公平、回应性、适当性。效率标准包括净效率改进（成本和收益净现值应大于零）和内部回报率（公共投资的回报率必须大于其实际利息所得）。效益标准包括为生产更多的产品或服务所进行的公共投资的边际效益（例如，把投资到健康保健组织的 1 美元所得到的医疗服务与投向传统的健康保健者所得到的医疗服务作比较）。分配和再分配标准，分别包括帕累托改进（在其他群体没有损失的情况下至少有一个群体受益）及罗尔斯改进（境况最糟的那群人的情况得到改善）。标准的选择有重大的道德含义，因为他们以道德责任和公正社会的不同观念为基础。

建议。成本—收益分析中，最后的任务是在两个（以上）方案中选择一个作为建议。选择的过程很少是明晰的，需要对建议的合理性进行严格分析，并考虑可能削弱或使建议无效的对立因果假设和道德假设。例如，以帕累托改进为基础的建议，可以通过说明富人会以中等收入者和低收入者的损失为代价而获得收益来削弱。回顾历史，这也是美国过去 20 年来社会和经济政策的实际情况。[21]

成本—效益分析

成本—效益分析（cost-effectiveness analysis）是分析人员通过量化政策的总成本和总效果来对政策进行比较和建议。不同于成本—效益分析试图用统一的价值单位来衡量所有因素，成本—效益分析使用两个不同的价值单位。成本用货币来计量，而效益则用单位产品、服务或其他手段来计量。因为缺乏统一的尺度，成本—效益分析不进行净效益或净收益衡量，因为从服务和商品总量中减去总成本没有任何意义。但是，可以计算成本—效益和效益—成本比率，例如，成本/卫生服务量的比率或卫生服务量/成本的比率。

这些比率与成本—收益比率相比，在总体上有不同含义。效益—成本和成本—效益比率告诉我们每投入1美元能产生多少产品和服务，或者说每单位产品和服务需要花多少美元。收益—成本比率告诉我们在特定的情况下收益多于成本多少倍。如果有净收益的话，收益—成本比率必须大于1。例如，如果总收益是400万美元，总成本是600万美元，那么收益成本比率是4/6或0.66，总的净收益是－200万美元。如果总的净收益为0（400万美元减去400万美元等于0），那么收益成本比率仍为1（4除以4等于1）。因此可以确定，收益—成本比率必须超过1才能有净收益。这对于成本—效益比率却不适用，它在不同情况下有不同意义。

同成本—收益分析一样，成本—效益分析可以前瞻性地运用，也可以回溯性地运用。相对于成本—收益分析而言，成本—效益分析起源于20世纪50年代早期美国国防部（Defense Department）的工作，而不是源于福利经济学领域的研究。它的早期发展工作由美国兰德公司完成，该公司在设计评价不同的军事战略和武器系统的方案时运用了它。同时，该方法还被用于国防部的项目预算问题，在20世纪60年代该方法扩展应用到其他政府机构。[22]

成本—效益分析特别适用于这样的问题，即最有效地利用资源去实现不能用收入表示的目标。它已用于在司法、人力资源培训、交通、健康、国防和其他领域提供政策建议。

运用于公共部门的建议时，成本—效益分析具有以下几个明显特征：

1. 由于它避开了用货币形式来计量收益的问题，因而比成本—收益分析更容易应用。

2. 成本—效益分析集中体现了技术理性（technical rationality），因为它试图在不把政策结果与全面经济效率或社会总体福利相联系的情况下，确定政策方案的效果。

3. 由于很少依靠市场价格，成本—效益分析很少依赖私营部门利润最大化的逻辑。例如，它很少考虑收益是否大于成本或在私人部门的不同投资是否能得到更多利润等问题。

4. 成本—效益分析特别适用于分析外部性和无形的成本或收益，因为这些影响都很难用货币来衡量。

5. 成本—效益分析通常用来解决固定成本（Ⅰ类）或固定效益（Ⅱ类）问题，

而成本—收益分析通常解决变动成本—变动效益（Ⅲ类）问题。

成本—效益分析的优势在于易于应用，适于处理集体或准集体物品（它们都很难用市场价格来估计），而且适于分析外部性和无形成本。主要的局限在于提出的建议不容易与社会总体福利问题挂钩。不同于成本—收益分析，该方法对成本和效益的衡量局限于特定的项目、区域和目标群体，也不能用来衡量社区成员感受的总体满意度以计算净收入收益。

除了收益不能用货币来计量以外，成本—效益分析也试图考虑政策和项目涉及的所有成本和收益。在前面的成本—效益分析中讨论到的各种成本和收益（包括直接和间接可测量的、主要和次要的）在成本—效益分析中也很重要。虽然不能计算出效率收益净值，但可以对再分配的效果进行分析。

成本—效益分析的任务与成本—收益分析中的任务相似，但有两个例外：只有成本才折为现值；充分性标准与成本—收益分析中通常用到的不同。成本—效益分析中常常用到的充分性标准如下：

1. 最低成本标准（least-cost criterion）。在确定了想要达到的效益以后，对效益相同项目的成本进行比较。摒弃低于固定效益的项目，选择满足固定效益水平且成本最低的项目。

2. 最大效益标准（maximum-effectiveness）。确定允许的最大成本上限（通常为预算限制）后，比较成本相同的项目，摒弃超出成本上限的项目，选择满足固定成本水平且效益最大的项目。

3. 边际效益（marginal effectiveness）。如果服务或产品的数量以及成本可以用两个连续的尺度表示出来，就可以计算两个（以上）方案的边际效益。例如，分别由市警察局和私人安保公司（由市政府与其签约）提供治安服务的成本，可以用下面两个尺度来衡量：与每小时巡查相关的成本；已报告的、已阻止的、已调查的及已结案的针对财产的犯罪行为的数量。可以对每类服务提供者建立连续的成本—效益函数，超过要求的最低效益又具有最高效益—成本比率的提供者，就具备更大的边际效益，即在现有成本外再多花 1 美元所实现的额外效益最高（见图 5—2 中的点 E_1—C_1）。

4. 成本—效益（cost-effectiveness）。两个（以上）方案的成本—效益是单位产品或服务所耗费的成本。如果每小时 55 英里和 65 英里限速涉及每减少一个死亡者的不同成本，后者在成本—收益上略低。如果两者有大致相同的成本（分子），但后者减少的死亡数（分母）略低，那么对 65 英里限速来说，每挽救一人的成本就要大些。不同于成本—收益比率，成本—效益比率不一定考虑所有成本（如因最高限速而死亡的生命的价值），因此，尽管排除一些成本并不是成本—效益分析的固有局限，简单的成本—效益分析也可能会对特定产品或服务的实际成本产生不够客观的估计。

5.3 建议的方法和技术

利用成本—收益和成本—效益分析进行政策建议，有很多方法和技术（见表 5—6）。如果把它们看作实现上面所描述的成本—收益分析任务（见表 5—5）的工具的话，这些方法和技术就很容易理解。我们已经知道，成本—收益分析和成本—效益分析在某些重要方面有区别。然而，这些区别主要与决策标准的选择有关。例如，净效益的提高不能用成本—效益来估计，因为收益不是以货币来表示的。除了几个例外（例如，计算未来收益的目前价值），成本—收益分析的方法和技术对成本—效益分析也适用。

表 5—6　　依成本—收益分析任务所划分的建议方法和技术

任务	方法/技术
问题建构[a]	边界分析、层级分析、类别分析、多角度分析、论证分析、论证图形化
明确目标	目标图形化、价值澄清、价值评价
信息收集、分析和解释	边界分析[b]
明确目标群体和受益者	边界分析
估计成本与收益	成本要素建构、成本估计、影子价格
成本收益折现	折现
估计风险和不确定性	可行性评价[c]、限制图形化、敏感性分析、fortiori 分析
选择决策标准	价值澄清、价值评价
建议	合理性分析

注：a. 这些方法和技术见第 3 章。
b. 见第 3 章。
c. 见第 4 章。

目标图形化

在政策建议中经常遇到的困难是需要知道要分析的目标是什么。目标图形化（objectives mapping）是一种技术，用来排列目的、目标以及它们与政策方案的关系。用构建问题的方法（第 3 章）确定的目的、目标和方案可用目标树（objectives tree）来表示，目标树是对目标及其关系的全面结构的图形化展示。[23]用树形图表示的目标常常形成层级，其中某些目标是实现另一些目标所必需的，它们垂直排列。图 5—6 是形成国家能源政策的目标树。

在绘制目标树时，分析人员从现有目标开始或制定新目标。如果有必要制定新目标，那么有几个构建问题的技术可以运用于这一目的，包括层级分析、类别分析、头脑风暴法、论证分析等。一旦形成一整套目标，就可以将它们按层次排列在如图 5—6 的树中。在目标树上，越往上，目标越笼统，然后自上而下逐步具体。通常，最上部的目标是最宽泛的，而下面的则代表目的、目标和分目标。注意，当我们自上而下看目标树时，我们回答“我们应怎样完成目标”；当我们自下而上看目标树时，我们回答“我们为什么要追求这个目标”。所以，目标图形化是有用的，它不仅有助于把政策实施的复杂性图形化（即“怎样”的问题），还有助于澄清活动的目的（即“为什么”问题）。最后，大多数目标既是目的，又是手段。

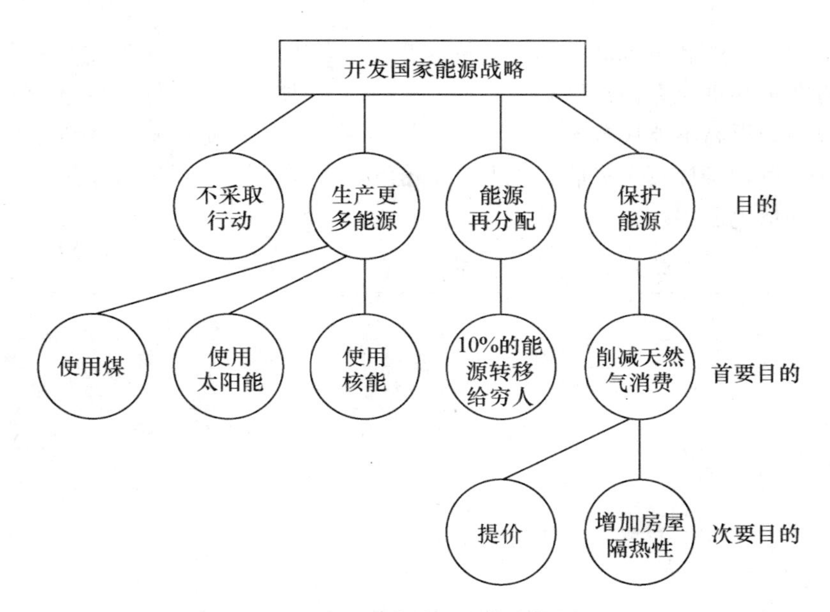

图 5—6　国家能源政策目标树

价值澄清

价值澄清（value clarification）是一种程序，用以确定并划分那些支持政策目标选择的价值前提。当我们考虑建议的不同标准（效益、效率、充分性、回应性、公平性、适当性）及产生这些标准的多种理性时，尤其有必要在进行政策建议时澄清价值。价值澄清帮助我们回答如下问题：什么样的价值前提支持目标的选择？它们是政策分析人员的、政策制定者的、特殊利益群体的，还是社会整体的价值前提？什么情况能解释一些群体支持这些前提和目标，而另一些群体却反对它们这一事实？最后一个问题，有什么理由能证实某些前提和目标是正当的？

价值澄清有几个主要的步骤[24]：

1. 明确一个政策或项目的所有相关目标。可以简单列出，也可以目标树的形式排列（见图 5—6）。

2. 明确所有影响或受政策目标影响的利益相关者。作为政策分析者，一定要把你自己列在利益相关者名单中。

3. 列出支持每位利益相关者所赞成的目标的价值前提。例如，环保主义者可能会看重能源保护，因为它保证了自然环境的美学质量，而郊区居民可能会看重能源保护，则因为它提供了更安全的物质存在。

4. 将价值前提分类：一种仅仅是个人品位和意愿的表达［价值表达（value expressions)］；一种是特定群体的信仰表达［价值陈述（value statements)］；一种是对目标中隐含的行动或条件的普遍的善恶判断［价值判断（value judgments)］。例如，作为政策分析人员，你可以表达消费更多能源的愿望；环保团体可以陈述它们在能源保护上的信仰；石油生产商会提供增加能源生产的判断，这些判断的依据是所有权人有权对私有财产以他认为合适的方式加以使用。

5. 进一步将价值前提分为那些为解释目标提供基础的前提（如环保主义者寻求保护能源，因为这与他们不损害自然的理念相一致）以及那些为保护目标的合理性提供理由的前提（如因为自然和人类一样有权自我保护，所以能源保护是适当的目标）。

价值澄清的优势在于，它使我们超越把目标仅仅当作个人愿望或品味的目标分析方法，它还使我们比目标的环境解释更前进一步。尽管价值基础很重要——例如，了解穷人喜欢更大程度的社会公正很重要——但如果不考察证实目标的根据，对伦理和道德争议的解决就无从谈起。

价值评价

价值评价（value critique）是检验对立性论证的说服力的一种方法，这些论证是在对政策目标进行讨论的过程中提出的。价值澄清使我们按价值的形式、内容和作用进行分类，而价值评价是我们考察价值在政策论证和讨论中所起的作用。价值澄清把重点放在个别相关人的目标和支持目标的价值上，而价值评价则关注不同利益群体的目标及其基础假设间的冲突。价值澄清是静止的，而价值评价则关注产生于推理论证的价值变化。

价值评价方法是第8章中讨论的政策论证的价值评价模式的延伸。进行价值评价要求：

1. 确定一个或多个倡议性主张，这些主张为建议行动作基础。

2. 列出所有影响或被建议实施影响的利益相关者。

3. 描述每位利益相关者对建议的支持或反对意见。

4. 明确争议中的每个要素：信息（I）、主张（C）、合格（Q）、理由（W）、支持（B）、反驳（R）。

5. 评价每个意见的道德说服力（ethical persuasiveness），决定是否保留、改变或拒绝建议。

为了说明这个过程，设想分析人员已完成低成本房屋隔热方案的成本—收益分析。其建议或主张（C）是：政府应采纳这个方案。信息（I）表明项目净收益为5 000万美元，收益成本比率为5比1。由于项目可大幅度节省能源，几乎可以肯定是合格的（Q），但是，当对每位利益相关者的论证进行分析后，建议看上去就不那么具有说服力了（见图5—7）。最常用来支持建议的理由（W）是社会福利的增加，这是由帕累托最优或卡尔多-希克斯标准来支持（B）的。反驳（R）是项目不能让穷人和老人受益，这是由罗尔斯标准支持的，即状况差的人应该获益。

请注意：由于讨论同时涉及效率和公正，所以它既是经济的，又是道德的。讨论的一个结果可能是以这种方式修改建议，即政府应在成本分级的基础上提供低成本住房隔热设施。付不起钱的可以不付，挣钱多的付的也多。然而，这个建议会使项目对耗能大户的吸引力减少。如果一视同仁（除了穷人和老人），那么总的净收益

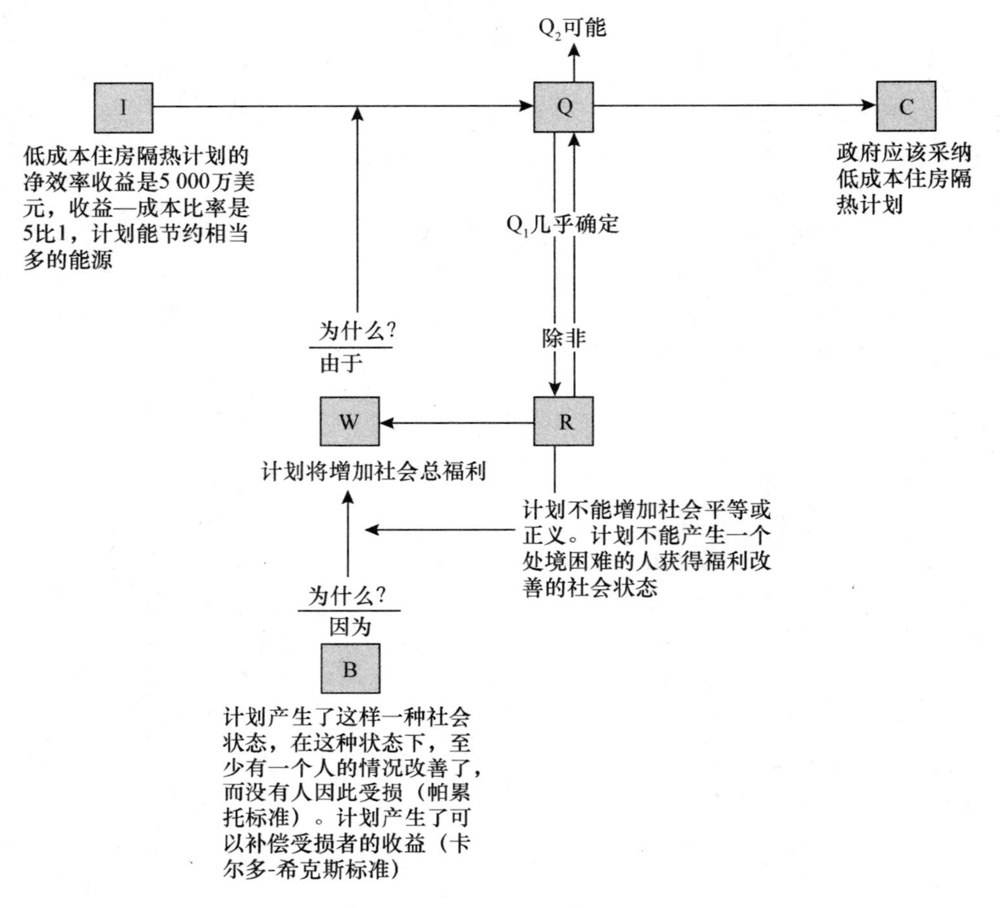

图 5—7　价值评价论证

很可能为负。尽管价值评价不能最终回答增加社会公正应牺牲多少效率，它却使对这类问题进行合理的道德争论成为可能，而不是期望成本—收益分析为它不适合的问题提供答案。就像价格不是价值一样，经济不是道德。

成本要素构建

成本的概念对提出政策建议的过程非常重要，因为对一个目标的追求往往要牺牲另一个目标。正如我们已了解的，机会成本是将资源投到别的目标可能得到的收益，换句话说，成本是失去的收益，而净收益（总收益减去总成本）可以衡量这些成本，即如果投资于其他目标所能收回的成本。

成本要素构建（cost element structuring）是对建立和运行一个项目所需要的成本进行分类和描述的一种方法。[25]成本要素结构是需要耗费资源的功能、设备和供应的一个列表，目的在于建立一个穷尽一切和互相排斥的功能、设备和供应列表。如果列表是穷尽的，就不会忽略任何重要的成本，如果它是互相排斥的，就可避免重复计算成本（double counted）。

成本要素结构包括两个主要部分：主要（直接）成本和次要（间接）成本。主要成本又分为三类：一次性固定成本（one-time fixed costs）、投资成本（investment costs）和循环（运作和维护）成本［recurrent costs（operating and maintenance）］。[26]典型的成本要素结构见表 5—7。

表 5—7　　成本要素结构

Ⅰ. 主要（直接）成本
- 1. 一次性固定成本
  - 研究
  - 规划
  - 发展、测试和评价
- 2. 投资成本
  - 场地
  - 建筑和设施
  - 设备和工具
  - 岗前培训
- 3. 循环（运作和维护）成本
  - 薪水、工资和外部收益
  - 场地、工具和设备的保养
  - 再培训
  - 给代理人的直接支付
  - 对提供的支持服务的支付
  - 各种材料、供给和服务杂项

Ⅱ. 次要（间接）成本
- 1. 对其他机构和第三方造成的成本
- 2. 环境退化
- 3. 社会制度的混乱
- 4. 其他

成本估计

成本估计（cost estimation）是提供成本要素结构中每个项目的货币价值信息的方法。成本要素结构表明应该衡量什么要素，成本估计则对要素进行实际衡量。成本—估计关系（cost-estimating relationship）是对业务活动、材料、人员数量及其成本间关系的明确衡量。最简单的成本—估计关系就是单位成本，如每英亩土地的成本、每平方英尺设施的成本和在特定工种中每个工人的成本等。而更复杂的一些问题涉及线形回归和区间估计的应用（见第 4 章），如将车辆行驶里程作为因变量，可以使用线性回归法对车辆保养成本进行区间估计。

成本—估计关系对政策建议非常重要，因为它对业务活动、材料和人员数量与成本间的关系进行明确衡量，这使分析人员能用完全一致的方式来比较政策方案。它还被用来构建成本模型，这个模型描述了启动或维持一个项目所需要的部分或所有成本。图 5—8 是启动投资的一个简化的成本模型。

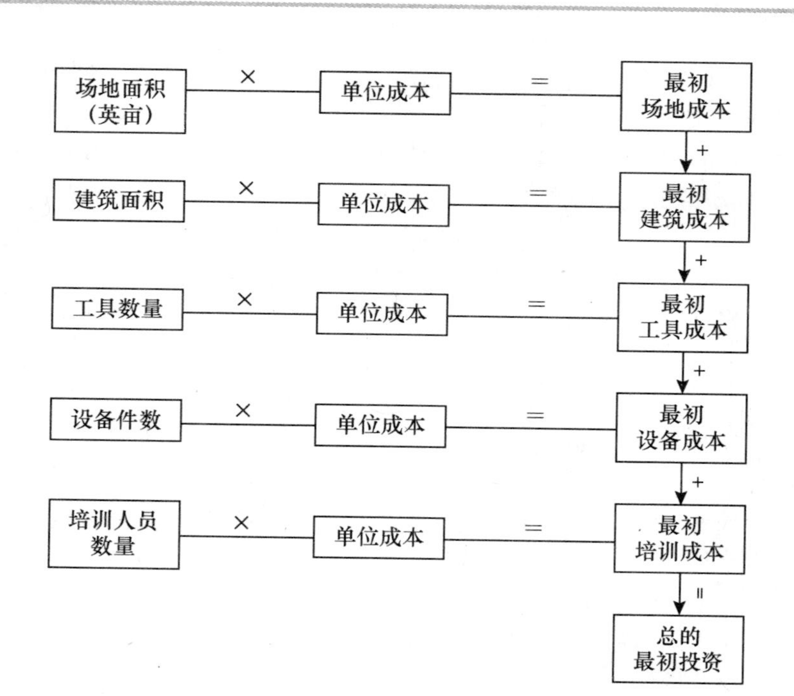

图 5—8　简化的部分启动总投资的成本模型

影子价格

影子价格（shadow pricing）是在不能取得市场价格或市场价格不可靠时对成本和收益的货币价值进行主管估计的方法。市场价格有可能因为许多原因而扭曲（即不能代表成本和收益的实际社会价值）。这些原因包括不公平竞争、存在垄断或寡头行为，以及政府补贴。在这些情况下，可以对商品和服务的实际市场价格进行调整。在另一些情况下，常常不容易取得市场价格，某些集体性产品（如清洁空气或社区的感受）就是这样，我们在前面已经讨论过，它们都是无形的（intangibles）。分析人员可以使用以下方法来估计这些无形物品的价格。[27]

1. 可比价格（comparable prices）。这里，分析人员使用可比价格或类似项目的市场价格。例如，要估计建造一个大型交通枢纽所节省时间的经济效益，分析人员可以用当地工资率来计算使用新设施所节省的时间的货币价值。在这里，将工作时间等同于休闲时间是以这个有疑问的前提为根据的，即假设节省下的时间可以用来赚取收入。

2. 消费者选择（consumer choice）。分析人员通过观察个人在此种情形下的消费行为来估计无形物品的价值（如旅行时间），即被迫在给定的无形物品和货币之间进行选择时的行为。例如，可观察消费者在低成本和多花时间与高成本和少花时间的旅行模式间的实际选择，来估计时间的价值。这可以帮助确定有多少消费者愿意为减少在路途上花费的时间而多支付货币。尽管这需要假设消费者完全了解时间和成本之间的关系，以及两种方案在省时省钱等各个方面是相当的。

3. 推演出的需求（derived demand）。在此，可以用游客所支付的间接成本为基础来估计没有市场价格的无形物品的价值（如游客对政府管理的不收费公园和娱乐区的满意度）。可根据公园游客为去公园支付的成本推演出一条需求曲线（表示消费者使用某项服务时价格和数量的一系列组合）。而这些间接成本可以被认为是使用公园和娱乐区的实际价格。这个方法假设旅行的唯一目的就是使用公园和娱乐区。

4. 调查分析（survey analysis）。分析人员用访谈或回收问卷的方式对居民进行调查。接受调查的人要表明他们愿意为一项既定服务支付的费用水平（如公共交通）。这种方法的一个弱点在于存在“搭便车”问题，即消费者不愿意为某项服务支付费用，但又希望其他人能付费以使他自己也能从服务中获益。

5. 补偿的成本（cost of compensation）。分析人员通过获得纠正无形价值所需要的行为的价格，估计无形的价值，尤其是那些以人们不愿要的外部成本形式出现的价值（负的外部性）。例如，以净化废水、降低噪音或还林等项目的花费来估计环境污染的成本。同理，治理污染的收益可以通过人们因减少患肺癌和其他慢性病而减少的医疗费用来计算。

制约因素图形化

制约因素图形化（constraint mapping）是对妨碍实现政策和项目目标的限制条件和障碍进行确定和分类的方法。一般来说，限制因素分为六类：

1. 物质制约（physical constraints）。目标的取得受知识和技术发展水平制约。例如，使用太阳能减少污染受当前太阳能技术的低发展水平制约。

2. 法律制约（legal constraints）。公法、财产权及部门规章常常限制实现目标的能力。例如，用来向穷人再分配资源的社会项目经常受报告要求的制约。

3. 组织制约（organizational constraints）。组织结构及其运行程序也会制约目标的实现。例如，过度集权、管理水平低、士气不高等，都制约着公共项目的效能和效率。[28]

4. 政治制约（political constraints）。政治阻力可能给项目实施和初步审批带来严格的限制。这反映在组合的惰性及用渐进决策来回避问题的倾向上。例如，要花上数年时间才能使某些问题（消费者保护、环境保护、能源保护）进入公共机构的议事日程。[29]

5. 分配限制（distributional constraints）。为有效提供社会服务而设计的公共项目常常被要在不同人群中保证公平地分配收益和成本的需求所制约。正如我们所见，旨在实现高效率收益净值的项目往往产生最低的社会公正，反之亦然。

6. 预算限制（budgetary constraints）。政府预算是有限的，所以要求根据有限的资源来考虑目标。固定预算产生Ⅰ类问题，对此，分析人员必须在现有资源的范围内考虑效能最大化的方案。

建立一个制约因素树形图是对制约因素进行确定和分类的有效手段。制约因素树形图（constraints tree）是对妨碍实现目标的限制条件和障碍的图形化展示，是在目标树（见图 5—6）上添加制约因素。图 5—9 是简化的国家能源政策的制约因素树形图。

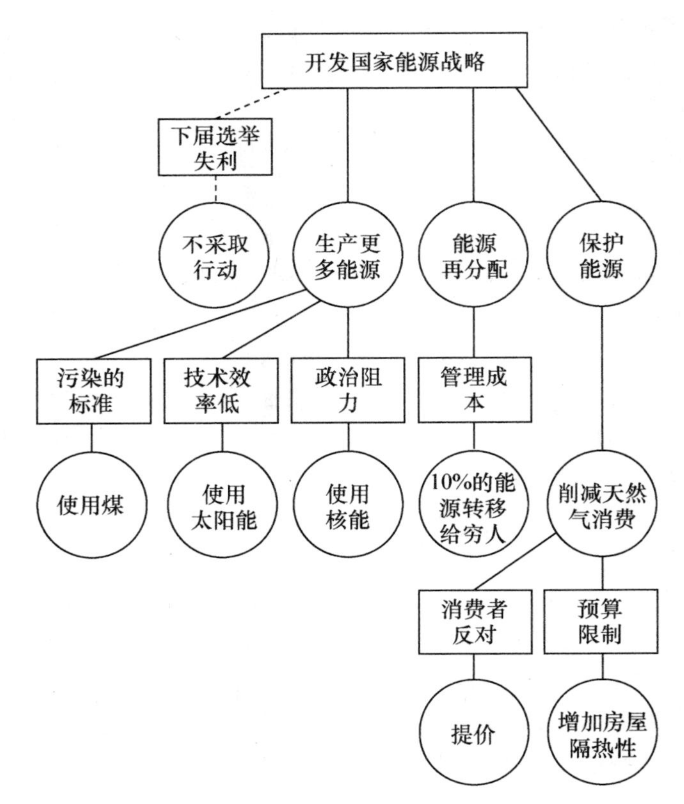

图 5—9　国家能源政策制约因素图

成本内部化

成本内部化（cost internalization）是将所有相关的外部成本（外部性）纳入内部成本要素结构的方法。通过考虑公共政策和项目的重大正溢出或负溢出，可以将成本或收益内部化。当成本完全内部化时，就不存在外部性，因为按定义，所有成本都变成了内部成本。也就是说，很多重大的外部成本——如污染、环境恶化或社会混乱——都明确地被纳入建议的过程中。

一般来讲，有四种值得分析人员特别关注的溢出或外部性[30]：

1. 产出—产出溢出。服务于一个目标群体或区域的项目，其产出可能影响另一项目的产出（正面或负面影响）。例如：成功的戒酒戒毒项目可以使周边社区执法活动减少。

2. 产出—消费溢出。某个项目的产出会影响另一个目标群体或区域所消费的产品的数量和质量。例如，公共投资高速公路项目将造成居民搬迁，或者改变相邻区域对产品和服务的需求。

3. 消费—消费溢出。一个区域内的公共项目消费活动会影响相邻区域或目标群体的消费模式。如建造一座大型政府办公设施可能使得当地居民无法找到适当的停车地点。

4. 消费—产出溢出。一个区域的公共项目消费活动会影响邻近区域内公共项目和私人项目的生产活动。如一个公共住房项目会改善当地商品市场。

成本内部化的重要作用在表 5—8 中已表现得很明显。表中列出了三个孕产妇保健项目的总成本、外部成本和内部成本。假如三个项目的结果完全相同，而州一级的分析人员未将分摊的联邦成本内部化，那么他会选择项目Ⅰ，因为它满足最低成本标准。但如果考虑了联邦成本，他会选择项目Ⅲ，因为其总成本最低。这个例子还引起人们对内部成本和外部成本相对性的关注。因为对一方是外部性成本，对另一方则不是。

表 5—8　　孕产妇不同保健方案的内部、外部和总成本（每人的成本）①

成本类型	方案					
	孕产妇和婴儿保健方案 Ⅰ		地区健康中心 Ⅱ		私人医生 Ⅲ	
对州的成本（内部的）	31 美元	10%	96 美元	48.3%	85 美元	48.3%
对联邦政府的成本（外部的）	282 美元	90%	103 美元	51.7%	90 美元	51.7%
总成本	313 美元	100%	199 美元	100%	175 美元	100%

资料来源：改编自 M. R. Burt, *Policy Analysis: Introductions and Applications to Health Programs* (Washington, DC: Information Resources Press, 1974), p. 35.

折　现

折现（discounting）是用来对未来实现的成本和收益进行现值估计的方法，它是进行政策建议时考虑时间影响的一种方式。时间是重要的，因为未来的成本和收益价值低于现在的价值。今天的 1 美元比一两年后花费的 1 美元更有价值，因为今天的 1 美元可以投资，一年后成为 1.12 美元（利息 12%）。除了利率因素外，人们还倾向于现在而不是未来消费，因为未来是不确定的，而且推迟能够立即获得满足的消费是困难的。

许多政策和项目随着时间推移产生不同的成本和收益，称为成本（或收益）流，它们随时间不均衡地分布。所以，必须将它们折现。例如，两个具备同样效益和成本的 5 年期保健项目似乎都可以作为建议提出。然而，项目Ⅰ的成本主要在第一年支出，而项目Ⅱ的成本则集中在最后一年，假设货币以每年 10%的比率贬值，那么项目Ⅱ以最低成本实现了同样的收益。但如果不考虑货币的时间价值，那么两个项目将不分伯仲（见图 5—10）。

---

① 该表数据存在一些错误。如：96÷199=48.2%，而非 48.3%；85÷175=48.6%，而非 48.3%；等等。为尊重原著，数据予以保留。——译者注

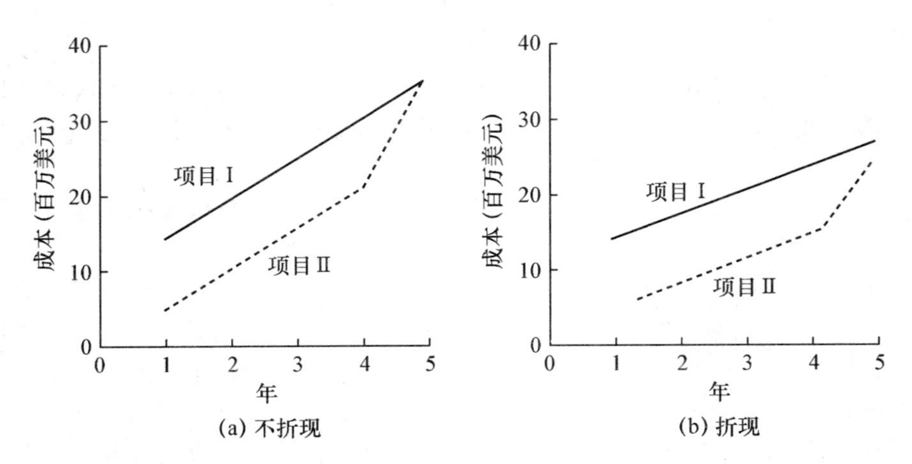

(a) 不折现 (b) 折现

图 5—10 具有同等效益的两个累计折现和不折现成本比较

未来收益或成本的限制可以通过折现系数来计算。折现系数（discount factor）代表这样一个量，即为了反映目前美元比将来美元价值更高，将来的收益和成本应减少的量。一旦知道了折现系数，我们只要把这个系数乘以将来收益和成本的已知美元值，就可以得出未来收益和成本的现值。这就是图 5—8 所示的情况。给定一个折现率（discount rate），即未来收益和成本收益值应该被减少的比率，通过知道要被折现的未来收益和成本的年份，就可以计算折现系数。计算折现系数的公式如下：

$$DF=\frac{1}{(1+r)^n}$$

式中，r 为折现率，n 为要折现的成本或收益的发生年数。[31] 例如，要计算折现率为 10%和 5 年期的折现系数（DF），我们进行以下计算：

$$\begin{aligned} DF &= \frac{1}{(1+r)^n} \\ &= \frac{1}{(1+0.10)^5} \\ &= \frac{1}{(1.1)^5} \\ &= \frac{1}{(1.61)} \\ &= 0.621 \end{aligned}$$

如果我们想折现第 5 年 100 美元的成本，我们只有用折现系数乘以这个成本，即 100×0.621=62.10 美元。换句话说，折现率为 10%的 100 美元在第 5 年的现值为 62.10 美元，现值（present value）是未来成本或收益的美元值乘以适当的折现系数。现值（PV）等于未来成本或收益乘以折现系数（DF）：

$$PV=\sum(FV\cdot DF)$$

FV 为成本和收益的未来价值，DF 为折现系数，$\sum$ 为求和符号。[32]

成本流现值的计算见表 5—9。注意：未折现总成本的未来值是 18 000 万美元，而折现成本流的现值是 15 275 万美元。假设收益流的现值是 17 500 万美元。如果我们用净收益标准进行政策建议（如净收益必须大于零），未折现成本将导致放弃该项目（17 500－18 000＝－500）。相反，如果我们折现成本流，我们就会建议该项目，因为净收益为 2 250 万美元（17 500－15 275＝2 250）。

表 5—9　　以 5 年期 10%折现率计算成本流的现值　　单位：百万美元

年份	未来值 (*FV*)	折现率 (*r*)	年数 (*n*)	折现系数 (*DF*) $1/(1+r)^n$	现值 (*PV*) (*FV*·*DF*)
1991	100	0.10	1	0.909	90.90
1992	50	0.10	2	0.826	41.30
1993	10	0.10	3	0.751	7.51
1994	10	0.10	4	0.683	6.83
1995	10	0.10	5	0.621	6.21
	180				152.75

一旦知道适当的折现率，要计算折现系数和成本（或收益）流现值就是简单的事。问题在于对折现率的选择依赖于判断，而这些判断又反映着分析人员、决策者或特定群体的伦理价值。例如，对未来收益采用的折现率越高，越难以取得支持该项目的净收益和收益—成本比率。如果折现率普遍偏高，将引起政府投资退居次要位置，而私人投资大行其道。与此相反，如果折现率普遍偏低，将鼓励扩大政府在社会中的作用。所以，重要的是认清选择折现率的各种冲突基础。

1. 私人折现率（private discount rates）。这里折现率的选择是根据对私人借款利息率的判断。对采用私人折现率的支持意见是公共投资使用公民的纳税，如果不纳税，公民可以在私人领域投资。所以，私人折现率反映了如果资金留在私人领域将会获得的收益，这是公共投资相对于私人投资的机会成本。对私人折现率的反对是：由于市场扭曲，私人利率差别相当大（5%～20%）；私人利率不能反映私人投资的外部机会成本（如污染）；而且私人利率反映的是少数个人和少数群体的偏好，而不是整个社会的偏好。

2. 社会折现率（social discount rates）。这里，折现率的选择以对社会整体的社会时间偏好的判断为基础。社会时间偏好（social time preference）指社会赋予未来收益成本的集体价值。这个集体价值不只是简单地将个人偏好相加，因为它反映了社会作为一个整体时，什么是重要的这样一个集体感受。社会折现率（social rate of discount）就是对未来集体收益和成本进行折现的比率，通常比私人折现率要低。持这种观点的人认为，社会折现率弥补了个人偏好的狭隘和短视，它考虑了私人投资的外部社会成本（如将有限的自然资源耗费殆尽），同时还反映了对后代的保障、健康和福利的关注。反对意见认为它在经济上是无效率的，或“不理性”的，社会折现率应高于私人折现率。其假设是私人折现率实际上低估了未来收益的价值，因为各人习惯于低估快速的技术进步促进未来收入增加的程度。

3. 政府折现率（government discount rates）。以政府借款的现行成本为根据来选择折现率。问题在于联邦、州和地方政府借款利率差异很大。管理与预算办公室主张政府项目采用10%的折现率，这个标准折现率并未反映当某个州、区域或社区可以用较低利率借款时投资的机会成本。

对折现率的选择是合理判断和道德争议的问题。不可能通过假定市场价格会给出一个一贯的价值判断来解决围绕折现率选择所发生的冲突。这一选择与各方对政府角色的不同看法以及前面讨论过的理性的不同形式密切相关。在这样的情况下，分析人员必须检测净收益和收益—成本比率对不同折现率和证实其选择的假设的敏感性。此外，分析人员可以计算投资的内部回报率（internal rate of return），这是一个在折现的单位货币成本带来的未折现收益回报率大于投资借款的实际利率时用来建议选择的方法。在此，一定要注意根据内部回报率考虑所有选择的潜在假设和道德含义。

敏感性分析

敏感性分析（sensitivity analysis）是用以测试成本—收益分析或成本—效益分析对于不同假设的敏感程度的一种方法，这些假设是指对既定的成本与收益实际发生的可能性的假设。在对两个（以上）方案进行比较时，行动的结果有相当大的不确定性，即使已经全面计算了一个成本收益（如效益、成本比率）。在这种情况下，分析人员可以对未来成本进行不同的假设——比如设想有高、中、低三种成本——并单独计算在每种假设下的不同比率，以便观察这些比率对不同的假设有多“敏感”。

例如，在比较两个人事培训项目时，分析人员要考虑交通费用对可能发生的油价变动的敏感性。人们可以假设在项目周期内，油价按照10%、20%、30%三个档次上浮。由于项目Ⅰ在城乡接合部进行，受训人员要比项目Ⅱ中的人员行驶更长的路程才能到达培训地点，项目Ⅱ在城区进行。油价的大幅度上涨会导致建议采纳两个项目中成本最高的。这类敏感度分析的类型见表5—10。另一种敏感度分析要使用回归分析来进行成本或收益值的区间估计，这个问题我们在第4章中已经讨论过了。

表5—10　敏感性分析：汽油价格的可能提高对两个培训项目的影响　单位：千美元

项目	价格提高		
	10%	20%	30%
Ⅰ. 城乡接合部			
总成本	4 400	4 800	5 200
培训人数	5 000	5 000	5 000
每名培训者的成本	0.88	0.96	1.04

续前表

项目	价格提高		
	10%	20%	30%
Ⅱ. 城市			
总成本	4 500	4 800	5 100
培训人数	5 000	5 000	5 000
每名培训者的成本	0.90	0.96	1.02

Fortiori 分析

Fortiori 分析是通过分析对一种方案有利的所有不确定性对两个或更多方案进行比较的方法。该方案根据直觉一般是可取的，但初步分析之后，似乎确是方案中较差的一个。分析人员可以有意对有利于较差的但凭直觉可取的方案的一个主要成本不确定性进行分析。如果较强的方案仍然比在直觉上可取的方案更有优势，就会有一个更强的理由支持竞争方案。注意，Fortiori 分析意味着“具有更大的强势”。

合理性分析

合理性分析（plausibility analysis）是对照对立意见测试建议的一个方法。它是批判的多元主义的一种形式，用来检验对立的因果和伦理主张，它可以表现为政策讨论。至少有 10 种对立意见，其中每一种都对以成本—收益为基础的建议的合理性形成威胁，图 5—11 对此作了说明。该案例来自 55 英里/小时时速限制对挽救生命的功效的讨论。

● 无效（invalidity）。政策建议建立在政策及其结果之间因果关系的无效假设基础之上。例如，对时速 55 英里的限制（1973 年《国家最高限速法》）的争论，主要围绕在所有城际高速公路实施最高速度限制时，这一限制对 1973 年以来看到的交通死亡人数下降的影响程度。有人对 1973—1975 年间 55 英里/小时限速避免了 9 800 人死亡的看法提出了质疑，他们认为死亡人数的下降是由于汽车质量和高速公路安全性的改进，最高速度和人口密度之间的相互作用，经济衰退、失业和每英里油价的降低等因素造成的，而非限速政策的功劳。[33]

● 无效率（inefficiency）。对时速带来的净效率收益的估计相差很大，它有赖于我们对人的生命以及以 55 英里而非 65 英里限速行驶时损失的时间所赋予的价值。一种估计是 23 亿美元，另一种估计是 34 亿美元。[34]

● 无效益（ineffectiveness）。对 55 英里限速的成本—收益估计也存在很大差异。每避免一起死亡事故的成本大致在 1 300～21 000 美元之间，这要根据把什么当作成本和收益的假设而定。[35]

● 排除（exclusion）。排除一些合理的成本和收益使净效率收益不合理地偏低或偏高。例如，在分析中不考虑以每小时 55 英里的速度驾车所损失的时间成本或以

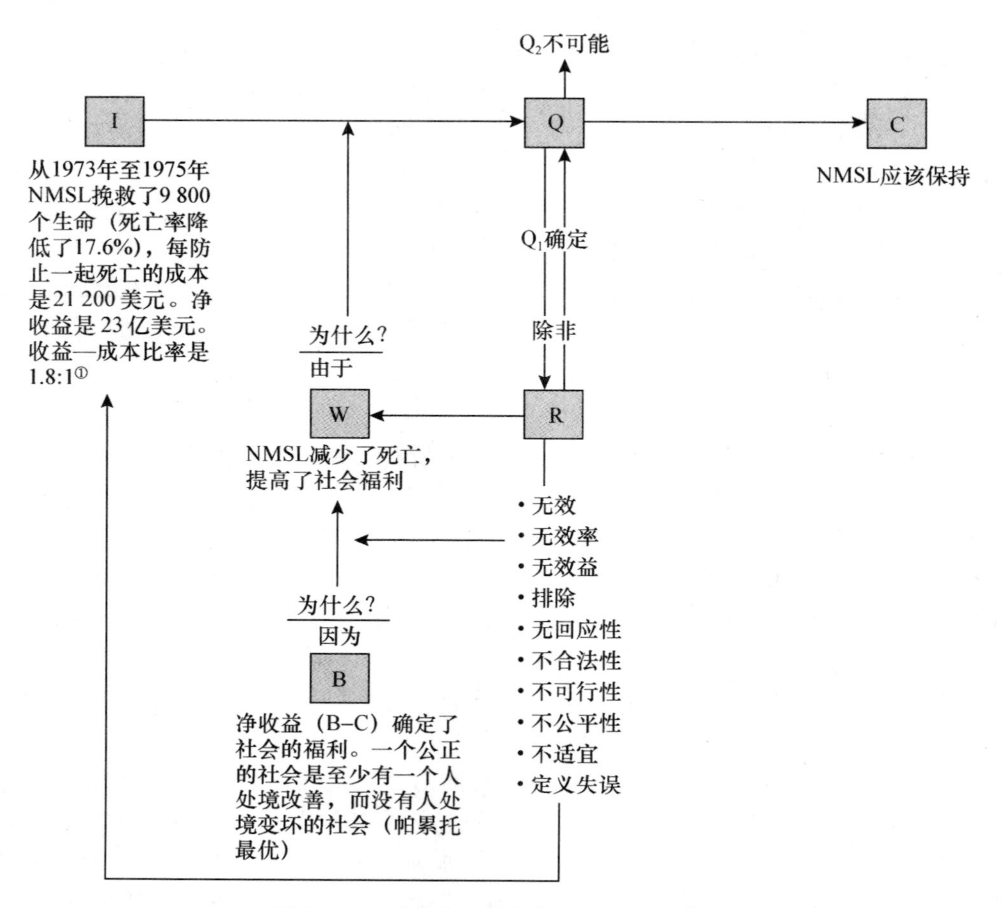

图 5—11 对成本—收益分析合理性的威胁

生命的货币价值为形式的收益。

● 无回应性（unresponsiveness）。通常，确定时间和其他资源的成本根据这样的假设，即个人为了参加一项节省时间的活动愿意支付平均工资率。这个平均工资率一般不能真实反映个人实际愿意支付的价格。例如，大约有一半的驾车者参加的是娱乐活动，而非商业或企业活动。因此，平均工资率显著地增加了 55 英里/小时限速的估计成本，不能真实反映人们所看到的以 55 英里的时速驾车的成本。

● 不合法性（illegality）。在某些情况下，建议的合法性会受到挑战。将违法、欺诈或非法歧视所产生的结果算作成本或收益是不当的。在涉及男性、女性和少数族裔工作岗位的可比价值的情况下，不合法是一个需要考虑的主要因素。而在时速问题上，则不存在这个问题。

● 不可行性（unfeasibility）。政策建议会由于政治的、预算的及行政上的限制等理由而受到挑战。各州在实施 55 英里/小时限速上的情况各不相同。因为各州执

① 按作者阐示，总成本应为 21 200 × 9 800 = 207 760 000（美元），收益：成本 = 23：2.1 = 11：1而非 1.8：1。——译者注

法和实施能力不同，在人口密度高的州，实施能力要强一些。

● 不公平性（inequity）。建议还受到道德理由的挑战。这些理由涉及社会公正和公平方面的不同理念。年轻的驾车人为失去生命而支付了更高的代价。因交通事故死亡者的平均年龄是 29 岁，这就是说，其中有一半是相对比较年轻的人。罗尔斯的公平理念——那些处境变坏的人应获益——可以用来对通过限速来减少死亡，而不是通过对年轻司机的教育和培训项目来减少死亡这一政策提出质疑。[36]

● 不适宜（inappropriateness）。依据对人生命价值的估计进行政策建议有时候将一个人一生收入的折现值作为生命的价值。有人认为这种做法并不适当，因为生命不是公开市场上的商品。[37]

● 定义失误（misformulation）。以成本—收益分析为基础的建议受到的一个长期挑战是问题被错误地定义。在 55 英里/小时限速的例子中，《国家最高限速法》（the National Maximum Speed Law）最初是针对 1970—1973 年石油危机中需要节省油耗的问题而提出的。而在石油危机结束之后，对问题的定义又转移到降低死亡率上。问题的现有定义（降低交通死亡）可能受到挑战，因为问题应该被定义为：通过大幅度调高燃油税，节省一次性不可再生资源，减少污染物排放和降低死亡率。

对政策建议合理性的威胁并不是只针对成本—收益分析和成本—效益分析。由于所有政策建议都要以因果和道德前提为基础，这些对合理性的威胁几乎跟所有试图通过规范、分配或再分配资源来实现改革的政策都有关。[38]

在结束本章之际，有必要强调，建议这一政策分析方法涉及许多不确定因素。其中，最后的不确定性与政策分析中价值观和道德观的作用有关。政策建议的目的不只是预测未来结果，而且还要提出对社会成员有价值的方案。当然，我们知道，使用经济理论和成本—收益分析工具来判断什么对社会总体最有益是非常困难的。正因为如此，最好把价值的不确定性看作合理的道德争议，而非技术经济问题。

不确定性的另一个来源是我们知识的不充分，不能充分了解政策对期望的结果的影响。即便能就所有重要的社会价值达成一致意见，我们仍然不能确切地把握在不同条件下什么样的政策和项目最好。当然，部分原因在于能用来衡量成本和收益的资料质量太差。例如，有很多成本—收益分析是根据有关成本和收益范围的不完全信息做出的。不确定性的另一个更重要的来源是计量程序的不准确，以及随后估计影子价格和选择适当的折现率时需要进行判断。

本章小结

我们审视了政策分析中建议的性质和作用，比较和对比了政策建议的两个主要方法，还对与这些方法结合使用的具体技术作了说明。正如我们所见，政策建议回答这个问题：应该做什么？因为这个原因，政策建议要求采用一种规范的而不是经验的或评价性的方法。所有政策建议都要提出行动意见，而不是仅仅提出指示性主张（如在预测中）或评价性主张（如在评价中）。

政策分析中建议的两个主要方法是成本—收益分析和成本—效益分析。虽然这两个方法都试图衡量社会的所有成本和收益，但只有前者用共同的货币单位（美元）衡量成本和收益。成本和收益有几种类型：内部的与外部的；有形的与无形的；主要的与次要的；真实的与货币的。在进行成本—收益分析时，有必要完成一系列相互关联的任务：明确目标，确定备选方案，收集、分析并解释信息，明确目标群体，明确成本和收益类型，成本收益折现，确定建议标准，提出建议。在传统的成本—收益分析中，常用的充分性标准是净收益和收益—成本比率。在当代分析方法中，这些标准由再分配标准补充。

学习目标

- 区别政策建议与其他政策分析方法
- 列出并描述在两个或更多方案中进行理性选择时所采用的标准
- 对比帕累托标准、卡尔多-希克斯标准和罗尔斯标准
- 比较和对比全面理性和间断—渐进选择模型
- 描述理性的六种类型
- 列出并描述进行收益—成本分析和成本—效益分析的步骤
- 讨论进行建议时不确定性的主要来源
- 列出并描述政策建议合理性的威胁
- 运用案例研究对收益—成本分析的假设和方法进行关键分析

关键术语与概念

决策标准	现值
集体物品	公共选择
外部性	准集体物品
卡尔多-希克斯标准	罗尔斯标准
净效率收益	再分配收益
过度倡议陷阱	有传递性的选择
帕累托标准	理性类型

复习思考题

1. 诺贝尔获得者、芝加哥大学经济学家米尔顿·弗里德曼（Milton Friedman）倡导实证经济学而非规范经济学。实证经济学集中研究支持政策问题的事实前提。

无利害关系的公民对经济政策的差别认识主要来自对采取行动的经济结果的不同预测——这种差别原则上可以通过实证经济学加以消除——而不是源于基本价值观的根本差异［*Essays in Positive Economics*（Chicago：University of Chicago Press，1953），p. 5］。

写一篇小文章概括这个立场的优缺点。你可以参考描述性和规范性分析的对比（见第 1 章）。

2. “如果个人可以用传递性的方式对他们的偏好进行排序，那么就有可能用多数原则对集体偏好进行排序，该排序也是传递性的。”你赞同还是反对该观点？为什么？

3. 理性选择是可能的吗？就该问题写一篇文章，在你的回答中，要区别理性的不同类型。

4. 理性的不同类型如何与建议的不同标准相联系？

5. 指出你会怎样衡量为实现下列目标而进行的努力的效益：

（1）缩小市政收入与支出的差距

（2）在城区遏制严重犯罪行为

（3）加强国家安全

（4）改善居民的生活质量

（5）减少全国失业人数

（6）增加贫困家庭的收入

6. 回到第 5 题，指出你怎样衡量为实现上述目标所作的努力的效率。

7. 很多经济学家认为公平和效率是相互冲突的目标。所以，两者之间是一种抵消关系，公平增加则效率下降，反之亦然［见 Arthur M. Okun，*Equality and Efficiency：The Big Trade-Off*（Washington，DC：Brookings Institution，1975)］。另有一些经济学家［见 Jaroslav Vanek，*The Participatory Economy*（Ithaca，NY：Cornell University Press，1970)］和政治学家［见 Carole Pateman，*Participation and Democratic Theory*（Cambridge，MA：Cambridge University Press，1970)］认为这种“抵消”是参与政治和工作的有限民主的结果。他们还认为当政治和经济完全民主化后，公平和效率就不一定相互抵消了。这种矛盾的观点对现代成本—收益分析的中心概念，包括“机会成本”、“货币性的”与“真实的”成本收益，以及“净效率”对“再分配”收益的适当性意味着什么？

8. 回到图 5—2，考虑下列建议的标准：

（1）用最小成本使收益最大化

（2）用固定成本 10 000 美元使效益最大化

（3）在固定的效益水平上（4 000 单位的服务）使成本最小化

（4）用单位成本 20 000 美元实现 6 000 单位服务的固定效益水平

（5）假设单位服务市场价格是 10 美元，将净收益最大化

（6）在假设单位服务市场价格是 10 美元，将收益—成本比率最大化

指出在每个标准下，应选择两个主要项目（项目Ⅰ和Ⅱ）中的哪一个，并描述

在什么样的条件下，每个标准可以充分地衡量目标的实现。

9. 对风险和不确定性的估计是政策建议的主要方面。虽然从表面上看，对风险和不确定性的估计方式是使用最有资格的专家，但有证据表明“那些对不同话题知道最多的人并不总是善于表达他们正确的可能性。”[Baruch Fischhoff，“Cost-Benefit Analysis and the Art of Motorcycle Maintenance，” *Policy Sciences* 8 (1977)：p. 184] 政策分析人员怎样摆脱这个明显的窘境？

10. 讨论为清洁空气取得影子价格的方法。

11. 使用价值澄清和价值评价方法分析支持下列观点的前提：“增加能源生产对经济的持续增长甚为关键。所以，政府应大量投资于新能源技术的研发。”将第一句话作为信息（*I*），第二句话作为观点（*C*）。

12. 分别以 5%、10%和 20% 作为折现率计算 10 年的折现系数（DF）。

13. 就下面两个卫生项目的成本和收益流（以百万美元为单位）计算现值（*PV*），折现率为 20%。哪个项目具有较高的效率收益现值？为什么？

项目	年度					
	1990 年	1995 年	2000 年	2005 年	2010 年	总数
Ⅰ成本	60	10	10	10	10	100
收益	10	20	30	40	50	150
Ⅱ成本	20	20	20	20	20	100
收益	10	20	30	40	50	150

参考文献

Fischhoff，Baruch，“Cost-Benefit Analysis and the Art of Motorcycle Maintenance，” *Policy Sciences* 8，(1977)：177－202.

Gramlich，Edward M.，*Benefit-Cost Analysis of Public Programs*，2d ed. Englewood Cliffs，NJ：Prentice Hall，1990.

Havenman，Robert H.，and Julius Margolis，eds.，*Public Expenditure and Policy Analysis*，3d ed. Boston：Houghton Mifflin，1988.

Mishan，Edward J.，*Cost-Benefit Analysis*，New York：Praeger，1976.

Whittington，Dalf，and Duncan MacRae Jr. “The Issue of Standing in Cost-Benefit Analysis，” *Journal of Policy Analysis and Management* 5 (1986)：665－682.

注　释

[1] 正如我们在第 1 章看到的，回答这个问题要求规范的方法或规范的（相对于描述的）政策分析。

[2] 关于政策分析伦理方面的综合文献，见 William N. Dunn，“Value，Ethics，and Standards in Pol-

icy Analysis" in *Encyclopedia of Policy Studies*, ed. Stuart S. Nagel (New York: Marcel Dekker, 1983) pp. 831-866。

[3] 关于多种倡议，见 Alexander George, *Presidential Decision Making in Foreign Policy: The Effective Use of Information and Advice* (Boulder, CO: Westview Press, 1980)。

[4] Ian I. Mitroff, Richard O. Mason, and Vincent P. Barabbt, *The 1980 Census: Policymaking amid Turbulence* (Lexington, MA: D. C. Health, 1983)，见作为问题建构方法的各种倡议，这种倡议具有与它自身的辩证方法相似的特征。

[5] 例如，见 Richard Zeckhauser and Elmer Schaefer, "Public Policy and Normative Economic Theory." in *The Study of Public Formation*, ed. Raymond A. Bauer and Kenneth J. Gergen (New York: Free Press, 1968), p. 28。

[6] Ibid, p. 30.

[7] 见 Paul Diesing, *Reason and Society* (Urbana: University of Illinois Press, 1962)。

[8] 关于决策标准，见 Theodore H. Poister, *Public Program Analysis : Applied Research Methods* (Baltimore, MD: University Park Press, 1978), pp. 9-15。

[9] 用图表示效益—成本比率的一个简单方法是：从图形的原点（即左手边较低位置）到效益成本曲线的"弯点"（即直线与曲线的切点）画一条直线。直线越向左边靠近垂直的效益轴，效益与成本的比率越大。

[10] 例如，见 Richard Zeckhauser, "Procedures for Valuing Lives," *Public Policy* (fall 1975): 419-464; and Baruch Fischhoff, "Cost-Benefits Analysis and the Art of Motorcycle Maintenance," *Policy Sciences* 8 (1977): 177-202。

[11] John Rawls, *A Theory of Justice* (Cambridge, MA: Harvard University Press, 1971).

[12] 关于类似的元标准，包括普遍性、一致性和清晰度，见 Duncan Macrae Jr., *The Social Function of Social Science* (New Haven, CT: Yale University Press, 1976)。

[13] 见 Arthur M. Okun, *Equality and Efficiency* (Washington, DC: Brookings Institution, 1975)。

[14] 例如，见 Peter Brown, "Ethics and Policy Research," *Policy Analysis* 2 (1976): 325-340。

[15] 例如，见 Jurgen Habermas, *Toward a Rational Society* (Boston, MA: Beacon Books, 1970); and Legitimation Crisis (Boston, MA: Beacon Books, 1975)。

[16] 见 Laurence H. Tribe, "Ways Not to Think about Plastic Trees," in Tribe and others, *When Values Conflict* (Cambridge MA: Ballinger, 1976), p. 77。

[17]见 H. H. Hinrichs and G. M. Taylor, *Systematic Analysis: A Primer on Benefit-Cost Analysis and Program Education* (Pacific Palisades, CA: Goodyear Publishing, 1972), pp. 4-5。

[18] Alice Rivlin, *Systematic Thinking for Social Action* (Washington, DC: Brookings Institution, 1971), p. 56.

[19] 关于成本—收益分析的全面论述，见 Edward J. Mishan, *Cost-Benefit Analysis* (New York: Frederick A. Praeger, 1976); and Edward M. Gramlich, *Benefit-Cost Analysis of Public Programs*, 2d ed. (Englewood Cliffs, NJ: Prentice Hall, 1990)。

[20] 见 George M. Guess and Paul G. Farnham, *Cases in Public Policy Analysis*, Chapter 5, "Coping with Cocaine" (New York: Longman, 1989), pp. 7-48; and Constance Holden, "Street-Wise Crack Research." *Science* 246 (December 15, 1989): 1376-1381。就像 1992 年，布什政府并没有解决这一问题。

[21] 例如，见 Frank Levy, *Dollars and Dreams: The Changing American Income Distribution* (New York: Russell Sage Foundation, 1987)。

[22] 例如，见 David Novick，*Efficiency and Economy in Government through New Budgeting and Accounting Procedures*（Santa Monica，CA：Rand Corporation，February 1954）；Roland J. Mckean，*Efficiency and Economy in Government through Systems Analysis*（New York：Wiley，1958）；Charles J. Hitch and Roland J. McKean，*The Economics of Defense in the Nuclear Age*（New York：Atheneum，1965）；and T. A. Goldman，ed，*Cost-Effectiveness Analysis*（New York：Frederick A. Praeger，1967）。

[23] 见 T. Harrell Allen，*New Methods in Social Science Research*：*Policy Sciences and Futures Research*（New York：Frederick A. Praeger，1978），pp. 95－106。

[24] 背景资料，见第 7 章。

[25] 见 H. G. Massey，David Novick，and R. E. Peterson，*Cost Measurement*：*Tools and Methodology for Cost-Effectiveness Analysis*（*Santa Monica*，CA：Rand Corporation，February 1972）。

[26] Poister，*Public Program Analysis*，pp. 386 － 387；and H. P. Hatry，R. E. Winnie，and D. M. Fisk，*Practical Program Evaluation for State and Local Government*（Washington，DC：Urban Institute，1973）.

[27] Poister，*Public Program Analysis*，pp. 417－419.

[28] 对组织制约的一般对策，见 Vincent Ostrom，*The Intellectual Crisis in American Public Administration*（University：University of Alabama Press，1974）。

[29] 例如，见 Roger W. Cobb and Charles D. Elder，*Participation in American Politics*：*The Dynamics of Agenda-Building*（Boston，MA：Allyn and Bacon，1972）。

[30] Hinrichs and Taylor，*Systematic Analysis*，pp. 18－19.

[31] 折现系数假定成本（或收益）流的未来货币价值是不等的（例如，各时期开始的大量成本将随着时间的推移而减少）。如果成本（或收益）流的未来货币价值各年相等（例如五年中，每年的成本都是 1 百万美元），则习惯采用一个简化的指标，称为年金系数（一年一度或有规律的几年一度）。年金系数的公式为

$$AF=1-\left(\frac{1}{1+r}\right)n/r$$

或采用更简明的形式 $AF=1-DF/r$。

[32] 另一个计算现值的公式，可以得出相同的结果，即 $PV=FV/(1+r)^n$，其中 FV 是成本和收益的未来值，r 是折现率，n 是要折现的成本或收益发生的年数。

[33] 见 Duncan Macrae Jr. and James Wilde，*Policy Analysis for Public Decision*（North Scituate，MA：Duxbury Press，1979），pp. 133 － 152；Edward R. Tufte，*Data Analysis for Policy*（Englewood Cliffs，NJ：Prentice Hall，1974），pp. 5－18；Charles T. Clotfelter and John C. Hahn，"Assessing the National 55 mph Speed Limit，" *Policy Sciences* 9（1978）：281－294；and Charles A. Lave and Lester B. Lave，"Barriers to Increasing Highway Safety，" in *Challenging the Old Order*：*Toward New Directions in Traffic Safety Theory*，ed. J. Peter Rothe（New Brunswick，NJ：Transaction Brooks，1990），pp. 77－94。作者已经论证了英里死亡率的变化中有 90%与失业和汽油价格的变化有关。

[34] 见 Grover Starling，*Strategies for Policy Making*（Chicago：Dorsey Press，1988），pp. 407－410；and Guess and Farnham，*Cases in Public Policy Analysis*，pp. 177－203。

[35] Starling，*Strategies for Policy Making*，pp. 409－411；见注释 33 的参考文献。

[36] 关于该问题尤其应参见 Rothe，*Challenging the Old Order*。

[37] 见 Guess and Farnham，*Cases in Public Policy Analysis* 中的相关讨论。

[38] 见 Dunn，" Policies as Arguments"，and Frank Fischer，*Politics*，*Values*，*and Public Policy*：*The Problem of Methodology*（Boulder，CO：Westview Press，1980）。

第 6 章

监测观察到的政策结果

政策结果永远无法完全预知。因此，在政策执行之后对政策进行监测至关重要。在本章，政策建议可以看作是政策与其结果之间关系的假设：如果在时间 t 采取政策 P，结果 O 就会在时间 $t+1$出现。通常，有理由相信政策会起作用，否则它们就是盲目的推测或纯粹的空想。然而，"政策假设"必须受到随后经验的验证。

6.1　政策分析中的监测

监测（monitoring）是用来提供政策原因和结果信息的政策分析程序。由于监测有助于描述政策实施情况与结果之间的关系，它就成了获取政策执行[1]情况信息的首要来源。因此，监测最为关注的是确定公共政策的实施前提。尽管事实前提和价值前提均处于连续不断的变化中，而且"事实"和"价值"是相互依赖的，但只有监测在政策被采纳和执行前后都能提供事实前提。相比之下，预测则只是努力在行动之前提供事实前提。

监测在政策分析中扮演着重要的方法论角色。当政策行为信息通过监测转化为政策结果信息时，我们可以感受问题情势（problem situations）。问题情势，正如我们在第 3 章看到的，是和思想相互作用的外部环境，而非外部环境本身。通过监测所描述的问题情势被转化为通过问题构建所形成的问题。政策结果信息也通过评估转化为政策绩效信息。

监测在政策分析中至少有四个主要作用：解释、核算、审计和监察。

1. 监察（compliance）。监测有助于确定项目执行人员、官员以及其他利益相关者是否按照立法者、管理机构和专家组所制定的标准和程序开展行动。例如，环境保护机构的空气质量连续监测计划（the Environmental Protection Agency's Continuous Air Monitoring Program，CAMP）提供的污染水平信息有助于确定相关产业是否遵守联邦空气质量标准。

2. 审计（auditing）。监测有助于确定原来计划安排用于特定目标群体和受益者（私人、家庭、市政当局、州、行政区域）的资源是否真正各就其位。例如，对联邦分税计划的监测可以确定资金满足地方政府需要的程度。[2]

3. 核算（accounting）。监测所产生的信息有助于对大范围公共政策和项目的执行所引起的社会和经济的变化进行核算。例如，生活质量的变化可以用诸如平均受教育程度、贫困线以下人口的百分比和平均年薪等社会指标来监测。[3]

4. 解释（explanation）。监测还可以提供关于公共政策和计划结果出现变异的原因信息。例如，在犯罪审判、教育水平以及社会福利方面的社会实验可以帮助我们找到最有效的政策和计划，并知道它们怎样发生作用以及为什么最有效。[4]

信息来源

在任何给定的问题领域监测公共政策，我们都需要相关的、可靠的和有效的信息。如果想了解某项为弱势儿童群体提供受教育机会计划的运行结果，我们不仅需要证明获得受教育机会这一问题的一般信息，还需要那些能够回答关于哪些是政策制定者可以控制并能产生更多受教育机会的具体因素方面的信息。前一类信息，我们在第 3 章已经看到过，是宏观消极（macronegative）的信息，而后一类信息则被很好地描述为微观积极（micropositive）的信息。通过监测获取的信息必须可靠，这就意味着观察应该适度精确和可信。例如，我们知道犯罪率为 0.4%～1%是不可靠的，因为实际发生的犯罪数量比报告给警方的多 2～3 倍。[5]最后，我们还想知道关于政策结果的信息是否真正衡量了我们想要衡量的东西，也就是说，信息是否有效。例如，我们仅仅对暴力犯罪比较关心，那么关于整个社会总体犯罪（包括汽车盗窃和白领犯罪）情况的信息就不是对于我们所关心的政策结果的有效信息。[6]

联邦、州和地方政府、私有研究机构和高校都花费了大量费用在各时点对政策结果方面的信息进行定期采集。其中一些信息是一般性的，例如关于社会的、经济的及总人口的统计特征方面的信息；另一些信息则更加具体，因为它们包含了地区、州、市政当局及社会其他子群体方面的信息。例如，参看以下由美国人口普查局（the U. S. Bureau of the Census）、劳动统计局（the U. S. Bureau of Labor Statistics）、联邦机构和研究院下属的办公室和技术情报交流中心、几个非营利研究中心、欧盟和联合国机构公开出版的政策结果信息来源[7]：

《美国历史统计》
《美国统计摘要》(www. fedstats. gov)
《县市数据手册》
《人口普查应用研究》
《学生的社会和经济特征》
《美国教育成就》
《现代人口报告》
《美国黑人社会和经济地位》
《女性家长月劳动评论》
《劳动统计局手册》
《国会季刊》
《法律文摘》
《现代舆论》
《美国各州人口普查》(www. census. gov)
《国会的各地区数据手册》
《全国民意研究中心》
《(NORC) 一般社会调查》
《全国精神健康信息交流中心》
《全国药品滥用信息交流中心》
《全国犯罪审判咨询服务》
《忽视和虐待儿童交流计划》
《全国分税信息交流中心》
《社会指标 (1973)》
《社会指标 (1976)》
《州经济和社会指标》
《欧盟统计》(www. eurostat. eu)

除了这些来源之外，联邦、州和市政机构还提供有关教育、健康、福利、劳动、就业、犯罪、能源、污染、外交事务及其他领域内专门项目和计划的报告。各种研究中心、研究院所以及许多高校也有保存大量政治、社会、经济数据的资料档案馆，那里储存着全国应用研究人员撰写的大量书籍、专题著作、文章及报告。许多此类信息可以通过多种电子信息检索系统获得。提供这些信息检索系统的包括美国政治科学文献 (United States Political Science Documents)、国家科技信息服务机构 (the National Technical Information Service)，以及前面列出的各种信息交流和咨询服务机构。如果通过现有途径无法获得现成的数据以及其他信息，则可以结合使用调查问卷、访问、专题考察以及利用机构记录来进行监测。[8]

政策结果的类型

在对政策结果进行监测的时候，我们必须区分两类结果：政策产出和政策影响。政策产出 (policy outputs) 是目标群体和受益者所获得的货物、服务或其他资源。老年人获得人均福利支出以及家庭食品服务数量就是政策产出的一个例子。相反，政策影响 (policy impacts) 是指由政策产出引起的人们在行为和态度方面的实际变化。例如，如果提供给老年人的家庭食品服务数量是政策产出的一个合适衡量指标，那么老年人日均蛋白质摄入量就是政策影响的一个衡量指标。类似地，每1 000人拥有的医疗病床数可以是一个很好的政策产出衡量指标，而要对相应的政策影响进行监测，我们还不得不确定有多少目标群体的成员在生病时实际使用这些可用的病床。

对政策产出和政策影响进行监测时，认识到目标群体不一定是受益者是重要的。目标群体 (target groups) 是受政策或计划影响的个体、群体或组织，而受益者 (beneficiaries) 则是指政策影响对其有益的群体。例如，由职业安全和健康署 (the Occupational Safety and Health Administration, OSHA) 执行的联邦计划的目标群体是工业制造公司，受益者却是工人及其家庭。同时，健康和安全标准的严格执行还可能会导致更高的生产成本和随之而来的就业减少。这种情况下特定群体（例如不熟练工人和临时工人）可能会失业，因此他们既不是目标群体，也不是受益者。最后，现在是目标群体和受益者，将来不一定是，因为今天的政策和计划对后代的影响是不同的。一个很好的例子就是，防止儿童受有害化学物质和污染物侵害以降低其在成年时患癌症风险的计划。

政策行为的类型

要很好地解释政策产出及政策影响的变化，就需要回溯到先前的政策行为。一般来说，政策行为有两个主要目的：规范和分配。规范行为（regulative actions）是指那些确保符合特定标准和程序的行为，如环境保护署和美国宇航局的行为。相反，分配行为（allocative actions）是需要投入时间、金钱、人力和设备的行为。规范行为和分配行为都可能带来分配性和再分配性的后果。[9]例如，州酒类控制委员会对酒类经营许可证的规范会影响商业机会的分配，而对社会保障总署资源的分配则会导致对退休人员利益的分配。相反，对联邦分税计划的资源配置部分是为了将税收收入从州地方政府向市政府重新分配。然而，请注意，所有的规范行为都需要资源的投入，例如，要有效地实施联邦职业健康和安全规定，则需要配给大量的资源。规范行为和分配行为由联邦、州、地方政府以项目和计划的形式贯彻执行（见图 6—1）。

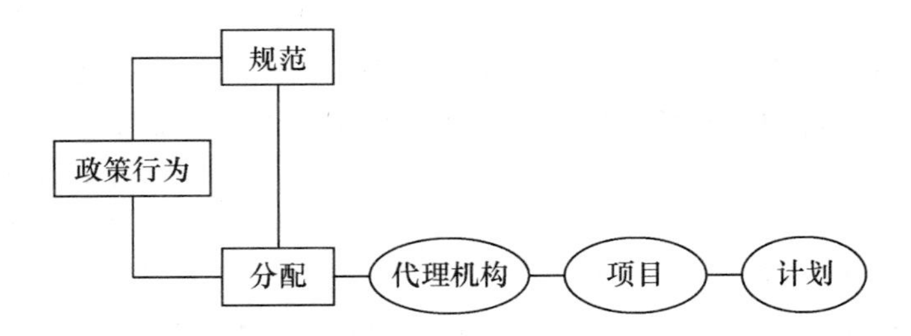

图 6—1 规范行为和分配行为通过各种机构以项目和计划的形式执行

政策行为可以进一步细分为政策投入和政策过程。政策投入（policy inputs）是为获得产出与影响而使用的资源——时间、金钱、人力、设备和供给品。政策投入的一个最好的例子是项目预算，它是对分配给项目活动和任务的资源的一个系统核算。相反，政策过程（policy processes）是促成政策投入向政策产出和政策影响转化的管理的、组织的以及政治的活动和态度。例如，机构内部职员同管理层存在冲突、职员对工作条件不满，或者决策程序过于僵化，都可以解释为什么那些具有同样资源投入的项目却获得较低水平的产出及影响。非常重要的一点就是一方面要区分投入与过程，另一方面要区分产出和影响。如果不能很好地区分它们，就好比只去测量“鸟儿扇动翅膀的次数而不管其已经飞行了多远”一样。[10]政策行为与结果的类型在表 6—1 中分了三个领域进行说明。

表6—1　　政策行为及其结果的类型：在三个领域的投入、过程、产出及影响

主题区域	政策行为		政策结果	
	投入	过程	产出	影响
犯罪审判	工资、设备及维修的货币支出	总逮捕数中非法逮捕的百分比	每10万项已知案件中逮捕的罪犯数量	每10万项已知案件中被判有罪的罪犯数量
市政服务	环卫工人及设备的货币支出	工人的道德品质状况	服务的总居民数	街道的清洁程度
社会福利	全社会工人的数量	同享受福利人员的关系	每个社会工作者的福利份额	非独立儿童的生活水平

定义和指标

能否成功地获取、分析和解释政策结果方面的数据，取决于我们构建可靠有效的衡量方法的能力。构建衡量方法的途径之一是确定我们在监测中感兴趣的变量。变量（variable）是人、事、物以不同数值表现的任何特征，而常量（constant）就是不发生变化的量。公共政策分析的一个难题是：我们常常无法得到关于这些或那些变量的精确定义。因此，考虑变量的两类定义是比较有用的，即基本定义和操作性定义。基本定义（constitutive definitions）就是用其他同义词对那些用于描述该变量的词语做出解释。例如受教育机会的基本定义可以是“选择与自己能力相一致的学习环境的自由”。尽管是本质的，但这种定义并没有给我们提供监测受教育机会变化的具体原则或指导。事实上，我们不可能去直接测量受教育机会，因为基本的或“词典上的”定义同制定政策的“真实世界”之间并不存在紧密的联系。

我们只能使用变量的操作性定义和指标来间接反映政策行为及其结果。操作性定义（operational definition）就是通过指标反映和衡量改变量所需要的操作过程来定义这个变量。例如，我们可以超越受教育机会的基本定义而将其定义为“人口普查数据文献所载明的家庭年均收入在6 000美元以下的家庭中进入高校深造的学生人数”。在这个例子中，我们断定这个定义是可操作的，因为它指明了反映和衡量受教育机会所需要的操作，据此我们就可以直接查找和阅读人口普查数据中关于家庭收入和儿童受教育水平方面的内容。有了这些信息，我们就能够着手对公共政策的影响进行监测。

操作性定义不仅指明了反映和衡量某项变量所需要的程序，而且还有助于确定投入、过程、产出和影响等变量的相应指标。变量的指标（indicators）——例如，学校平均注册人数、吸毒人数或空气中二氧化硫的含量——是一些直接的可观察的特征，它们可以作为那些间接地可观察或不可观察特征的替代物。我们确实无法直接观察工作满意度、生活质量或经济进步。

在对同一个变量进行可操作性定义的时候会有许多可供选择的指标。这就出现了解释说明的问题。例如，要搞清楚下列一个、几个或全部指标是否能够充分衡量罪犯控制政策的效果是相当困难的：平均每个警官逮捕的罪犯数目、每项已知案件逮捕的罪犯数目、总逮捕人数与错捕比例、罪犯所供认的罪行数量、市民个人安全

感。因为变量同指标之间的关系是很复杂的，我们常常会使用多个指标来衡量一个政策行为和结果。[11]有时可能会构建一个指数（index），即两个或更多指标的结合。比起任何单个指标本身，指数能更好地衡量一个行为或结果。生活费用指数、污染指数、犯罪严重程度指数、能源消耗指数、医疗保健指数、行政集权化指数、生活质量指数等都是政策分析中使用的众多指数类型。[12]

6.2 监测的方法

政策监测在政策分析中处于核心地位。尽管有很多方法来监测政策产出和政策影响，但有时很难将政策监测同一般的社会研究区别开来。幸运的是，监测能够被分解为几个相互区别的方法：社会系统核算、社会实验、社会审计和综合实例研究。可以用两个主要特征对这些方法进行对比（见表 6—2）。

表 6—2　　四种监测方法的主要对比

监测方法	控制类型	所需信息类型
社会系统核算	定量	任何可获得的/最新的信息
社会实验	直接控制和定量	最新信息
社会审计	定量和/或定性	最新信息
综合实例研究	定量和/或定性	可获得的信息

1. 控制类型。监测方法可以依据他们对政策行为变量实施控制方式的不同进行区分。其中只有一种监测方法（社会实验）包含着对政策投入和政策过程的直接控制。其他三种方法均通过事后确定观测到的结果变量有多少是由于政策投入和过程引起的（并与政策行为无直接联系的不相关因素作比较，以“控制”投入和过程。

2. 所需信息的类型。各种监测方法可以根据各自不同的信息需求来区分。社会实验以及社会审计需要收集最新信息，社会系统核算可能需要也可能不需要最新的信息，而综合实例研究则必须依赖可获得的信息。

四种监测方法也有一些共同的特征。第一，它们都关注政策相关结果（policy-relevant outcomes）的监测。因此，每种方法都涉及与政策制定者相关的变量，因为这些变量都是政策产出/政策影响的指标。有些政策相关变量（例如投递服务的资源投入或新程序）能够被政策制定者控制，而其他一些变量则不能被控制。这些不可控制的变量包括政策实施的前提条件（例如，目标群体的平均年龄或文化价值观念）以及在政策执行过程中发生的不可预测的事件（例如，突发的职员流动、罢工或自然灾害）。

第二，它们都是锁定某些目标的（goal-focused）。这意味着政策结果之所以被监测，是因为它们被确信能够满足某些需求、实现某些价值或获得某些机遇——即政策结果被看作是解决问题的途径。同时，有些政策结果之所以被监测，是因为它们可能阻止某些需求的满足、价值的实现或机会的获得。[13]注意那些不可控制的变量，即政策前提和不可预知的事件，在我们知道其会影响政策结果的程度上也是目标锁定的。

第三，它们都是以变化为导向的（change-oriented）。各种政策监测方法或者通过分析结果随时间的变化，或者通过比较两个或更多项目、计划或地区的变化，或者将两种情况结合来监测政策结果的变动。一些方法（如社会系统核算）监测社会、州、地区及社区等宏观层次的变化；另一方法（社会审计以及社会实验）则主要是以项目或计划在微观层次上的变化为导向。

第四，它们都允许根据其他变量，包括用于监测政策产出和过程的变量，来对产出和影响交叉分类（cross-classification）。[14]例如，平均每个学生的教育支出这个产出变量可以用政策投入变量（如教师工资）和衡量过程的变量（如班级收入）和不可预知事件（如罢工次数）进行交叉分类。

最后，每种方法都关注对政策行为以及结果的主观和客观的衡量。例如，各种方法均对诸如医疗保健服务数目等客观结果提供衡量，也对诸如医疗保健服务满意度等主观结果提供衡量。客观的指标常常以可以获得的数据为基础（如人口普查资料），而主观指标则以样本调查或专题研究获得的数据为基础。在某些情况下，客观衡量和主观衡量都以可以获得的和最新的信息为基础。例如，可以重复进行过去的研究获取新信息，然后，将这些信息与旧的信息进行比较以监测社会变化的方向和速度。[15]

这些共同特征中的每一个都有助于对政策监测下一个总的定义，即政策监测是为在不同目标群体和受益者中衡量目标锁定的主客观社会条件的变化而获取政策相关信息的过程。[16]社会条件包括政策行为和政策结果以及在政策执行过程中影响行为和结果的前提条件和不可预知事件。在政策行为产生“负效应”和超过预期效果的“外溢”时，这些影响可以是即刻发生的（第一位影响）或随后发生的（第二、第三或第 n 位影响）。负效应和溢出可能促进也可能限制对需要的满足、价值的实现以及机遇的获取。图 6—2 代表了政策分析中监测的一个总框架，它说明了政策监测定义的几个元素。

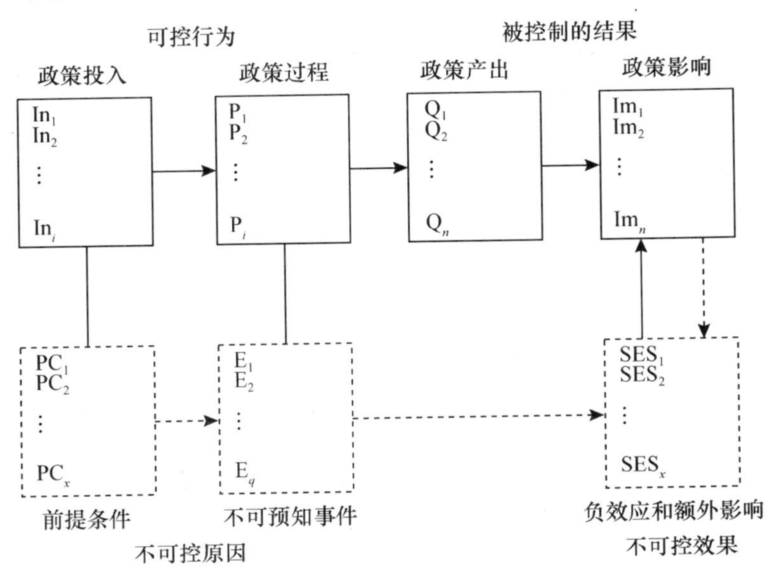

图 6—2　政策监测总框架

注：实线表示可控制行为以及被控制结果和效果。虚线表示不可预知事件、负效应和额外影响。负效应和额外影响是不可控制的第二位影响，它们可能增加或限制需要、价值标准和机遇的满足。

社会系统核算

有了这个总框架，我们可对四种监测方法进行比较。社会系统核算（social systems accounting）是允许分析人员对主观和客观社会状况变化进行监测的一种方式和一套方法。[17]“社会系统核算”这个词来源于全国技术、自动化及经济进步委员会（the National Commission on Technology，Automation，and Economic Progress）（1964 年建立的考察技术发展和经济进步引起的社会后果的组织）的一篇报告。该委员会的这篇报告建议联邦政府建立一套“社会账户系统”以与国民经济账户系统配合使用。[18]美国宇航局科学技术研究院（the American Academy of Arts and Sciences for the National Aeronautics and Space Administration）实施的一项工程探测了太空计划的第二位影响。这项工程的结果之一就是促进了社会政治和经济趋势监测方法的发展，一部大部头著作《社会指标》（*Social Indicators*）在 1966 年出版。[19]尽管这项开发社会系统核算的工作出现在 20 世纪 60 年代，但它实际上是 1933 年由总统社会趋势研究委员会（the President's Research Committee on Social Trends）赞助的项目的延续。在社会学家威廉・F・奥格本（William F. Ogburn）的指导下，该委员会在工作被终止（在大萧条期间）之前发表了两卷本报告《最近社会发展趋势》（*Resent Social Trends*）。[20]

建立社会系统核算的工作贯穿了整个 20 世纪 60 年代和 70 年代，这期间的一些主要成果是由那些关注社会变迁的主观和客观衡量指标的社会科学家取得的[21]，其他主要的成果来自联邦政府机构，包括健康教育福利部（the Department of Health，Education，and Welfare）、预算和管理办公室和劳工部（the Department of Labor）。[22]几个国家组织（联合国、经济合作和发展组织）在社会指标的构建方面贡献良多。此外，法国、英国、联邦德国、加拿大、挪威、瑞典和日本等国政府也做了类似的工作。[23]

社会系统核算的主要因素是社会指标。尽管社会指标有多种定义，但最有用的是：“社会指标是衡量社会状况及各部分人口随时间变化的统计量。”[24]这里的社会状况既可以是客观的，又可以是主观的，因为它既可以用于监测如城市化程度等客观状况，又可以用于监测对市政服务的满意度等主观状况。社会指标除了可以对州、市一级的变化进行监测外，还可以对全国的变化进行监测。[25]社会指标还可以用于监测社会变化的特殊领域，如污染、医疗保健及工作生活的质量等方面。[26]

表 6—3 列出了一部分有代表性的社会指标。这些从几个主要来源获取的代表性指标按照不同的领域进行分组。首先要注意的是，许多指标用于监测客观社会状态，例如，州精神病院病人数。其他的指标则依赖于主观反映，例如，惧怕在夜间单独行走的人数。其次，许多指标用时间单位表示，并且按照总体的各个部分进行交叉分类，例如惧怕夜间单独行走的人数可以在 1965—1972 年间按时间顺序排列，并且可以按种族、年龄、受教育程度及收入水平进行交叉分类。再次，有些指标以当前经验的方式表达，而其他一些则以未来目标的形式表达。例如，制造业工人的

年平均带薪假期可以用 1967 年的值（2 周）表示，也可以用 1976—1979 年的未来目标值（4 周）表示。最后，许多指标与公共政策的产出和影响相关。例如，35～64 岁妇女的劳动力就业率可以看作是衡量支持就业机会平等行动的政策效果的指标，而空气污染指数可以用于监测环境保护署所采取措施的效果。简言之，大部分社会指标都是与政策有关的、目标锁定的、以变化为导向的、交叉分类的和反映客观和主观社会状况的。

表 6—3　　一些典型的社会指标

研究领域	指标
健康和疾病	州精神病院的人数(1)
公共安全	害怕夜间单独行走的人数(2)
教育	25 岁及以上的高中毕业生(1)
就业	妇女就业率(1)
收入	处于贫困线以下的人口百分比(1)
住房	住房条件低于法定标准的家庭(2)
休闲和娱乐	制造业职工年均带薪假期(1)
人口	计划人口数和实际人口数(2)
政府和政治	公共管理的质量(3)
公众价值和态度	对生活的总的满意度和陌生感(4)
社会流动性	父辈职业的变迁(1)
自然环境	空气污染指数(5)
科学和技术	科学发现(6)

资料来源：

(1) U. S. Department of Health, Education and Welfare, *Toward a Social Rebort* (Ann Arbor: University of Michigan Press, 1970).

(2) Office of Management and Budget, *Social Indicators, 1973* (Washington, DC: U. S. Government Printing Office, 1974).

(3) U. S. Department of Labor, *State Economic and Social Indicators* (Washington, DC: U. S. Government Printing Office, 1973).

(4) Angus Campbell, Philip Converse, and Willard Rodgers, *The Quality of American Life* (New York: Russell Sage Foundation, 1976).

(5) Otis Dudley Duncan, *Toward Social Reporting: The Next Steps* (New York: Russell Sage Foundation, 1969).

(6) National Science Board, *Science and Engineering Indicators* (Washington, DC) (Biennial). National Science Foundation.

使用社会指标进行政策监测时，常常有必要对社会指标变化的原因作出假定。例如，如果报案次数这个指标可以用于监测犯罪控制政策的产出，联邦调查局 (the Federal Bureau of Investigation) 官方统计（标准犯罪报告）表明，每 10 万居民的报案次数，在 1975—1976 年期间下降了 0.3 个百分点，在 1967—1976 年期间上升了 76.2 个百分点。要把这种下降或上升归因于罪犯审判政策，则需要假定犯罪次数的这些变化是联邦、州及地方执法机构政策行为的结果。而这种假定很值得怀疑，甚至在我们拥有资源投入的精确资料（人力和设备支出）时也是如此。因此我们忽略了一些不可控因素［如战后“婴儿潮”（baby boom）带来的更多年轻人口］，还忽视了将投入转化为产出的过程。实际上，我们往往不得不将投入和产出关系作为一个“黑箱”（black box）来对待，它表示投入和产出之间的关系中我们所未知（因此必须假定）的领域。

使用社会指标有几大优点。首先，建构监测政策结果的恰当社会指标的努力可以提醒我们注意那些信息不充分的领域。例如，有许多关于市政服务的信息，而大部分信息都是衡量产出的，也就是单位资本提供的服务的数量和类型。而关于市政服务政策对市民影响方面的信息——例如，用交通状况满意度、环境卫生状况满意度及休闲设施满意度衡量的影响——在大部分情况下是不充分的。[27]其次，当社会指标提供了关于政策对目标群体影响方面可靠的信息时，对政策和计划进行修正就成为可能。社会指标还可以提供有助于构建政策问题及修改现有政策方案的信息。例如，我们发现25岁以上的高中毕业生数目已经增加，但受教育人群的社会流动性却还没有改变。在这种情形下，我们可能希望通过较少强调受教育机会作为社会流动的手段来重新构建社会不平等问题。[28]

社会指标也有各种局限。首先，选择某些社会指标（如贫困线下的家庭百分比）反映了特定的社会价值观念，并可能带有分析者的政治偏见。[29]假设政策问题本身是人为的和主观的，则任何一项社会指标能否完全独立于那些为监测而开发和使用它们的人们的价值观念是值得怀疑的。其次，社会指标对那些面临现实选择的政策制定者可能并非直接有用。例如，联邦决策者的一项研究发现，社会指标并不具有很大的工具性价值。[30]因此，虽然社会指标可能有助于使问题概念化或建构政策问题，但它们往往因为流于一般而无益于寻找特定问题的具体解决办法。

其次，大部分社会指标以可获得的关于客观社会状况的数据为基础。虽然使用可获得的关于客观社会状况的数据比收集关于主观状况的新信息要简单，但对主观状况的监测与对客观状况的监测同样重要。[31]例如，虽然每10万名居民的报案次数可能会减少，而居民的不安全感却可能保持不变甚至会增加。类似地，贫困家庭的数量可能减少了，而对生活质量的感受却可能没有任何大的变化。

最后，社会指标很少提供关于政策投入如何转化为政策产出的各种途径方面的信息。关于政策产出和影响变量的报告一般以观察到的政策投入和结果的关系为基础，而不是以关于资源投入如何转化为产出和影响过程方面的信息为基础。衡量政策投入和政策产出之后，再依据二者的密切程度将二者联系起来。同时，人们要努力确定前提条件和不可预知事件——也就是那些除了最初政策投入以外的因素——是否增加或抑制了某些产出的生产。然而，这些非政策影响的解释过程发生在政策产出发生以后，并以统计控制的应用为基础。所谓统计控制，就是允许分析人员在非常明确的条件下观察投入对产出影响的技术。例如，教育支出对学校成绩的影响将按贫困家庭和中等收入家庭分别进行分析。

社会实验

使用社会指标的后果之一是：在寻找哪项政策最有效及其原因的过程中可能伴随着大量的成功和失败。相对于系统试验，这种方法被称为随机更新。[32]随机更新

(random innovation) 是指执行大量的、其投入既无法标准化也无法系统控制的选择性政策和项目的过程。因为不对政策行为进行直接的控制，所以政策结果也不容易追溯到已知的源头。相反，社会实验 (social experimentation) 是系统控制政策行为的过程，从某种程度上讲，它可以获得关于政策结果变化源头问题的近乎准确的答案。社会实验有很多类型，如实验室试验、田野实验、准试验。社会实验往往故意放大一个小的精心挑选的项目组内的不同类型政策行为之间的差别，并在向未测试项目作大规模投资之前估计它们的后果。社会实验通过这种方式来寻求解决社会问题的途径，并因此得到提倡。[33]

社会实验以物理学上传统的实验室实验中运用的程序的调整为依据[34]：

- 对实验处理（刺激）的直接控制 [direct control over experimental treatment (stimuli)]。运用社会实验的分析人员直接控制实验处理（政策行为）并使各种处理的差别最大化，以求产生差别最大的效果。
- 对照（控制）组 [comparison (control) groups]。社会实验中使用两个或多个组。一组（称为实验组）接受实验处理，而其他组（称为控制组）则不接受处理或者接受与实验组显著不同的处理。
- 随机分配 (random assignment)。那些不是由实验处理产生的潜在的引起政策结果差异的因素（源头）通过随机选择试验成员并将其随机分到实验组或控制组，以及随机给这些组分配处理方法而被消除。随机分配可以使各组和各成员（他们对实验处理可能有不同的反应）选择的偏见最小化。例如，中等收入家庭的孩子与贫困家庭的孩子相比，可能会以一种更为积极的方式对某项特殊的教育计划作出反应，这意味着非计划本身的因素造成了更高的阅读得分这个结果。通过随机化，选择偏差就会被减少或者被消除。

自 20 世纪 30 年代罗斯福新政以来，社会实验和准实验就作为监测公共政策结果的一种途径而被提倡。[35]第二次世界大战以后，社会试验被用于许多公共政策领域：公共健康、辅助教育、社会福利、罪犯审判、药品和酒精滥用、人口控制、营养计划、高速公路安全及住房计划等。[36]最著名的社会实验之一是新泽西—宾夕法尼亚分级促进就业实验 (the New Jersey-Pennsylvania Graduated Work Incentives Experiment)，它由经济机会办公室 (Office of Economic Opportunity, OEO) 提供资金支持。该实验在新泽西的三个地方 [新泽西州府特伦顿 (Trenton)、新泽西州东北部城市帕特森 (Paterson-Passaic) 和泽西市 (Jersey City)] 以及宾夕法尼亚东北部城市斯克兰顿 (Scranton)，从低收入家庭 15～58 岁的强壮男性中抽取了一个随机样本。这样在其中每个城市，都有一些家庭接受不同档次的收入补助和减税，而另一些家庭则没有。总共有 1 350 个家庭参加了这次实验。

福利改革的批评者预言收入补贴和减免税（也称负所得税）会使那些低收入家庭的人减少一定的工作量。但当时的实验并没有证实这种预言。实验表明：实验组（有收入补贴）和控制组（无收入补贴）在就业行为上并没有表现出明显的差别。实验前后收入上的变化完全说明了这一点。事实上，实验组的收入增长只比控制组略微高一些。

社会实验还有这样的潜力，即用精确的方式显示特定政策行为（如提供收入补贴）是否会导致特定结果（如家庭所得）。实验和准实验对关于行为对结果的影响进行有效因果推理的能力称为内部有效性（internal validity）。内部有效性越大，我们就越有信心说政策产出是政策投入的结果。有效性的威胁是人、政策、环境的特殊情况或者实验本身的方法论特征，它们危及或消除了政策结果的有效性。事实上，社会时延的过程就是减少对政策结果内部有效性构成威胁的一种方式。[37]在这些威胁中，最重要的有：

1. 历史（history）。从执行政策到测量政策结果之间会发生大量不可预知的事件。例如，社会动乱、罢工或者公众舆论的突然转变等，都可能是政策结果变异原因的一种合理解释。

2. 蜕化（maturation）。组里的成员发生了变化，无论是个人、家庭还是更大一点的社会单位，这些变化都可能对政策结果独立地产生影响。例如，随着时间的推移，个体的态度可能会发生改变，也可能会出现学习过程，或者地理意义上的单位会增加或减少。这种蜕化可能使我们对政策结果的解释更加困难。

3. 不稳定性（instability）。时间序列的波动可能引起政策结果不稳定的变异，这些变异往往是获取信息时偶然误差或随机过程的结果，而不是政策行为的结果。由于大部分时间序列都是不稳定的，因而关于政策行为对政策结果的影响的因果推断大多存在问题。

4. 测试（testing）。进行实验并衡量结果这个事实本身可能使实验组和控制组的成员对试验目标和期望变得敏感。当这种情况发生时，政策结果可能是参加者迎合政策行为意图的结果，而不是政策行为本身（如收入补贴）的结果。[38]

5. 工具（instrumentation）。测量结果体系或程序的改变，而不是结果本身的变异，可能是政策成功（或失败）的原因。

6. 更替（motality）。一些实验组或控制组，或者它们的成员，可能在实验完成之前就会退出实验，这使得因果推断变得更加困难。例如，在新泽西—宾夕法尼亚分级促进就业实验中，一些家庭就在实验结束前退出了。

7. 选择（selection）。很多情形下进行随机抽样是不可能的，因此需要进行一些在选择应答者时无法完全消除选择偏差的所谓准实验设计。例如，在提高阅读能力的一个准实验设计项目中，如果一组儿童主要从高收入家庭（在这样的家庭中，有规律的阅读是比较盛行的）抽取，另一组儿童从低收入家庭抽取。比较两个组在项目执行前后阅读得分的差异，前一组阅读得分的差别肯定不如后一组明显。这样就可能使计划看起来不如实际上那样有效，有时甚至会使实验看起来有害无益。[39]

8. 回归现象（regression artifacts）。如果实验组和控制组的成员是依据极端特征挑选的（例如，阅读实验计划中选择的穷人家庭的学生可能都是高材生），阅读得分可能会因为已知的“向均值回归”原理而出现虚假的变化。向均值回归（regression toward the mean）是一种统计现象，它是指总体的某些特征的极值会自动向总体均值靠拢或“回到”总体均值附近。例如，个头极高或极矮的父母所生的孩子，其身高会向所有父母身高的算术平均值回归，即高个父母所生的孩子，可能要比父母矮，而矮个父母所生的孩子可能要比父母高。

通过精细设计，有很多方法可以提高社会实验和准实验的内部有效性。一般来说，这样的方法包括：随机选择，对结果变量随时间变化进行重复衡量，对一些实验和控制组的先前项目结果测量进行衡量。后一种方法可以消除某些组的检测效应，可以把这些组在项目执行之后的结果测量与对应组的结果测量进行比较，对应组的结果在接受投入前后均进行了衡量。[40]

社会实验的最大缺陷是外部有效性差。所谓外部有效性（external validity）是指因果推理在实验特定环境以外的适用性。影响政策产出观点外部有效性的几个重要因素与影响内部有效性的那些因素相似，包括解释说明、检测和样本选择。另外，其他一些因素对观点适用性的威胁也不可小视，其中最重要的是人为环境。进行社会实验的条件可能是人为设置的，或者不能代表其他地方的情况。例如，新泽西和宾夕法尼亚的状况就与旧金山、西雅图和安克雷奇的状况有差别，这使得观点的普适性受到质疑。

在监测政策过程中，包括雇员和顾客相互作用的方式以及他们变化着的态度和价值，社会实验常常不能令人满意。许多重要的政策和计划是非常复杂的，而社会实验对政策过程的处理过于简单化。例如，社会实验不能很好地适用于目标宏大的计划，这些计划包含着利益相关者的深层次冲突，也不适用于存在不同的群体（组）以完全不同的方式来对待相同的人力、资源以及设备投入的情况。[41]基于这些以及其他一些原因，各种获取利益相关者主观判断的定性方法已经被用于揭示政策执行过程中可能被忽略的方面。这些方法——从亲身体验和日志或日记到运用类似政策德尔菲法的团体会议——可以看作是补充或代替社会实验的一种途径。[42]

社会审计

社会系统核算和社会实验的一个共同局限——即两种方式都忽略了政策过程或者将其过于简单化——社会审计可以部分克服这一缺陷。社会审计（social auditing）清楚地监测着投入、过程、产出及影响之间的关系，其目的是试图跟踪资源投入“从资源开始投入到被预定的接受者接受”[43]。社会审计已经被兰德公司和国家教育研究院（the National Institute of Education）的分析人员用于分析教育政策和青少年政策，它可以帮助确定政策结果到底是政策投入的不足导致的还是由于资源或服务偏离了预定目标群体或受益者所引起的。

如果把社会审计同社会系统核算以及社会实验进行比较，我们会很容易发现社会审计同其他检测方法的根本区别。在两项重要的研究中，人们已经利用社会系统核算和社会实验的区别来监测教育政策。这两项研究分别是：受教育机会均等性（Equality of Educational Opportunity）和 Westinghouse 教学公司的启蒙计划的评估（Westinghouse Learning Corporation's evaluation of the Head Start program）。[44]在第一案例中，社会系统核算对不同层次教学资源的效果通过测量资源投入（教师、教材、学校设施）和结果（以不同层次学生的成绩衡量）之间的关系来监测。在第二个案例中，特别阅读及技巧开发活动（投入）与受训儿童的认知和预感能力（产出）之间的关系在许多城市里被研究实验。两种方法的本质特征是：

> 要衡量政策投入和政策产出，并且将二者联系起来（当然要利用实验或统计控制来消除环境变量的影响）。任何制度性结构干预都被当作黑箱，将资源投入这个黑箱中，然后任何所需要的结果及负效应则从里面产生。在上面提到的第一个研究中（受教育机会均等性），学校就是黑箱。投入到其中的资源就是教师、师生比、教材年限、图书馆规模以及大量对学校资源的传统衡量。产出就是对学生在文学和数学技能方面的成绩。在第二项研究中，资源投入就是由启蒙计划（Head Start）提供的额外资源；产出就是对学生认识和感受能力的衡量。[45]

在对政策过程进行监测时，社会审计可以提供“黑箱”中发生的重要信息。社会审计监测的政策过程主要有两种类型：资源分离和资源转化。[46] 在资源分离（resource diversion）中，通过行政系统将资源转移，使最初的投入同预定目标群体和受益者相分离。例如，两个人力资源培训计划的总支出可能相等，但是一个项目可能将更多的资金用于工资和其他人力成本上，因此导致单位资金雇用职员数量的下降以及服务同受益者的分离。更为重要的是资源转化（resource transformation）过程，在这里，资源与目标群体的实际接受额可能相同，而这些资源对项目人员和目标群体的意义可能完全不同。如果资源的含义事实上不同，则可以用增加（或延缓）对受益者影响的方式转化资源。基于这个原因，这些定量方法可以用定性方法加以补充。定性方法可以用来提供影响政策执行或受其影响的利益相关者对政策行为的主观解释信息。[47]

1972年美国住房与城市发展部（Department of Housing and Urban Development，HUD）的住房实验乃是借助定性方法对政策过程进行监测的一个很好的例子。这项实验旨在验证直接现金支付是否有助于低收入家庭在公开市场上获得充足的住房。[48]

在这个案例中，对投入和产出的定量衡量不仅迫使一些分析人员将政策过程当作“黑箱”处理，而且从一开始就妨碍他们看到某些因素——如住房顾问的自动帮助——对政策影响的作用。与只用定量方法衡量投入和产出相比，定性方法的补充使用可能产生截然不同的结果，这个例子还表明，几种监测方法彼此可能具有潜在的互补作用，社会实验和定量衡量就能与社会审计和对政策过程的定性描述成功地结合起来。

综合实例研究

社会审计与社会实验需要收集关于政策行为和结果的最新信息。虽然社会系统核算主要以可获得的信息为基础，但是当关于社会状况的主观信息过时或不可能得到的时候，也需要新的信息。与其他监测方法相比，综合实例研究（research and practice synthesis）这一监测方法包括对执行公共政策的过去努力的结果进行系统的整理、对比和评价。该方法被用于综合众多政策问题领域（从社会福利、农业和教育到市政服务和科技政策）的信息[49]，还被用于评价关于政策过程和结果方面的政策研究的质量。[50]

与综合实例研究相关的可获得信息的来源主要有两个：政策形成与执行的案例分析、阐述政策行为和结果联系的研究报告。该方法应用于案例分析时，可能以案例调查法为基础。案例调查方法（case-coding scheme）是指用于鉴别和分析引起政策采纳和执行变异的因素的一套程序。[51]案例调查法要求分析人员首先准备一份案例编码表，它是涉及政策投入、过程、产出及影响等关键因素的一套分类。在这样的一个案例调查中，分析人员要努力确定政治参与以及其他过程变量对市政服务提供这一产出变量的影响。[52]其他关注公共机构和私人公司的案例调查，需要确定哪些因素导致执行和采用大量管理创新努力的成败。[53]表 6—4 列出了一个典型的案例编码表中有代表性的指标和代码分类。

表 6—4　　案例编码表：代表性指标和代码分类

指标类型	指标	代码分类
投入	资源充足程度	[ ] 完全充足
		[ ] 大部分充足
		[ ] 不充足
		[ ] 未知
过程	政策分析人员参与定义问题的程度	[ ] 作决定
		[ ] 影响决定
		[ ] 没有影响
		[ ] 未知
产出	政策研究结果的应用	[ ] 高
		[ ] 中
		[ ] 低
影响	可感知的问题被解决的程度	[ ] 完全解决
		[ ] 部分解决
		[ ] 没有解决
		[ ] 未知

用于可获得的研究报告时，综合实例研究以研究调查（research survey）、研究综合或评价综合为基础，这是一套用于比较和评价过去的关于政策行为和政策结果的研究成果的程序。[54]研究调查更为重要的应用在于辨析这些因素，即与创新的传播交流、有计划的社会变革以及公共政策和项目的产出和影响相关联的因素。[55]研究调查方法提供以下几类信息：对结果变异根源的经验归纳、研究者对这些归纳的信心的总结性评估、这些归纳所包含的政策选择和行动指南。表 6—5 给出了研究调查方法应用的一个样本结果。

表 6—5 研究调研方法应用的样本结果：经验归纳、行动指南及对归纳的置信水平

经验总结[a]	行动指南[b]	置信水平[c]
1. 现有的资源消耗与过去的资源消耗有很强的联系。	在决定是否接受新政策或项目时，分析人员应该找出历史上出现过最大资源消耗的情形。	3
2. 政策结果与政策执行的地方（市、州或者地区）的经济发展水平有关。	在决定是否接受新政策或项目时，分析人员应该将注意力放在富裕的、都市化的及工业化的地区。	4
3. 有专业城市管理人员的市政当局（变革性政府），其教育政策产出要高于不具有专业管理人员（非变革性政府）的产出。	分析人员应该按照采取政策行为的市政当局的类型来调整建议。	2

注：

a. 经验归纳依赖于可以获得的研究报告，包括学术著作、文章及政府报告。

b. 从经验归纳中可以获得行动的指南，同一个经验归纳常常含有多个行动指南。

c. 用于表示对经验归纳置信程度的数字是以大量可靠有效的研究为基础的。

资料来源：改编自 Jack Rothman, *Planning and Organizing for Social Change: Action Principles from Social Sciences Research* (New York: Columbia University Press, 1974), pp. 254-265.

研究调查方法同案例调查方法类似，需要构建获取研究报告信息的程序。典型的研究报告表格包含大量的条目，这些条目可以帮助分析人员对研究进行总结并对其质量作出评估。这些条目包括被衡量的变量、所用研究设计和方法的类型、执行研究问题的领域以及对研究发现的可靠性和有效性的全面评价。图 6—3 是研究调查表的一个示例。

1. 报告题目____________________
2. 报告作者____________________
3. 报告摘要（概念框架、假设、研究方法、主要发现）
4. 问题领域（例如，健康、劳动、罪犯审判）

____

____

____

5. 主要衡量变量（描述说明）

（1）投入____________________

（2）过程____________________

（3）产出____________________

（4）影响____________________

6. 经验总结（列表）

____

____

7. 研究设计（例如，案例研究、社会实验、交叉部门研究）

____

____

8. 研究质量（数据可靠性、内部有效性、外部有效性）

____

____

图 6—3 研究调查表样本

作为监测的一种方法，综合实例研究主要有三个优点：第一，案例调查和研究调查方法是整理和评估日益增加的政策执行案例和研究报告的相当有效的途径。[56]无论重点是案例还是研究报告，综合实例研究都允许分析人员系统严格地考察不同的经验总结及其含义。第二，案例调查方法是揭示影响政策结果的政策过程不同层面的途径之一。对政策过程的总结可以作为支持相同或类似案例的论据，例如，它可以表明在相同的环境下执行政策和计划会产生相同的结果。第三，案例调查方法也是考察主观和客观社会状况的一个很好的途径。它是获取不同利益相关者对政策过程主观感觉方面信息的一个花费较少而又比较有效的途径。[57]

综合实例研究的主要局限在于信息的可靠性和有效性。案例和研究报告不仅在研究者的量和深度方面各式各样而且常常是自证的。

例如，大部分可获得的案例和研究报告并不包含对研究局限性和不足之处的明确讨论，而经常只是提出一点看法。类似地，可获得的案例常常只报告政策计划执行的成功方面。尽管有这些局限性，综合实例研究仍然是在诸多领域积累关于政策行为和结果方面知识的系统方法。它只依赖可获得的信息，因而与社会审计、社会实验以及社会系统核算相比，它的花费更少一些。同时，其他监测方法也有各自的优点和缺点。一种方法的长处常常是另一种方法的短处。因此，关于政策结果最有说服力的总结是那些有多个主题（投入、过程、产出、影响），使用不同类型控制（直接操纵、定量分析、定性分析），以关于客观和主观状况的可获得的最新信息为基础的总结。

6.3　监测的技术

与其他政策分析方法不同，监测并不涉及与各种方法有明显关联的程序。因此，许多技术对四种监测方法都适用，包括社会系统核算、社会审计、社会实验和综合实例研究。表 6—6 列出了适用于四种方法的技术。

表 6—6　　适用于四种监测方法的技术

监测方法	图示法	表格法	指数法	间断时间序列分析	对比序列分析	不连续回归分析
社会系统核算	×	×	×	×	×	○
社会审计	×	×	×	×	×	○
社会实验	×	×	×	×	×	×
综合实例研究	×	×	○	○	○	○

注：×表示技术适用于该方法；○表示技术不适用于该方法。

图示法

政策结果的许多信息可以用图示表达。图示（graphic displays）是对一个或多个政策行为或结果变量之值的形象化表达。图示法可以在一个或多个时点描绘单一变量，也可以总结两个变量之间的关系。一幅图一般要显示一系列的数据点，每个点都由其在两个数轴上的坐标界定。图的水平尺度为横坐标，纵向尺度为纵坐标。

当图示用于显示因果关系时，横轴用于表示自变量（X），称为 X 轴，而纵轴用于显示因变量（Y），称为 Y 轴。由于监测的主要目的之一是解释政策行为如何影响政策结果，因而我们通常将投入和过程变量放在 X 轴，而将产出和影响变量放在 Y 轴。

最简单有用的图示之一是时间序列图（time-series graph），用横轴表示时间，纵轴表示结果。例如，我们希望监测 1970—1977 年警方交通控制对减少机动车辆事故死亡人数的效果，就可以用图 6—4（a）和图 6—4（b）两个时间序列图表示。注意：图 6—4（a）纵轴刻度以千人为单位，初始值为 44 000（初始值是指横轴和纵轴相交的点），而图 6—4（b）的纵轴刻度以 5 000 人为单位，初始值为 0。虽然两幅图显示的是同一组数据——显示出在 1973 年执行 55 英里时速限制之后死亡人数有所下降——但是，图 6—4（a）显示的变化比图 6—4（b）更为剧烈。这个例子表明，纵轴刻度的疏密会扭曲数据的显著性。由于没有明确的规则来选择间隔尺度，因此仔细检查图中描绘的变化所隐含的含义至关重要。

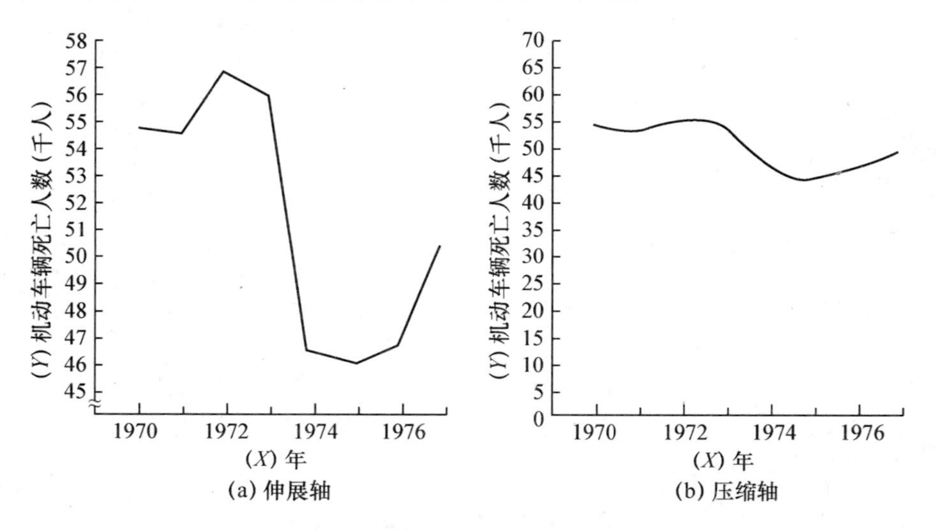

图 6—4 1970—1977 年机动车辆事故死亡人数的两个时间序列图

注：死亡人数包括机动车辆之间的相撞事故和机动车辆同火车、自行车和固定物体相撞事故。
资料来源：National Safety Council.

两个或者多个变量在同一时点的关系也可以用图来表示。这种图称为散点图，我们在第 4 章已经讨论过散点图了。我们可以用散点图来观察某个变量是否与另一个变量成同方向变化，即两个变量是否相关。如果一个变量在时间上先于另一个变量（例如，一项新计划总是先于目标群体的变化），或者如果存在证明变量相关的有说服力的理论（例如，经济理论断定高收入会导致高的储蓄倾向），我们就有把握称变量之间存在因果联系。否则，变量就是简单相关——即两个变量仅仅是相互“跟随”着发生变化——一个变量不能假定为另一个变量的原因。

使用图示面临的一个普遍问题是可能存在虚假解释（spurious interpretation），即可能出现这种情形：两个变量表面上看起来相关，而实质上各自都与另外一个变量相关。虚假解释的一个典型例子是：分析人员通过对某市救火行动的数据进行考察发现，投入火灾现场的消防车的数量（投入变量）与火灾损失额（产出变量）呈正相关。所观察到的相关性可用于宣称所使用消防车的数量并没有减少火灾损失，因为无论有多少消防车到现场，火灾损失额仍然以同样的速度上升。这种解释是虚假的（非真实的），因为它没有考虑第三个变量——火灾的规模。当我们把这个变量用于分析时，就会发现火灾规模既与所用消防车的数量相关，又与火灾损失相关。当我们把第三个变量加入分析，初始的相关就消失了，解释看上去合理了一些，而不再是虚假的了（见图 6—5）。由于在分析中我们无法完全保证已经知道了所有可能影响最初两个变量关系的相关变量，虚假解释就成了一个比较严重的问题。

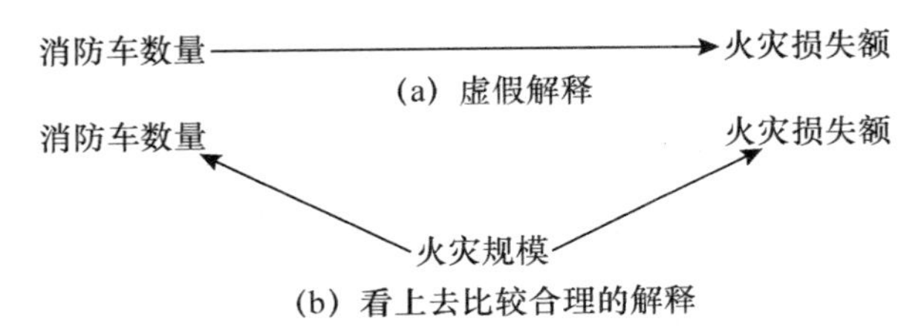

图 6—5　对某市救火行动数据的虚假解释和看上去较合理的解释

资料来源：改编自 H. W. Smith，*Strategies of Social Research：The Methodological Imagination*（Englewood Cliffs，NJ：Prentice Hall，1975），pp. 325-326。

政策结果数据的另一种显示方式是柱状图（bar graph），它是利用沿着横轴（或纵轴）平行排列的相互分离的矩形（柱）对数据进行形象化表达。图 6—6 的柱状图用来显示美国城市财政危机分析的政策投入部分（城市平均人力总成本）。注意：人口呈增长趋势的城市人力成本水平最低，人口呈下降趋势的城市则有较高的人力成本。该柱状图还显示出 1973 年纽约市的特殊性。

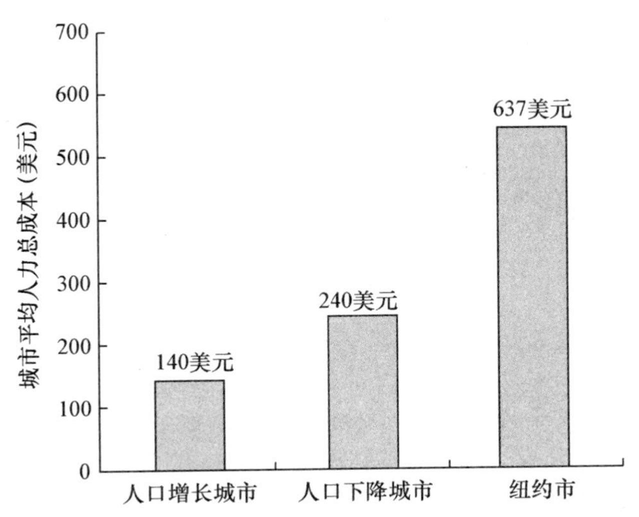

图 6—6　关于人口增长城市、人口下降城市及纽约市平均人力成本柱状图

注：总人力成本是指 1973 年的数据。人口的增长和下降是以 1960—1973 年平均人口为基础的。

资料来源：Thomas Muller，*Growing and Declining Urban Areas：A Fiscal Comparison*（Washington，DC：The Urban Institute，1975）.

关于政策结果的信息常常可以用分组频数分布（grouped frequency distributions）的形式获得。在分组频数分布中，特定类目（例如年龄或收入）下的人数或目标群体以图示方法表示。例如，如果我们想监测不同年龄组处于贫困线下的人数，可以从表 6—7 种的数据开始。这个数据可以转化成两种图示：直方图和频数多边形。

表 6—7　　分组频数分部：1977 年按年龄分组的贫困线下的人数

年龄组	贫困线下的人数
小于 14 岁	7 856 000
14～21 岁	4 346 000
22～44 岁	5 780 000
45～54 岁	1 672 000
55～59 岁	944 000
60～64 岁	946 000
65 岁及以上	3 177 000
总计	24 721 000

注：贫困线是以一个指数为根据的。这个指数将不同性别、年龄和居住地区（农业和非农业）的人们的消费需要考虑在内。贫困线要根据消费价格指数的变动进行更新。1977 年对所有人的（不考虑年龄和居住地区差别）贫困线是年收入低于 3 067 美元。

资料来源：U. S. Department of Commerce，Bureau of the Census.

直方图（histogram）是一种条形图，它将某个行为或结果变量在某一时点的分组频数分布信息进行组织并以图示表示出来。直方图中沿着横轴排列的各矩形的宽度相等，各矩形之间没有间隔，而矩形的高度则表示每组发生的频数（称为组间距）。图 6—7（a）的直方图表示 1977 年不同年龄组处于贫困线下的人数。直方图很容易转换成频数多边图［见图 6—7（b）］。方法是：找出每个组间距的中点，将其当作数据点，再将所得数据点用直线连接。它与直方图的不同之处在于，频数多边形使用一系列直线来表示频数分布。

另一种显示政策结果信息的方式是累积频数多边形（cumulative frequency polygon）。它是一种沿着纵轴表示累积频数分布的图形。沿横轴从左往右看，以第一组的频数（人数、家庭数、城市数、州数）在纵轴上作一点；接着以第一、第二组频数的累加值再画点；如此下去直到横向刻度的终点，即所有频数之和。在监测扶贫政策效果时，一个比较有用的累积频数多边图就是洛伦兹曲线（Lorenz Curve），它可以显示既定人群总数的收入、人口及居住地点的分布。[58]例如，我们可以用洛伦兹曲线来比较总体中每个相继的百分比组的收入占总体收入的份额。这些百分比组可以称为五分位组（quintiles）或十分位组（deciles），分别由总体的 1/5 和 1/10 构成。图 6—8 显示了 1947 年和 1975 年美国家庭私人所得的分布情况①，由于 1975 年洛伦兹曲线与对角线（表示完全均等）的距离更近了一些，这表明 1975 年和 1947 年相比，家庭收入的分配更为均等了。

① 实际上图 6—8 显示的是 1975 年与 1989 年的情况，疑原书有误。为尊重原书，原文予以保留。——译者注

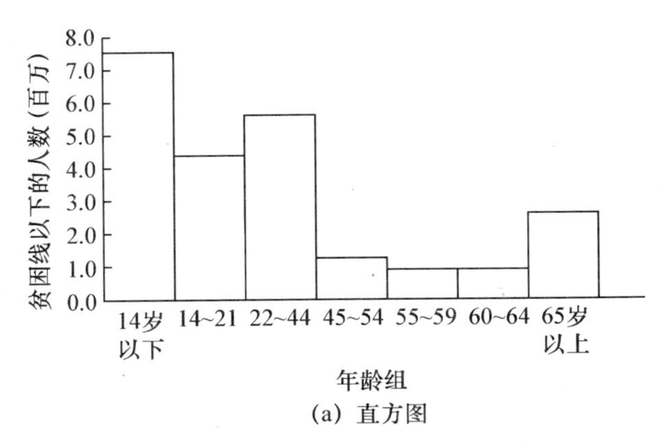

(a) 直方图

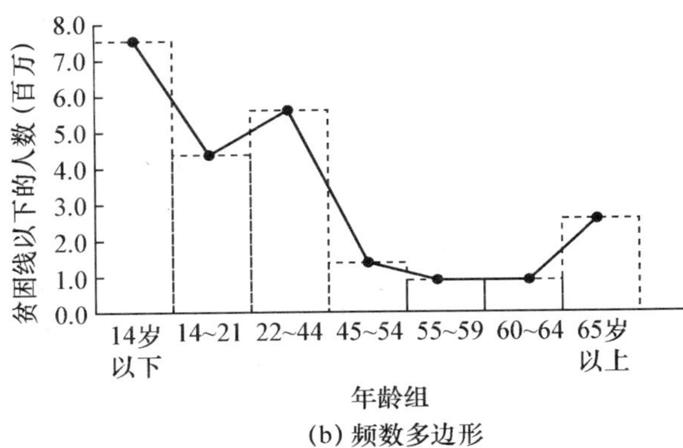

(b) 频数多边形

图 6—7　直方图和频数多边形：1977 年按年龄分组的贫困线以下的人数

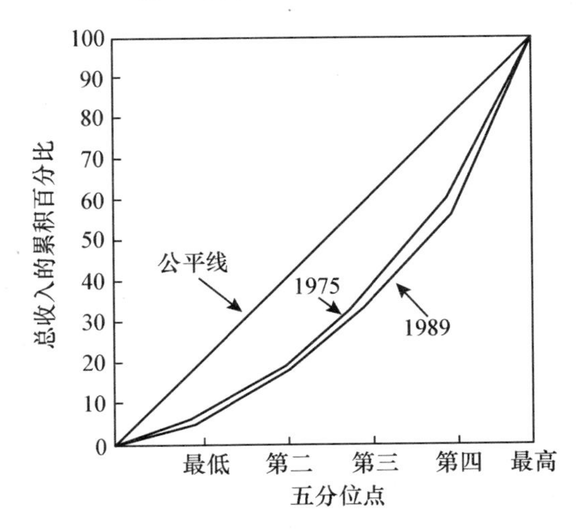

图 6—8　用洛伦兹曲线显示美国 1975 年和 1989 年家庭私人收入分布状况

资料来源：U. S. Department of Commerce，Bureau of the Census.

基尼系数

图 6—8 中的洛伦兹曲线显示了两个时点上家庭收入的分布。洛伦兹曲线还可用于说明人口的分布或像城市等在空间上有组织的单位里的某些行为（例如，犯罪或种族隔离）的分布。[59]它还能表示成基尼集中比率（Gini concentration ratio），简称基尼系数（Gini index），用来测量洛伦兹曲线与对角线之间区域的面积占对角线下面总面积的比例。基尼系数的计算公式是：

$$GI=\frac{[(\sum X_iY_{i+1})-(\sum X_{i+1}Y_i)]}{\sum X_iY_{i+1}}$$

其中，X_i＝人口数或某种活动（如犯罪）的累积百分比分布

Y_i＝某领域的数据（如城市数目）的累积百分比分布①

下面从犯罪审判政策方面的一个例子来说明基尼系数的计算过程，假设希望描绘 1976 年不同规模城市的暴力犯罪集中度，我们将采用以下步骤，如表 6—8 所示。

1. 将不同规模的城市数量放在第（1）列，将相应的暴力案件报案数放在第（2）列。

2. 计算第（1）列的各类城市的比例分布，将结果放在第（3）列。例如，59÷7 361＝0.008。

3. 计算第（2）列的暴力犯罪数量的比例分布，将结果放在第（4）列。例如，1 095÷2 892＝0.379。

4. 将第（3）列的比例由上向下累加，结果放在第（5）列。例如，0＋0.008＝0.008，0.008＋0.015＝0.23，等等。

5. 将第（4）列的比例由上向下累加，结果放在第（6）列。例如，0＋0.379＝0.379，0.379＋0.198＝0.577，等等。

6. 用第（6）列第 1 行的数据乘以第（5）列第 2 行的数据，再用第（6）列第 2 行的数据乘以第（5）列第 3 行的数据，依次类推。例如，0.379×0.023＝0.008 7，0.577×0.059＝0.034，等等。将结果放在第（7）列。

7. 用第（5）列第 1 行的数据乘以第（6）列第 2 行的数据，依次类推。例如，0.008×0.577＝0.004 6，0.023×0.721＝0.016 6，等等。将结果放在第（8）列。

8. 将第（7）列加总，记下总数（1.347 7）；将第（8）列加总，记下总数（0.532 2）。

9. 用第（7）列总数减去第（8）列总数再除以第 7 列总数。即（1.347 7－0.532 2)÷1.347 7＝0.605≈0.61；这个结果就是基尼系数。

① 此处翻译改变了原书中 X_iY_i 所代表的内容，为的是与表 6—8 中的阐述相一致。原书中此处 X_i 代表的是城市数量，Y_i 代表的是犯罪数量，而在表 6—8 中，X_i 则代表的是犯罪，Y_i 代表的是城市。如果改变表 6—8 中的含义，则表中第（7）列和第（8）列中的数据都必须重新计算，因此改动了此处所代表的内容。——译者注

表 6—8　　**1976 年每 100 000 人已知暴力案件的基尼集中比率的计算表**

城市规模（单位：人）	城市数量 (1)	暴力犯罪数量 (2)	比例		累积比例		X_iY_{i+1} (7)	$X_{i+1}Y_i$ (8)
			城市 (3)	犯罪 (4)	城市 (Y_i) (5)	犯罪 (X_i) (6)		
250 000 及以上	59	1 095	0.008	0.379	0.008	0.379	0.008 7	0.004 6
100 000～249 999	110	573	0.015	0.198	0.023	0.577	0.034 0	0.016 6
50 000～99 999	265	416	0.036	0.144	0.059	0.721	0.101 6	0.049 4
25 000～49 000	604	338	0.082	0.117	0.141	0.838	0.277 4	0.130 6
10 000～24 999	1 398	254	0.190	0.088	0.331	0.926	0.926 0	0.331 0
10 000 以下	4 925	216	0.669	0.074	1.000	1.000		
总计	7 361	2 892	1.000	1.000			$\sum = 1.3477$	$\sum = 0.5322$
基尼系数 (GI) $= [(\sum X_iY_{i+1}) - (\sum X_{i+1}Y_i)]/\sum X_iY_{i+1}$ $= (1.3477 - 0.5322)/1.3477 = 0.8155/1.3477 = 0.605 \approx 0.61$								

资料来源：Federal Bureau of Investigation，*Uniform Crime Reports for United States*.

基尼系数是洛伦兹曲线与对角线间的区域面积与对角线下区域面积的比率，可以用来描述财产、收入、人口、种族、城市居民、犯罪及其他社会状况的集中程度。基尼系数的一个优点是它给出了集中度的一个精确的衡量，这比洛伦兹曲线的形象化表达提供了更多的信息。另外，基尼系数的取值范围在 0（无集中）～1.0（最大集中）之间。在暴力犯罪集中度的例子中，近 2%的最大城市（人口大于 10 万）的暴力犯罪数量约占总数的 58%。如果暴力犯罪在各种规模的城市分布更均衡一些，则基尼系数将接近于 0。然而事实上，大部分暴力犯罪主要集中在大城市。基尼系数等于 0.61 表示对角线下面积的 61%都处于对角线与洛伦兹曲线之间。这是一个非常高的集中度，对美国犯罪审判政策而言具有重要意义。

表格法

监测政策结果的另一个有用方法是构建表格。表格（tabular display）是用于总结一个或多个变量关键特征的矩阵。最简单的形式是一维表格，它只提供关于政策结果某一个被关注方面（例如年龄、收入、地区或时间）的信息。监测美国 1950—1970 年间能源需求的变化时，分析者就可以用一维表格。

还可以用二维表格来组织信息。例如，不同收入水平下的受教育程度可以以受教育程度来划分目标群体，或者以时间段来划分目标群体的收入。关注战争对贫困的影响的分析者希望监测 1959—1968 年间美国位于贫困线以下家庭的数量及其百分比。下面的二维表格（表 6—9）将提供相关信息。

表 6—9　　美国 1959 年和 1968 年位于贫困线以下家庭的种族

种族	年份		变化（1959—1968 年）	
	1959 年	1968 年	数量	百分比
黑人及其他少数族裔	2 135	1431	－704	－33.0
白人	6 185	3 616	－2 569	－41.0①
总计	8 320	5 047	－3 273	－39.3

注：1968 年 4 人非农家庭的贫困水平线是年总收入为 3 553 美元。1959 年和 1968 年的数据已经被标准化了，以反映 1964 年对贫困水平线的定义的变化。

资料来源：U. S. Bureau of the Census，*Current Population Reports*，Series P-60，No. 68，"Poverty in United States：1959—1968"（Washington，DC：U. S. Government Printing Office，1969）.

另一类二维表格包括对结果变量的不同水平分组的分析，这些结果变量可以是就业水平、所享受的服务、收入等。例如，社会实验以对接受特殊处理的组（实验组）和不接受处理的组（控制组）的对比分析为基础。表 6—10 用来评估参加公共基金酗酒治疗计划的组在接受治疗后又被逮捕的人数是否有显著变化。结果表明，法院的短期强制治疗的命令对目标群体没有明显的积极影响。

表 6—10　　三种处理方式下 241 名违规者酗酒被重新逮捕的人数

重新被逮捕人次	处理组			
	酗酒治疗	酗酒匿名	无处理	总计
0	26（32.0）	27（31.0）	32（44.0）	85
1	23（28.0）	19（22.0）	14（19.0）	56
2 个或以上	33（40.0）	40（47.0）	27（37.0）	100
总计	82（100.0）	86（100.0）	73（100.0）	241

资料来源：John P. Gilbert，Richard J. Light，and Frederick Mosteller，"Assessing Social Innovations：An Empirical Base for Policy，" in *Evaluation and Experiment*：*Some Critical Issues in Assessing Social Programs*，ed. Carl A. Bennett and Arthur A. Lumsdaine（New York：Academic Press，1975），pp. 94－95.

监测政策结果时，数据还可以用三维表格组织。例如，显示 1959—1968 年黑人和白人家庭在贫困线以下的数量和百分比的变化，同时还考虑家长的年龄（年龄可以称为第三个控制变量），就可以用三维表格。下面的三维表格（表 6—11）可以用来监测 1959—1968 年贫困政策的结果。该表显示，与黑人家庭相比，白人移至贫困线以上的家庭更多，而且家长年龄在 65 岁以下的白人家庭的转移数量和比例都明显地高于其他三组。这意味着黑人家庭和老年白人家庭的地位变化比年轻白人家庭的变化更为缓慢。

表 6—11　　美国 1959 年和 1968 年按种族和年龄分组处于贫困线以下家庭数量的变化

种族和年龄	年份		变化（1959—1968 年）	
	1959	1968	数量	百分比
黑人和其他	2 135	1 431	－704	－33.0
65 岁及以上	320	219	－101	－31.6
65 岁以下	1 815	1 212	－603	－33.2
白人	6 185	3 616	－2 569	－41.5

① －2 569÷6 185×100％＝41.5％而非 41.0％。疑有误。原书如此。——译者注

续前表

种族和年龄	年份		变化（1959—1968 年）	
	1959	1968	数量	百分比
65 岁及以上	1 540	982	−558	−36.2
65 岁以下	4 654①	2 634	−2 011	−43.3
总计	8 320	5 047	−3 273	−39.3

资料来源：U. S. Bureau of the Census，*Current Population Reports*，Series P-60，No. 68，"Poverty in the United States：1959-1968"（Washington，DC：U. S. Government Printing Office，1969）.

指数法

监测结果变量随时间变化的另一个有用的方法是构建指数。指数（index numbers）是用来衡量一个指标或一套指标与基础期间相比随时间变化的数值。基础期间是任意给定的，取数值 100，作为比较被关注指标连续变化的一个标准。很多指数在公共政策分析中被采用，包括用于监测消费者价格、工业生产、犯罪严重程度、污染、医疗保健、生活质量以及其他重要的政策结果变动的指数。

不同指数的关注焦点、复杂性和清晰程度有所不同。指数可能关注价格、数量或者价值的变化。例如，消费者商品价格的变动可以用消费者价格指数（Consumer Price Index，CPI）反映，污染物数量的变化可以用各种空气污染指数衡量。相关地，工业产品价值的变化可以用工业生产指数（Index of Industrial Production）来表示。无论是对价格、数量还是价值，指数既可以是简单的也可以是综合的。简单指数（simple index numbers）是指那些只包含一个指标（如每 10 万人的犯罪数量）的指数，而综合指数（composite index numbers）是指包含多个指标的指数。综合指数的一个典型例子是两类消费者价格指数，它是用来衡量 400 种货物和服务成本的。一类指数包括所有的城市消费者，另一类指数则包括城市工资收入者和文书工作人员。[60]

指数可以是隐性加权的（implicitly weighted），也可以是显性加权的（explicitly weighted）。在前一种情况下，指标的综合没有明显的赋予数值的过程。例如，某项空气污染指数可能只简单地综合了各种污染物（一氧化碳、氮氧化物、氧化硫等），而没有考虑这些污染物（如一氧化碳）对健康的损害程度。而显性加权则通过赋予每个指标相对值或重要性来考虑这些因素。

构建指数有两个一般步骤：总计和平均。总计指数的构建是把给定期间的指标（如消费者价格）数值相加。平均过程（或者所谓的相对数平均法）需要计算指标数值随时间的平均变化，而总计过程不需要如此。一个简单而有用的总计价格指数是购买力指数（purchasing power index），它用来衡量连续期间收入的真实价值。购买力指数可以用来监测工资协议对雇员（作为公共部门博弈的乙方）真实收入的影响。购买力指数是利用消费者价格指数构建的，方法是：指定我们希望确定工资购买力的年份（如 1977 年），将该年份的数值转为相对价格（price relative），也就是，将指定年份（1977 年）货物和服务的价格相对于基年（如 1967 年）表示出来。如果我们用 1 除以

① 根据数量关系，该数似应为 4 645。原书如此。——译者注

这个价格相对数［称为倒数（reciprocal）］，就得到了用1967年价格表示的工资购买力。

在下面的解释中（见表6—12），给定年份的购买力指数的数值表明，相对于消费者价格指数的基年（1967年）而言每1美元的真实价值。例如，与1967年1美元的购买力相比，1977年1美元只能购买到55美分的商品和服务。将指定年份的名义工资乘以相应的购买力指数就可以得到相应年份的实际工资。表6—13就是这样做的，它显示了纺织工业1970年、1975年和1977年周平均总工资的真实价值。注意：纺织工业实际工资直到1977年都是下降的，1977年后有明显的小幅上升。

表6—12　购买力指数的计算

年份	消费者价格指数（1）	价格相对数（2）	倒数（3）	购买力指数（4）
1967	100.0	100.0÷100.0=1	1.0÷1.0=1	×100=100.0
1970	116.3	116.3÷100.0=1.163	1.0÷1.163=0.859①	×100=85.9
1975	161.2	161.2÷100.0=1.612	1.0÷1.612=0.620	×100=62.0
1977	181.5	181.5÷100.0=1.815	1.0÷1.815=0.551	×100=55.1

资料来源：U. S. Department of Labor，Bureau of Labor Statistics.

表6—13　纺织行业实际周平均总工资的计算

年份	名义收入（1）	购买力指数（2）	倒数（3）	实际工资（美元）（4）
1967	87.70	100.0÷100.0=	1.000×87.70=	87.70
1970	97.76	85.9÷100.0=	0.859×97.76=	83.98
1975	133.28	62.0÷100.0=	0.620×133.28=	82.63
1977	160.39	55.1÷100.0=	0.551×160.39=	88.37

资料来源：U. S. Department of Labor，Bureau of Labor Statistics.

另一个有用的总计指数是由环保署在连续空气监测项目（the Continuous Air Monitoring Program，CAMP）下开发的污染物浓度指数（the Index of Pollutant Concentration）。各种污染物的浓度可以用百万分比（ppm）或每立方米空气中所含的毫克数（mg/m^3）表示，在美国不同地点每5分钟记录一个数值。污染物总共可以分为两大类：气体和可吸入颗粒物。表6—14显示了芝加哥、旧金山和费城（Philadelphia）在1964年报告的两个平均时段（5分钟和1年）的最大污染物浓度。1年的平均时段是用1年内以5分钟为间隔记录的污染物数量的总和除以1年中的5分钟间隔数。5分钟平均时段简单说就是所有5分钟记录污染物浓度的最大值。可以构建一个隐性加权的总计指数来监测污染物浓度随时间变化的状况。指数公式是：

$$QI_n = \sum q_n / q_0 \times 100$$

其中，QI_n＝给定时期n内气体污染物数量指数

q_n＝时间序列n期间的气体污染物的数量

q_0＝时间序列0期间（基期）的气体污染物的数量

根据上面的公式，我们可以计算指数来监测1970—1975年间污染物水平的变

① 此处似乎四舍五入不准确，1÷1.163≈0.860而非0.859，从而购买力指数也应为86.0而非85.9。——译者注

化（以百万吨衡量）。选择 1970 年作为基期（q_0），计算 1973 年、1974 年和 1975 年的数量指数。表 6—15 提供的数字表明，1970 年之后总的污染物排放量下降了。

表 6—14　　芝加哥、旧金山和费城在 1964 年报告的两个平均时段（5 分钟和 1 年）的最大污染物浓度

城市和平均时段	污染物类型									
	气体[a]								可吸入颗粒物[b]	
	一氧化碳	碳氢化合物	一氧化氮	二氧化氮	氧化氮	氧化剂	二氧化硫	铅	有机物（可溶化的苯）	硫酸盐
芝加哥										
5 分钟	64.0	20.0	0.97	0.79	1.12	0.17	1.62	NA	NA	NA
1 年	12.0	3.0	0.10	0.05	0.15	0.02	0.18	0.6	15.1	16.6
费城										
5 分钟	43.0	17.0	1.35	0.37	1.50	0.25	1.00	NA	NA	NA
1 年	7.0	2.0	0.04	0.04	0.08	0.02	0.09	0.8	12.2	19.8
旧金山										
5 分钟	47.0	16.0	0.68	0.38	0.91	0.29	0.26	NA	NA	NA
1 年	7.0	3.0	0.09	0.05	0.14	0.02	0.02	NA	9.2	6.2

注：(1) 气体污染物以百万分比为单位衡量。
(2) 可吸入颗粒物以每立方米的毫克数（mg/m^3）衡量。
资料来源：N. D. Singpurwalla, "Models in Air Pollution," in *A Guide to Models in Governmental Planning and Operations*, ed. Saul I. Gass and Roger L. Sisson (Washington, DC: U. S. Environmental Protection Agency, 1975), pp. 69–71.

表 6—15　　衡量美国 1970—1975 年污染物变化的隐性加权总量指数

污染物	数量			
	1970 年	1973 年	1974 年	1975 年
一氧化碳	113.7	111.5	104.2	96.2
氧化硫	32.3	32.5	31.7	32.9
碳氢化合物	33.9	34.0	32.5	30.9
可吸入颗粒物	26.8	21.9	20.3	18.0
氮氧化物	22.7	25.7	25.0	24.2
总计	229.4	225.6	213.7	202.2
数量指数	100.0	98.34	93.16	88.14

$$QI_n = \frac{\sum q_n}{q_0} \times 100$$

$$QI_{1970} = \frac{\sum(113.7+32.3+33.9+26.8+22.7)}{\sum(113.7+32.3+33.9+26.8+22.7)} \times 100$$

$$= \frac{229.4}{229.4} \times 100 = 100.00$$

$$QI_{1973} = \frac{\sum(111.5+32.5+34.0+21.9+25.7)}{\sum(113.7+32.3+33.9+26.8+22.7)} \times 100$$

$$= \frac{225.6}{229.4} \times 100 = 98.34$$

注：单位为百万吨污染物（气体和可吸入颗粒物）。
资料来源：U. S. Environmental Protection Agency.

这种隐性加权总计指数的一个局限就是它没有将污染物浓度的变异或者它们对健康的相对危害考虑在内。与此相对，环保署在CAMP中开发的指数则提供了明确的权数，因为它允许分析人员在给定期间（平均时段）考察最大的污染物浓度，并且将这些浓度同已知的健康危害联系起来。例如，虽然从1970年以来污染物总量下降了，但是有些城市在特定时期的污染程度非常高。这些期间的数据并没有反映在表6—15所显示的隐性加权数量指数中。最重要的是，每个时期不同类型污染物浓度会产生不同的健康危害。显性加权数量指数则既考虑了各个时期（平均时段）污染物的浓度，又考虑了潜在的健康危害。虽然我们没有按照CAMP计划报告中的平均时段来建构显性加权总计指数，但重要的是要考虑暴露在污染物里的持续时间与其对环境和健康危害之间的关系（见表6—16）。

表6—16　　暴露在污染物中时间的长短及其对健康和环境造成的损害

暴露时间	结果	污染物			
		一氧化碳	氧化剂	可吸入颗粒物	氧化硫
1秒	感觉				
	嗅觉	—	+	—	+
	味觉	—	—	—	+
	眼睛刺激	—	+	—	—
1小时	运动成绩下降	—	+	—	—
	能见度降低	—	+	+	+
8小时	判断力减弱	+	—	—	—
	对心脏病人造成压力	+	—	—	—
1天	健康受损	+	—	+	+
4天	健康受损	+	—	+	+
1年	植被受害	—	—	+	+
	腐蚀	—	—	+	+

注：减号（—）表示无损害，加号（+）表示有损害。

资料来源：N. D. Singpurwalla, "Models in Air Pollution," in *A Guide to Models in Governmental Planning and Operations*, ed. Saul I. Gass and Roger L. Sisson (Washington, DC: U. S. Environmental Protection Agency, 1975), p. 66.

有几个指数被广泛地用于监测政策结果的变化。这些指数包括前面已经提到的两个消费者价格指数（简称CPI）（一个是所有城市消费者的，另一个是城市工资收入者和办事员的）；生产者价格指数（the Producer Price Index, PPI），1978年前称为批发价格指数（the Wholesale Price Index, WPI），用来衡量整个经济生产的所有商品的价格变动；以及工业生产指数（the Index of Industrial Production, IIP），由联邦储蓄系统（the Federal Reserve System）按月公布，用来衡量制造业、采掘业和公用事业公司的产出变动。这些指数的基期是1967年。除了这些指数外，还有衡量犯罪严重程度、生活质量和医疗保健质量及环境质量的指数。

指数也有许多局限。第一，显性加权过程常常缺乏精确性。例如，对不同污染物造成的损失的轨迹带有一定程度的主观性，而且也很难估算所造成的健康问题的价值成本。第二，很难获得对所有组别都有同等意义的指数样本数据。例如，消费者价格指数是以城市居民购买的 400 多种商品和服务为样本。该样本每月从全国 56 个城市挑选，因此，获得的样本数据可以用来构建全国的综合指数。虽然 1978 年两种消费者价格指数的运用使得指数对工资收入者和文书工作人员与退休人员、老年人和失业人员都一样更有意义，但它没有反映出城市与农村之间的价格差异。最后，指数无法一直反映指标项目随时间在含义或意义上的定性变化。例如，随着我们对各种污染物（例如，含铅或石棉颗粒物）影响的认识，它们的意义就会改变。仅凭污染物数量并不能反映它们在不同时期的社会价值（或反面价值的）变化。

指数可以用来监测大量的变化。然而这些技术无法提供一个将政策结果变化同先前政策行为联系起来的系统方式。现在我们将提供三套允许分析人员系统判断政策行为对政策结果影响的技术：间断时间序列分析、对比序列分析和不连续回归分析。[61]这些方法以“预测”这章（第 4 章）讨论过的相关分析和回归分析为基础，与图示法联合使用。尽管间断时间序列分析和对比序列分析同样适用于社会系统核算、社会审计和社会实验，而不连续回归分析只适用于社会试验。

间断时间序列分析

间断时间序列分析（interrupted time-series analysis）是以图形和统计形式显示政策行为对政策结果影响的一套程序。它适用于以下类型的问题：某机构创新的一些行动在整个管辖区范围或目标群体内（如在特定的州或在所有处于贫困线下的家庭中）生效的情况。由于政策行为只在管辖范围和目标群体的人群中生效，因而不可能在不同区域和不同类目标群体之间比较政策结果。在这种情形下，进行对比的唯一基础是政策结果的历史记录。

间断时间序列作图法是评价政策干预影响某些政策结果的效果（高速公路死亡率、受到医疗援助的人数、职业培训人数、医院死亡率）的强有力工具。如图 6—9 所示，有些政策干预对政策结果确实有影响，而其他一些则没有影响。干预（a）和干预（b）表明，政策干预看上去确实与某些有价值的结果的增长有联系，因为在干预之后所测量的政策结果的数值有一个实际的显著的跳跃。然而干预（b）显示，这个有价值的结果没有持久——第 5 期之后开始“减退”。

干预（c）的效果也缺乏持久性，但是在干预前，政策结果的测量值也存在一个极高点。这意味着干预之后很可能存在朝时间序列均值“回归”的趋势——也就是说，第 4 期和第 5 期之间的增长很可能无论如何都会出现。干预（d）显示该干预没有任何效果，因为所测量的结果变量的数值变动率在干预前后没有任何实质差别。最后，干预（e）显示政策结果测量值有轻微增长，但是在此之前就已经存在着持续的增长。因而这个微小的增长不足以得出结论说，政策干预与第 4 期和第 5 期之间的增长有关系。如果能够得到后续期间的数据，干预后的增长就可能缺乏持久性，或者可能增长更快。在这里我们无法简单得出答案。

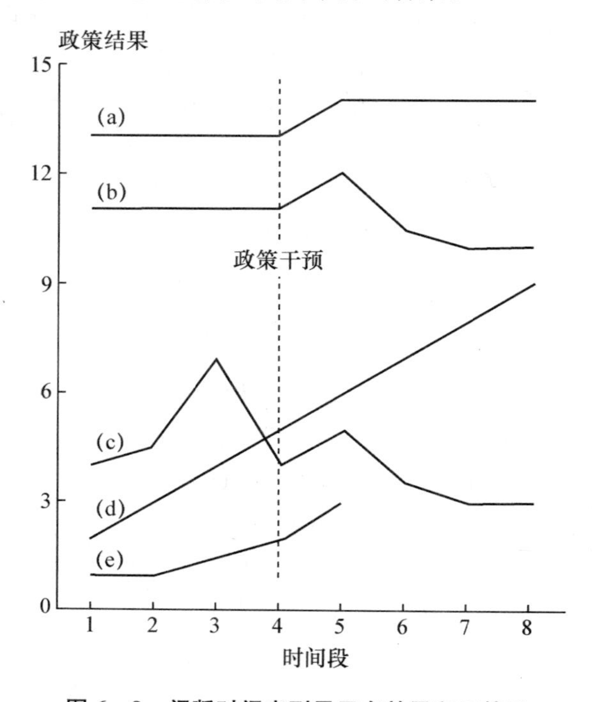

图 6—9　间断时间序列显示有效果和无效果

资料来源：Donald T. Campbell and Julian C. Stanley，*Experimental and Quasi-experimental Design for Research*（Chicago：Rand McNally，1967）.

间断时间序列分析是适用于那些叫做“准实验”的社会实验的技术之一。准实验（quasi-experimental）是指具备一个真正实验的许多但非全部特征［对参与者的随机选择、对实验组和控制组组员的随机分配、对实验组和控制组处理（政策或项目）的随机分配、在实验处理（政策或项目）前后对结果的衡量］的实验。准实验唯一没有的特征是参与者的随机选择。许多准实验都有其他三个特征，这些实验被用于检测政策或项目以确定它们在产生某些受关注的结果方面是否有所不同。

使间断时间序列分析形象化的一个最好的途径是考虑一个具体的图例。[62] 1955 年交通事故创下高纪录后，1956 年，康涅狄格州州长亚伯拉罕·里比科夫（Abraham Ribicoff）对州车速法律的违规者实行严格的制裁。到 1956 年底，交通事故死亡人数是 284 人，而前一年是 324 人。里比科夫州长是这样解释这项制裁措施的结果的：“1956 年，我们挽救了 40 条人命，与 1955 年相比，交通伤亡人数下降了 12.3 个百分点，因此我们能够说这项政策无疑是有价值的。”图 6—10 以图示的方式显示了这项超速制裁措施的表面结果。纵向刻度的值被有意拉开，从而夸大了政策的效果。

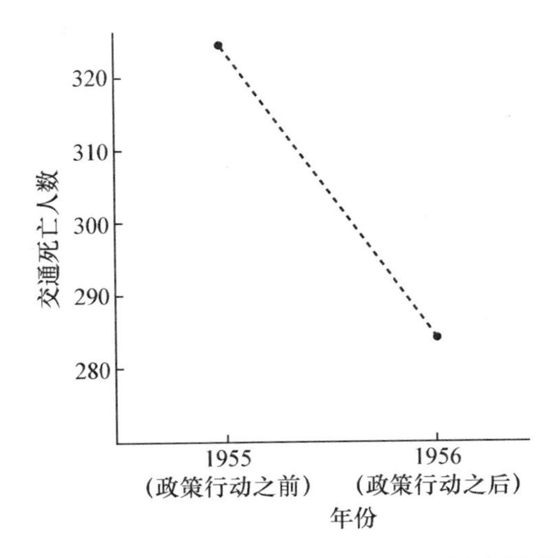

图 6—10　1956 年超速制裁措施执行前后康涅狄格州的交通事故死亡人数变化

资料来源：Donald T. Campbell, "Reforms as Experiments," in *Handbook of Evaluation Research*, vol. 1, ed. Elmer L. Struening and Marcia Guttentag (Beverly Hills, CA: Sage Publications, 1975), p. 76.

如果想利用间断时间序列分析来检测康涅狄格州的超速制裁措施的结果，我们可以遵从以下步骤：

1. 将纵轴刻度压缩，以使被观测到的表面效果不至于如此强烈。这里我们将使用 25 人（而不是 10 人）的刻度间距。

2. 找到政策执行前后多年的交通事故死亡人数统计资料，并将它们绘在图上。这里从 1951—1959 年建立一个扩展的时间序列。

3. 在政策执行第 1 年（即 1956 年）处画一条垂直线，将时间序列断开（因此，叫做"间断时间序列"）。注意：表示时间序列年份的刻度在每一年的中间（7 月 1 日），因此，两个间隔刻度之间的中点是时间序列在 1 月 1 日的值。

将按照上面步骤获得的结果在图 6—11 中显示出来，该图就叫做间断时间序列图。我们可以看到此图给出的关于政策结果的图示与图 6—10 所给出的完全不同。

间断时间序列分析的一个主要优点是它能够使我们系统地考虑对于政策结果的因果推理的有效性不利的因素。当我们比较间断时间序列图显示的政策结果（交通事故死亡人数）以及里比科夫州长关于超速制裁措施确实导致交通事故死亡人数减少的推理的时候，也可以清楚地看到这一优点。下面考虑图 6—10 和图 6—11 显示的数据资料，检查对这一主张有效性的威胁因素。

1. 蜕化（maturation）。除了政策行为之外，组内成员（这里指司机）内在的变化可能对政策结果产生影响。例如，康涅狄格州的死亡率许多年来可能一直在下降，这可能是司机加强社会学习的结果，他们已经参加了司机培训项目或公共安全运动。从图 6—10 的那个简单的政策执行前后的图示中，我们无法考虑这些可能的独立影响。间断时间序列图（图 6—11）就可以使我们把蜕化作为相反的解释排除，因为此时间序列并没有显示出交通事故死亡人数有下降的长期趋势。

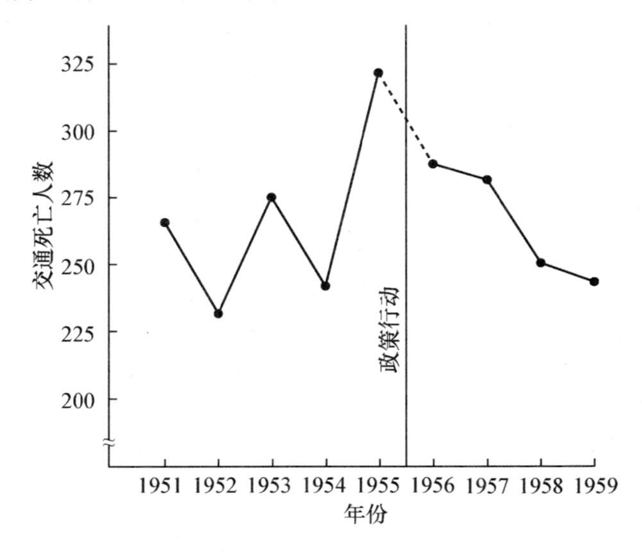

图 6—11 康涅狄格州交通事故死亡人数在 1956 年超速制裁措施执行前后的间断时间序列

资料来源：改编自 Donald T. Campbell，"Reforms as Experiments，" in *Handbook of Evaluation Research*，vol. 1，ed. Elmer L. Struening and Marcia Guttentag（Beverly Hills，CA：Sage Publications，1975），p. 76.

2. 不稳定性（instability）。所有的时间序列都有一定程度的不稳定性。间断时间序列可以将这种不稳定性显示出来，这种不稳定性是相当明显的。1955—1956 年间的下降幅度仅仅比 1951—1952 年间和 1953—1954 年间的下降幅度大一点，这表明政策结果可能是时间序列的不稳定性造成的，而不是由政策行为引起的。另一方面，1956 年以后交通事故死亡人数并没有增长。尽管这些有助于增强州长主张的说服力，但若没有图 6—11 给出的间断时间序列图，这个命题也是不可能成立的。

3. 回归假象（regression artifacts）。在检测政策结果的时候，很难将政策行为的影响同选定参加项目的个体或群体所施加的影响区别开来。如果 1955 年的交通死亡人数代表着一个极值点——如果我们只有图 6—11 的信息，就有可能是这种情况——交通事故死亡人数在 1956 年的下降可能仅仅是极值向均值或时间序列总体趋势回归的过程。事实上，1955 年的死亡人数确实是序列的一个极值点。因此，1955—1956 年的下降可能部分归因于回归现象和时间序列的不稳定性。回归现象对政策结果主张有效性是一个特别重要的威胁，源于这个重要原因：政策制定者往往是在问题非常尖锐或达到极值点的时候才采取行动。

对比序列分析

对比序列分析（control-series analysis）在间断时间序列分析中多加了一个或

多个对照组，以确定除了最初的政策行为之外，不同组的特性是否对政策结果造成了独立的影响。对比序列分析的逻辑同间断时间序列分析相同。唯一的区别在于它将没有受到政策行为影响的一组或多组（对照组）也反映在了图上。图 6—12 显示了从康涅狄格州获得的原始数据以及对照组的交通事故数据。

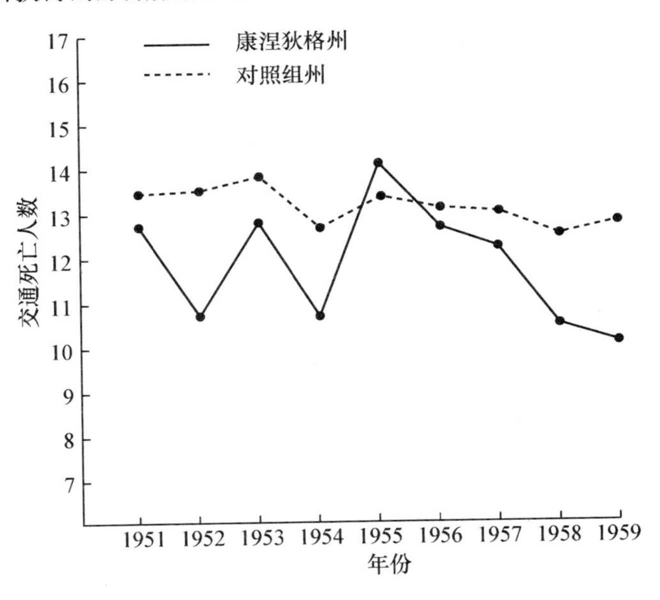

图 6—12　康涅狄格州以及对照组州 1951—1959 年交通事故死亡人数对比序列图

注：事故死亡率是各州人口中每 100 000 人中死于交通事故的人数。

资料来源：改编自 Donald T. Campbell, "Reforms as Experiments," in *Handbook of Evaluation Research*, vol. 1, ed. Elmer L. Struening and Marcia Guttentag (Beverly Hills, CA: Sage Publications, 1975), p. 84.

对比序列分析有助于进一步审查关于政策行为对政策结果影响的主张的有效性。例如，从表面上看，对比序列数据在一定程度上证明了以历史（天气状况的突然变化）以及蜕化（司机养成的安全习惯）为根据的相反主张。因此康涅狄格州和对照组州在 1952—1956 年间的交通事故死亡人数有着相似的连续的增长和下降的模式。然而有一点也是很明显的，1955 年以后康涅狄格州的交通事故死亡人数比对照组州的死亡人数下降得更快。利用对比序列图，我们不仅可以对州长关于他的政策成功性的主张进行更严格的评估，而且可以排除看似真实的相反解释。这具有为政策主张提供更坚实基础的作用。

间断时间序列分析和对比序列分析，同各种对内部有效性和外部有效性的威胁因素一道，可以被当作政策论据。1955—1956 年交通事故死亡人数下降的初始数据提供了信息（I），而政策主张（C）则称"这个项目无疑是有价值的"。"无疑"这个限定词（Q）表达了最大的确定性，也表达了得出交通事故死亡人数的下降确实是由政策行为带来的这一主张所需的潜在理由（W）。现在重要的是可能有人会以各种威胁内部和外部有效性的因素为基础提出一系列的反驳（R），这些威胁因素有：历史、蜕化、不稳定性、检测、工具、样本更替、样本选择、回归假象。这些威胁因素可能按照图 6—13 所显示的政策论据的形式被提出来。

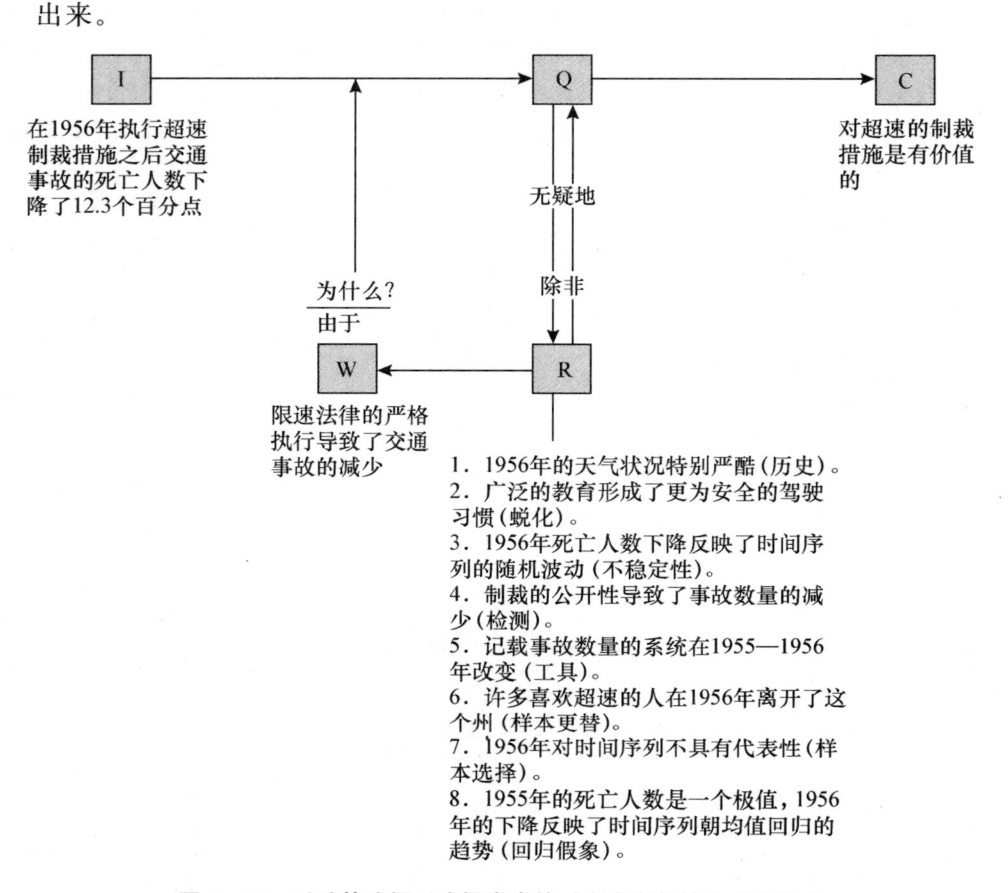

图 6—13　以政策论据形式提出来的对主张有效性的威胁因素

本章要讨论的最后一个程序是对回归和相关程序的扩展。由于对线性回归和相关已经做出了比较详细的说明，这里就不再重复。不过要注意这些技术除了对预测适用外，对监测也适用。回归分析可以用于解释过去的结果，而不是预测未来的事情，而且回归的结果有时可以被称为“事后预测”，以强调我们是对过去时间的预测。即使回归分析用于预测未来事件，它也必定以对过去结果监测所获得的信息为基础。

假设我们得到了五个人力资源培训项目的资金投入方面的信息，还有这些受训者在完成培训计划后的就业状况方面的信息。问题就可以以下面这种方式进行陈述：人力资源培训项目的投资水平是怎样影响受训者接下来的就业状况的？表 6—17 提供了完成计算回归方程 $[Yc=a+b(x)]$ 所需要的备忘录，即决定系数（r_2），简单相关系数（r）、估计标准误差（$S_{y.x}$）及间隔估计值（Y_i）。展表 6—1 所列的 SPSS 的结果应该是不需要解释的。如果你还不清楚，就应该回到第 4 章复习一下有关相关和回归的部分。

表 6—17　　回归分析和相关分析计算表：培训计划投资与随后的就业状况①

项目	培训后就业百分比 (Y)	项目投资（百万美元）(X)	$Y-\bar{Y}$ (y)	$X-\bar{X}$ (x)	xy	y^2	x^2	Y_c	$Y-Y_c$	$(Y-Y_c)^2$
A	10	2	−20	−2	40	400	4	12	−2	4
B	30	3	0	−1	0	0	1	21	9	81
C	20	4	−10	0	0	100	0	30	−10	100
D	50	6	20	2	40	400	4	48	2	4
E	40	5	10	1	10	100	1	39	1	1
	150	20	0	0	90	1 000	10	150	0	190
	$\bar{Y}=30$	$\bar{X}=4$								

$$b=\frac{\sum(xy)}{\sum(x^2)}=\frac{90}{10}=9 \qquad a=\bar{Y}-b(\bar{X})=30-9(4)=-6$$

$$Y_c=a+b(X)=-6+9(X)$$

$$S_{y.x}=\sqrt{\frac{\sum(Y-Y_c)^2}{n-2}}=\sqrt{\frac{190}{3}}=7.96$$

$$Y_{i(6)}(95\%)=Y_{c(6)}\pm 2Z(S_{y.x})=48\pm 1.96(7.96)=48\pm 15.6=63.6\sim 32.4$$

$$r^2=\frac{b(\sum xy)}{\sum(y^2)}=\frac{9(90)}{1\,000}=0.81$$

$$r=\sqrt{r^2}=0.90$$

展表 6—1　　表 6—11 的 SPSS 输出

Model Summary

Model	R	R Square	Adjusted R Square	Std. Error of the Estimate
1	.900[a]	.810	.747	7.958 224 26

a. Predicators: (Constant), PROGINV

ANOVA[b]

Model		Sum of Squares	df	Mean Square	F	Sig.
1	Regression	810.000	1	810.000	12.789	.037[a]
	Residual	190.000	3	63.333		
	Total	1000.000	4			

a. Predicators: (Constant), PROGINV
b. Dependent Variable: PERCEMP

Coefficients[a]

	Unstandardized Coefficients			Standardized Coefficients		
Mode	B		Std. Error	Beta	t	Sig.
1	(Constant)	−6.000	10.677		−.562	.613
	PROGINV	9.000	2.517	.900	3.576	.037

a. Dependent Variable: PERCEMP

① 该表有一些小的符号规范和数字上的错误，为方便读者，略作修改。——译者注

不连续回归分析

回顾了相关和回归分析的计算程序之后，我们现在开始考虑不连续回归分析。不连续回归分析（regression-discontinuity analysis）是一套作图和统计的程序，用来推断和比较政策在两个或更多组执行中的结果（这些组中，有的要接受政策处理，有的则作为对照组不受政策行为的影响）。不连续回归分析是把目前为止讨论的知识用于社会实验的程序。实际上，不连续回归分析是为一种特别重要的社会实验设计的。在这种社会实验中，一些资源投入非常紧缺，因此只有目标群体中的一部分才能得到所需的资源。这些实验包括“供应不足的，因此不能分给所有个体的社会改良资源”[63]。同时，随机化可能在政治上难以实行，而在道德上也可能存在不公平，因为那些最需要的（或最有能力的）个体可能通过随机选择被排除在外。例如，职业培训资源是有限的，而且是专门为最需要的人准备的，因而不能在能力各异的申请人中随机分配，因为只有那些最值得表彰的学生（而不是最需要的学生）才被认为应该得到它。尽管随机化常常可以帮助确定人力资源培训和奖学金计划对目标人群的典型或代表性成员的随后行为的影响，但它常常违背了需求或选优的原则，因而在政治上和道德上难以让人接受。

不连续回归分析的优点是，它允许我们监测将紧缺资源提供给目标人群（成员数量比给定项目所能容纳的人数要多）中最需要或最应该得到它的成员后的效果。假设有这样一种情形，一大群有资格获得奖励的人（例如，法学院入学考试高分获得者）被挑选来接受某种稀缺资源（例如，法学院奖学金）。该政策的目标之一就是挑选出那些将在以后的人生中获得成功的人，这里的“成功”是用将来的收入来定义的。只有那些最有资格的申请人才能够获得奖学金，这也满足了择优原则。但是那些最有资格的学生即使没有奖学金也很可能在未来取得成功。在这种情况下，很难分清后来的成功是获得了奖学金的结果还是其他因素的结果（包括申请人的家庭背景或社会地位）。奖学金对他们以后的成功产生了影响吗？

要回答这个问题，一种途径就是去做一个实验［称为“均衡突破”（tie-breaking）实验］，实验中稀缺资源被随机分配给相同或者在能力或需要程度上“不相上下”的一小部分人。让均衡突破实验形象化的一个最简单的方式就是假设有5个人，他们在考试中都获得了100分。问题是要给其中两个最优秀的人以奖励。由于5个人都具有同等的资格，就必须采用某种程序来打破这种均衡，其中一种程序就是随机化。

通过不连续回归分析可以把相同的逻辑延伸到社会实验中。在均衡突破实验中，我们选取了在某一点（该点是将人划分为有资格和无资格获取资源的人的分界点）之上的优势或需求（例如，由入学考试分数或家庭收入决定）中的一小部分。为了方便说明，假设这一有限组是在法学院入学考试中获得90～95分的人。获得89分以下的人不能获得奖学金，96分以上的人也不能获得奖学金。得分在90～

95 分之间（有资格的一小部分，即有限组）的人将被随机地分成两组，一组将获得奖学金，而另一组则不能获得奖学金。注意，这个过程只有在值得和需要寻求宝贵资源的人数超过了现有资源限制容量的条件下才是合适的。

若没有“均衡突破”实验，我们就不得不只选择那些优等生。这种情况下有望发现入学考试成绩与以后的成功有很强的正相关（如图 6—14 中的虚线所示）。但是通过随机程序从有资格的一小部分（90～95 分组段）中选择，并且接受一些人，同时拒绝另一部分人（准确的人数取决于该年度所能容纳的学生数目），我们就能够发现奖学金对以后成就的影响是否高于家庭背景或社会地位的影响。如果入学考试成绩确实起到了推动作用，他们将会以非连续的实线（如图 6—14 中所示的，它将获得奖学金的人和没有获得奖学金的人区别开来）的形式显示出来。

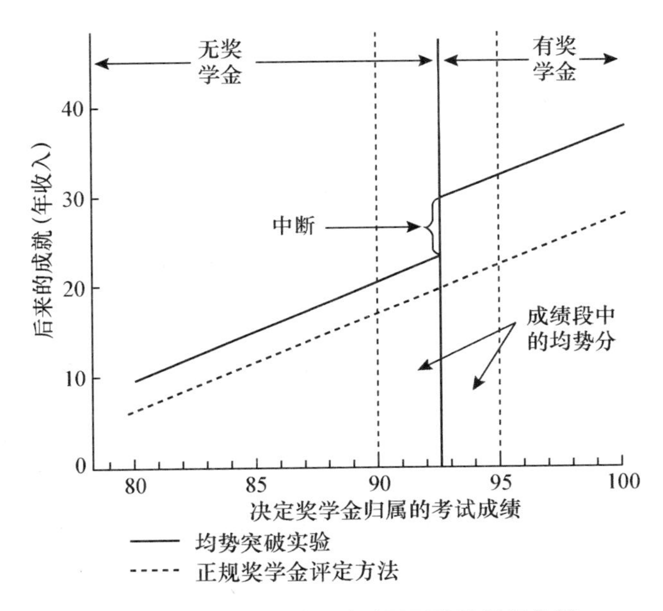

图 6—14 均势突破实验以及不连续回归分析

资料来源：改编自 Donald T. Campbell，“Reforms as Experiments，” in *Handbook of Evaluation Research*，vol. 1，ed. Elmer L. Struening and Marcia Guttentag（Beverly Hills，CA：Sage Publications，1975），p. 87。

不连续回归分析是建立在相关和回归的原则基础上的。主要的区别在于不连续回归分析需要我们对接受和不接受宝贵资源的两组都计算一个回归方程 $[Y_c = a + b(x)]$。而且还要计算两组的估计标准差（$S_{y.x}$）、决定系数（r^2）及简单相关系数（r）。注意实验组和对照组的回归估计的标准方差可以转化为区间估计，以确定不连续的意义，如图 6—14 中的实线所示。

现在我们用另一个假设的例子来说明不连续回归分析的应用。假设我们想监测环保署关于降低各城市空气污染水平的政策执行效果。由于执行需要成本，所以不可能在每个污染明显的城市都实施这些计划。对城市进行随机抽样在政治上是行不通的，因为那些最需要执行政策的区域可能碰巧被排除在外。同时我们还想知道执行政策的城市与没有执行的城市相比污染是否确实减少了。

假定有 20 个处于中等污染和严重污染层次的城市被选中来作政策的执行试验。这些城市按照 CAMP 提供的关于污染物的资料进行排序。表 6—18 给出了各个城市按照污染严重程度指数（最高值是 100）的分布。

表 6—18　以污染指数排序的城市分布

污染指数		城市数量
97		1
95		1
92		1
90		1
89		1
87		1
86		1
85		2
84		1
83	“均势突破”组	1
82		1
81		1
80		1
79		1
78		1
76		1
74		1
71		1
67		1
		总计

资料来源：虚拟数据。

6 个污染指数处于 81～85 之间的城市被确定为执行实验的“均势突破”组。从中随机选出 3 个城市来参加实验，而其他 3 个不执行任何计划。由于这些城市仅仅是随机被选中的，因此即使是对照组中有两个城市的污染指数高于实验组中的城市，也不可能是政策制定者偏好的结果。假定 20 个城市（对照组和实验组中各 10 个城市）在政策执行前一年和后一年的污染水平都已被 CAMP 监测得到。列在表 6—19 的假设结果提供了计算回归方程、估计标准差、决定系数以及简单相关系数所需的所有数据。需指出的是，这些计算要对实验组和对照组分开进行。SPSS 的输出结果在展表 6—2 中。

表 6—19　　**假定的实验组和对照组城市不连续回归分析结果①**

城市	政策执行前污染水平（X）	政策执行后污染水平（Y）	x	y	x^2	y^2	xy	Y_c	$(Y-Y_c)^2$
1	97	93	8.4	8.3	70.56	68.89	69.72	92.56	0.19
2	95	91	6.4	6.3	40.96	39.69	40.32	90.69	0.10
3	92	87	3.4	2.3	11.56	5.29	7.82	87.88	0.77
4	90	87	1.4	2.3	1.96	5.29	3.22	86.01	0.98
5	89	84	0.4	−0.7	0.16	0.49	−0.28	85.07	1.14
6	87	82	−1.6	−2.7	2.56	7.29	4.32	83.20	1.44
7	86	83	−2.6	−1.7	6.76	2.89	4.42	82.27	0.53
8	85	82	−3.6	−2.7	12.96	7.29	9.72	81.33	0.45
9	84	80	−4.6	−4.7	21.16	22.09	21.62	80.39	0.15
10	81	78	−7.6	−6.7	57.76	44.89	50.92	77.59	0.17
	$\bar{X}=88.6$	$\bar{Y}=84.7$	0	0	226.40	204.10	211.80	846.99	5.92

$b=\dfrac{\sum(xy)}{\sum(x^2)}=\dfrac{211.80}{226.40}=0.936$　　$a=\bar{Y}-b(\bar{X})=84.7-0.936(88.6)=1.8$

$Y_c=a+b(X)=1.8+0.936(X)$

$S_{y.x}=\sqrt{\dfrac{(Y-Y_c)^2}{n-2}}=\sqrt{\dfrac{5.92}{8}}=0.86$

$r^2=\dfrac{b(\sum xy)}{\sum(y^2)}=\dfrac{0.936(211.80)}{204.10}=0.97$

$r=\sqrt{r^2}=0.98$

对照组城市

城市	政策执行前污染水平（X）	政策执行后污染水平（Y）	x	y	x^2	y^2	xy	Y_c	$(Y-Y_c)^2$
11	85	88	7.5	11.3	56.25	127.69	84.75	87.2	0.64
12	83	84	5.5	7.3	30.25	53.29	40.15	84.4	0.1
13	82	86	4.5	9.3	20.25	86.49	41.85	83.0	9.00
14	80	78	2.5	1.3	6.25	1.69	3.25	80.2	4.8
15	79	75	1.5	−1.7	2.25	2.89	−2.55	78.8	14.44
16	78	77	0.5	0.3	0.25	0.09	0.15	77.4	0.16
17	76	75	−1.5	−1.7	2.25	2.89	2.55	74.6	0.16
18	74	73	−3.5	−3.7	12.25	13.69	12.95	71.8	1.44
19	71	71	−6.5	−5.7	42.25	32.49	37.05	67.6	11.56
20	67	60	−10.5	−16.7	110.25	278.89	175.35	62.0	4.00
	$\bar{X}=77.5$	$\bar{Y}=76.7$	0	0	282.50	600.10	395.50	767.0	46.4

$b=\dfrac{\sum(xy)}{\sum(x^2)}=\dfrac{395.5}{282.5}=1.4$　　$a=\bar{Y}-b(\bar{X})=76.7-1.4(77.5)=-31.8$

$Y_c=a+b(X)=-31.8+1.4(X)$

$S_{y.x}=\sqrt{\dfrac{(Y-Y_c)^2}{n-2}}=\sqrt{\dfrac{46.4}{8}}=2.41$

$r^2=\dfrac{b(\sum xy)}{\sum(y^2)}=\dfrac{1.4(395.5)}{600.10}=0.923$

$r=\sqrt{r^2}=0.961$

① 表 6—19 中有多个数据存在错误，为方便读者，已对错误数据进行了修正。——译者注

展表 6—2　　表 6—13 和表 6—14 的 SPSS 输出

Model Summary

Model		R	R²	Adjusted R Square	Std. Error of the Estimate
1		.985[a]	.971	.967	.863 023 79
a. Predictors：(Constant)，PREENF					

ANOVA[b]

Model		Sum of Squares	df	Mean Square	F	Sig.
1	Regression	198.142	1	198.142	266.030	000[a]
	Residual	5.958	8	.745		
	Total	204.100	9			
a. Predicators：(Constant)，PREENF						
b. Dependent Variable：POSTENF						

Coefficients[a]

		Unstandardized Coefficient			Standardized Coefficients	
Model		B	Std. Error	Beta	t	Sig.
1	(Constant)	1.814	5.089		.356	.731
	PREENF	.936	.057	.985	16.310	000
a. Dependent Variable：POSTENF						

Model Summary

Model	R	R²	Adjusted R Square	Std. Error of the Estimate
1	.961[a]	.923	.913	2.408 318 92
a. Predictors：(Constant)，PREENF				

ANOVA[b]

Model		Sum of Squares	df	Mean Square	F	Sig.
1	Regression	553.700	1	553.700	95.466	.000[a]
	Residual	46.400	8	5.800		
	Total	600.100	9			
a. Predicators：(Constant)，PREENF						
b. Dependent Variable：POSTENF						

Coefficients[a]

		Unstandardized Coefficient			Standardized Coefficients	
Model		B	Std. Error	Beta	t	Sig.
1	(Constant)	−31.800	11.131		−2.857	.021
	PREENF	1.400	.143	.961	9.771	.000
a. Predictors：(Constant)，POSTENFC						

不连续回归分析的结果可以回答关于实验执行结果的几个问题。第一，观察实验执行前后实验组和对照组城市均值。在实验执行后的一段时期内两组城市的污染水平都有所下降，即使是没有接受执行计划的对照组也是这样。然而，实验组在实验执行前后均值之差（88.6−84.7=3.9）要大于对照组的均值之差（77.5−76.7=0.8），这意味着计划的执行有助于降低污染。第二，就决定系数和简单相关系数来看，实验组城市的这两项指标（$r^2=0.971$，$r=0.986$）都要高于对照组城市（$r^2=0.923$，$r=0.961$）。就估计标准误差而言，实验组城市（$S_{y.x}=0.86$）要低于对照

组城市（$S_{y.x}$=2.41）。因此，对实验城市而言，对政策执行同污染水平之间联系的估计，其估计误差较小。

最后，两组数据的回归直线之间存在部分不连续性。如果我们用执行前相同的85分来计算两个“均势突破”城市的区间估计，就可以得到下列结果：

Y_i（第8个实验组城市）$=Y_{c(85)}\pm 1.96\times(0.86)$

$=81.33\pm 1.69$

$=79.6\sim 83.0$

Y_i（第11个对照组城市）$=Y_{c(85)}\pm 1.96\times(2.41)$

$=87.2\pm 4.72$

$=82.5\sim 91.9$

这些区间估计表明，第8个实验组城市在95%的时间内会出现的污染的最高水平约是83，而第11个对照城市在95%的时间内会出现的污染地最低水平也约为83。换句话说，95%的时间内会出现的实验组城市污染的最高水平与对照城市的最低污染水平相等。同时，第10个实验组城市的点估计（77.59）与第14个对照组城市的点估计（80.2）比较接近，这说明对某些城市而言，不连续性并不同样明显。[①]

注意，若是没有不连续回归分析，就不可能进行这种比较。通常给实验组和对照组随机分配“均势”分数，我们能够确定对那些在项目执行之前污染水平相同或相近的城市执行计划后的效果。如果我们用图示来显示不连续回归分析的结果，它们就更容易被形象地表达出来。图6—15中所示，很明显，两组之间存在部分不连续性。

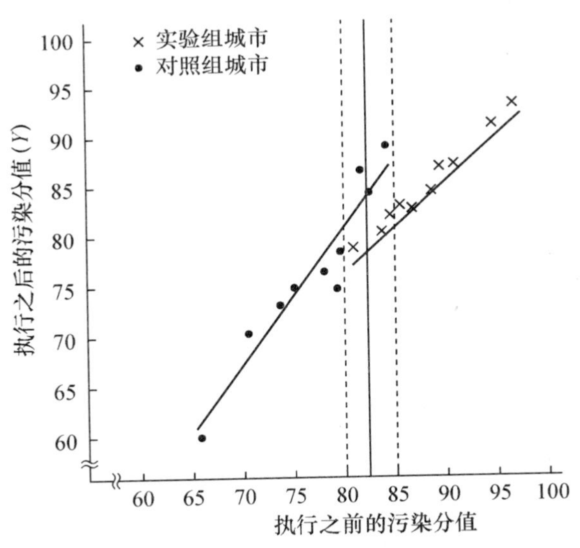

图 6—15　对假定的实验组和对照组城市进行不连续回归分析结果示意图

在监测包含着稀缺资源分配的社会实验的结果时，不连续回归分析是一种非常

① 这段文字及公式中的数据也多有谬误，为方便读者，已对照表6—19予以更正。——译者注

有用的技术。我们上面的那个假定的例子既说明了应用这种技术所需要的计算，又避免了它的复杂性。在实际应用这些技术时通常需要更多的样本。例如，要做刚才所述的那种分析，可能需要 200 个样本。相对较大的样本量是获得有效结果所需要满足的几个条件之一。这些条件，包括服从正态分布的变量，在一般的统计教材中都有讨论。[64]

本章小结

本章概述了政策分析中监测的性质和作用，比较了监测的四种方法，描述和阐明了与这些方法结合使用的一些技术的应用。

学习目标

- 区分监测与其他政策分析方法
- 列出监测的主要功能
- 区分政策结果、影响、过程和投入
- 比较社会系统核算、社会实验、社会审计和综合实例研究
- 描述内部和外部有效性的威胁
- 就公路安全案例进行间断序列分析和对比序列分析

关键术语与概念

案例调查法
基本（正式）定义
对比序列分析
外部有效性
基尼系数
内部有效性
间断时间序列分析
洛伦兹曲线
操作性定义
购买力指数
不连续回归分析
研究调查法
社会审计
社会实验
社会系统核算
虚假解释
有效性威胁（对立假设）

复习思考题

1. 监测是如何同预测相联系的？

2. 结构不良问题同监测方法的联系是什么？

3. 监测同第 8 章讨论的政策主张的类型有什么联系？

4. 从下列行为和结果变量中任选 5 个，给出它们的基本定义和操作性定义。

项目支出	受教育机会均等性
人员流动	国家安全
健康服务	工作激励
生活质量	污染
对市政服务的满意度	能源消耗
收入分配	客户亲和力

5. 下面是几个政策问题，从中选出 5 个，分别设计一个指标或者指数帮助确定这些问题是否正通过政府行为被解决。

工作异化	辍学
犯罪	贫困
能源危机	财政危机
通货膨胀	种族歧视

6. 下面给出了每 10 万人中犯罪报案次数。已知案件在 1965—1989 年间被分为两类：人身伤害犯罪和财产犯罪。画出此期间两种犯罪率发展趋势的曲线图。针对犯罪这个政策问题，这些图能说明什么？

美国犯罪率：1965—1989 年每 10 万人中犯罪报案次数

	1965 年	1970 年	1975 年	1980 年	1985 年	1989 年
暴力犯罪	200	364	482	597	556	663
财产犯罪	2 249	3 621	4 800	5 353	4 651	5 077

资料来源：Harold W. Stanley and Richard G. Niemi，*Vital Statistics on American Politics*，3d ed.（Washington，DC：Congressional Quarterly Press，1992），p. 401.

7. 下表是 1975 年和 1989 年美国家庭收入五分位百分比分布数据。用这些数据作两个洛伦兹曲线，比较 1975 年和 1989 年的家庭收入分布的变化。注意标出两个坐标轴和两条曲线。

1975 年和 1989 年美国家庭收入五分位百分比分布数据

五分位	1975 年	1989 年
最高	41.0	46.7
第二	24.0	24.0
第三	17.6	15.9
第四	12.0	9.6
最低	5.4	3.8
总计	100.0	100.0

资料来源：U. S. Bureau of the Census，*Current Population Reports*，Series P-60.

8. 利用上题的数据计算 1975 年和 1989 年的基尼系数。针对贫困这个政策问题，洛伦兹曲线和基尼系数说明了什么？如果贫困和其他问题是“人造的”和“主观的”，洛伦兹曲线显示的信息在多大程度上有效？为什么？

9. 政策问题：未成年儿童家庭援助计划（AFDC）中，支付给母亲的平均月补助应该增加吗？

年份	平均月补助（美元）	消费者价格指数（1982—1984＝100）
1970	183.13	38.8
1975	219.44	53.8
1980	280.03	82.4
1985	342.15	107.6
1988	374.07	118.3

准备一份回答问题的备忘录。在写备忘录之前请注意：

（1）为序列中所有年份准备一个购买力指数，以1970年为基期；

（2）将各年的平均月补助转化成真实的补助；

（3）以1980年为基期，重复同样的过程。

10. 对毒品宣战计划始于里根执政时期的1981年，布什延续了该计划。尽管另一项政策——在学校进行义务的毒品宣传教育——成功地消除了20世纪末美国的第一次可卡因大流行，而里根-布什政策的主要目的是对可卡因和高纯度可卡因在自其他国家（特别是南美洲）进入美国之前进行封锁。人们普遍认为该政策并没有减少可卡因流入美国的数量，而且自20世纪80年代早期开始，这种毒品的场外行情就一直下跌。

下表提供了衡量该计划主要结果方面的资料。以此为基础，给该计划的执行委员会主席写一个政策备忘录，评估一下该计划的效果。

历史月份中可卡因使用者百分比以及不同群体中与可卡因相关的急诊和死亡人数

组别	1982年	1985年	1988年
高中生	5.0	6.7	3.4
大学在校生	17.3	17.1	10.0
总人口中的年龄组			
12～17岁	1.6	1.5	1.1
18～25岁	6.8	7.6	4.5
26岁以上	1.2	2.0	0.9
急诊病人			
可卡因	NA	10 099	46 835
高纯度可卡因	NA	1 000	15 306
急诊死亡人数	NA	717	2 163

资料来源：*Drug Abuse and Drug Abuse Research* (Washington, DC: National Institute on Drug Abuse, 1991).

11. 假设你要考察10份奖学金对在校贫困生以后成绩的影响。申请人数比预定名额要多，而且奖励必须以成绩为基础。因此，不可能给所有的贫困学生都提供奖学金；随机选择学生由于违背了择优原则在政治上也是行不通的。你决定按照下列原则来分配这 10 份奖学金：考试成绩在 86 分以下的学生不能获奖；有 5 份奖学金自动地给得分在 92～100 分之间的优等生；剩下 5 份奖学金的获得者将从成绩在 86～91 分之间的学生中随机选择。

一年以后，你得到了关于获奖的 10 名学生与另外没有获得奖学金的贫困学生的平均绩点。20 名学生的大学考试成绩已知。给贫困学生的奖学金对提高他们的在校成绩有作用吗？

获奖组		未获奖组	
入学考试成绩	平均绩点	入学考试成绩	平均绩点
99	3.5	88	3.2
97	3.9	89	3.2
94	3.4	90	3.3
92	3.0	86	3.0
92	3.3	91	3.5
86	3.1	85	3.1
90	3.3	81	3.0
89	3.2	79	2.8
88	3.2	84	3.0
91	3.4	80	2.6

（1）画出不连续回归图，显示出两组学生的入学考试成绩同平均绩点。分别用 X 和 O 作为实验组和控制组的数据标志。

（2）构建一个工作表，计算出各组回归方程中的参数 a、b。回归方程是：$Y_c=a+b(X)$。

（3）写出两组各自的回归方程。

（4）在 95%的置信度下计算两组的估计标准差。

（5）计算 r^2 和 r。

（6）解释由（1）到（5）所揭示的信息，并回答下面的问题：给贫困学生的奖学金对提高他们的在校成绩有作用吗？请论证你的结论。

12. 将上面控制组（即未获奖组）每个同学的平均绩点减掉 0.5。

（1）控制组的 Y 变量的截距发生变化了吗？为什么？

（2）控制组回归线的斜率发生变化了吗？为什么？

（3）控制组的估计标准误差发生变化了吗？为什么？

（4）控制组的 r^2 和 r 发生变化了吗？为什么？

（5）对那些检验前后分值高度相关的问题进行回归分析和相关分析是否合适？你的回答是什么？

（6）那么，不连续回归分析所特有的优点是什么？

13. 使用至少四种有效性的威胁因素来反驳下面的论点：（B）某项方案的成本越高，被采纳的可能性越小。（W）55 英里时速限制法的实施增加了超过时速限制的成本。(*I*) 时速限制执行之后，1亿英里的里程死亡率从4.3下降到了3.6。(*C*) 这个时速限制措施确实成功地挽救了许多人的生命。在开始做之前，可参考图6—13。

参考文献

Bartlett, Robert V., ed. *Policy through Impact Assessment: Institutionalized Analysis as a Policy Strategy*. New York: Greenwood Press, 1989.

Campbell, Donald T. *Methodology and Epistemology for Social Science: Selected Papers*, ed. E. Samuel Overman. Chicago: University of Chicago Press, 1989.

Cook, Thomas D., and Charles S. Reichardy, eds. *Qualitative and Quantitative Methods in Evaluation Research*. Beverly Hills, CA: Sage Publications, 1979.

Light, Richard J., and David B. Pillemer. *Summing Up: The Science of Reviewing Research*. Cambridge, MA: Harvard University Press, 1984.

MacRae, Duncan Jr. *Policy Indicators: Links between Social Science and Public Debate*. Chapel Hill: University of North Carolina Press, 1985.

Miles, Matthew B., and A. Michael Huberman. *Qualitative Data Analysis: A Sourcebook of New Methods*. Beverly Hills, CA: Sage Publications, 1984.

Shadish, William, Thomas D. Cook, and Donald T. Campbell. *Experimental and Quasi-Experimental Design for External Validity*. Boston, MA: Houghton Mifflin, 2002.

Trochim, William M. K. *Research Design For Program Evaluations: The Regression-Discontinuity Approach*. Beverly Hills, CA: Sage Publications, 1984.

U. S. General Accounting Office. *Designing Evaluations*. Methodology Transfer Paper 4. Washington, DC: Program Evaluation and Methodology Division, U. S. General Accounting Office. July 1984.

Yin, Robert K. *Case Study Analysis*. Beverly Hills, CA: Sage Publication, 1985.

注　释

[1] 关于执行的最好的概括性资料是 Daniel A. Mazmanian and Paul A. Sabatier, *Implementation and Public Policy*, rev. ed. (Lanham MD: University Press of American, 1989)。

[2] Richard P. Nathan and others, *Monitoring Revenue Sharing* (Washington, DC: Brookings Institution, 1975).

[3] 例如，见 Office of Management and the Budget, *Social Indicators, 1973* (Washington, DC: U. S. Government Printing Office, 1974); and U. S. Department of Labor, *State Economic and Social Indicators*, Bulletin 328 (Washington, DC: Government Printing Office, 1973)。

[4] 见 Alice Rivlin, *Systematic Thinking for Social Action* (Washington, DC: Brooking Institution, 1971); and Geoge W. Fairweather and Louis G. Tornatzky, *Experimental Methods for Social Policy Research* (Oxford and New York: Pergamon Press, 1977)。

[5] 见 R. H. Beattie, "Criminal Statistics in the United States," *Journal of Criminal Law, Criminology, and Police Science* 51 (May 1960): 49-51。

[6] 见 Wesley G. Skogan, "The Validity of Official Crime Statistics: An Empirical Investigation," *Social Science Quarterly* 55 (June 1974): 25-38。

[7] 可利用的统计指南见 Delbert C. Miller, *Handbook of Research Design and Social Measurement*, 3d ed. (Chicago: David McKay, 1977); "Guide to The U. S. Census and Bureau of Labor Statistics: Data References and Data Archives," pp. 104-123; and "Social Indicators," pp. 267-280。

[8] 关于应用研究方法的回顾超出了本书的内容。有关参考资料见 Miller, *Handbook of Research Design and Social Measurement*; Clair Selltiz and others, *Research Methods in Social Relations* (New York: Holt, Rinehart and Winston, 1976); and David Nachmias, *Public Policy Evaluation: Approaches and Methods* (New York: St. Martin's Press, 1979)。

[9] 西奥多·洛伊把公共政策的影响分为规范性、分配性和再分配性三种。这些类别有时被认为是行为的特征，有时被认为是结果的特征，这取决于特定条件下，不同的利益相关人如何理解需要、价值和机会（即政策问题）。见 Theodore J. Lowi, "American Business, Public Policy Case Studies, and Political Theory," *World Politics* 16 (July 1964): 689-690; and Charles O. Jones, *An Introduction to the Study of Public Policy*, 2d ed. (North Scituate, MA: Duxbury Press, 1977), pp. 223-225。在这个计划中，所有的规范行为既是分配性的又是再分配性的，不管这些规范性行为的目的是什么。

[10] Edward A. Suchman, *Evaluative Research: Principles and Practice in Public Service and Social Action Programs* (New York: Russell Sage Foundation, 1969), p. 61.

[11] 关于各种指标的常见例子，见 Eugene Webb and others, *Unobtrusive Measures: Nonreactive Research in the Behavioral Sciences* (Chicago: Rand McNally, 1966)。关于指标在刑事审判与其他领域的运用，见 Roger B. Parks, "Complementary Measures of Police Performance," in *Public Policy Evaluation*, ed. Kenneth M. Dolbeare (Beverly Hills, CA: Sage Publications, 1975), pp. 185-218。

[12] 关于各种指数，见 Miller, *Handbook of Research Design and Social Measurement*, pp. 207-460 中的参考文献; James L. Price, *Handbook of Organizational Measurement* (Lexington, MA: D. C. Health and Company, 1972); Dale G. Lake and others, *Measuring Human Behavior* (New York: Columbia University Teachers College Press, 1973); Paul N. Cheremisinoff, ed, *Industrial Pollution Control: Measurement and Instrumentation* (Westport, CT: Technomic Press, 1976); Leo G. Reader and others, *Handbook of Scales and Indices of Health Behavior* (Pacific Palisades, CA: Goodyear Publishing, 1976); Lou E. Davis and Albert B. Cherns, *The Quality of Working Life*, Vol. I (New York: The Free Press, 1975); and Albert D. Biderman and Thomas F. Drury, eds., *Measuring Work Quality for Social Reporting* (New York: Wiley, 1976)。

[13] 有一个特例，在这种情况下，政策产出和影响既不是积极的，也不是消极的，而是中性的，在

这种情况下，反对只考虑那些有“直接规范性利益”的社会指标的一个理由是：与目前目标相关的利益在以后未必相关。见 Eleanor B. Sheldon and Howard E. Freeman，“Notes on Social Indicators：Promises and Potential，” *Policy Science* 1（April 1970），97－98。注意：如果以目标为导向的产出是根据它对政策问题的潜在影响界定的——如果问题是人为的、互相促进和互相依赖的政策（见第 3 章）——那么所有产出，包括“中性的”产出，有一天总会有直接的规范性利益。

［14］Ibia，p. 97.

［15］这种旧新知识的结合被称为“基础研究的复制”。见 Otis Dudley Duncan，*Toward Social Reporting：Next Steps*（New York：Russell Sage Foundation，1969）。

［16］比较下列书中提出的社会指标的定义。Kenneth C. Land，“Theories，Models，and Indicator of Social Change，” *International Social Science Journal* 25，no. 1（1975）：14。

［17］下面的说明主要根据 Kenneth C. Land and Seymour Soilerman，eds.，*Social Indicator Models*（New York：Russell Sage Foundation，1974）；and Land，“Theories，Models，and Indicator of Social Change，” pp. 7－20。

［18］National Commission on Technology，Automation，and Economic Progress，*Technology and the American Economy*（Washington，DC：U. S. Government Printing Office，1966）. 对委员会的建议有很大影响的人物是丹尼尔·贝尔，我们在案例研究 2① 中说过他的主要著作（*Toward Post-Industrial Society：A Venture in Social Forecasting*）。

［19］Raymond A. Bauer，ed.，*Social Indicators*（Cambridge，MA：MIT Press，1966）. 该书第 3 章由 Bertram M. Gross 编写，第 3 章的标题为《国家的状态：社会系统核算》（The State of the Nation：Social Systems Accounting）。

［20］President's Research Committee on Social Trends，*Recent Social Trends*（New York：McGraw-Hill，1933）. 奥格本的主要著作：*Social Change：With Report to Culture and Original Nature*（New York：B. W. Huebsch，1922）。

［21］两本成套的书分别论述了社会变化的客观方面和主观方面。见 Eleanor B. Sheldon and Wilbert E. Moore，eds.，*Indicators of Social Change：Concepts and Measurement*（New York：Russell Sage Foundation，1968）；and Angus Campbell and Philip E. Converse，eds.，*The Human Meaning of Social Change*（New York：Russell Sage Foundation，1972）。其最新论述，见“American in the Seventies：Some Social Indicators，” *Annals of the American Academy of Political and Social Science* 435（January 1978）。

［22］相关的出版物有：U. S. Department of Health，Education and Welfare，*Toward a Social Report*（Washington，DC：U. S. Government Printing Office，1969）；Executive Office of the President，Office of Management and Budget，*Social Indicators，1973*（Washington，DC：U. S. Government Printing Office，1974）；U. S. Department of Labor，*State Economic and Social Indicators*（Washington，DC：U. S. Government Printing Office，1973）。1974 年国家科学基金会筹建了一个中心，目的是促进社会指标研究方面的合作，该中心由社会科学研究委员会负责管理，该中心出版了《社会指标简讯》。

［23］一本全面的有注释的参考书，见 Leslie D. Wilcox and others，*Social Indicators and Social Monitoring：An Annotated Bibliography*（New York：American Elsevier Publishing，1974）。主要的国际期刊是 *Social Indicators Research：An International and Interdisciplinary Journal for Quality of Life Measurement*，创刊于 1974 年。

［24］Land，“Theories，Models，and Indicator of Social Change，” p. 15.

---

① 受篇幅所限，原书中所有“案例研究”栏目在中文版中已略去。——译者注

[25] 关于社区层面的社会指标，见 Terry N. Clark，“Community Social Indicators：From Analytical Medels to Policy Applications，” *Urban Affairs Quarterly* 9，no. 1（September 1973）：3－36。关于城市社会指标，见 M. J. Flax，*A Study in Comparative Urban Indicators*：*Conditions in* 18 *Large Metropolitan Areas*（Washington，DC：Urban Institute，1972）。

[26] 见注释 12。政策相关社会指标的最全面的资料是 Duncan MacRae Jr.，*Policy Indicators*（Chapel Hill：University of North Carolina Press，1985）。

[27] 例如，见 the Urban Institute，*Measuring the Effectiveness of Basic Municipal Sciences*（Washington，DC：Urban Institute，1974）。

[28] 见 Christopher Jencks and others，*Inequality*：*A Reassessment of the Effect of Family and Schooling in American*（New York：Basic Books，1972）。

[29] Thomas R. Dye，*Understanding Public Policy*，3d ed.（Englewood Cliffs，NJ：Prentice Hall，1978），pp. 324－325.

[30] Nathan Caplan and others，*The Use of Social Science Information by Policy-Makers at the Federal Level*［Ann Arbor：Institute for Social Research（一个关于科学知识应用的研究中心）University of Michigan，1975］。

[31] Vijai P. Singh，“Indicators and Quality of Life：Some Theoretical and Methodological Issues，” paper presented at the Annual Meeting，American Sociological Association，August 25－29，1975.

[32] Rivlin，*Systematic Thinking for Social Action*；and Rivlin，“How Can Experiments Be More Useful?” *American Economic Review* 64（1974）：346－354.

[33] 例如，见 Fairweather and Tornatzky，*Experimental Methods for Social Policy Research*.

[34] 见 Donald T. Campbell and Julian C. Stanley，*Experimental and Quasi-experimental Designs for Research*（Chicago：Rand Mcnally，1966）；and Campbell，“Reforms as Experiments，” *in Handbook for Evaluation Research*，vol. 1，ed. Elmer I.，Struening and Marcia Guttentag（Beverly Hills，CA：Sage Publications，1965），pp. 71－100。

[35] A. Stephen “Prospects and Possibilities：The New Deal and New Social Research，” *Social Forces* 13（1935）：515－521. 见 Robert S. Weiss and Martin Rein，“The Evaluation of Broad-Aim Programs：A Cautionary Case and a Moral，” in *Readings in Evaluation Research*，ed. Francis G. Caro（New York：Russell Sage Foundation，1971），pp. 37－42。

[36] 见 Carl A. Bennett and Arthur A. Lumsdaine，eds.，*Evaluation and Experiment*（New York：Academic Press，1975）；and Fairweather and Tornatzky，*Experimental Methods for Social Policy Research*。

[37] 对内部有效性威胁更为充分的讨论，见 Campbell and Stanley，*Experimental and Quasi-experimental Designs for Research*，pp. 5－6。

[38] 解释和测试的效应有时被称作“霍桑效应”，该名称源于 1927—1931 年在西方电气公司霍桑工厂（在芝加哥市）进行的几次实验。在工作条件和其他因素（投入）改变后，工人的产出增加了。后来，即使工作条件（休息时间、照明等）又回到原来状况，工人的产出仍在增加，主要是因为实验本身提供了工人参与的机会。见 Paul Blumberg，*Industrial Democracy*：*The Sociology of Participation*（London：Constable，1968）。

[39] 见 Donald T. Campbell and A. E. Erlebacher，“How Regression Artifacts in Quasi-Experimental Evaluations Can Mistakenly Make Compensatory Education Look Harmful，” in *Compensatory Education*：*A National Debate*，vol. III，ed. J. Hellmuth（New York：Brunner-Mazel，1970），pp. 185－225。

[40] 这里所说的设计是“所罗门 4 组设计”。对不同研究设计及其在减少威胁内部有效性的因素时

所起作用的最好的概述是 Fred N. Kerlinger，*Foundations of Behavioral Research*，2d ed.（New York：Holt，Rinehart and Winston，1973），pp. 300-377。

［41］见 Robert S. Weiss and Martin Rein，“The Evaluation of Broad-Aim Programs：A Cautionary Case and a Moral，” in *Readings in Evaluation Research*，ed. Caro，pp. 287-296；and Ward Edwards，Marcia Guttentag，and Kurt Snapper，“A Decision-Theoretic Approach to Approach to Evaluation Research，” in *Handbook of Evaluation Research*，vol. 1，ed. Stuening and Guttentag，pp. 139-182。

［42］见 M. G. Trend，“On the Reconciliation of Qualitative and Quantitative Analysis：A Case Study，” *Human Organization* 37，no. 4（1978）：345-354；and M. Q. Patton，*Alternative Evaluation Research Paradigm*（Grand Forks：University of North Dakota Study Group on Evaluation，1976）。

［43］James S. Coleman，*Policy Research in the Social Science*（Morristown，NJ：General Learning Press，1972），p. 18. 又见 Michael Q. Patton，*Utilization-Focused Evaluation*（Beverly Hills，CA：Sage Publications，1978）。

［44］见 James S. Coleman and others，*Equality of Educational Opportunity*（Washington，DC：U. S. Government Printing Office，1966）；and Victor Cicarelli and others，*The Impact of Head Start：An Evaluation of the Effects of Head Start on Children's Cognitive and Affective Development*（Washington，DC：U. S. Government Printing Office，1969）。

［45］Coleman，*Policy Research in the Social Sciences*，p. 18.

［46］下面对社会审计的论述与科尔曼的不同，科尔曼的论述仅限于“资源流失”，不包括资源转化，它是以这一局限性假设为根据的，即社会审计只适合于资源分配政策。

［47］关于定性方法的最好论述是 Barney G.. Glaser and Anselm L. Strauss，*The Discovery of Grounded Theory：Strategies for Qualitative Research*（Chicago：Aldine Publishing，1967）；and Norman K. Denzin，*The Research Act*（Chicago：Aldine Publishing，1970）。

［48］见 Trend，“On the Reconciliation of Qualitative and Quantitative Analyses：A Case Study.”

［49］例如，见 Jack Rothman，*Planning and Organizing for Social Change：Action Principles From Social Science Research*（New York：Columbia University Press，1974）；Gerald Zaltman，Robert Duncan，and James Holbek，*Innovations and Organizations*（New York：Wiley-Interscience，1973）；Everett Rogers and F. Floyd Shoemaker，*The Communication of Innovations*（New York：Free Press，1971）；Robert K. Yin and Douglas Yates，*Street-Level Governments：Assessing Decentralization and Urban Services*（Santa Monica，CA：Rand Corporation，October，1974）；U. S. General Accounting Office，*Desigining Evaluations*（Washington，DC：U. S. GA Office，July 1984）；and Richard J. Light and David B. Pillemer，*Summing Up：The Science of Reviewing Research*（Cambridge，MA：Harvard University Press，1984）。

［50］例如，见 Ilene N. Bernstein and Howard E. Freeman，*Academic and Entrepreneurial Research：The Consequences of Diversity in Federal Evaluation Programs*（New York：Russell Sage Foundation，1975）。

［51］见 Robert K. Yin and Kenneth Heald，“Using the Case Survey Method to Analyze Policy Studies，” *Administrative Science Quarterly* 20，no. 3（1975）：371-381；William A. Lucas，*The Case Survey Method：Aggregating Case Experience*（Santa Monica，CA：Rand Corporation，October 1974）；and Yin，*Case Study Analysis*（Beverly Hills，CA：Sage Publications，1985）。

［52］Yin and Yates，*Street Level Governments*.

［53］William N. Dunn and Frederic W. Swierczek，“Planned Organizational Change：Toward Grounded Theory，” *Journal of Applied Behavioral Science* 13，no. 2（1977）：135-158.

［54］见 Rothman，*Planning and Organizing for Social Changes*；U. S. General Accounting Office，*Designing Evaluations*；and Light and Pillemer，*Summing Up*.

［55］Rogers and Shoemaker，*The Communication of Innovations*；Gerald Zaltman，*Toward a Theory of Planned Social Change：A Theory-in-Use Approach*，prepared for the Second Meeting of the Network of Consultants on Knowledge Transfer，Denver，Colorado，December 11－13，1977；and Rothman，*Planning and Organizing for Social Change*，ch. 6，pp. 195－278.

［56］关于案例材料见 the Electronic Hallway，其中拥有有关公共管理和政策的成百上千的案例。这个案例库位于华盛顿大学的埃文斯学院，并由后者管理，它是公共政策学院合作的产物。

［57］见 Zaltman，*Toward a Theory of Planned Social Change*；and Dunn and Swierczek，"Planned Organizational Change：Toward Grounded Theory"。

［58］对洛伦兹曲线的最早说明见 M. O. Lorenz，"Methods of Measuring the Concentration of Wealth，" *Quarterly Publications of the American Statistical Association* 9，no. 70（1905）：209－219。

［59］其他例证，见 Jack P. Gibbs，ed.，*Urban Research Methods*（Princeton，NJ：Van Nostrand，1961）。

［60］1978 年 1 月修改了消费者价格指数。因为那时又提出了两种指数。新指数包括所有城市消费者，不管他们是否工作，并包括 80％的非公民。旧指数包括城市工薪阶层和文书人员，它大约包括新指数人口的 50％。

［61］下面的讨论以 Campbell 的《实验式改革》(Reforms As Experiments）一文为基础。

［62］见 Campbell，"Reforms as Experiments" pp. 75－81；and Donald T. Campbell and H. Lawrence Ross，"The Connecticut Crackdown on Speeding：Time-Series Data in Quasi-experimental Analysis，" *Law and Society Review* 3，no. 1（1968）：33－53。

［63］Campbell，"Reforms as Experiments"，pp. 86－87.

［64］例如，见 William Mendenhall and James E. Reinmuth，*Statistics for Management and Economics*，3d ed.（North Scituate，MA：Duxbury Press，1978），ch. 11。

第 7 章

评估政策绩效

监测主要关注“事实”，而“评估”主要关注“价值”。监测回答这个问题：政策结果如何和为什么会出现？评估回答一个相关但不同的问题：结果有什么价值？

本章的主要目的是通过考察评估这一政策分析方法来回答这个重要问题。我们首先回顾伦理和价值对公共政策重要的几个方面和几个思考价值、伦理和元伦理（元伦理是伦理推理的哲学研究）的框架。其次，我们考察政策分析中评估的性质、目标和功能，展现作为一种伦理评价方式，评估如何有助于提供政策绩效信息。相对而言，作为一种因果评价方式，监测有助于提供政策结果信息。最后，我们比较和对照评估的三种方式，考察与这些方式相联系的方法和技术。

7.1 政策分析中的伦理和评估

一些政策分析人员认为，政策评估应关注解释和预测，以区别于伦理和价值分析。[1]他们认为，如果分析人员只进行解释和更准确的预测，那么政策分歧就会减少或消失。在基本价值的差异方面花费大量的时间没有意义，因为它们注定只有争论而且难以解决。[2]

正如众所周知的逻辑实证论或简称“实证论”，政策分析的这种观点对事实和价值进行了严格的区分。事实的获取被看作是实证的，因为事实强调是什么，从而区别于价值，价值关注应该是什么。逻辑实证论[3]（logical positivism）是20世纪20年代由一群在欧洲的物理学家和被称作维也纳学派（Vienna Circle）的科学哲学家创建的。最初的维也纳学派实证论者和后来在社会科学中他们的追随者认为，伦理和道德问题不是科学的正当主题。因为观察、解释和预测被认为是科学的唯一合法目标，伦理和价值判断被看作是非科学或伪科学的。应当把科学和价值严格分开。在社会科学中，分析人员应将工作限定于解释和预测政策结果，将他们自身局限在“是什么”，而非“应该是什么”的观察和分析中。

对价值的思考

到了20世纪50年代后期，实证论在哲学中被抛弃。它不再被当作科学的固有模式。今天的一致观点是，科学注定受到社会、文化、经济、政治和心理学的大量影响，不再按实证论者主张的方式运作。因为分析人员需要批判地看待事实和价值之间的关系（而不是独立地），因此，重要的是清楚当我们用“价值”和“伦理”这些词时，我们的意思是什么。

通常我们按广义的方式界定价值这个词，因此它包括所有需求、需要、利益或者偏好。[4]这里，价值代表大量与选择有关的行为的目的。在这种观点即作为目的的价值（values-as-objects）（比如，对效率的偏好）中，价值是任何对评估者有益的事物。在广义的概念中，政策分析人员可以被看作表达价值的众多排序。正是在这种广义上，政策选择涉及“价值的权威性分配”[5]。

另一点，更为具体的“价值”概念指作为标准的价值（values-as-criteria）。这里不仅关注作为目的的价值，而且关注选择价值的标准。在第二个意义上，价值表现为决策规则或在两个或更多价值中选择的标准。对价值的广义界定导致这样的陈述，“绝大多数公民希望政府项目更有效”。一个更为具体的定义界定了这个标准或规则，“绝大多数公民希望按照这个规则来为项目投票：选择能够产生最大净收益的项目（比如收益—成本）”。

术语“价值”的两个用法与价值源起的不同语境有关——个人的、标准的和理想的。[6]在个人语境中，价值以偏好、需求和需要的方式表达。价值的一个表达是“相对于私人学校，我喜欢公立学校”。相对而言，标准语境涉及持有某种价值的某一（标准）个人或团体的陈述，比如“在中产阶级公民看来，用于种族融合的校车是一项坏政策”。最后，理想的语境涉及价值判断（value judgments），这些价值判断不可简化为个人语境中提供的价值表达或标准语境中的价值陈述。

价值判断是独一无二的，因为它让诸如“净效率提高”这样的标准或诸如“选择能让净收益最大化”这样的决策规则正当化。当价值判断被用在伦理论证过程中（见第1章和第8章）时，它的作用就是使这样的标准和决策规则正当化。例如，“政策A优于政策B，因为它通过增加社区成员的总体满意度而产生了最高的净收益——即为最大群体带来最大收益”。价值判断超越了个人偏好的描述和特殊团体的价值，例如，经济学家，他们似乎相信，当规则“净收益最大化”是需要伦理合理化的决策规则时，它就是一个不证自明的道德规则。我们能描述价值并且应用标准和决策规则，也能提供它们正当化的根据，这就是价值判断的特殊作用。[7]

除了价值语境的差别，还有几个重要的区别：

● 价值与对价值的看法（value versus values)。因为人们表达其能够描述和解释的价值，所以这些价值表达并非指有价值的事物。某一事物的价值不能只建立在观察的基础上，因为总是有可能要问：“这些价值是好的吗?”想一下奥斯卡·怀尔德（Oscar Wilde）的妙语，“经济学家是一个这样的人：知道每一件东西的价格，同时对其价值一无所知”。

● 价值与需要（values versus needs)。尽管价值是需要的来源之一，但当健康的价值仅是达到未能满足的最低营养标准需要时，价值也不等同于需要。引起需要的匮乏可能相对独立于诸如安全、秩序、公正和平等等价值。需要和价值之间的复杂关系为从事需要评估的分析人员创建概念的和方法论上的主题，因为需要不等同于价值。

● 价值与规范（values versus norms)。尽管规范是适用于特定境况的行为规则，价值是适用于许多或所有境况的成功标准，但权力、尊敬、正直、爱、健康、财富和文明[8]这些价值中的每一个都可能导致各套规范的建立，这些规范被用于调整分析人员与政治家、分析人员与分析人员、分析人员与新闻工作者、分析人员与客户、分析人员与所有公众之间的关系。相反，公共审计的规范可能涉及权力、尊敬、健康和其他价值。尽管价值为规范的合理化提供根据，但规范越普遍，越难把它从价值中区分开来。调整决策者、政策分析人员与公共管理者行为的准则包含规范，这些规范如此普遍以致难以从价值中区分出来。[9]

● 评价与评估（valuation versus evaluation)。另一个重要的区别是评价与评估。[10]作为一个涉及众多评判形式的总社会过程，评估应当与评价相区别，评价是一个涉及努力去建立评判依据的特定过程。尽管评估要求评判两个或更多的方案——例如，按照效率改进的标准——但评价要求标准本身应当是正当的，比如，按照“为最大群体带来最大收益”的功利哲学。围绕政策和项目评估的目标和性质的争论通常表现为评价和评估的区别。[11]

● 评价与指示（valuation versus prescription)。不应当把作为评估产物的价值判断与非理性情感要求、理想化的规劝或政策倡议的教条主义形式相混淆。这种混淆是和这样的看法相关的，即政策分析人员必须是价值中立的[12]，因为只要评估被错误地认为是主观的和非理性的，价值中立就是反对那些被认为是非科学和专断的分析的唯一保护。许多分析人员没有意识到价值判断不是“命令、指示或者告诉人们去做事情的其他形式……告诉人们他们应当做什么不是告诉或规劝他们去做……给他们关于他们实际问题的正确办法才是有意义的”[13]。

伦理与元伦理

术语伦理指对道德选择的思考研究，而元伦理指对伦理本身的思考研究。术语伦理通常适用于习惯或习俗的行为，如在“政策制定者的伦理”中。这种日常用法在词源上源于希腊语和拉丁语中的“ethos”和“mores”，指习惯或习俗。尽管主要是这种日常用法引导着公共管理者、决策者和政策分析人员伦理准则的发展[14]，但专业标准设置的努力是以隐性的伦理或道德判断为基础的。“当说起‘习俗的道德’时，这一术语涉及的也不仅是习俗——规律地重复行为的结果——而且是这种看法（至少是参与者默认的），即他们通常所做的在某种意义上是正确的；它不仅是所做的，而且是应该做的。”[15]正如我们所见的，术语伦理有两种不同但相关的意义。涉及关于习俗道德描述分析的描述伦理应当和规范伦理相对照。规范伦理关注规范性陈述的分析、评估和发展，这些陈述为努力解决实际问题的人提供指导。

规范伦理关注使规范陈述合理化的标准的评估。它的中心问题是：什么标准使关于公共行为正当性、仁慈性或公正性的规范要求合理化？相对而言，元伦理关注总体规范要求的性质和意义，它的问题是：什么（元伦理的）标准可确保（规范伦理的）标准的选择？这些标准被用于使关于公共政策正当性、仁慈性或公正性的要求合理化。在这种和其他情况下，术语“元”表示“关于”或“来自于”其他事物的事物。例如，“元政策”是制定关于政策的政策[16]，“元评估”是评估的评估，因为它发展和应用标准对项目和政策评估进行评估。[17]

人们越来越关注规范伦理和元伦理在政策评估中的作用。在普通的政策分析文献中，可以发现对标准的反思评估的强调，这些标准被用于证明规范主张的合理性。[18]此外，也有考察本体论（伦理知识存在吗?）、认识论（如果有，什么样的标准决定伦理主张的真或假?）和实践的（伦理和道德行为的关系是什么?）元伦理问题的专门尝试。比如，迈克洛斯（Michalos）认为对经验的两个相互排斥领域（“事实”和“价值”）的广泛认同但错误的假设导致分析人员得出伪结论，即伦理主张“在科学上是无可救药的”[19]。戴尔麦尔（Dallmayr）利用批判理论以及乔治·哈贝马斯（Jurgen Habermas）和法兰克福学派（Frank School）其他成员的著作，指出：“政策评估要求批判的反思性的实践性对话不仅对专家或政策分析人员开放，而且应当对所有公众开放……完全非工具‘实践的’判断的恢复必须以对具体政策和‘政策’本身状况的评估为先决条件。”[20]

描述伦理、规范伦理和元伦理之间的区别适用于社会平等和正义问题。分配性正义问题可以通过描述下列一个或更多的新功利决策标准的结果来表达：净效率改进（使总收益减去总成本最大化）、帕累托改进（使总收益减去总成本最大化到这一点：非通过损害其他人的利益不能使任何人得到改善）和卡尔多-希克斯或“实际帕累托改进”（使总收益减去总成本最大化，假定获益者原则上会补偿受损者）。

就描述伦理而言，上述标准的满足可以通过比较对不平等的衡量如基尼系数（见第6章）来实现，基尼系数被用于衡量收入分配差异。相比之下，就规范伦理而言，这些标准的合理性可以通过公正的规范理论来表达，比如，罗尔斯的公平—正义理论（justice-as-fairness）。[21]在权力、财富和特权还未分化的前公民社会——处在“无知之幕”下的社会——公民可能接受不同于上述的任何一个决策标准。罗尔斯决策标准是要让社会受损成员的福利最大化。这个标准的合理性可以通过一个更基础的元伦理来表达。在这种状况下，罗尔斯理论受到元伦理根据的挑战，它以人性的个人观念为前提。这样，规范义务不再是理性的社会对话的产物，而是

> 个人特有的、受生物或社会影响的、随意的（即便它可以为人所理解）价值观的契约性组合……从而，罗尔斯的理论结构与工具理性密切呼应；其目的是外生的，在世界上，思想的唯一功能就是保证目的能最大限度地实现……（罗尔斯的假设）为了服务于急需，把所有思想简化为服务与诉求中的正式推理和精细手段的综合运作。[22]①

行为的标准

引导分析人员举止的行为标准或“习俗道德”（customary morality）的规范是变化的。这种变化部分源于公共政策和管理学校伦理和价值教授方法的多样性。[23]政府的政策分析人员和决策者本身也按方法论和伦理的界限被划分。[24]减少这种变化的努力有几种标准来源：社会价值和规范，包括引导政策分析人员和所有公民行为的平等、诚实和公平；科学价值和规范，包括客观性、中立性和制度化的自我批判主义；行为的职业规则，包括正式公布的义务、职责和命令；以及立法的和行政的程序。

社会价值和规范的交流是学者个人研究和教学活动的中心，而科学和职业规范交流的出现主要是通过国家公共事务与管理学院联合会（the National Association of Schools of Public Affairs and Administration，NASPAA）的课程，政策研究组织（the Policy Study Organization，PSO)、公共政策和管理联合会（the Association for Public Policy and Management，APPAM）以及美国公共管理学会（the American Society for Public Administration，ASPA）的传统会议和出版活动实现的。为了寻求职业行为规范，ASPA 印发了《职业标准和伦理：公共管理者手册》（*Professional Standards and Ethics：A Workbook for Public Administrators*）。相对而言，调整涉及人类目标和研究完整的研究行为的立法和行政程序总体上是政府行动的产物，而不是职业协会或大学的产物。

7.2 描述伦理、规范伦理和元伦理

按照功能，伦理和价值理论可以被方便地分为：伦理和价值的描述、分类和衡量（描述理论）；评价伦理行为的标准的发展和应用（规范理论）以及评价规范伦理理论本身的附加标准的发展和应用（元伦理理论）。该分类有重要的子

① 此段已在本书第 157 页引用过，此处是作者的重复引用。——译者注

类——比如，目的论的和义务论的规范理论，或者认识论的和非认识论的元伦理理论。

描述的价值类型

罗卡奇[25]（Rokeach）的著作代表着自 20 世纪 30 年代以来价值的描述理论的主要集成。他关注的范围和深度在下面的主张中非常明显：

> 比起其他任何一个概念，价值的概念是所有社会科学的核心概念。它是文化、社会和人性研究的主要因变量，是社会态度和行为研究的主要自变量。对我来说，很难想象社会科学家会对不涉及人类价值的任何问题感兴趣。[26]

罗卡奇的贡献之一是开拓了发展和检验价值描述理论的基本类型。这个基本类型有两个主要维度：终极的价值和工具的价值。无论是个人的还是社会的，终极价值是对存在的合理最终状态的信念。工具价值是对行为合理模式的信念。表 7—1 是罗卡奇 18 种终极的和工具的价值列表。

表 7—1　　基本的价值类型：终极的和工具的价值

终极价值	工具价值
舒适的生活	有雄心的
激情的生活	思想开阔的
成就感	有能力的
和平的世界	快乐的
美好的世界	干净的
平等	有勇气的
家庭安全	仁慈的
自由	有益的
快乐	诚实的
内心和谐	富有想象力的
成熟的爱	独立的
国家安全	理智的
愉悦	有逻辑的
救世	富有爱心的
自尊	恭顺的
社会认同	礼貌的
真正的友谊	有责任的
智慧	自律的

资料来源：Milton Rokeach, *The Nature of Human Values* (New York: Free Press, 1973), Table2. 1, p. 28. 这里重测信度系数和插入的限定词被省略了。

豪（Howe）和考夫曼（Kaufman）在对职业设计者的伦理研究中采用了相似的分类。[27]考虑到现存文献中大量价值的重要性，豪和考夫曼区别了以“目的为导向的”和以“手段为导向的”伦理，从 1962 年的《美国设计者研究所的程序规则和职业责任法规》（the 1962 Code of Professional Responsibility and Rules of Procedure of the American Institute of Planners）中引出了两类伦理的原则。这项研究的重要发现是职业的和个人的伦理规则通常是不一致的，并且对某种目的（如社会平等）的赞同会影响特定手段（如对低收入者泄露信息）运用的伦理判断。尽管这项研究在本质上是探索性的，但它表达了重要的对抗性原则：良好的目的证明了手段选择的正当性[28]与手段应当以自身的方式被证明是正当的[29]。

发展的价值类型

基本类型可以作为检查个人和集体价值改变和发展的基础。比如，根据终极和工具价值的类型，罗卡奇检测了认识与组织数据的不一致理论。[30]他也研究了以年龄差异为基础的发展模式的变化，得出价值改变不仅发生在成年时期，而且贯穿于人的一生。[31]这些模式与由科尔伯格（Kohlberg）创立和检测的道德发展阶段理论相关。[32]科尔伯格的发展类型区别了道德推理发展中的三个层次：前惯例的、惯例的和后惯例的。因为每一个层次有两个阶段，这个类型共有六个阶段：阶段 1（惩罚和服从倾向）、阶段 2（工具相对主义者倾向）、阶段 3（人际和谐倾向）、阶段 4（法律和命令倾向）、阶段 5（社会契约墨守倾向）、阶段 6（普遍价值原则倾向）。

科尔伯格的发展类型对于评估伦理规则和原则在政策分析中的角色有着巨大的潜在重要性。这六个阶段代表着个人道德判断能力进步的一个恒定顺序。因为这个顺序是恒定和连续的，发展转换仅出现在两个相邻的阶段。据此，不能期望个人从一个利己的市场社会（阶段 2）直接进入到建立在普遍伦理原则基础上的社会（阶段 6），比如，从对收入最大化论理的关注到由罗尔斯框定的那类伦理。科尔伯格的理论以相对严格（尽管不完美）的经验根据为基础，因此它与在现代社会中围绕规范伦理讨论可能性的问题有重要的关系："任何所谓道德判断的概念应该必须依赖其本身的充分概念。我们的道德概念经验性地'工作'的事实对其哲学的充分性是重要的。"[33]

规范理论

价值的规范理论或规范伦理，可以被分为三个主要类型：义务论的、目的论的和实用的。义务论规范理论主张某种行动内在正确或必须履行（希腊语 deontos 意味着"必须履行的"）是因为它们与某一正式原则一致。相反，目的论规范理论主张某种行动正确是因为它们导致了好的、有价值的结果（希腊语 teleios 意味着"带来结果或目的"）。影响道德准则的创立和应用、或受道德准则创立和应用影响的合理的对话和谈判（希腊语 praktikos 意味着"经历、协商或谈判"）建立了一些原则和结果的正义性和善。实用规范理论认为，只有与上述原则一致并产生上述结果的行为才是正确的行为。

义务论规范理论依赖"义务的"（deontic）概念和原则，其区别于建立在结果良好基础上的概念和原则。诸如由罗尔斯提供的正义论是主要的义务论，因为它们采用正式的义务原则（在“无知之幕”笼罩之下的前现代社会契约）来证明关于分配正义（“正义如公正”）和正义社会（使受损者福利最大化的社会）争论的正当性。相反，目的理论根据结果的良好评价行动。目的论的一个杰出类型，一个通过现代福利经济学深深影响政策分析人员的类型是功利主义。杰里米·边沁（Jeremy Bentham）和约翰·斯图亚特·穆勒（John Stuart Mill）的古典功利主义理论主张正确的行为是那些促使每人利益最大化的行为。运用成本—收益分析的政策分析人员从这个角度来看是功利主义的，即他们以净收益最大化的标准为基础进行政策建议，该标准被假定反映了社会成员的总体满意度。

与义务论理论相比，目的论的主要特征，包括现代新功利主义理论，是非常容易看到的。[34]

- 目的论依据行为结果证明行为的正当性（如净收益最大化），而义务论证明行为正当是因为行为与某种原则（程序公正）一致或因为行为本身被认为是正确的（如讲真话）。
- 目的论提出附条件的义务（如自由可以妥协于国家安全的利益），而义务论提出绝对义务（如自由是一般的公正，不能根据任何更高的原则证明其正当性）。
- 目的论促进物质或实质的标准（如愉快、幸福或满足），而义务论促进形式的或关系的标准（如社会平等或行政公正）。
- 目的论提供总体标准（如社会福利作为社区成员的总体满意度），而义务论提供规范善（教育机会或满足生活需要的工资）或恶（暴露于有毒废物或致癌物）的分配标准。

实用规范理论强调把回应性的道德行为作为发现标准的过程，依据该标准，价值和伦理可以被获知。应用规范理论一直强调把辩论的道德谈话作为创立和评价伦理或科学知识的过程。[35]有时候，叫做“好理由”理论，这些理论在此种程度上是“实用的”，即行为被认为正确或有价值是因为它们与原则一致或导致结果，这些原则或结果的正确或良好是通过那些影响道德原则创立和应用或被其影响的人们辩论或谈判（希腊语 praktikos 意味着“经历、协商或谈判”）而建立的。

元伦理理论

规范伦理理论在政策分析中的功能是回答这个问题：依据何种标准，我们可以确定公共行动是否正确或错误？正如我们早先所见，对这个问题的回答可以以一个或更多的规范伦理标准为基础：目的论的、义务论的、实用的。相对而言，元伦理理论的功能是回答关于规范伦理主张本身的问题：我们可以决定规范伦理主张的真或假吗？规范伦理产生了某种知识吗？如果是，它是哪种类型的知识？如果规范伦理不能是真的或假的，那么会产生何种非认知论的结果？

元伦理理论依据其对规范伦理理论认识论状况的假设而有所区别——比如，所谓的“认知论”元伦理主张规范伦理理论可以是真的或假的，因此，规范伦理构成了一种知识。这一点被“非认知论”（noncognitivist）的元伦理理论否定。元伦理理论与规范伦理理论有关。因此，例如，在社会科学中逻辑实证主义的增长有助于非认知论元伦理教条，反过来，该教条导致了对规范伦理对话的贬低，并且不能认识到公认的经验理论（福利经济学）和分析路径（成本—收益分析）是以冲突的伦理假设为基础的。在这种情况中，特定的元伦理教条（非认知论）通过预先占有反思规范谈话和新伦理知识发展的机会而对规范伦理施加了直接的和逻辑上的抑制影响。

7.3 政策分析中的评估

描述、规范和元伦理理论为政策分析中的评估提供了基础，在此，评估是指提供价值或有价值的政策结果方面的信息。当政策结果在事实上有价值时，那是因为它们有助于目标或目的的实现。

评估的性质

评估的主要特性是促成了本身具有评价性的主张。这里的主要问题不是某个事实（某物是否存在）或某种行为（该做些什么），而是某种价值观念（价值是什么）。因此，评估具有区别于其他政策分析方法的几个特点：

1. 价值中心（value focus）（焦点）。与监测相比，评估关注对政策和项目有用性或价值的判断。评估主要是为了确定一项政策或项目的价值或社会效用，而不是简单地收集预期的和非预期的政策行为结果方面的信息。由于政策目的和目标的适当性总是遭到质疑，评估还必须包括对目的和目标本身进行评价。

2. 价值—事实相互依赖（fact-value interdependence）。评估对事实的依赖与对价值的依赖一样多。宣称某项政策或项目取得了高（或低）水平的绩效，不仅要求政策结果对某些个人、团体或整个社会是有价值的，而且要求政策结果实际上是为了解决某一特定问题而采取的行为的结果。因此，检测是评估的先决条件。

3. 当前的和过去的倾向（present and past orientation）。与建议中产生的倡导性主张相比，评估主张倾向于当前的和过去的结果，而不是未来的结果。评估是回溯性的，出现在行为被采取之后（事后）。尽管也涉及价值前提，但建议是前瞻性的，出现在行为被采取之前（事前）。

4. 价值的双重性（value duality）。支撑评估主张的价值有双重性质，因为它们可以被当作目的和手段。评估和建议相似，因为一个既定的价值（如健康）可以被当作内在的（本身有价值的），也可以被当作外在的（因为它带来其他结果而值得拥有）。价值通常按层级排列，该层级反映了目的和目标的相对重要性和相互依赖性。

评估的作用

评估在政策分析中有几个主要作用：第一，最重要的是，评估提供了关于政策绩效的可靠和有效信息，也就是，通过政策行动（policy performance），需求、价值和机会的实现程度。在这个意义上，评估揭示了特定目的（如改善健康）和目标（到 1990 年慢性疾病减少 20%）的实现程度。

第二，评估有助于价值的澄清和评判，该价值支撑目标和目的的选择。通过界定和实现目标和目的，价值得以澄清。通过对所讨论问题相关目标和目的的适当性进行系统的质疑，价值得以评判。在质疑目标和目的适当性的过程中，分析人员可以检查价值的不同来源（例如，公共官员、既得利益者、客户团体）及其不同理性形式（技术的、经济的、法律的、社会的、实质的）的基础。

第三，评估有助于其他政策分析方法的应用，包括问题建构（problem structuring）和建议。不充分的政策绩效信息有助于政策问题的重新建构，比如，通过证明目标和目的应该被重新界定。通过证明先前偏好的政策方案应该被放弃或用另外的方案代替，评估也有助于新的或修订的政策方案的界定。

政策评估的标准

在获取政策绩效的信息中，分析人员用不同类型的标准评估政策结果。这些类型的标准已经在政策建议（第 5 章）中讨论过了。评估标准和建议标准的主要不同是标准应用的时间。评估标准是回溯性地应用（事后），而建议标准是前瞻性地应用（事后）。表 7—2 对这些标准进行了总结。

表 7—2　评估标准

标准类型	问题	说明性的指标
效果	结果是否有价值?	服务的单位数
效率	为得到有价值的结果付出了多大代价?	单位成本
		净收益
		成本—收益比
充分性	有价值结果的获取在多大程度上解决了问题?	固定成本（第Ⅰ类问题）
		固定效果（第Ⅱ类问题）
公正性	成本和效益在不同集团之间是否等量分配?	帕累托标准
		卡尔多-希克斯标准
		罗尔斯标准
回应性	政策结果是否能满足特定集团的需求、偏好和价值?	与民意测验的一致性
适当性	所需结果（目标）是否真正值得或有价值?	公共项目应兼顾效率与公平

注：参见第 5 章对标准的扩展性描述。

7.4 评估的方式

如前所述，评估有两个相互关联的方面：采用各种方法监测公共政策和项目的结果；应用某套价值确定这些结果对特定个人、团体或整个社会的价值。注意，这两个相互关联的方面表明在任何一个评估主张中都存在事实和价值前提。然而在政策分析中，很多被描述为“评估”的活动在本质上是非评估的（nonevaluative）——即它们主要关注的是指定的（事实的）主张而非评估主张的产物。事实上，第6章描述的四种监测方式经常被误标为“评估研究”或“政策评估”的方式。[36]

由于目前在政策分析中评估的定义尚不十分明确，所以对几种不同的政策评估方式进行区别是很有必要的：伪评估、正式评估和决策理论评估。表7—3对这些方式及其目标、假设和主要形式作了说明。

表7—3 评估的三种方式

方式	目标	假设	主要形式
伪评估	采取描述性方法来获取关于政策结果可靠而有效的信息。	价值尺度是不证自明的或不容置疑的。	社会实验 社会系统核算 社会审计 综合实例研究
正式评估	采用描述性方法来获取关于政策结果可靠而有效的信息，这些结果已被正式宣布为政策—项目的目标。	政策制定者和管理者正式宣布的目的和目标是价值的恰当尺度。	发展评估 实验评估 回顾性过程评估 回顾性结果评估
决策理论评估	采用描述性方法来获取关于政策结果可靠而有效的信息，对于这些结果，多个利益相关者明确地认为其有价值。	利益相关者潜在的也是正式宣布的目的和目标是价值的恰当尺度。	评估力估计 多属性效用分析

伪评估

伪评估（pseudo-evaluation）是采用描述性方法来获取关于政策结果可靠而有效的信息的一种方式，它不试图去质疑这些政策结果对个人、团体或整个社会的价值。它的主要假设是：价值尺度是不证自明的或者是不容置疑的。

在伪评估中，分析人员有代表性地采用大量方法（准实验设计法、问卷调查法、随机抽样、统计技术），通过政策输入变量和过程变量来解释政策结果的变化。但任何既定的政策结果（如，所雇接受培训人员的数量、提供的医疗服务单位数、产生的净收益）被理所当然地视为恰当的目标。伪评估的主要形式包括第

6章中所讨论过的监测的方法：社会实验、社会系统核算、社会审计和综合实例研究。

正式评估

正式评估（formal evaluation）是采用描述性方法来获取关于政策结果可靠而有效的信息的一种方式，但它对政策结果的评估以政策—项目目标为基础，该目标是政策制定者和项目管理人员正式宣布的。正式评估的主要假设是：正式宣布的目的和目标是政策或项目价值的恰当尺度。

在正式评估中，分析人员所使用的方法类型与在伪评估中使用的一样，而且目标也是相同的：获取关于政策产出和影响变化方面可靠而有效的信息，该变化可回溯到政策输入及过程。然而，不同之处是，正式评估采用法律、项目文件以及同政策制定者和行政人员的面谈来鉴别、界定和明确正式的目的和目标。这些正式宣布的目的和目标的适当性是不容置疑的。正式评估中最常用的评估标准类型是效果和效率类型。

总结性评估（summative evaluation）是正式评估的主要类型之一，它试图在政策或项目执行一段时间后去监测正式目的和目标的完成情况。总结性评估适用于对稳定的和完善的公共政策和项目的成果进行评估。相反，形成性评估（formative e-valuation）则试图对正式目的和目标的完成情况进行连续监测。但两种评估之间的区别不应被过分强调。因为形成性评估的主要显著特征是检测政策结果的次数，因此，两种评价的区别主要是程度问题。

正式评估可以是总结性的或者是形成性的，它们也可以涉及对政策输入和过程的直接或间接的控制。在前一种情况下，评估者可以直接控制支出水平、项目规模或者目标群体的特征——即评估可能具有作为一种监测方法（第6章）的社会实验的一个或多个特征。至于间接控制，政策输入和过程不能被直接控制，它们必须根据已经出现的行为进行回顾性分析。正式评估的四种类型——每一种均以对政策过程的不同定位（总结性的和形成性的）和对行为控制的不同类型（直接的和间接的）为根据——表7—4对此进行了说明。

表7—4　正式评估的类型

政策行为的控制	政策过程定位	
	形成性	总结性
直接的	发展性评估	实验性评估
间接的	回顾性过程评估	回顾性结果评估

正式评估的类型

发展评估（developmental evaluation）是指用于满足项目人员日常需要的评估活动。发展评估有助于“人员留心项目早期的缺陷和意料之外的失误，有助于确保执行负责人员的正确执行”[37]。发展性评估——涉及对政策行为直接控制的一些衡量——已经在公共部门和私人部门的各种场合得到了使用。比如，企业常用发展评估配置、检验和召回新产品。在公共部门，发展评估已经被用于检验公共教育项目的新教学方法和材料，比如塞西姆街道（Sesame Street）和电力公司（Electric Company）。通过向由特定年龄的儿童组成的观众展示，这些项目被系统地监测和评估。结果，“根据对哪些项目特征会获得关注的系统观察以及和观看过项目的儿童的面谈，这些项目被多次修改”[38]。因为具有形成性，同时包括直接控制，发展评估适用于新经验，该经验通过对输入变量和过程变量的系统控制而获得。

回顾性过程评估（retrospective process evaluation）是指项目在执行一段时间之后对其进行监测和评估。回顾性过程评估通常关注政策和项目执行中遇到的问题和瓶颈，不允许对输入（如支出）和过程（如可选择的传送系统）进行直接控制。回顾性过程评估更多地依赖对正在进行的项目活动的事后（回顾性的）描述，这与产出和影响相关。回顾性过程评估要求有一个完善的内部报告系统，该系统可以持续提供与项目相关的信息（比如，接受服务的目标群体数目、所提供服务的类型、雇员项目中所使用的支援的特征，等等）。公共机构中的管理信息系统有时允许回顾性过程评估，条件是它们包含过程信息和结果信息。

教育局（the Office of Education）对 1965 年《初级和中级教育法案》（the Elementary and Secondary Education Act）第Ⅰ条采用了回顾性过程评估的形式，但结果令人失望。第Ⅰ条规定，按照来自贫困或弱势家庭的学生比例向当地学校系统提供基金，而地方学校却提供了不完整和不太有效的信息，从而不能对项目同时进行评估和执行。回顾性评估要求有一个可靠且有效的信息系统，这通常是难以建立的。

实验性评估（experimental evaluation）是指在对政策输入和过程进行直接控制的条件下对结果进行监测和评估。它的理想状态一般是“控制科学实验”，在这种状态下，除了特定的输入变量或过程变量外，其他所有可能影响结果的因素都被控制、保持不变或被当作合理的竞争假设。实验性评估和准实验性评估包括：新泽西—宾夕法尼亚州收入补助实验（the New Jersey-Pennsylvania Income Maintenance Experiment）、加利福尼亚州的刑事犯罪团体疗法实验（the California Group Therapy-Criminal Recidivism Experiment）、堪萨斯市预防巡逻实验（the Kansas City Preventive Patrol Experiment）、跟踪计划（Project Follow Through）、受资助的工作演示计划（the Supported Work Demonstration Project）和教学项目契约化的各种实验。

实验性评估在应用时必须满足相当严格的要求[39]：（1）有一套定义明确且可以直接控制的“处理”变量，这些变量用操作性术语加以明确；（2）一个使绩效对许多相似目标群体或环境具有最大推广度的评估策略［外部有效性（external validity）］；（3）把绩效解释为控制政策投入变量和过程变量所产生的结果时，允许存在最小误差的评估策略［内部有效性（internal validity）］；（4）一个可以提供可靠资料的监测系统，即关于先决条件、未知事件、输入、过程、产出、影响、负效应和溢出效应之间的复杂关系的可靠资料（见图6—2）。由于这些方法论上的要求通常难以被满足，实验性评估往往不符合“真实的”被控制实验，因而通常被称为“准实验”。

回顾性结果评估（retrospective outcome evaluations）也包括对结果的监测和评估，但是不对可控制的政策输入和过程进行直接的控制。[40]控制至多是间接的或是统计上的，也就是说，评价者试图利用定量方法将不同因素的影响分离开来。一般说来，回顾性过程评估有两个主要形式：横向研究与纵向研究。纵向研究（longitudinal studies）是指评估一个、几个或多个项目的结果在两个或更多时点上的变化。很多纵向研究已经在家庭计划中应用，在这里，对生育率和接受避孕工具程度的变化进行了相当长期（5～20年）的监测和评估。横向研究（cross-sectional studies）则相反，它要求在同一时点对多个项目进行监测和评估。它的目的是要弄清不同的项目结果和影响是否有显著差异。如果是，那么哪些特别的行为、先决条件或未知时间能够解释差异。

在回顾性结果评估中，两个在本质上是横向研究的显著例子是启蒙计划（Project Head Start）（该项目用于为学龄前儿童提供辅助教育）和科尔曼报告（the Coleman Report）。的确，

> 几乎对每个开始于20世纪60年代中期的国民辅助教育计划的评估都以横向数据为基础。把参加辅助教育计划的学生同没有参加该计划的学生对比，并使家庭背景、种族、地区、城市规模及其他影响因素在统计意义上保持一致。[41]

决策理论评估

决策理论评估（decision-theoretic evaluation）是采用描述性方法获取关于政策结果可靠而有效的信息的一种评估方法，对于这些结果，多个利益相关者明确地认为其有价值。决策理论评估与伪评估和正式评估的关键区别在于：决策理论评估试图将利益相关者潜在的和明显的目的和目标表面化和明确化。这就意味着政策制定者和管理者正式宣布的目的和目标仅是其中的一个价值来源，因为政策形成和执行过程中相关利益方（如中低级职员、其他机构人员、客户集团）都参与了衡量绩效所依据的目的和目标的制定。

决策理论评估可以克服伪评估和正式评估的几个不足之处[42]：

1. 少用和不用绩效信息。在评估中产生的许多信息很少或根本没有被用来改善决策。这部分是由于评估并没有充分反映政策和项目形成和执行过程中利益相关者的目的和目标。

2. 绩效目标模糊。许多公共政策和项目的目标是模糊的。这意味着同样的总目标——例如，改善健康或鼓励更好地节约能源——能够而且确实产生了相互冲突的具体目标。当我们考虑到同一目标至少要依据六类评估标准（效果、效率、充分

性、平等性、回应性和适当性）操作时，这种情况是显而易见的。决策理论评估的目的之一就是减少目标的模糊性，使相互冲突的目标明确化。

3. 多个相互冲突的目标。只关注一方或几方（如国会、占主导地位的客户群或行政首长）的价值，不能很好地建立公共政策和项目的目的和目标。事实上，在需要评估的多数场合，存在着目的和目标相互冲突的利益相关者。决策理论评估试图对利益相关者进行，并且将他们的目的和目标表面化。

决策理论的主要目的之一就是将政策结果信息同利益相关者的价值联系起来。它的假设是：利益相关者的公开和潜在目标都是对政策和项目的恰当衡量。[43]它的两个主要形式是评估力估计和多重效用分析，二者均试图将政策结果信息同利益相关者的价值联系起来。

评估力估计（evaluability assessment）是一套用于分析决策系统的程序。这个决策系统被假定可以从绩效信息中获益并且可以澄清绩效衡量所依据的目的、目标及假设。评估力估计的基本问题是该政策或项目是否可以被评估。一项政策或项目能够被评估，至少具备三个条件：政策或项目必须可以清晰地表达；拥有清晰明确的目标或结果；把政策行为和目标和/或结果联系起来的一套明确假设。[44]在评估力估计中，分析人员要遵循一系列步骤，这些步骤从绩效信息的用户及评价者本身的立场出发来阐明政策或项目[45]：

1. 明确政策—项目（policy-program specification）。这个项目是由哪些联邦、州和地方政府的活动或何种项目构成？

2. 收集关于政策—项目的信息（collection of policy-program information）。需要收集哪些信息来确定政策项目目标、活动以及所需的假设？

3. 政策—项目模型化（policy-program modeling）。从绩效信息用户的角度来看，哪种模型能够最好地描述项目及其相关的目标和活动？哪些因果假设将行为与结果联系起来？

4. 政策—项目评估力估计（policy-program evaluability assessment）。政策项目模型是否明确到足够使评价具有可用之处？何种类型的评价研究将最有用？

5. 将评估力估计反馈给用户（feedback of evaluability assessment to users）。在把政策项目的评估力结论提交给用户之后，为了对政策绩效做出评价，接下来又有哪些该做的和不该做的？

决策理论评估的第二种形式是多属性效用分析（multiattribute utility analysis）[46]，它是引出多方利益相关者对政策结果的价值及出现概率的主观判断的一套程序。多属性效用分析的优点在于，它将多方利益相关者的价值判断表面化；它承认在政策—项目的评估中存在着相互冲突的多个目标；从目标用户的立场来看，它提供了更为有用的绩效信息。进行多属性效用分析的步骤如下：

1. 确认利益相关者（stakeholder identification）。确认影响政策或项目和受其影响的各方。每一方都拥有希望最大化的目标和目的。

2. 明确相关的政策问题（specification of relevant decision issues）。即指明行动或不行动的过程，在这一点上利益相关者会有争议。在一般情况下，有两种行动过程：保持社会现状或开创一些新的行动。

3. 明确政策结果（specification of policy outcomes）。明确每项行动引起的所有结果。结果可以按层次进行排列。每一项行动可能带来多种结果，而每项结果本身会引发更进一步的结果。结果的层次图与目标树（见第5章）相似，只不过当结果被明确估价之后才可以称为目标。

4. 鉴别结果的属性（identification of attributes of outcomes）。这里的任务是辨别使结果有价值的所有相关的属性。例如，每一种结果对不同的目标群体和不同的受益者有着不同类型的成本和收益。

5. 对价值属性进行排序（attribute ranking）。按照重要程度对每个价值属性进行排序。例如，如果家庭收入增长是某项扶贫项目的一个结果，则这个结果就有以下几个价值属性：家庭幸福感；更多的营养摄入量；用于医疗保健的更多的可支配收入。这些属性应该按照它们的相对重要性进行排序。

6. 价值属性加权（attribute scaling）。对已经按照重要性排好序的价值属性进行打分，即加权。主观地对最不重要的属性赋值10分，接下来转到第二重要的属性，回答这样一个问题：该属性比倒数第二重要的属性要重要多少倍？将这个程序进行下去，直到最重要的属性同其他所有属性都比较完毕为止。注意，最重要的属性可能具有的价值得分是10分、20分、30分，或者是最不重要属性价值得分的若干倍。

7. 加权标准化（scale standardization）。不同的利益方给同一属性打分的标准会不同，因此，各种属性在打分之后将拥有不同的最大值。例如，某方可能给属性A 60分、属性B 30分、属性C 10分，而另一方可能分别给120分、60分、10分。为了将这些尺度标准化，要将每一尺度下所有的原始得分相加得到总分，再用各个属性的原始得分除以这个总和，然后再乘以100，就得到了单独得分，其价值总和为100。

8. 结果的衡量（outcome measurement）。对每种结果产生各种属性的可能性程度进行测量。可能性最大的赋值100，可能性最小的赋值0（也就是说，此时结果产生该种价值属性的机会为0）。

9. 计算效用（utility calculation）。利用下面的公式计算每项结果的效用值。

$$U_i = \sum w_j u_{ij}$$

其中，U_i 表示第 i 结果的总效用；w_j 表示第 i 属性的标准得分；u_{ij} 表示第 i 项结果产生的第 j 属性的可能性。

10. 评估和呈现（evaluation and presentation）。明确拥有最大综合绩效的政策结果，并将这些信息呈现给相关的决策者。

多属性效用分析的优势在于它使分析人员能够系统地处理多个利益相关者相互冲突的目标。然而，只有当上述步骤作为包括利益相关者的一组过程（group process）的一部分时，这一点才是可能的。因此，多属性效用分析的基本要求就是所有影响政策或项目和受其影响的利益相关者都是政策绩效评估的积极参加者。

7.5 评估的方法

分析人员评估政策绩效时有大量的方法和技术可以使用，而几乎所有的技术都可以同其他政策分析方法结合起来使用，包括问题建构、预测、建议和监测。因此，论证分析法（见第8章）可以用于使关于政策行为同目标之间所期望关系的假设表面化。交叉影响分析（见第4章）在确认那些同政策目标相抵触的、人们所未预料的政策结果时可能是有用的。同样，如果成本—收益分析和成本—效益分析既可以用于前瞻性分析，又可用于回溯性分析，那么，折现法（见第5章）则既可用于建议，也可用于政策—项目的评估。最后，从图示法、指数法到控制序列分析（见第6章）等分析技术对监测政策结果都是必要的，而监测政策结果是评估政策结果的开始。

各种技术可以同多个政策分析方法联合使用，这个事实说明，在政策分析中，问题建构、预测、建议、监测及评价等是相互联系的。许多方法和技术都与伪评估、正式评估和决策理论评估有关（见表7—5）。

表7—5 三种评估方式的技术

方　式	技　术
伪评估	图示法 表格法 指数法 间断时间序列分析 对比序列分析 不连续回归分析
正式评估	目标图形化 价值澄清 价值评估 限制图形化 交叉影响分析 折现法
决策理论评估	头脑风暴法 论证分析 政策德尔菲法 用户调查分析

表7—5中所列技术中仅有一个尚未说明，即用户调查分析。用户调查分析是从目标用户或其他利益相关者那里收集关于政策项目评估力信息的一套程序。[47]用户调查分析是评估力估计及其他形式的决策理论评估的核心，其收集信息的主要工具是一份带有一系列开放式问题的面谈备忘录。对这些问题的回答提供了完成先前所述的评估力估计的各个步骤所需要的信息：政策—项目确定、政策—项目模型化、政策—项目评估、将评估力评估反馈给用户。表7—6是用户调查分析面谈备忘录的一个样板。

表 7—6　用户调查分析面谈备忘录

评估力估计的步骤	问题
政策—项目确定	1. 政策或项目的目标是什么？ 2. 获取政策—项目目标的可以被接受的证据将是什么？[a]
政策—项目模型化	3. 获取目标可采用哪些政策行为（如资源、指导、职员活动）？[b] 4. 为什么 A 行为会导致 O 目标？[b]
政策—项目评估力估计	5. 利益相关者（如国会、管理和预算办公室、州监察总署、市长办公室）对项目绩效的期望是什么？这些期望一致吗？ 6. 获取这些目标的最大障碍是什么？
将评估力评估反馈给用户	7. 在工作方面你需要哪些绩效信息？为什么？ 8. 目前绩效信息的来源充足吗？为什么充足？为什么不充足？ 9. 下一年你需要的最重要的绩效信息的来源是什么？ 10. 任何一种评估应该涵盖哪些关键问题？

注：
a. 对此问题的回答可以得到对目标的可操作性衡量。
b. 对此问题的回答可以得到关于行为与目标关系的因果假设。
资料来源：改编自 Joseph S. Wholey，“Evaluability Assessment，” in *Evaluation Research Methods*：*A Basic Guide*，ed. Leonard Rutman（Beverly Hills，CA：Sage Publication，1977），Fig. 3，p. 48。

本章小结

本章总括了评估的过程，比较了评估的三种方式，并介绍了与这些方式联合使用的具体方法和技术。评估的过程不同于评价，本章接着考察了各种伦理和元伦理理论。规范伦理和元伦理为选择评估政策绩效的标准提供了理论基础。

学习目标

- 比较和对比监测和评估的过程
- 列出评估区别与其他分析方法的特征
- 描述和说明评估政策绩效的标准
- 对比决策理论评估和元评估
- 区分价值、伦理和元伦理
- 描述和说明描述理论、规范理论和元伦理理论
- 分析涉及经济不平等问题的“生活工资”政策中的一个案例

关键术语与概念

决策理论评估　　　　目的论（功利主义）理论

多属性效用分析　　义务论理论
评估力估计　　元伦理
用户调查分析　　规范伦理
价值　　实践伦理
规范

复习思考题

1. 对评价和建议从两个方面来进行比较和对比：（1）时间；（2）每种政策分析方法所产生的诉求类型。

2. 许多政策项目评估没有意识到评估的潜在目的，包括：（1）通过将注意力集中在问题的表面特征，以使项目看上去更棒（"瞒天过海"）；（2）掩盖计划的失败（"粉饰太平"）；（3）阻止一个项目（"落井下石"）；（4）仅把评估作为一种为获取基金而必须实施的表面形式（"花样文章"）；（5）想拖延问题的解决（"缓兵之计"）。参考 Edward A. Suchman，"Action for What? A Critique of Evaluative Research，" in *Evaluation Action Programs*，ed. Carol H. Weiss（Boston：Allyn and Bacon，1972），p. 81。这些潜在目的在界定评估绩效的目标时会产生什么问题?

3. 比较一下形成性与总结性评估。决策者更可能采用哪种评估所提供的绩效信息？为什么?

4. 成本—效益分析作为一种评估方式，其优势和局限是什么（参见第 5 章)？你的答案应该涉及对伪评估、正式评估及决策理论评估的比较。

5. 选择一个你要评估的政策或项目，（1）进行评估力估计，列出你将采取的具体步骤；（2）对这个政策项目进行多属性效用分析，给出你将采取的步骤；（3）指明以上两个过程中哪个可能得出更可靠、有效和有用的结果。

6. 选择一个你见过或实际参与过的熟悉的项目。准备一篇短文，列出项目评估的计划、策略和步骤。准备时可参考附录 1①。

参考文献

Dolbeare，Kenneth，ed. *Public Policy Evaluation*. Beverly Hills，CA：Sage Publications，1975.

Dunn，William N. "Assessing the Impact of Policy Analysis：The Functions

① 受篇幅所限，附录 1～附录 4 未能在中文版中体现。为尊重原著，正文中提及附录的内容还是予以保留。后文相同情况也如此处理。——译者注

of Usable Ignorance." In *Advances in Policy Studies since 1950*. Vol. 10 of *Policy Studies Review Annual*. Edited by William N. Dunn and Rita Mae Kelly. New Brunswick, NJ: Transaction Books, 1992, pp. 419-444.

Guttentag, Marcia, and Elmer L. Struening, eds. *Handbook of Evaluation Research*. 2 vols. Beverly Hills, CA: Sage Publications, 1975.

注 释

[1] 例如，Edith Stokey and Richard Zeckhauser, *A Primer for Policy Analysis* (New York: W. W. Norton, 1978), p. 261。

[2]这是 Milton Friedman, *Essays in Positive Economics* (Chicago: University of Chicago Press, 1953), p. 5 上的一段阐示，这里弗里德曼正在论述实证经济学。

[3] 逻辑实证论也称为逻辑经验论，有时也称为科学经验论。

[4] Stephen C. Pepper, *The Sources of Value* (Berkeley: University of California Press, 1958).

[5] 该定义为政治学者所熟知，是戴维·伊斯顿在 *The Political System* (Chicago: Alfred Knopf, 1953) 提出的。

[6] Abraham Kaplan, *The Conduct of Inquiry* (San Francisco, CA: Chandler, 1964), pp. 387-397.

[7] Ibid., pp. 387-389.

[8] 见 Harold D. Lasswell and Abraham Kaplan, *Power and Society* (New Haven, CT: Yale University Press, 1950)。

[9] 相关介绍，见 Elizabeth Howe and Jerome Kaufman, "Ethics and Professional Practice in Planning and Relates Policy Professions," *Policy Studies Journal* 9, no. 4 (1981): 585-594。

[10] 见 John Dewey, "Theory of Valuation," *International Encyclopedia of United Science* 11, no. 4 (1939)。

[11] 例如，见 Ernest House, *Evaluating with Validity* (Beverly Hills, CA: Sage Publications, 1980); and Deborah Stone, "Conclusion: Political Reason," in *Policy Paradox: The Art of Political Decision Making* (New York: W. W. Norton, 2002), pp. 384-415。

[12] Sokey and Zeckhauser, *A Primer for Policy Analysis*, pp. 4-5.

[13] Kurt Baier, "What Is Value? An Analysis of the Concept," in *Values and the Future*, ed. Kurt Baier and Nicholas Rescher (New York: Free Press, 1969), p. 53.

[14]例如 Herman Mertins, *Professional Standards and Ethics: A Workbook for Public Administrators* (Washington, DC: American Society for Public Administration, 1979)。

[15] Louis A. Gewirth, *Reason and Morality* (Chicago: University of Chicago Press, 1978), p. 67.

[16] Yahezkel Dror, *Public Policymaking Reexamined* (New York: Elsevier, 1968).

[17] Thomas D. Cook and Charles Gruder, "Metaevaluation Research" *Evaluation Quarterly* 2 (1978):5-51. 麦克莱恩最早把元伦理应用到政策分析的规范伦理中。Duncan MacRae Jr., *The Social Function of Social Science* (New Haven, CT: Yale University Press, 1976).

[18] 例如，MacRae, *The Social Function of Social Science*; Frank Fischer, *Evaluating Public Policy* (Chicago: Nelson-Hall, 1995)。

[19] Alex C. Michalos, "Facts, Values, and Rational Decision Making," *Policy Studies Journal* 9,

no. 4 (1981):544-551.

[20] Fred R. Dallmayr, "Critical Theory and Public Policy," *Policy Studies Journal* 9, no. 4 (1981): 523. 丹尼克做了一个把元伦理引入到公共政策和管理学校的课程中的通用案例。Gregory Danek, "Beyond Ethical Reductionism in Public Policy Education," in *Ethics, Values, and the Practice of Policy Analysis*, ed. William N. Dunn (Lexington, MA: D. C. Heath, 1982).

[21] John Rawls, *A Theory of Justice* (Cambridge, MA: Harvard University Press, 1968).

[22] Laurence H. Tribe, "Ways Not to Think about Plastic Trees," *in When Values Conflict*, ed. L. H. Tribe, C. S. Schelling, and J. Voss (Cambridge, MA: Ballinger, 1976), p. 77.

[23] Joel L. Fleishman and Bruce L. Payne, *Ethical Dilemmas and the Education of Policymakers* (Hastings-on-Hudson, NY: Hastings Center, 1980).

[24] Elizabeth Howe and Jerome Kaufman, "The Ethics of Contemporary American Planners," *Journal of the American Planning Association* 45 (1979): 243-255; and "Ethics and Professional Practice in Planning and Related Planning Professions," *Policy Studies Journal* 9, no. 4 (1981): 585-594.

[25] Milton Rokeach, *The Nature of Human Values* (New York: Free Press, 1973).

[26] Ibid., p. ix.

[27] Howe and Kaufman, "The Ethics of Contemporary American Planners."

[28] 见 Saul Alinsky, *Rules for Radicals* (New York: Random House, 1971)。

[29] 见 Sissela Bok, *Lying: Moral Choice in Public and Private Life* (New York: Pantheon, 1978)。

[30] Rokeach, *Nature of Human Values*, pp. 215-231.

[31] Ibid., p. 81.

[32] Lawrence Kohlberg, *Stages in the Development of Moral Thought and Action* (New York: Holt, Rinehart, and Winston, 1961).

[33] Lawrence Kohlberg, "From Is to Ought: How to Commit the Naturalistic Fallacy and Get Away with It in the Study of Moral Development," in *Cognitive Development and Epistemology*, ed. T. Mischel (New York: Academic Press, 1971), pp. 151-235. "自然主义者的谬误"是源于从"是"到"应该"的谬误。

[34] 见 Louis A. Gewith, *Reason and Morality* (Chicago: University of Chicago Press, 1978)。

[35] 见 P. W. Taylor, *Normative Discourse* (Englewood Cliffs, NJ: Prentice Hall, 1971); Stephen Toulmin, *The Place of Reason in Ethics* (Oxford: Oxford University Press, 1950); Stephen Toulmin, *The Uses of Argument* (Cambridge: Cambridge University Press, 1958); Kurt Baier, *The Moral Point of View* (Ithaca NY: Cornell University Press, 1965); Frank Fischer, *Politics, Values, and Public Policy* (Boulder, CO: Westview Press, 1980).

[36] 例如，见 Marcia Guttentag and Elmer Struening, ed. *Handbook of Evaluation Research*, 2 vols. (Beverly Hills, CA: Sage Publications, 1975) 中关于"评估"的内容; and Leonard Rutman, ed., *Evaluation Research Methods: A Basic Guide* (Beverly Hills, CA: Sage Publications, 1977)。

[37] Peter H. Rossi and Sonia R. Wright, "Evaluation Research: An Assessment of a Theory, Practice, and Politics," *Evaluation Quarterly* 1, no. 1 (February 1977): 21.

[38] Ibid., p. 22.

[39] Walter Williams, *Social Policy Research and Analysis* (New York: Elsevier, 1971), p. 93.

[40] 注意：第 8 章讨论的监测的三个方法——即社会系统核算、社会审计和综合实例研究——也可以被认为是回顾性结果评估的形式。同样地，成本—收益和成本—效益分析（第 5 章）也可以被看作是

回顾性结果评估的特定形式。

[41] Rossi and Wright："Evaluation Research"，p. 27.

[42] 关于伪评估和正式评估的这些及其他缺点的论述，见 Carol H. Weiss，*Evaluation Research* (Englewood Cliffs，NJ：Prentice Hall，1972)；Ward Edwards，Marcia Guttentag，and Kurt Snapper，"A Decision-Theoretic Approach to Evaluation Research，" in *Handbook of Evaluation Research*，ed. Guttentag and Struening，pp. 139－181；and Martin Rein and Sheldon H. White，"Policy Research：Belief and Doubt，" *Policy Analysis* 3，no. 2 (1977)：239－272。

[43] 关于评估力评价，见 Joseph S. Wholey and others，"Evaluation：When is It Really Needed?" Evaluation 2。

[44] 见 Rutman，*Evaluation Research Methods*，p. 18。

[45] Wholey，"Evaluability Assessment，" pp. 43－55.

[46] 见 Ewards，Guttentag，and Snapper，"A Decision-Theoretic Approach，" pp. 148－159。

[47] 见 Wholey，"Evaluability Assessment，" pp. 44－49。

第 *8* 章

发展政策论证

绝大多数政策制定者了解政策论证是政策分析和政策制定过程的核心，而多数分析人员会忘记这一点。因为政策论证是交流分析结果的主要工具，也是运用相关政策信息的主要因素。政策论证的分析和评估是批判性思维的核心，批判性思维是我们在本书的第一部分就开始考察的。

在实际环境中，论证不只限于社会科学和专业中所采用的各种推理，比如，以经济或政治行为中的数量模型为基础的推理，或以随机抽样的统计资料为基础的推理。在政策制定的世界里，许多其他推理模型和证据类型是共同存在的，并争相获取政策制定者的注意力。在这种状况下，想改善政策的分析人员不可能成功，除非他们能把科学和专业的专门技术词汇转换为可以为政策制定者和其他政策制定参与人员所理解的论证。分析人员也应该能够评价和质疑（在适当的地方）支持自身论证的信息和假设。本章论述发展和评估政策论证的工具。政策论证这一主题在第 1 章已介绍过。

8.1　政策论证的结构

政策论点是政策论证的产物，政策论证是一个过程。在现实的政策环境中，论证是复杂的，易于误解的。因为这个原因，在辨别和论述政策论证的要素以及考察它们变化的环境中，概念模型是有用的。一个这样的模型是由斯蒂芬・图尔明（Stephen

Toulmin）建立的论证结构模型。[1]论证结构模型用于调查实际推理的结构和过程。与建立在数理逻辑的正规推理上的论证不同，建立在实用推理上的论证缺乏有效三段论的确定性，比如，如果A能推出B，B能推出C，那么A能推出C。

实用论证（practical arguments）的结论总是不确定的，正如得出这些结论的原因和证据一样。原因，包括支撑假设，通常不明确阐述。即使当它们被阐述时，也总是不完整或无决定性的。实际推理得出的结论“通过把它们与我们更确定的其他信息重新联系起来，我们对它们并不能完全确信”[2]。因为政策论证是以实用推理为基础的，所以它们总是不确定的，几乎没有推理性。

知识主张的类型

知识主张是政策论证的结论。有三种类型的知识主张：指示型、评估型和倡议型。专栏8—1提供了区分这三类主张的原则。指示型主张与经验主义和政策因果关系的调查相关，关注事实（fact）问题——政策的可观察结果是什么？为什么会出现？评估型主张与伦理密切相关，关注价值（value）问题——政策是否值得？倡议型主张具有明显的规范性，关注正确行动（right action）的问题——哪项政策应该被采用？

专栏8—1

辨别政策主张的类型

发展、分析或评估政策论证的第一个和最重要的步骤是辨别主张或结论。为了辨别主张的三种类型，可以把陈述分为三种：

1. 指示型主张。如果主张断言政策的某方面已经或能够被观察，或者如果观察情况被用作因果推论，那么这个主张就是指示型的。寻找那些描述观察到的或可观察特征的词语：变为、起源、连接、引起、影响、结果、预告。似乎是指示型的一些术语实际上是评估型的：“他是一个非常开明的人”，“这个国家是不民主的”，“邪恶帝国（或邪恶轴心）是所有人的敌人”。运用这些或其他“评价性”描述的主张是评估型的，不是指示型的，尽管让观察情况与评价相关是可能的。调查表中的民主索引是一个好的例子。指示型主张依赖事实支持。

2. 评估型。如果主张断言政策的某方面有或没有价值，它就是评估型的。寻找诸如好、坏、正确、错误、有益的、代价高的、有效的、回应性的、平等的、公正、公平、安全等词汇。比如：“政策带来‘最低生活工资’，使得社会趋向公平和具有回应性”，“项目不如预期有效”，“该政策危及经济的健康”。一些评估型主张涉及状况（比如，公正的社会），一些涉及过程（比如，公正的程序）。评估型主张依赖事实和价值支持。

3. 倡议型。如果主张断言政府或其部门应该采取行动，这个主张就是倡议型的。寻找诸如应该、需要、必须、要求等词汇。比如：“世界银行应该终结结构调整项目”，“国会应当通过平等权修正案”，“美国应当签署京都协议”，“应该给汽车制造商提供激励以生产更多的节油汽车”。倡议型主张依赖事实和价值支持。

政策论证，如我们在第1章看到的，包含六个要素：信息（I）、主张（C）、根据（W）、支持（B）、反驳（R）和限定词（Q）（见图8—1）。前四个要素在任何一个政策论证中都存在。主张（C）是论证的结论或“输出”（output），由相关政策信息（I）支持，信息是论证的开始或“输入”（input）。根据（W）是从信息（I）得出结论（C）的正当性或原因。限定词表明结论（C）有既定的事实或合理性。考虑下面的例子：

> 参议员支持联邦高速公路系统的私有化，这能够带来高效率和降低税收。假定公共服务的私有化在其他领域是成功的，那么这绝对是没有任何障碍的。除此之外，这和专家组对私有化的结论一致。

专栏8—2

辨别和排列政策论证的要素

一个政策论证有六个要素：信息、主张、限定词、根据、支持和反驳。在辨别和排列这些要素时，下面的原则是有用的：

1. 如果你可以，就在分析论证前，进行利益相关者分析（见第3章），这是要素C、I、Q、W、B和R的主要来源。

2. 从主要主张C开始，这是论证的终点或产出。C总是比I更笼统。C是涉及超越信息的“推理的跨越”。

3. 寻找表明论证者赋予C可信度的语言——这就是限定词Q。

4. 寻找支持C的信息I。I回答两个问题：“论证者必须依据什么？”“它是否和手边的案例相关？”

5. 寻找W（也支持C）。W回答这个问题：“论证者在依据I做出主张C时，为什么是合理的？”用“鉴于…”或“因为…”回答，然后辨别W。

6. 对B重复相同的程序。如果对一种表述是B或W存在疑问，寻找更为笼统的那个，这就是B。

7. 记住W或B可能是隐性的或未阐明的——不要期望论证是完全透明的，它们很少这样。

8. 为了找到反驳（Rs），求助于其他利益相关者的论证。你不能完全靠自己做这件事，因为它要求实际相信他们的人。

9. 记住要素可能是规则、原则、陈述或完全的论证。论证是复杂的。

10. 一个孤立的论证是静态的；涉及至少两个利益相关者的论证是动态的。当R挑战论证时，最初的限定词（Q）通常会改变。

11. 尽管一些限定词会保持不变，但绝大多数限定词（Qs）会减弱。通过撤出挑战，一些限定词会加强。

12. 论证产生“树”和“链”，这涉及多个利益相关者的多个论证过程，这些利益相关者是按时间排列的。

现在，让我们通过把该案例分解为基本要素来让论证图形化（见图8—2）：“参议员支持联邦高速公路系统的私有化（I），这能够带来高效率和降低税收（C），假定公共服务的私有化在其他领域是成功的（W），那么这绝对没有任何‘障碍’（Q）。”额外的因素可以被引入，以强化这个论证。比如，加入支持（B：这是专家组对私有化的结论）。在这里，如同在其他地方，B提供了额外的原因或证据支持W。最后，反驳R说明了减弱Q的任何情况、例外或限定，这表明了结论C的合理性或近似真实性。在这个例子中，反驳R仅仅表明了一个例外：“除非有其他错误。”在这个例子中，R是普遍的、非具体化和无效的。它没有挑战原始的限定词Q_1，这是绝对的（“这绝对是没有任何‘障碍’的”）。因此，结论C是不受影响的，因此Q_2是同样的：“这绝对没有任何‘障碍’……联邦高速公路系统的私有化……将意味着效率的提高和税收的减少。”

信息对结论的不完全决定

政策论证的重要特征之一是政策相关信息（或数据）不完全决定政策论证的结论。关于这种说法的一种表达是“政策论证并不总是由数据完全决定”[3]。另一种

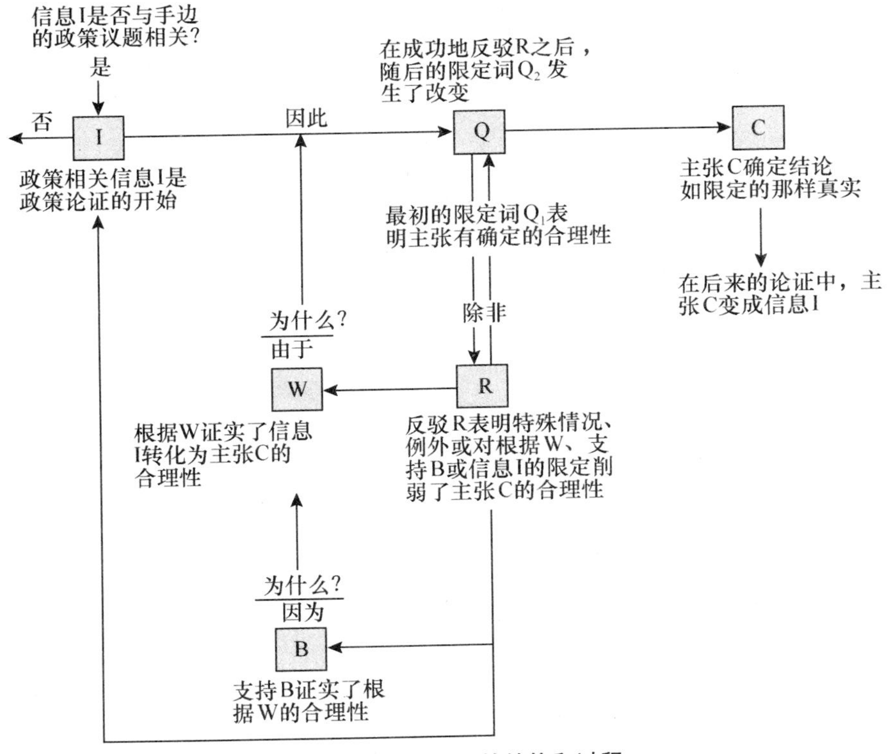

图8—1 政策论证的结构和过程

说法是“信息不能为自己说话”。相同的信息能且通常导致不同的结论，我们称之为政策主张，以强调论证的易犯错误和不确定性特征。例如，在美国教育政策史上，一份重要的文件是科尔曼报告［《教育机会的平等》(*Equality of Educational Opportunity*，1966)］。该报告提供了在实现教育机会平等中，黑人学校和白人学校成绩不同的政策相关信息。相同的政策相关信息导致了不同的政策主张（见图8—3)。假定信息是“在以黑人为主的学校中的黑人学生比在以白人为主的学校中的黑人学生的考试成绩低”，主张（方括号中黑体字）如下：

- 指示型主张和限定词（designative claim and qualifier）：“既然在大都市区域的学校是以黑人为主，那么黑人取得较高教育成绩的希望不能［**简单**］地实现。”
- 评估型主张和限定词（evaluative claim and qualifier）：“科尔曼报告［**显然**］是一份以具有种族偏见的成绩测试为基础的种族主义报告。”
- 倡议型主张和限定词（advocative claim and qualifier）：“［**毫无疑问**］，强制校车的国家政策应该被采纳，以实现无种族隔离的学校。”

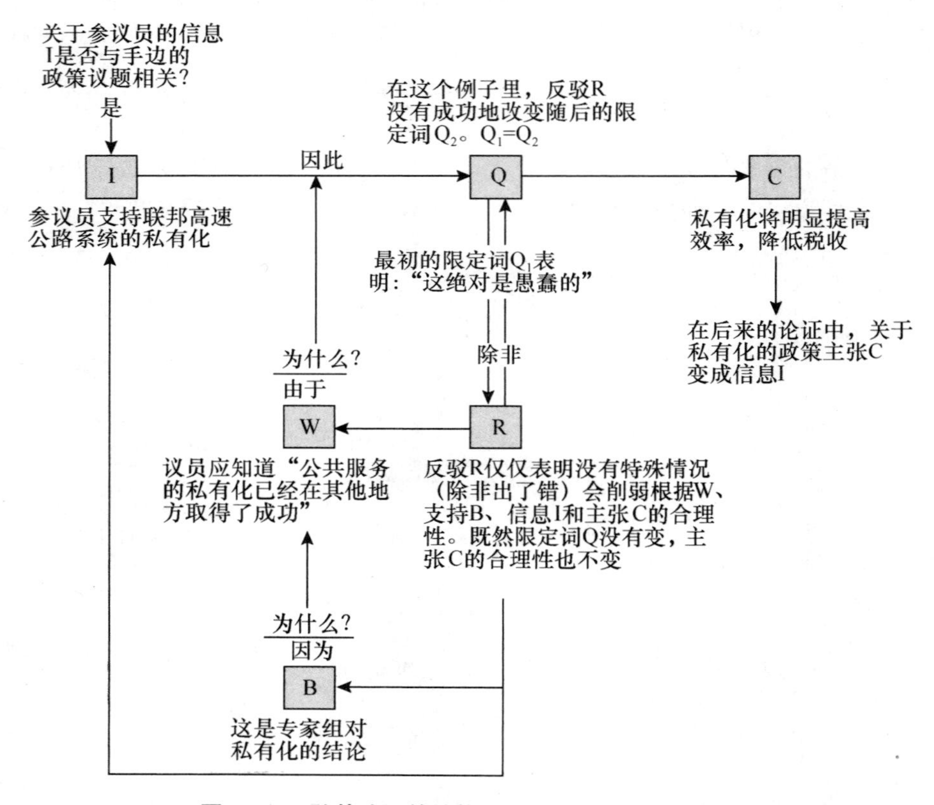

图8—2 政策论证的结构和过程——私有化的例子

支持与反驳

尽管上述每个主张都始于同样的信息，却得出截然不同的结论。不同的原因不是信息——信息（“事实”）从不“为自己说话”。不同是由于论证（合理或不合理）

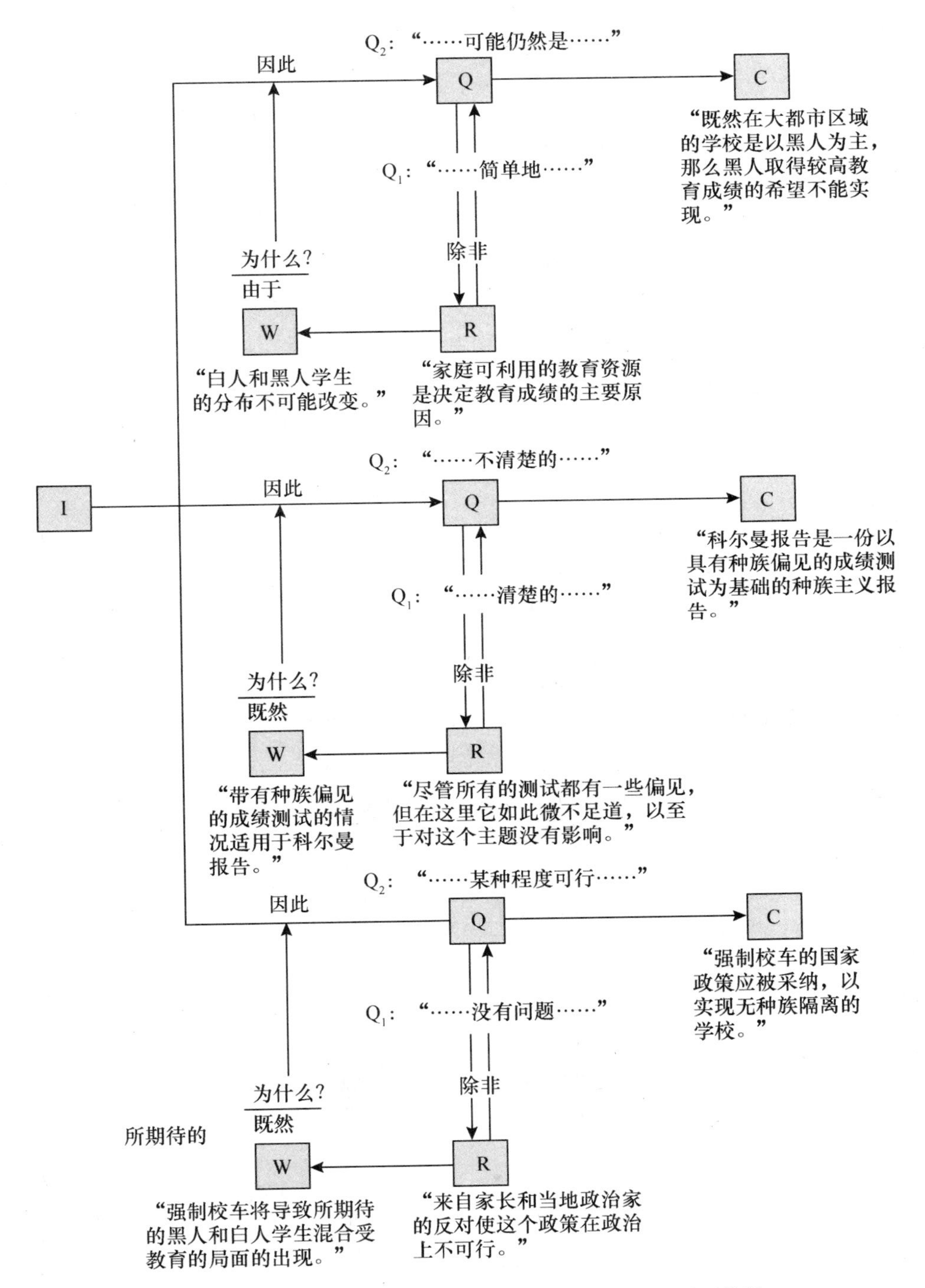

图 8—3　同一信息引发不同类型的主张——当根据受到挑战，最初的限定词就会变化

主张（以提供的信息为基础）中支持的角色。一部分支持在下面列出。尽管反驳同样适用于支持和信息，但下面仅列出了对支持的反驳。在这里，反驳削弱了原来限定性主张的合理性。

● 对指示型主张的支持和反驳。“白人和黑人学生的分布不可能改变”（W），除非（R）：“家庭可利用的教育资源是决定教育成绩的主要原因。”主张的合理性从限定词 Q_1（“简单地”——“绝对地”或“没有问题”的另一种说法）降为 Q_2（“可能仍然是”）。

● 对评估型主张的支持和反驳。“带有种族偏见的成绩测试的情况适用于科尔曼报告”（W），除非（R）“尽管所有的测试都有一些偏见，但在这里它如此微不足道，以至于对这个主题没有影响。”这里，限定词 Q_1 从“清楚的”改变为 Q_2“不清楚的”。

● 对倡议型主张的支持和反驳。“强制校车将导致所期待的黑人和白人学生混合受教育的局面的出现”（W），除非（R）“来自家长和当地政治家的反对使这个政策在政治上不可行”。这里，限定词 Q_1 从“没有问题”改变为“某种程度可行”。

8.2 政策论证的模式

政策论证的模式是把信息转化为政策主张时所遵循的特有路线。论证的几种不同模式涉及来自权威、方法、归纳、分类、直觉、原因、符号、动机、类比、相似案例和伦理的推理。[4]这十一种论证模式中的每一种都有不同的支持类型，许多模式都可在任何一种政策论证中找到。根据是政策的支持者或反对者为了证明以信息为基础的主张或推论合理所提供的原因。表 8—1 总结了政策论证的模式和它们特有的推理方式。

表 8—1　政策论证的模式和其特有的推理方式

模式	推理方式
权威	来自权威的推理根据与政策相关信息提供者取得的地位有关，比如，专家、内部人士、科学家、领袖、有权力的代理人。注释和参考文献是经过伪装的权威论证。
方法	来自方法的推理根据与取得信息所使用的方法或技术的认可状况有关。关注点是程序的认同状况或“威力”而不是人。例子包括认可的统计学的、经济学的、定性的、人类学的方法和技术。
归纳	来自归纳的推理以样本与抽取样本的整体相似性为基础。尽管样本可能是随机的，但也必须根据定性的比较进行归纳。假设是：样本中的元素所具有的，整体中的其他元素也必须具有。比如，$n \geqslant 30$ 的随机样本被作为抽取样本（没有观察到的和通常无法观察到的）的整体的代表。
分类	来自分类的推理与界定种类中的成员资格有关。推理是根据中描述的这类人员或事件所具有的特征，信息中所描述的该类成员（个体或团体）也具有这种特征。以下列站不住脚的意识形态论证为例：如果一个国家是社会主义经济，那它一定是不民主的，因为所有的社会主义系统都是不民主的。
因果	来自因果的推理与活动（“原因”）及其结果（“效果”）有关。比如，提出的主张以经济学的普遍法则为基础，这些法则陈述了原因和结果的恒定关系。其他的原因主张以观察到的情况为基础，这些情况必须能够推出政策有一个特定的结果。社会和自然科学中的许多论证都以因果推理为基础。

续前表

模式	推理方式
符号	来自符号的推理以符号、指标和它们的参照物为基础。符号的存在表明了事件或情况的存在，因为符号和它的指代物同时出现。以诸如“组织报告卡”和“标杆”这样的组织绩效指标，或诸如“领先经济指标”这样的经济绩效指标为例。符号不是原因，因为原因必须满足额外的要求，而符号不能。
动机	来自动机的推理以形成个人或集体行为的目标、价值和意图的推动力为基础。比如，公民应支持严格执行污染标准的主张可能以这样的推理为基础：既然公民被获取干净空气和水的欲望所激励，他们就会采取行动提供支持。
直觉	来自直觉的推理以政策相关信息提供者的意识或潜意识认识、情感或精神状态为基础。比如，意识到建议者有某种特别的洞察力、情感或灵感可能是接受他判断的原因。
类比	来自类比的推理是根据给定案例中的关系与比喻、类比或比方中的关系具有相似性。例如，主张政府应该通过禁止非法药品隔离一个国家——把非法药品看作“传染病”——以这样的推理为基础：因为在防止传染病上，隔离是有效的，那么在预防非法药品上，禁止也是有效的。
类似案例	来自类似案例的推理注重两个或更多政策制定案例的相似性。例如，地方政府应该严格执行污染标准的原因是其他类似的地方政府成功地执行了类似的政策。
伦理	来自伦理的推理以政策或其结果的对与错、善与恶为根据。例如，政策主张的基础通常是表明“公正”或“良好”社会状况的道德原则或在公共生活中禁止说谎的伦理规范。道德原则和伦理规范超越了特定个体、团体的价值和规范。在公共政策中，许多关于经济收益和成本的论证涉及未阐明或隐含的道德和伦理推理。

来自权威的论证

在权威论证中，主张是以来自权威的论证为基础的。政策相关信息包括事实报告或意见表达。根据的功能是确定信息的可信度。根据社会背景，权威可以是国王、教士或宗教领袖，也可以是总统、立法者、机构领导、科学家、教授、作家或新闻记者。

在权威论证中，政策主张重申了权威提供的信息，其可靠性、状态以及远见等已由根据保证。为了说明上述问题（见图8—4），让我们设想：一位政策分析人员［在1999年美国—北约最猛烈打击南联盟（Yugoslavia）的时期给国家安全委员会（the National Security Council）做过建议］做了指示型主张（C）：“尽管西方领导人一直否认这一点，但毫无疑问，比起先前的预见，轰炸行动给更为广泛和凶猛的塞尔维亚行动提供了动力和机会。”[5]

信息（I）来自卡尼斯·罗德（Carnes Lord）的陈述，他是弗里特彻法律与外交学院（the Fletcher School of Law and Diplomacy）的教授、布什政府的前国家安全顾问。论证（W）证实了罗德的可靠性，并通过用于增加论证说服力的另外一个权威论证得到支持（B）。反驳（R）挑战了最初的论证，但没有削弱主张的效度，如最初的限定词（Q_1）表述的那样。因此Q_2无异于Q_1。注意，此图及其他图可以用易于使用和具有广泛用途的图形程序处理，该程序为表现复杂论证提供了一种有效、灵活的方法。[6]

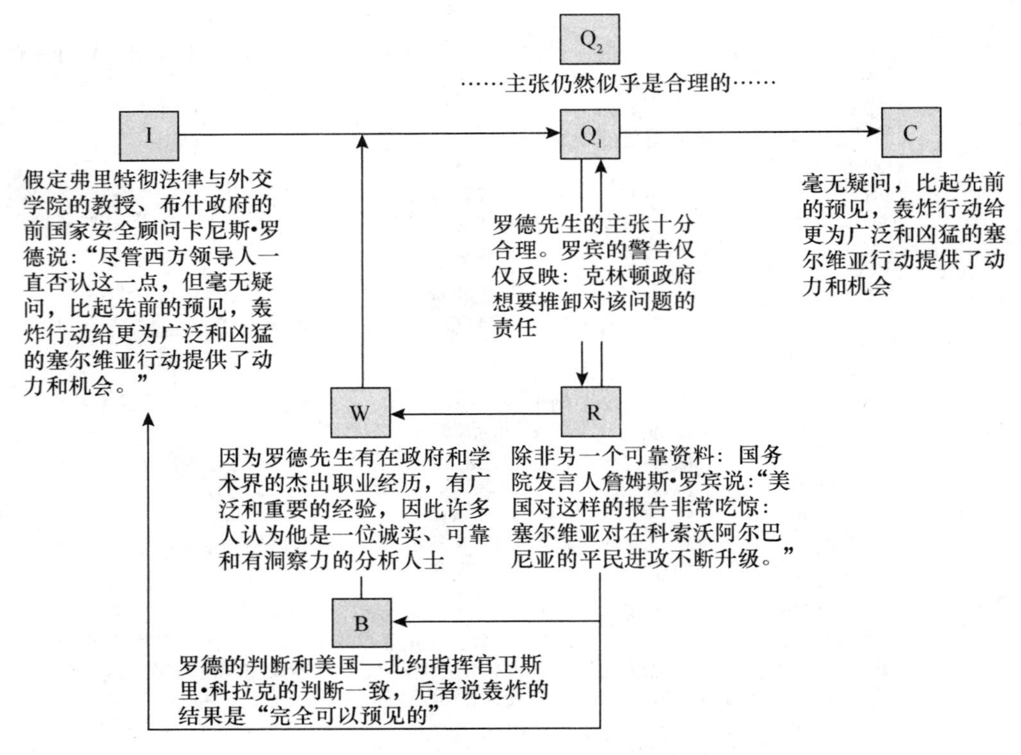

图 8—4 来自权威的论证：美国—北约打击南联盟的结果

来自方法的论证

来自方法的论证以此为基础：即对产生信息的方法或技术的认可。政策相关信息包括事实陈述或报告。认可的功能是：通过把信息和获得认可的方法或规则联系起来，为接受以信息为基础的主张提供原因。通常，主张是：因为具有用于产生信息的方法，信息中描述的事件、情况或目标应该被看作有价值的（或无价值的）。考虑下面的公共投资问题。分析人员拥有信息（I）：1 美元的电能产出在核电站比水电站要大，水电站比太阳能电站单位产出高。主张（C）：政府应该在核能上投资而不是在太阳能上。根据（W）通过运用数量经济学的传递规则将信息与主张联系在一起。[7]通过假设传递性是一个"普遍适用的选择规律"，这种规律保证了选择的合理性，根据得到了支持（B）。通过指出循环偏好的存在，反驳（R）质疑了传递的普遍有效性。最初的限定词（Q_1）从"非常可能"减弱为（Q_2）"非常不确定"（见图 8—5）。

在来自方法的论证中，主张是根据总程序（方法）和专门程序（技术）的成功以及指导方法和技术的使用规则进行评价的。方法和技术可能是"分析的"，其词典定义是将整体分解或分裂为基本要素或组成部分。那些接受经济学、收益—成本分析或决策分析等分析方法权威性的政策分析人员有时似乎相信：这些方法的使用实际上“设定了政策议程及其方向，有用的分析将是用过的分析”。[8]

正如定性和定量方法的历史显示的那样，方法的权威不一定起源于正式逻辑或数学规则。许多政策分析人员使用的定性方法起源于解释学传统，该传统由对圣经文本的解释演化而来。如其他方法一样，定性方法的权威起源于专业和科学团体，它们对认同方法的目的、范围和正确运用进行了界定。[9]这些团体是科学范围以外的权威的来源。

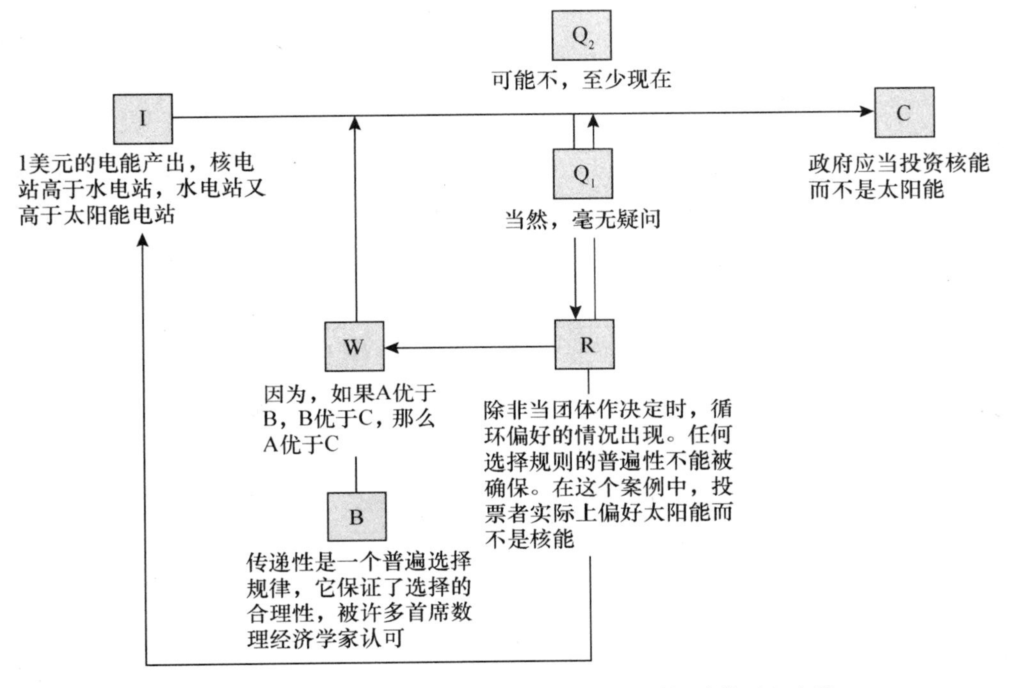

图8—5　来自方法的论证——关于传递性规则权威的对立主张

传递规则和数学的其他基本公理也有科学范围之外的来源：

> 考虑到主张偏好的传递性公理：如果A优于B，且B优于C，那么A就（或理性上必然）优于C。这种断言的直觉吸引力如此巨大，以至于几乎没有经济学家感到有建立一种正规经济理论体系的必要，在这种理论体系里这个公理是无效的。几何学……是一个典型的例子：欧几里得基本原理的直觉力量如此巨大，以至于两千年以来，几何学家们都严格地在欧几里得创设的领域中展开博弈。甚至当非欧几里得几何学在19世纪被发现时，很多数学家也从未把它们当作有效的。[10]

对认同方法的坚持被错误地认为可以使政策决定更“合理”。一个合理的选择被认为是可能的，（1）如果分析人员能将所有与行为有联系的结果进行排序；（2）如果这种对结果的排序是有传递性的，并且（3）如果分析人员能够始终如一地以传递的方式作出在考虑成本情况下将带来最大收益的选择。[11]对这种论证的质疑可建立在权威、直觉、伦理的基础上。新的分析学派可能会成为认同方法的来源，新提出的关于非传递选择偏好的公理根据直觉也可以逐渐被接受。与道德准则、伦理标准冲突的规则也可以被新规则替代。[12]质疑也可以建立在实用的基础上，比如，通过论证在以不完全信息、价值冲突以及多种对立目标、党派互相调试和“组织无序”为特征的政策背景下，传递规则实际上并没有促使更好的政策产生。[13]在最后的分析中，来自方法的成功论证必须证明：运用特殊选择规则的结果比没有运用它们的结果要优越，并且可观察到的改善是运用规则或程序的结果。[14]

来自归纳的论证

来自归纳的论证通常涉及样本。政策相关信息包括事件、条件、人物、群体、组织或社会，它们在大量的同类元素中具有代表性。根据的作用是确保样本中的元素所具有的，也是总体中没有观察到的（和通常无法观察到的）元素所具有的。政策主张依赖这样的假设，即样本是总体上充分或让人满意的代表。

为了证明这一点，假设有一位社区食物储存库的主管，他想要知道获取食物的人们每日是否能够得到充足的钙，因为钙是人体最重要的矿物质之一（见图8—6）。该主管关注的是可能使食物储存库获得额外资金正当化的原因，他提出这样的主张（C）：食物储存库的顾客获取了充足的钙，这是非常可能的——特别是，考虑到观察到的钙获取量755mg有9%的可能性与800mg的日推荐获取量（the Recommended Daily Allowance，RDA）有明显不同，这是国家科学院食物与营养委员会（the Food and Nutrition Board of the National Academy of Sciences）的推荐量。

在这个例子中，信息（I）描述了以50个顾客为随机样本［有时在政策界被称为“科学样本”（scientific sample)］的日均钙获取量。信息（I）表明755mg与800mg不同的概率为9%，该结论达到了统计测试的基础（一个“2个样本测试”）。概率值（$P=0.09$）包括在日常用语“十分可能”这个限定词（Q_1）中。为从信息（I）转为主张（C）提供原因的根据（W）有两个部分：原则即把一个至少30个个体的随机抽样推广到抽取样本的总体中是充分的；实践即承认把$P=0.05$这个具有统计意义的水平作为一个“可接受的”风险水平。当要求提供更多的理由时，主管也可以查阅统计学教科书以便为原则（$n\geqslant30$）找到适当的理论支持（B），这个支持就是概率论中的中心极限定理。

该主管的一个负责分配食物的员工对批评特别敏感，他反对那种认为由食物储存库服务的顾客钙摄入不足的观点。这个员工质疑这一观点的几个反驳（R）是：9%的错误余地为可能性留下太多空间，即无差异的“虚假负面”（false negative）结论的可能性为91%（100—9）（第Ⅱ类错误）；另一个随机抽样可能会得出另一个结论；并且在任何情况下，755mg和800mg钙的差别实际上是重要的，应该认真对待。反驳非常合理，我们猜测主管会把顾客正在接受钙的最小日补给量的限定词从Q_1“十分可能”改为Q_2“不可能”。总的说来，主管最初的主张——钙的摄取量可能是充足的——因为善意而关键的员工的反驳而被削弱。

来自抽样的论证并不总是统计意义上的。从严格意义上讲，那种统计是对总体价值（称为参数）的估计。非随机抽样——比如，目的抽样、理论抽样和社会计量的（雪球）抽样——不允许统计估计。然而它们有利于作出关于总体的主张。[15]甚至案例研究（这里 $n=1$）也可以根据各种模式匹配的方法推广到更多的总体。[16]

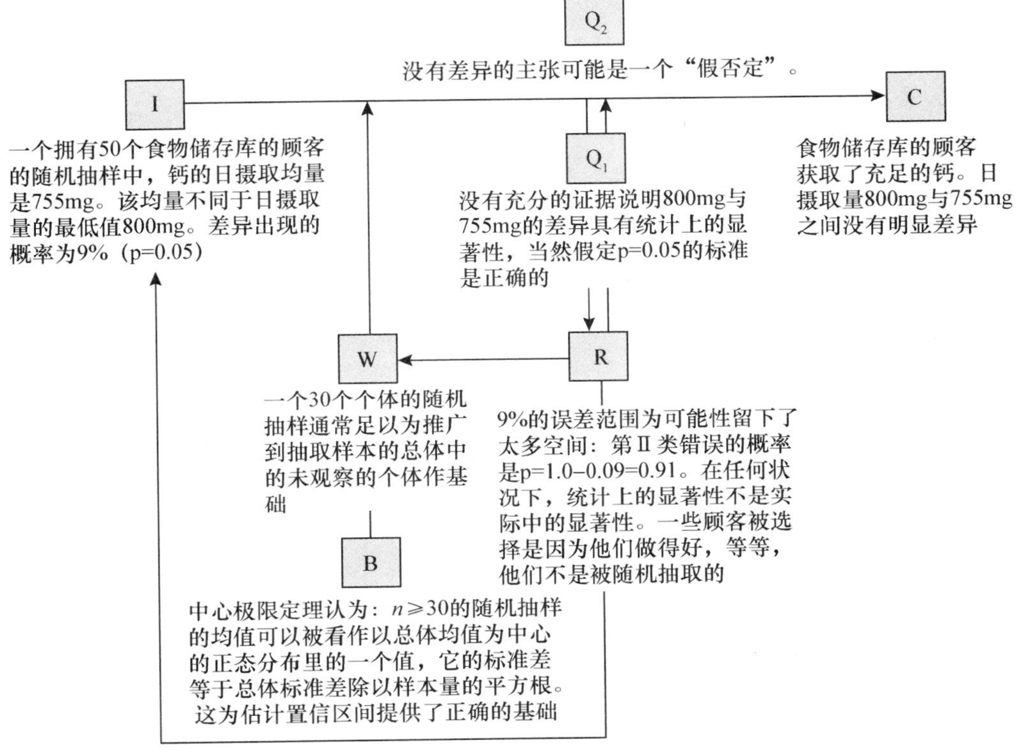

图 8—6　来自归纳的论证——关于食物储存库的顾客的营养状况的统计主张是一个“假否定”

来自分类的论证

来自分类的论证关注界定种类中的成员资格。推理是根据中描述的这类人员或事件所具有的特征，属于该类的个体或团体也具有这种特征，正如它们在信息中被描述的。为了说明这个问题，考虑下面关于政权类型和恐怖主义控制的关系的论证（见图 8—7）。信息（I）是：伊朗、伊拉克、巴勒斯坦政权是威权专政。主张（C）是：伊朗、伊拉克、巴勒斯坦政权在境内控制恐怖主义。根据（W）是：威权专政对领域内的恐怖分子和其他武装团体实行严格的控制。支持（B）有两个部分：第一个是由威权专政实施的严格控制是可能的，因为没有政府的公开赞同或默许，这类政权不允许私人使用武器；第二个是哈佛大学的著名学者发展和检验了威权专政理论。反驳（R）是：一个或更多的中东政权允许私人使用武器，而且在实际上是民主的。它不适合这个分类。最初的限定词 Q_1（肯定的）被降低为 Q_2（这是不清楚的）。

分类论证依赖于特征或性质的完全性和内部一致性。这些特征和性质是用于限定种类的。各种政权——权力主义专政、极权主义专政、社会主义民主、资本主义民主——一般不像分类所说的那样具有同质性和内部一致性。这对于政策（比如，“私有化”）、组织（比如，“官僚制”）、政治原则（比如，“自由的”和“保守的”）和团体（比如，“下层”、“中层”、“上层”）的种类也是一样。许多表面简单的分类实际上是复杂的，而不是简单的，而且它们通常是伪装的意识形态。

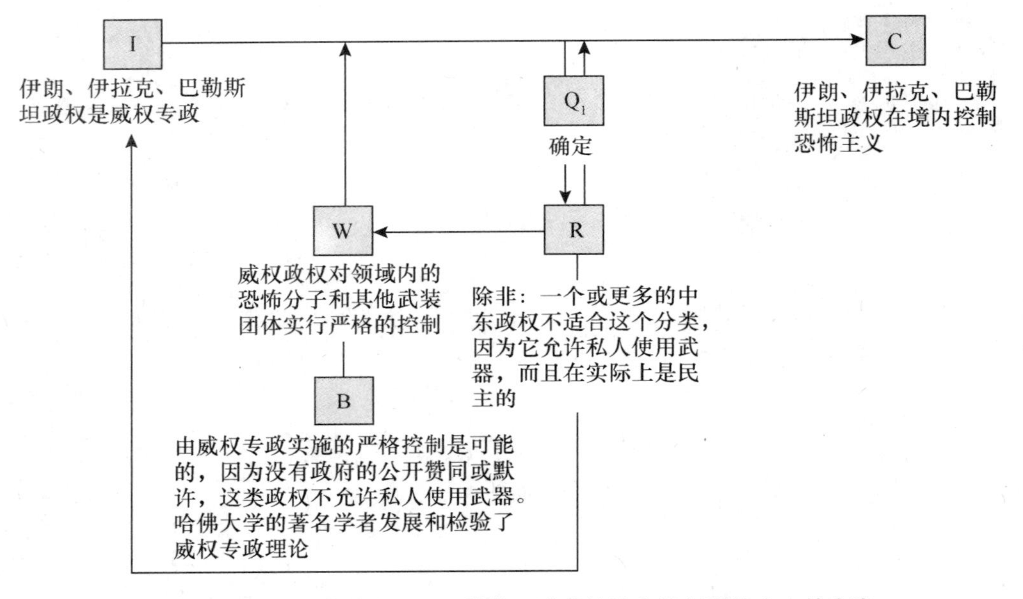

图 8—7 来自分类的论证——挑战了独裁统治和控制恐怖主义的主张

来自因果的论证

来自因果的论证关注公共政策的原因和结果。[17]在因果论证中，信息包括一个或多个关于政策环境、政策利益相关者或政策的实际陈述或报告。通过把它们与原生力量（原因）及其后果（结果）联系起来，根据将这些陈述或报告转化。然后政策主张再把这些原因和结果重新与所提供的信息联系起来。

在将政策相关信息转化为政策主张的过程中，因果论证的作用可以用政治学家格雷厄姆·阿利森著名的对 1962 年 10 月古巴导弹危机期间对外政策行为的原因解释来说明。[18]在表明不同的模型如何产生对外政策的可替代解释时，阿利森论证说：（1）政府政策分析人员根据影响他们思维的含蓄概念模式考虑对外政策问题；（2）大多数分析人员解释政府行为时，都根据这样一个模型，即假设政治选择符合理性的模型［理性政策模型（rational policy model）］；（3）可替代模型，包括那些强调组织过程［组织过程模型（organizational process model）］和官僚政治［官僚政治模型（bureaucratic politics model）］的模型，为更好地解释对外政策行为提供了基础。

在对照可替代模型时，阿利森想要通过回顾来自 3 个概念模型的解释论证来评价美国在古巴导弹危机中的外交政策。在 1962 年，美国面临的政策选择包括不采取行动、外交施压、秘密协商、入侵、空中军事打击以及封锁。根据外交政策行为的替代解释来检验这些选择。这些解释的结构与被哲学家称作演绎—法则（D-N）解释的原因解释类型一致。该解释主张只有当普遍的理论命题或定律把先前环境和后来事件联系起来时，有效的解释才是可能的。[19]

在古巴导弹危机时期的几个倡议性主张中，我们来考虑一下美国实际采纳的政策建议："美国应该封锁古巴"。在这个例子中，政策相关信息（I）是"苏联在古巴布置了攻击性导弹"。为了将信息（I）转换成主张（C），一个根据（W）回答了问题：假定提供了信息，是什么使美国应该封锁古巴这一主张具有合理性的？给出的答案是：由于"通过向俄国人显示美国决定动用武力，封锁将迫使其撤回导弹"。在提供论证的附加说服力时，支持（B）回答问题"为什么封锁将产生这种效果?"支持通过陈述因为"一个选项成本的增加会缩小被选择的可能性"[20]来给出答案。支持（B）代表了在理性政策模型中一个普遍的理论命题或规律（见图 8—8）。在这个例子中，在反驳（R）成功地挑战了根据（W）后，Q_1（可能）改变为 Q_2（可能不）。

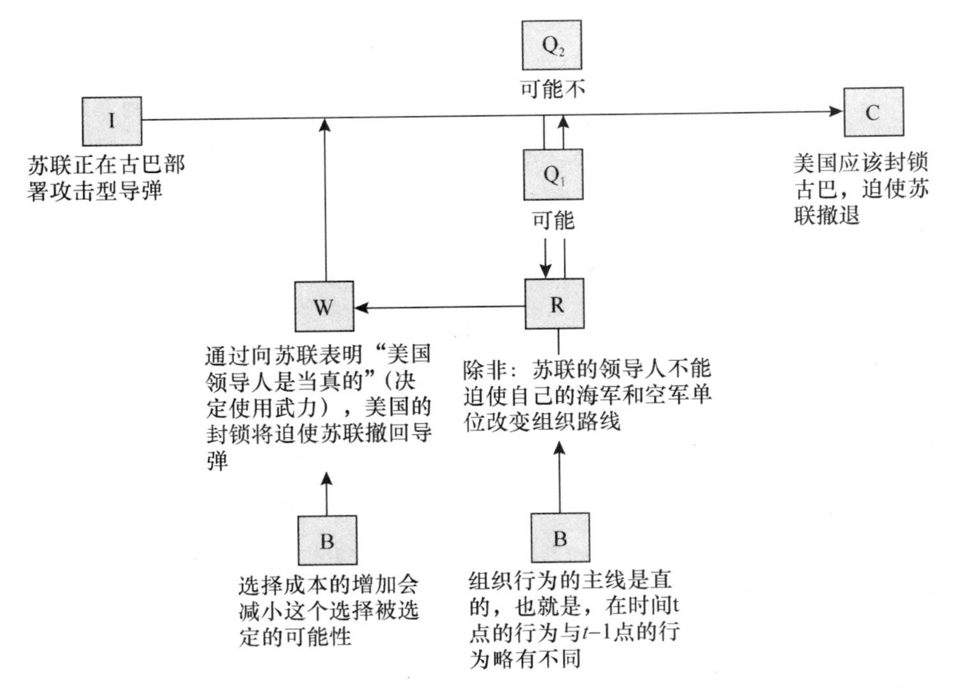

图 8—8　来自因果的论证——在古巴导弹危机中，外交政策行为的对立理论解释

阿利森描述的主要目的不是去证明 3 个解释模型中的某个固有的优越性，而是为了表明运用多种对立模型，会产生更好的对外政策行为的解释。多种模型的运用使政策分析从一个关于信息与主张的关系的自我封闭论证，上升到可以对政策问题进行理性争论的新台阶。在这种背景中，组织过程模型以对立因果论证的形式提出了反驳（R）。反驳认为，除非“苏联领导人不能迫使自己的组织单位放弃既定的任务与路线”。这种情形之所以可能发生，是因为“组织行为的主要轨迹是直的，也就是说，过去的行为与其前一次的行为略有不同”[21]。反驳（R）的支持（B）又是一个在组织过程模型内的一个普遍命题或规律。

古巴导弹危机的例子表明了以D-N解释为基础的因果论证的一些局限。首先，作为普遍的命题或规律，几个对立性的因果论证是同等重要的。这些论证，每一个都有科学理论支持，不能仅以这样或那样的信息或数据为基础而被证实或驳倒。[22]其次，一个特定的因果论证，无论多有说服力，都不可能直接产生一个倡议性的主张或建议，因为传统的因果解释本身并不包含价值前提。[23]在下面的例子中，有一个暗含的价值前提，那就是美国领导人被安全价值所激励，这种安全价值源于苏联在西半球的军事部署。如果还有其他一些价值理念激励着政策制定者，那么两个对立因果解释中的任何一个都可能支持不同的主张，比如美国应该入侵并占领古巴。

以科学解释的D-N模式为基础的因果论证试图发展和检验关于公共政策原因和结果的普遍命题。[24]卡尔·亨普尔（Carl Hempel）对D-N解释的详细阐述如下：

> 我们把解释分为两个主要部分：注释（explanandum）和释因（explanans）。通过注释，我们理解了描述被解释现象的句子（不是现象本身）。通过释因，我们理解了那些被归纳起来解释现象的句子……通过表明根据规律L_1，L_2，…，L_r，现象产生于特定环境C_1，C_2，…，C_k，[科学的解释]回答问题：“为什么注释的现象发生了？”通过指明这一点，论证表明：假定特殊环境和规律不定，现象的发生将是可预料的；就是从这个意义上，解释使我们明白了现象为什么会发生。[25]

一个简单的例子就可以说明传统的因果（D-N）解释。[26]如果我把车一整夜都停在外头，而且气温下降到零下，车的散热器（无防冻措施）将被冻裂。为什么会发生这种现象呢？“我们的散热器冻裂了”（注释）。“我的散热器装满了水，盖子被拧得很紧，而且外界气温降到了冰点以下”（释因中的环境或C_k）。最后，“水结冰时，体积膨胀”（在释因中的普遍命题或规律L_r）。[27]在这个例子中，重要的环境知识和适当的规律使我们能够确切地预测结果事件。

历史和社会科学对D-N解释的适用性提出了疑问。[28]这些疑问出现的原因之一是政策分析和其他社会科学有一部分是评价性和倡议性的（规范的）。每个倡议性主张均包括事实前提和价值前提，然而在传统的因果解释中我们只能看到事实前提。传统的因果解释也要求释因先于（或伴随）注释。然而，就解释行为的环境常常存在于将来而言，许多倡议性主张经常颠倒这种次序。未来环境（包括意图、目标和欲望）从这种程度上解释目前行为，即如果没有由这些意图、目标和欲望提供激励，行为就不会发生。[29]最后，实施倡议性主张的结果与因果论证的结论之间的

任何一致性都可能纯属偶然。在政策制定中，如果政策行为人在深思熟虑的基础上改变他们的行为，或者如果“由于创造性知识创新的介入出现了不可测因素”[30]，都会使在 D-N 解释基础上的预测失败。

在公共政策中，D-N 解释并不是因果论证的唯一合法形式。另一种形式是假说—演绎（H-D）解释。该解释涉及来自理论的前提演绎，不涉及关于恒定因果关系或规律的命题。通常，利益前提是那些涉及政策或项目行为的前提，设计这些行为是为了获取一些实际结果。[31]然而，行为和结果之间的关系是不确定的。如果确定，则必须符合下面的要求，通常被称为因果关系的“唯心主义”观：

- 在时间上，政策 x 必先于结果 y。
- 政策 x 的出现对结果 y 的出现必须是必需的，如果没有政策 x，就没有结果 y。
- 政策 x 的出现对结果 y 的出现必须是充分的，当政策 x 存在时，结果 y 一定出现。

如果这些要求满足，政策行为和结果之间的关系就是确定的。实际上，在现实的政策环境中，这个要求从未满足。相反，出现的情况是其他条件——超越政策制定者控制的不可控的意外——使得确定一项政策对一个结果的出现是否必然或充分成为不可能。不可控的意外是必须要考虑的合理对立前提，并且如果可能，应作为政策结果的对立解释而被消除。这里，最好的期望是一个最适宜的合理主张，即一个近似正确的因果推理。[32]图 8—9 展示了由唐纳德·T·坎贝尔建立的准实验传统中的因果论证。该传统以基本前提为基础，该前提是现实政策环境中的因果论证要求阐述、监测和消除对立假设。[33]图 8—9 显示了用于挑战根据（W）和信息（I）的对立前提把最初的限定词从“确定的”（Q_1）改为“不确定的”（Q_2）。

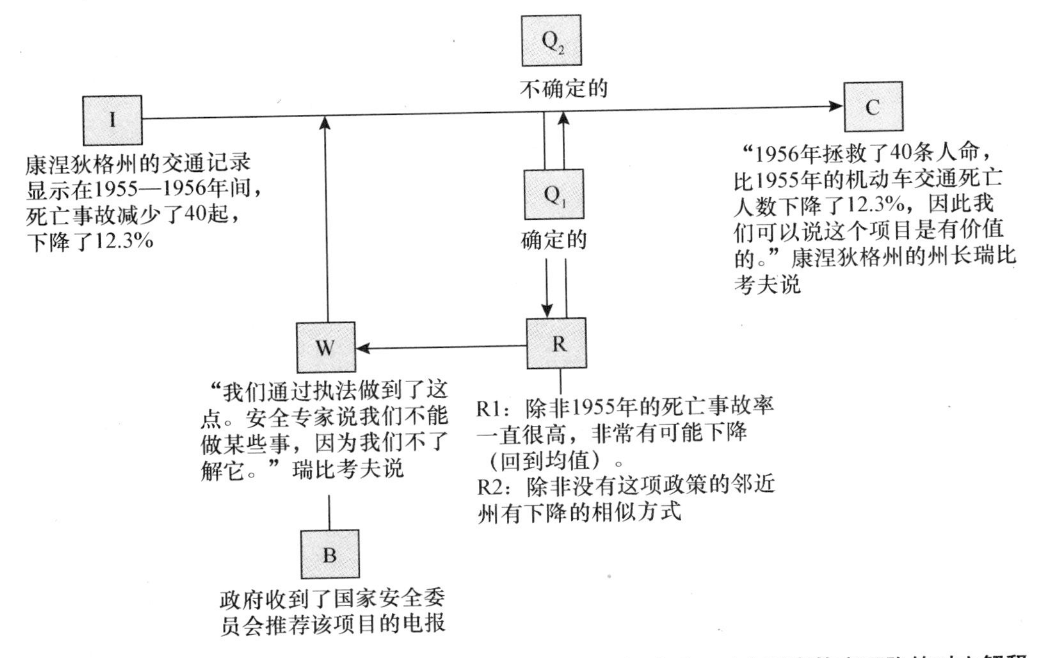

图 8—9　来自因果的论证：1955 年康涅狄格州打击超速驾驶后，对交通事故率下降的对立解释

来自符号的论证

来自符号的推理以指示物和它们的参照为基础。一个符号的存在表明一个事件、情况和过程的存在，因为符号和它所指代的事物一起出现。组织绩效的指示物包括“组织报告卡片”、“标杆”和“最佳实践”[34]等。另一个例子是一套被广泛应用的经济绩效的指示物（实际上是指标）——“领先的”、“落后的”、“一致的”经济指示物——由会议委员会每期发布。符号不是原因。正如我们先前看到的，原因必须满足额外的要求，而符号不是。图 8—10 展示了来自符号的论证，该论证以相关系数和概率价值为基础。

图 8—10 表明了符号和因果论证之间的重要区别。在现代统计分析中，相关、回归和统计意义（如卡方、t 值和 F 值）是涉及协变性的符号。协变性是必要但不充分的因果条件。在图 8—10 中，R 表明参加启蒙计划与高毕业率的因果关系。这是因果关系，因为参加的学生毕业率高，没有参加的毕业率低；项目是在毕业之前；此外，参加和毕业成正相关。这是正向、中等（$r=0.61$）和显著（$p=0.05$）的相关。R 成功地挑战了来自符号的论证，该论证错误地推出：启蒙计划是无效的。最初的限定词 Q_1（“可能”）变为 Q_2（“不可能”）。

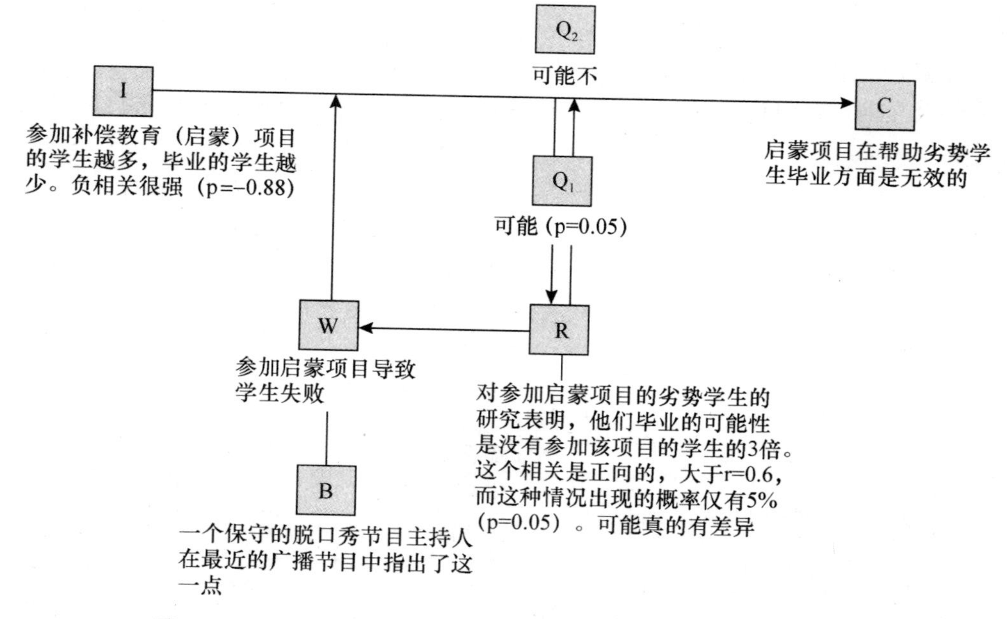

图 8—10 来自符号的论证——诸如相关系数和概率值这样的定量指标对显示因果关系是不充分

来自符号的论证——无论是以组织报告卡片、标杆，或者是以相关和回归系数呈现——是协变性或一致性的最好论证。尽管协变性一定是作为因果关系而存在的，但因果论证要求我们满足某些条件。约翰·斯图亚特·米勒——19 世纪英国哲学家——阐述了一套归纳推理方法，用于发现因果关系，米勒的方法今天被广泛地应用于社会和行为科学、政策分析和项目评估中。[35]这些方法是契合法、差异法、契合差异并用法（所谓的“结合法”）、相从变动和余数。前三个方法的基本思想如下：

- 如果在两个或更多的状况下，假定结果仅有一个相同的前提条件，那么这个条件可能是假定结果的原因。如果在第一种状况下，假定结果 Y 紧随 X_1、X_3 和 X_5，在第二种状况下，假定结果 Y 紧随 X_2、X_3 和 X_6，那么 X_3 可能是 Y 的原因。
- 如果假定结果和非假定结果共享除了一个条件之外任一前提条件，该条件和假定结果一起出现，那么这个条件可能是假定结果的原因。如果假定结果 Y 和非假定结果～Y 共享前提条件 X_1、X_2、X_5 和 X_6，但不共享条件 X_3，该条件和假定结果 Y 一起出现，那么 X_3 可能是 Y 的原因。
- 如果当假定结果出现的两个或更多的状况仅有一个相同的前提条件，而这个前提条件空缺时，假定结果不出现的两个或更多的状况没有相同的前提条件，那么导致假定结果和非假定结果差异的前提条件可能是原因。如果在两个或更多的状况下，当假定结果 Y 出现时，仅有前提条件 X_3 伴随，而前提条件 X_3 空缺时，假定结果 Y 不出现的两个或更多的状况没有相同条件，那么 X_3 可能就是 Y 的原因。

相从变动，我们今天称作相关（协变性、联系），除了说它是因果关系的一个必要条件，在此不作过多评论。余数方法类似于我们现在在多变量统计和计量经济中称作的余数（误差）方差分析。逻辑是：当我们解释一个现象的所有（假定）原因的结果时，所“留下”的是其他可能（和通常未知）原因的“残留”。为了确定我们是否正在分析因果或相关，要求我们首先应用前 3 个方法，因为尽管先进，但没有任何统计分析对于建立因果关系是充分的。统计分析提供符号，而不是原因。

来自动机的论证

在动机论证中，主张是：因为意图、目标或价值的激励作用，行动应当被采纳。动机论证企图证明：支持建议行动的意图、目标或价值能确保该行动的接受、采纳或执行。通常，足够大的或重要的团体通常希望遵循主张中陈述的行动。

来自动机的论证代表一类自亚里士多德以来被哲学家称作实用三段论或实用推理的推理。在实用推理中，主要前提或论据（W）描述一些预期的状态或行动结果，而次要前提或信息（I）把特定的行动方法（作为达到结果的手段）与预期状态联系起来。结论或主张（C）由确保预期状态或结果的特定方式中的建议行动构成。然而在理论推理（来自原因的论证）中，对总前提或法则的认可促使了对结论或主张的认可。在实用推理（来自动机的论证）中，对目标、价值或意图的认可促使了对与其一致的结论或主张的认可。[36]实用推理中的主张通常用于理解行动，而理论推理中的主张企图解释事件。[37]

实用推理对政策分析来说非常重要，其中的一个主要问题是根据目标、价值和意图来解释行动：

> 实用三段论为科学人士提供了其方法论中长期缺少的某些东西：一种解释模型，依其本身特征可以作为逻辑理论总规律模型的明确替代者［比如，演绎—法则解释］。一般来说，逻辑理论模型对因果解释和自然科学中的解释是什么，使用三段论对目的论的解释和历史和社会科学中的解释就是什么。[38]

动机论证不仅为政策分析提供了一个可选择的解释模型，而且有利于我们把政策制定构想为一个政治过程。来自动机的论证迫使分析者从政策制定者的目标、价值观和看法的角度进行思考，迫使其“进入政策制定者的现实逻辑世界”[39]。动机论证也使我们更关注价值问题，而在其他政策论证模式中，价值问题一般是被排斥在“实际”问题之外的。图 8—11 代表了一个动机论证，该论证受到另一个动机论证和分类论证的挑战。在这个论证中，经过反驳，Q_1（“可能的”）变为 Q_2（“可能不”）。

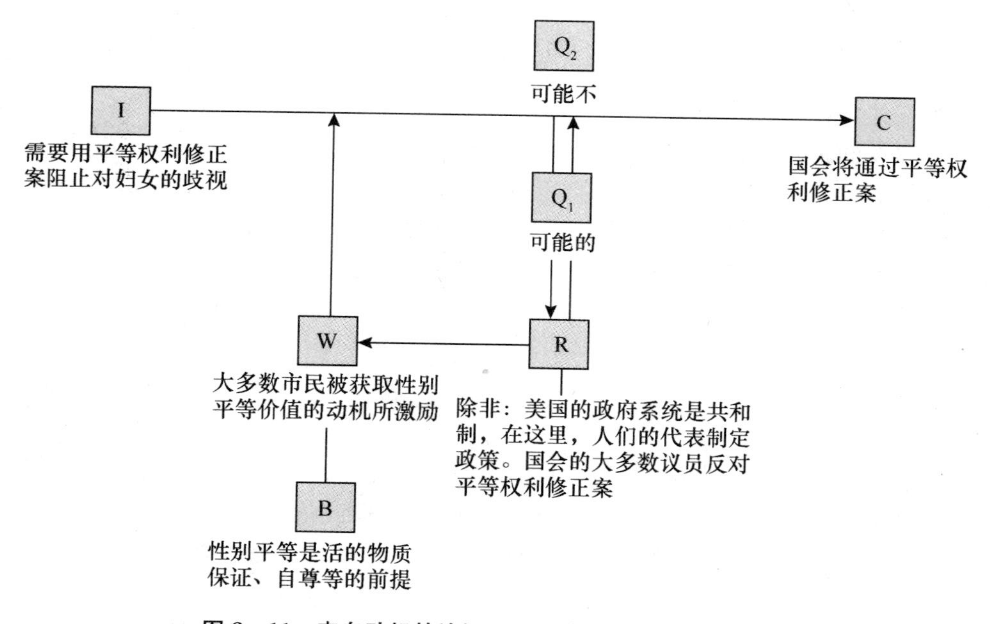

图 8—11 来自动机的论证——平等权利修正案的争议

来自直觉的论证

在来自直觉的推理中，政策主张的根据是对政策制定过程中参与者洞察力的假设。政策相关信息由事实报告或表达意见构成。根据的作用是肯定信息提供者的心理因素（洞察力、判断力、理解力），使他们有能力提供意见或建议。政策主张可能只是重复信息中提供的报告或意见。考虑早期军事政策的例子：

> 1334 年，蒂罗尔的女公爵玛格丽塔·马乌尔特施包围了卡林希雅王国的赫克斯特茨城堡。她非常清楚这个城堡位于耸立于山谷的一块极其陡峭的岩石上，直接进攻是无法占领的，只有通过长期围攻才能征服。在预定围困期限中，防御者的形势变得很严峻：他们只剩下一头牛和两袋大米来维持。玛格丽塔的形势也同样紧迫，由于多种原因，她的军队开始不听指挥，似乎没有尽头，她在其他地方的军事行动同样紧迫。这时城堡的指挥官作出了一个在他人看来很愚蠢的孤注一掷的行动，他杀掉了最后一头牛，用剩下的大米填满牛肚子，让人把牛的尸体从悬崖上扔到敌军前面的草地上。收到这来自上面的轻蔑的信号，会心的女公爵放弃了围困，离开了。[40]

图 8—12 强调了在开发政策问题的创造性解决方案中，洞察力、判断力和隐性知识的独特优势，然而，它也指出了其劣势。尽管政策学者强烈主张应将直觉、判断和隐性知识融入政策分析[41]，但几乎不可能提前辨别可能产生洞察力或创造力的推理方法或形式。丘奇曼观察到，一项创造性的行为"是不能被提前设计的行为，尽管回顾时可以分析它。如果这是创造性的正确定义，那么聪明的技师都不是具有创造性的"[42]。

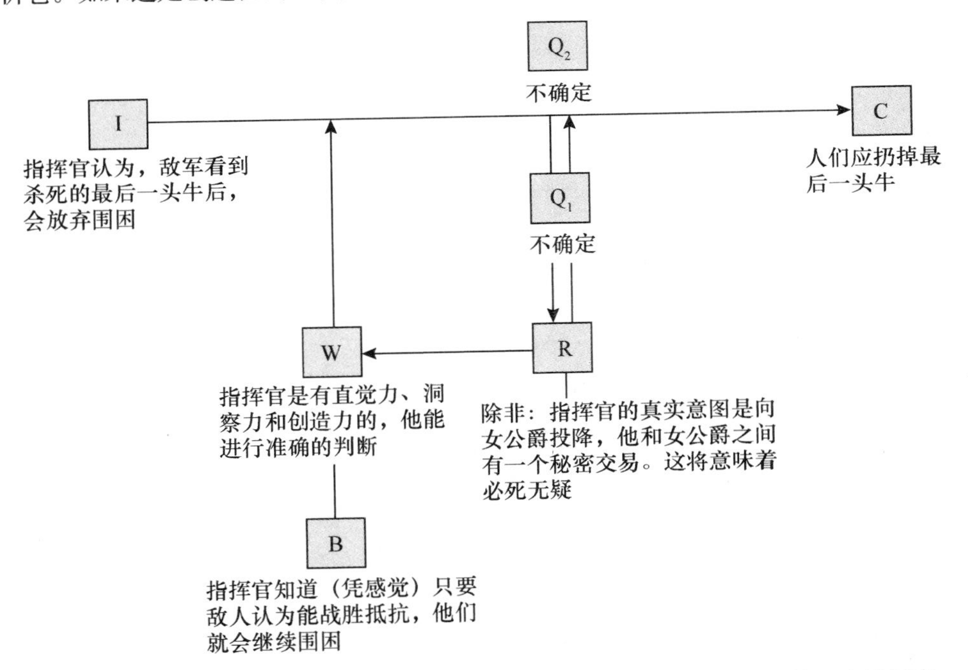

图 8—12 来自直觉的论证——来自动机的推理没有成功挑战有洞察力的军事指挥官

来自类比的论证

来自类比和比喻的推理的根据是：给定案例中的关系与比喻、类比或比方中的关系具有相似性（见图 8—13）。例如，主张政府应该通过禁止非法药品隔离一个国家——把非法药品看作“传染病”——以这样的推理为基础：因为在防止传染病上，隔离是有效的，那么在预防非法药品上，禁止也是有效的。在来自类比的论证中，主张以这样的假设为基础，即两个或更多案例中的关系（不是案例本身）本质上是相似的。比如，期望采取政策减轻空气污染的主张以相信水污染政策的成功为基础。在提出关于减少妇女就业歧视方法的主张时，推理有时以对关于减少种族就业歧视政策成败的假设为基础。[43]

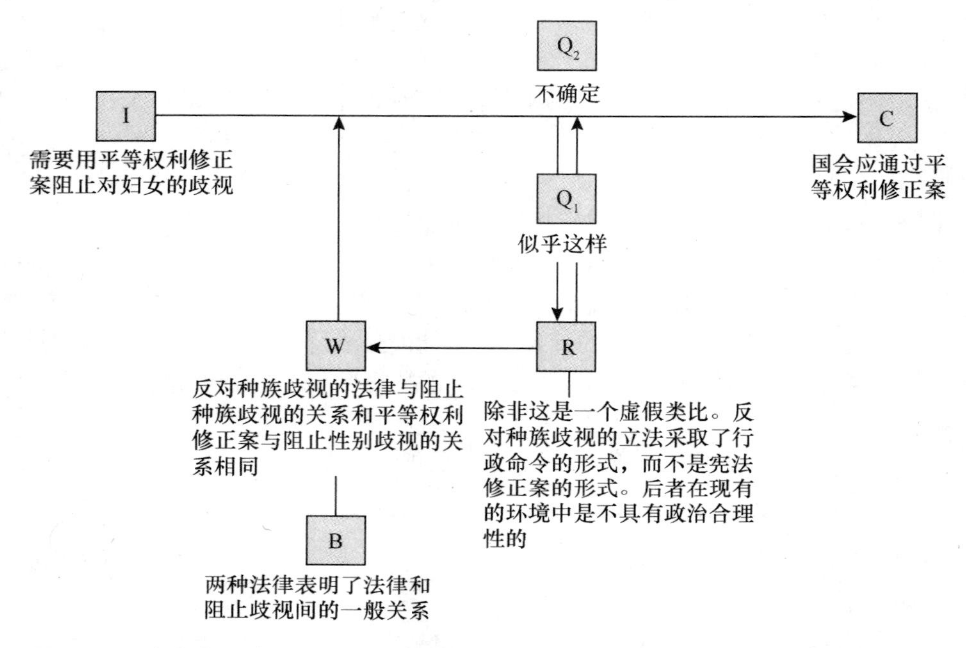

图 8—13 来自类比的论证——虚假类比削弱了关于平等权利修正案最初主张的合理性

来自类似案例的论证

来自类似案例的推理注重两个或更多政策制定案例的相似性（见图 8—14）。例如，地方政府应该严格执行污染标准的原因是其他类似的地方政府成功地执行了类似的政策。政策主张以这样的假设为根据：即在相似情况下采纳的政策的结果是有价值的或成功的。在美国或国外，政府机构通常面临相似的问题，因此政策主张可以以其共同经验为基础。英国全面医疗保健和城市规划（“新城镇”）的经验、荷兰和瑞士废除非法药品犯罪的方法影响了美国的药品政策讨论。一些州在采纳税制、公共住房和平等就业机会政策方面的经验已被用作联邦政策的根据。[44]来自类似案例论证的一个变化是：以同一机构在不同时间的经验为基础的论证，同一机构过去的政策被用作该机构应该采纳特定行动的主张根据，通常该行动与现状略有不同。联邦和州政府的预算通常源于这样的假设：同一机构过去采纳的政策具有相似性。[45]

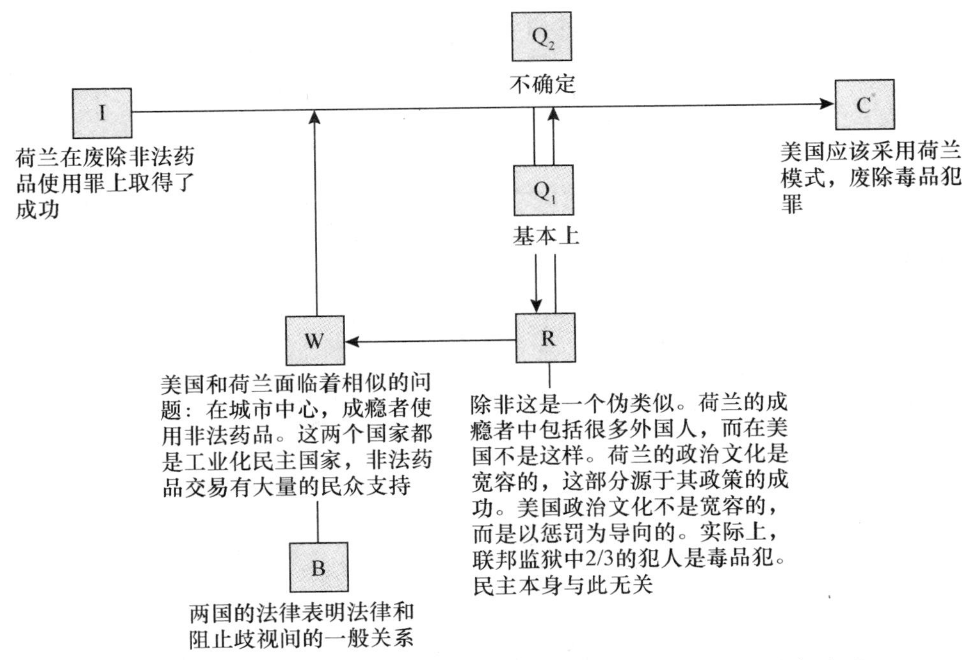

图 8—14　来自类似案例的论证——挑战通常在伪类似的形式中起作用

来自伦理的论证

来自伦理的推理以政策或其结果的对与错、善与恶（见图 8—15）为根据。例如，政策主张的基础通常是表明“公正”或“良好”社会状况的道德原则或在公共生活中禁止说谎的伦理规范。道德原则和伦理规范超越了特定个体、团体的价值和规范。在公共政策中，许多关于经济收益和成本的论证涉及未阐明或隐含的道德和伦理推理。在来自伦理的论证中，通过把主张和某些道德原则和伦理规则相联系，根据提供了接受该主张的原因。主张是指信息中涉及的人、状况或条件应被看作是有价值的或无价值的，或者提供的信息所描述的政策应该或不应该被采纳。

为了说明伦理论证，考虑图 8—15。这里，评价主张（C）是“美国现在的收入分配不合理”提供的信息（I）是“1975 年，美国 20%的高收入家庭的收入占全部国民收入的 14%，而 20%的低收入家庭的收入仅占 5.4%。1989 年，20%的高收入家庭的收入占全部国民收入的 46.7%，而 20%的低收入家庭仅占 3.8%。到 2000 年，贫富差距更大了。在 1969—2000 年期间，每人的实际平均收入增加了约 3%”①。根据（W）是以意大利经济学和社会学家阿尔弗莱德·帕累托的名字命名的帕累托理论。

帕累托原则是一个简单的伦理原则，在政策经济学家中得到广泛的认同。[46]规则的内容是，“一个社会最优的收入分配是一些人获益而其他人也没有损失”。对根据的支持（B）是“帕累托最优保证所有人都会根据能力和自己的劳动获得收入”。

① 图 8—15 中关于信息的阐述，“实际平均收入增长……约为 2%……”与正文不符，为尊重原书，予以保留。——译者注

反驳（R）是“帕累托最优没有反映由于不合理、欺骗和种族歧视产生的不公平的收入待遇”。（图 8—15）

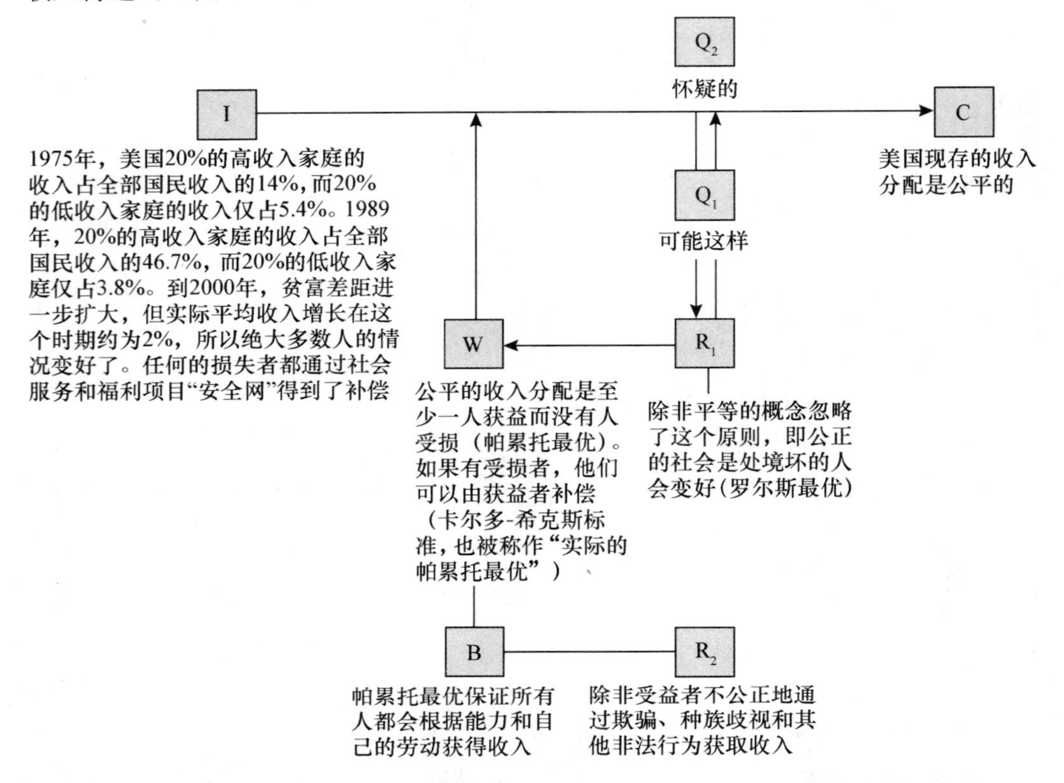

图 8—15 来自伦理的论证——例外和特殊情况削弱了作为正义标准的帕累托最优的效度

图 8—15 表明了伦理和道德讨论是怎样被用于政策分析的。帕累托最优的例子表明：一个普遍认可的伦理规则，尽管它支持关于公正社会的主张，但它不适用于涉及欺骗、歧视和其他非法的行为（我们可以加入继承，它也不以能力和工作为基础）。对潜在的伦理和道德推理的系统分析迫使讨论中的各方澄清主要概念的含义，比如“资格”，它比乍一看时要复杂。做出主张的各方可能被迫考虑一个特定的伦理规则，如帕累托最优，是否与他们的道德信仰相违背。例如，帕累托最优的倡导者可能看到，它的应用违背了关于必须以能力和工作作为赋予权利的根据的道德信仰。如果这适用于福利接受者，为什么不能适用于继承者？简而言之，伦理论证的过程有助于开发伦理规则，这些伦理规则对各种情况具有普遍适用性，并具有自身的一致性。[47]应该强调，伦理论证在一个方面与其他各种政策论证模式有区别：其他各种模式认为价值观是“既定的”——例如，根据意见调查描述价值——然而，价值论证则致力于发现是否有充分的原因坚持各种价值立场。

8.3 评价政策论证

政策论证的评价是思考公共政策的重要方面。到目前为止，我们已经看了论证的结构、论证的过程以及用于提出政策主张的一些推理类型。这使我们能够辨别隐藏的或缄默的假设，能够考察作为反驳（*R*）的结果，主张（*C*）的合理性改变程度。主张由限定词（*Q*）描述，反驳是在政策论证中引入的。

现在，我们转向评价论证构成要素及论证整体的准则。一些准则来自形式逻辑，一门为确定——无限定条件但有演绎确定性——论证形式有效性提供标准的学科。[48]然而，绝大多数准则源于评价论证的近似非形式有效性的标准的演进体。[49]其他准则来自定性方法论者采用的程序，他们在解释学的传统下工作。这个传统一直关注发现和准确描述人类行为的意义，无论该行为以书面文本形式表述，还是作为书面文本所描述的行为。[50]还有其他准则源于哲学实用主义，一种科学和方法论哲学，对于评价整个论证系统的合理性非常有用。[51]

解释学准则

解释学考察人类文本的含义。它可能是最综合和系统的定性方法。与弥漫在社会科学中的普遍误解不同[52]，术语“定性的”不是“定量的”简单的反面（在这个意义上，定性意味着不定量）。相反，定性方法考察个体和集体层次上行动的含义，定量方法无意也不适合承担此任务。

人类文本不但指作为人类行动产物的书面文件，比如，立法文本和起源于政策讨论的法律，它们也指行为本身，不论是否以书面形式表达。在证明解释准则对评价政策论证重要性的各种方法中，对伦理论证的关注最引人注目。思考一下关于囚徒的可替换论证，该名囚徒被对方的士兵抓获：

- 论证A：该囚徒不是常规战斗力中的一员，他是一个普通罪犯，是一个在被问到恐怖计划和其他军事秘密时撒谎的恐怖分子。因为他还不够成为战争犯，他不应受到免于我们对手所称的“非人性对待”的保护。

- 论证B：该囚徒是一个抵抗敌方恐怖和压迫的自由战士，他是一个忠诚的战士，有义务保守军事秘密，他应当作为战争犯受到保护。

- 论证C：该囚徒是作为杰出部队的战斗力中的一员。假定，他是一个战争犯，其忠诚似乎要求他保守军事秘密。以此来看，这可能是合理的，即他应该受到任何一个战争犯所享有的免于非人性对待的保护。

可以用书面或口头论证的解释准则来评价这些论证（见专栏8—3）。

论证A和论证B的主要功能是修辞的，而不是辩证的和逻辑的。尽管作为彼此反驳的A和B的运用对辩证功能有帮助，但这并不是A和B各自的目的。显而易见，A和B表达事实陈述，其中的一些从经验上看似乎是正确的，甚至是没有争议的。犯人被抓，他参与了战斗，他没有讲真话。有两个主要议题存在争议：在这样的状况中，是否有道德和法律上的权利去说谎？该士兵是否有资格成为战争犯？

其他准则也适用。引文明确了某些词语（“战争犯”和“非人性对待”）的隐藏或模糊含义。A和B的文本对于理解论证也很重要。在了解了众多冲突的历史后，就不会吃惊：双方都把对方看作对手。解释宽容准则鼓励把质疑的益处留给每一方，比如，通过努力去理解双方都在寻求被公平地对待。一方质疑穿便服的战斗者攻击军队（和平民的）的道德和法律上的可接受性，认为这是不公平的。另一方可能肯定这种行为在道德和法律上的可接受性，原因是这种行为在一方占有现代武器优势（“不对称战争”）的情况下是公平的。最后，双方论证随便运用贬义词——“极端分子”、“罪犯”、“恐怖分子”、“宣传者”、“自由战士”、“压迫”——模糊而不是澄清了道德和法律议题。

如果我们要重新表述这个论证，那么引入反驳，用合理要求代替绝对要求，这就有些像论证 C。论证 C 有隔离争论议题的优势，该争论议题是一个矛盾的义务：在战争伦理中，有一种普遍理解即保守军事秘密的囚徒展现了勇气、荣辱、爱国主义和其他优点。在这里，这种理解将适用于双方。

专栏 8—3

解释论证的准则

- 政策论证有三个功能：引发改进政策有效性、正确性和有用性的讨论（辩论性功能）；呈现最有效和经验上正确的结论（逻辑—经验功能）；除了政策的有效性、正确性和有用性，劝说他人接受政策论证。
- 寻找词语、句子和整个论证的隐含意义。一个单词或句子可能不是它表面所说的意思。比如：“他是一个好的自由党党员。”并不意味着被描述的人作为一个自由党党员表现如何好，而是指这个人作为一个自由党党员的身份与某些缺点和局限相连。
- 区别词语、句子或论证的表面含义与其在争论者语境中的含义。尽力辨别你的理解与争论者的理解有何区别。比如：“市长不应该公开默许示威者的要求。”有几种可能隐含的误解：除了市长之外的人可以默许；市长不应当众默许；市长根本不应该默许。
- 观察解释宽容准则。该准则要求通过接受或尽力理解争论者所说的来解决意思的差异。比如：用定量语言描述的论证评论家通常把这样的论证（和争论者）标榜为“逻辑实证论者”，尽管定量本身与逻辑实证无关。理解争论者实际上所相信的，这种宽容的努力能解决这个问题。
- 寻找被轻蔑地用来质疑一个人或一项政策的术语。表面上，这些术语是中性的，但在语境中，他们通常被轻蔑地运用。比如：“这只是新官僚的另一个典型”；“这是典型的‘环保狂’论证”；“一群逻辑实证论者写的报告不可接受”。

来自非形式和形式逻辑的准则

解释准则被用于提升对支持论点和论证的含义的理解。它没有提出有关论证正确性、有效性和合理性的问题，因为基本目标是获得对争论者意思的精确理解。相比之下，非形式逻辑和形式逻辑为辨认和评估非形式谬误提供了准则。[53]正如在其他地方一样，这里术语“准则”可替代“原则”，因为没有方法绝对确定一个论证是荒谬的，因此非形式谬误的分析不允许得出面面俱到的结论（all conclusion）或没有结论。

正如我们在本章第一部分看到的，有大量的论证模式被认为适用于政策讨论。下列类型的论证在形式上是有效的：

● 假言三段论。如果 p 包含 q，q 包含 r，那么 p 包含 r，或者 p⊃q，q⊃r，∴p⊃r（⊃=包含）。比如，传递性偏好排序就是一种假设演绎推理。假定有 3 个项目：A、B 和 C，如果 A 优于 B，B 优于 C，那么 A 优于 C。这种形式上有效的论证在经验上可能是不正确的。

● 演绎推理。演绎推理（确定的方法）主张，如果 p 包含 q，p 出现，那么 q 出现。如果 p⊃q，并且 p，那么 q。例如：如果一个项目中的投入 I 带来产出 O，进行了投入 I，那么产出 O 就会出现，尽管这个论证形式上是有效的，但几乎不存在假定没有其他非 I 的相关因素的结论。这种形式上有效的论证在经验上可能是不正确的。

● 否定后件律。否定后件律（否定的方法）主张，如果 p 包含 q，q 不出现，那么 p 也不会出现。如果 p⊃q，并且 q 不出现（～q），那么 p 不会出现（～p）。例如：如果一个项目中的投入 I 带来产出 O，并且 O 不出现，那么 I 就不是原因。这种形式上有效的论证在经验上可能是不正确的。

现在我们转向通常在形式上被看作无效的、不恰当的或不正确的然而乍一看却似乎是有说服力的论证方式。这些论证方式被称作谬论。谬论是一种弱化或有严重缺陷的论证，因为它运用了不相关或不充分的信息、错误或不正确的推理、不恰当或让人误解的语言，表 8—2 提供了谬论及有助于辨别它们的准则的项目。

表 8—2　　辨别无效论证及谬论的准则[a]

谬论	准则
确定结果	一种形式（命题的）逻辑。逻辑上无效的论证是：如果 p，那么 q，并且 q，那么 p（p⊃q，q，所以 p）。一个论证可能在形式上是无效的，但实际是有用的。例如：莫顿说："贯穿预测的证明的示范当然在逻辑上是荒谬的：如果 A（假设），那么 B（预测），B 可以被观察到，因此 A 为真。"[b] 如果议员呼吁基本制度的变革，社会主义者呼吁基本制度的变革，那么议员就是社会主义者。在社会科学中，这种论证尽管在形式上是无效的，但可能是有用的，因为可以通过检验非 B 的情况来修正假设，形成对立假设。
否定前提	有一种有效的形式逻辑形式。如果 p，那么 q，非 p，所以非 q（p⊃q，～p，因此～q）。这种推断是荒谬的。例如：因为市场经济是民主的，国家 X 不是市场经济，那么它不是民主的。
虚假类比	在对两个被认为相似的关系进行对比的过程中忽略了重要差别，使得对比相对不正确。比如：因为毒品成瘾类似于传染性疾病，所以隔离成瘾者是唯一起作用的政策。
虚假类似	在对两个被认为相似的案例进行对比的过程中忽略了重要差别，使得对比不正确。美国在第二次世界大战中的默许导致了种族屠杀和清洗。美国不能默许巴尔干地区的种族屠杀和清洗。
草率的归纳	在对一种状况的例子进行归纳时，没有认识到例子太少或这些例子是例外而不是典型的。在进行意见调查时，不充分的样本数量导致太少的例子，而没有运用随机抽样——每一个元素或例子有平等的机会被抽到——可能产生例外结论而不是整体中的典型结论。比如：在选举之前，对有 15 个典型投票者的"焦点团体"的访问显示：候选人 A 比 B 拥有更多的支持者。

续前表

谬论	准则
虚假原因	在提出因果关系的主张中，认为单一的原因造成了一个结果，而没有检查其他合理原因。虚假原因也源于对统计相关知识和协变性的混淆，从单一的临时结果（后此谬误）推导原因。比如：超额的政府开支导致了GDP的缓慢增长（单一虚假原因）。从自杀和失业之间的显著正相关（$r=0.74$，$p=0.05$）来看，经济条件对社会福利的影响是明显的。里根（克林顿）政府执政后，出现了20年来最高的失业率（或政府开支）。
合并谬误	认为部分具有的特征，整体也具有。整合谬误（也叫合并或历史谬误）涉及所有部分，而不只是一个样本。因此它不同于草率的归纳（见上面）。比如：交通工具安全性的研究（通过监测机器人以不同速度驾驶汽车所导致的损害严重性）表明：驾驶速度和损害严重性有强烈的正相关。这是“速度杀人”的显著证据。但死亡事故研究显示只有近20%的死亡事故与超速相关。
分解谬误	认为整体具有的，特征部分也具有（也被称为个体谬误）。比如，如果一个国家人均收入增加，每人就都会变好。然而，在许多国家，此为假。甚至好的人更好，坏的人更糟。另一个例子是用算术平均数或其他均值描述团体，不考察团体成员间的不同。
“滑坡”谬误	以不充分的根据为基础，断言如果一个事件出现，那么其他事件会不可避免或不可控制地出现。比如，如果立法通过一项新法律要求对手枪进行严格登记，那么这会导致政府对所有枪支的征缴。
乞求问题	把主张假定为原因或论据。比如，拥有50万兵力的军队，我们就能够进攻伊拉克，推翻萨达姆政权。这些军队将一次性地完成这一任务。
仅从个人爱好出发	当个体的个人特征与议题不相关时，把该特征作为论证的一部分。比如“杰出的自然科学家认为福利改革是不正确的”；“环境论者的论证有严重缺陷，毕竟，这些环保狂是伪装的社会主义者”；“经济发展理论是西方思想的产物，显而易见，它们不适用于非西方世界”。注意，当个人特征与议题相关时，不应将个人爱好牵扯进去，比如，法庭案件中的“专家见证”应有恰当的专业性。
多数论证	当团体或社区的特征或信仰与议题不相关时，把该特征或信仰作为论证的部分。比如：“社区的多数人认为，氧化物会引发癌症。”
呼吁传统	当传统与议题完全不相关时，主张以风俗或传统为依据。比如“我们总是以这种方式行事”；“参议员的建议吓坏了奠基人”；“成功的学科取得成功因为他们效仿物理学。如果社会科学要成功，也得效仿这种模式”。
强调	对论证中的词、短语和部分的不当强调导致错误理解或错误解释。斜体、黑体、变化字、图像、省略艺术和颜色的运用能强调相对正确或合理的、相对不正确或不合理的论证或部分论证。强调谬误的显著例子是脱离上下文引用或摘录信息、原因或论证。

注：

a. 前两个是形式无效论证（论证形式）。

b. Robert K. Merton. *Social Theory and Social Strutcure*, rev. ed. (Glencon, IL: Free Press, 1975), p. 99n. Donald T. Campbell, *Epistemology and Methodology for Social Science: Selected Essays* (Chicago: University of Chicago Press, 1988), p. 168 也论述了这一点。

论证的系统

评估论证的另一个方面是把其作为一个完整的推理系统进行检查。下面是一些适用于这一目的的标准[54]：

● 完全性。一个论证的要素应构成一个真正的整体，该整体包括所有合理的考虑。例如，关于政策影响的论证，它的合理性依赖于这些论证是否包括所有可能的对立性解释，这些解释在形式甚至内容上与在准实验传统中形成的一些对抗假说（对有效性的威胁）相似。[55]

● 一致性。一个论证的要素应该是自身一致和相容的。例如，关于一个政策的公正性的道德论证，从它们包含了一系列内外一致的道德假设的程度上讲是合理的。[56]

● 内聚性。论证的要素在运作上应该相互联系。例如，道德论证的合理性有赖于对描述性和评价性问题的若干阶段的回答——从证明和有效化到证实——在运作上是否相联系。[57]

● 运作的规范性。论证的要素应该服从预定模式，例如，根据样本资料和背景知识，样本及被抽取样本的总体模式在运作上被认为是有规律性或无变化的，而不是无规律或不一致的。从这方面看，对未观察（常是不可观察的）总体的参数进行估计的统计论证是合理的。[58]

合理性评价的标准可应用于那些以权威的、直觉的、类推的和伦理的前提为基础的论证模式，也适用于因果的、方法论的和统计的论证模式。因此，标准系统适用于普通市民、政策制定者、政策分析者经常运用的论证模式。最后，应注意，任何基于这些标准的关于政策论证合理性的主张，其本身是服务于论证和讨论的。任何以这些标准为根据的论证成功的前瞻性主张本身是合理的而不是确定的。

本章小结

本章对政策论证的结构和过程提供了理解，关注不同主张类型的对比、政策论证要素的识别与安排以及反驳对论证动态的影响。接着，对比了不同的政策推理模式，提供了常见谬论的识别与评估准则，这些谬论削弱了政策论证，并使其存在严重缺陷。形式和非形式谬论是似乎合理的论证，尽管它们涉及不可靠或不相关信息以及不正确或无根据的假设。政策论证对政策分析和政策制定过程是重要的。

学习目标

● 比较和对照三种政策主张

● 识别和描述政策论证六个要素的功能

● 解释反驳如何通过改变限定词的强度和（通常）降低政策主张合理性来影响论证过程

● 区别以不同类型的根据和支持为基础的政策推理模式

- 评估论证要素及论证整体的合理性
- 应用辨别形式和非形式谬误的准则
- 分析和评估一个复杂的政策论证

关键术语与概念

倡议型主张	假说—演绎解释
支持	非形式谬论
因果关系	米勒的方法
演绎—法则解释	论证的模式（推理）
评估性主张	实用三段论（论证）
形式谬论	限定词
解释学准则	反驳
根据	

复习思考题

1. 用以下政策问题中的 3 个来构造关于公共政策的指示性、评价性和倡议性主张。你总共应构造 9 个主张。

犯罪　财政危机　污染　人权　恐怖主义　种族灭绝

生活质量　失业　全球变暖　贫穷

2. 任选两个上面分析的问题，构造一个政策论证。给出限定词（Q）、政策主张（C）、根据（W）、支持（B）和政策信息（I）。

3. 通过为上面的论证提供反驳（R）来构造一个政策讨论。

4. 描述限定词（Q）如何和为什么因为反驳（R）的引入而改变？如果限定词（Q）不改变是为什么？

5. 什么是谬论？谬论的使用会使论证无效吗？解释并给出例证。

参考文献

Alker，H. R. Jr. “The Dialectical Logic of Thucydides' Melian Dialogue.” *American Political Science Review* 82，no. 3（1988）：805－820.

Anderson，C. W. “Political Philosophy，Practical Reason，and Policy Analysis.” In *Confronting Values in Policy Analysis*. Edited by F. Fischer and J. Forester. Newbury Park，CA：Sage Publications，1987.

Apthorpe, R., and D. Gasper, eds. *Arguing Development Policy: Frames and Discourses*. London: Frank Cass, 1996.

Dunn, W. N. "Policy Reforms as Arguments." In *The Argumentative Turn in Policy Analysis and Planning*. Edited by F. Fischer and J. Forester. Durham, NC: Duke University Press, 1993.

Fischer, D. H. *Historians' Fallacies: Toward a Logic of Historical Thought*, New York: Random House, 1970.

Fischer, F. *Evaluating Public Policy*. Chicago: Nelson Hall, 1995.

Fischer, F., and J. Forester, eds. *The Argumentative Turn in Policy Analysis and Planning*. Durham, NC: Duke University Press, 1993.

Gasper, D., and R. V. George. "Analyzing Argumentation in Planning and Public Policy: Improving and Transcending the Toulmin-Dunn Model." *Environment and Planning B: Planning and Design* 25 (1998): 367-390.

Majone, G. *Evidence, Argument, and Persuasion in the Policy Process*. New Haven, CT: Yale University Press, 1989.

McCloskey, D. N. *The Rhetoric of Economics*. Madison: University of Wisconsin Press, 1988.

Mitroff, I. I., R. O. Mason, and V. Barabba. *The 1980 Census: Policy Making Amid Turbulence*. Lexington, MA: D. C. Heath, 1985.

Roe, E. *Narrative Policy Analysis*. Durham, NC: Duke University Press, 1994.

Scriven, M. *Reasoning*. New York: McGraw-Hill, 1976.

Stone, D. *Policy Paradox: The Art of Political Decision Making*. Rev ed. New York: W. W. Norton, 2002.

Toulmin, S., R. Rieke, and A. Janik. *An Introduction to Reasoning*. 2d ed. New York: Macmillan, 1984.

注 释

[1] Stephen Toulmin, *The Uses of Argument* (Cambridge: Cambridge University Press, 1958); and Stephen Toulmin, Robert Rieke, and Alan Janik, *An Introduction to Reasoning*, 2d ed. (New York: Macmillan, 1984). 其他推理和论证模式是 Hayward Alker Jr., "The Dialectical Logic of Thucydides' Melian Dialogue," *American Political Science Review* 82, no. 3 (1988): 805-820; Michael Scriven, *Reasoning* (New York: McGraw Hill, 1977); D. R. Des Gasper, "Structures and Meanings: A Way to Introduce Argumentation Analysis in Policy Studies Educaion," *Africanus* (University of South Africa) 30, no. 1 (2000): 49-72; and D. R. Des Gasper, "Analyzing Policy Arguments," *European Journal of Development Research* 8, no. 1 (1996): 36-62。

[2] Toulmin, *Uses of Argument*, p. 127.

[3] 这是诸如 W. V. O. Quine, Norwood Hanson, Karl Popper, Thomas Kuhn 等科学哲学家的观点

的意译，他们认为所有的数据（和信息）是依赖理论的。我对数据和信息不作区分。

[4] 这里陈述的一些模式引自 Wayne Brockriede and Doughlas Ehninger, "Toulmin or Argument: An Interpretation and Application," *Quarterly Journal of Speech* 1006 (1960): 45－53; and Toulmin, Rieke, and Janik, *Introduction to Reasoning*, 2d ed., pp. 213－237。我添加了一些类型。

[5] *Boston Globe*, April 4, 1999. 引自 Noam Chomsky, *Rogue States: The Rule of Force in World Affairs* (Cambridge, MA: South End Press, 2000), p. 35。

[6] 这个程序是微软绘图，是微软文字处理的一部分。其他的绘图选择包括决策程序语言软件，见 *DPL4.0: Professional Decision Anlysis Software——Academic Edition* (Pacific Grove, CA: Duxbury, 1998)。用这些及类似程序回应批评：手绘图是僵硬的和过于简单的。见 Des Gasper and George, "Analyzing Argumentation"。

[7] 关于传递性和循环性偏好的规则，见 Norman Frohlich and Joe A. Oppenheimer, *Modern Political Economy* (Englewood Cliffs, NJ: Prentice Hall, 1978, pp. 6－13)。

[8] Allen Sichick, "Beyond Analysis", *Public Administration Review* 37, no. 3 (1977): 259.

[9] 认同方法是库恩矩阵的组成。Thomas Kuhn, *The Structure of Scientific Revolutions* 2d ed. (Chicago: University of Chicago Press, 1971), p. 103.

[10] C. West Churchman, *The Design of Inquiring Systems: Basic Concepts of Systems and Organization* (New York : Basic Books, 1971) p. 25.

[11] Joseph L. Bower, "Descriptive Decision Theory from the 'Administrative' Viewpoint," in *The Study of Policy Formation*, ed. Raymond A. Bauer and Kenneth J. Gergen (New York: Free Press, 1968), pp. 104－106。

[12] 参见关于福利经济学演进的讨论，Duncan Macrae Jr., *The Social Function of Social Science* (New Haven, CT: Yale University Press, 1976), pp. 107－157。

[13] 见本书第 2 章。

[14] Bower, "Descriptive Decision Theory from the 'Administrative' Viewpoint," p. 106. 见 Nicholas Rescher 关于实用主义方法论的著述，例如 *Induction* (Pittsburgh, PA: University of Pittsburgh Press, 1980)。

[15] 例如，见 Delbert C. Miller, *Handbook of Research Design and Social Measurement*, 4th ed. (New York. CA: Sage Publications, 1911)。在实验和准试验研究中的归纳（外部有效性）在本质上不是统计的。见 William R. Shadish, Thomas D. Cook, and Donald T. Campbell, *Experimental and Quasi-Experimental Designs for Generalized Causal Inference* (Boston, MA: Houghton Mifflin, 2002)。

[16] 见 William N. Dunn, "Pattern Matching: Methodology," *International Encyclopedia of the Social and Behavioral Sciences* (New York: Elsevier, 2002)。

[17] 政治学家主要用因果论证解释政策制定，最近的例子包括 Sabatier, *Theories of the Policy Process*。其他的例子包括 James E. Aanderson, *Public Policy-Making* (New York: Praeger Publishers, 1975); Thomas R. Dye, *Understanding Public Policy*, 3d ed. (Englewood Cliffs, NJ: P rentice Hall, 1978); Robert Eyestone, *The Threat of Public Policy: A Study in Policy Leadership* (Indianapolis, IN: Bobbs-Merrill, 1971); Jerald Hage and J. Rogers Hollingsworth, "The First Step toward the Integration of Social Theory and Public Policy," *Annals of American Academy of Political and Social Science*, 434 (November 1977): 1－23; Richard I. Hofferbert, *The Study of Public Policy* (Indianapolis, IN: Bobbs-Merrill, 1974); Charles O. Jones, *An Introduction to the Study of Public Policy*, 2d ed. (North Scituate, MA: Duxbury Press, 1977); Robert L. Lineberry, *American Public Policy: What Government Does and What Difference It Makes* (New York: Harper & Row, 1977); Austin Ranney, ed., *Politi-*

cal Science and Public Policy (Chicago: Markham, 1968); Richard Rose, ed., *The Dynamics of Public Policy: A Comparative Analysis* (Beverly Hills, CA: Sage Publications, 1976); Ira Sharkansky, ed., *Policy Analysis in Political Science* (Cambridge, MA: Markham, 1970); and Peter Woll, *Public Policy* (Cambridge, MA: Winthrop Publishers, 1974)。

[18] Graham T. Allison, "Conceptual Models and the Cuban Missile Crisis," *American Political Science Review* 3002, no. 3 (1969): 689-718.

[19] 见 Carl G. Hempel, *Aspects of Scientific Explanation* (New York: Free Press, 1965)。

[20] Allison, "Conceptual Models", p. 694.

[21] Ibid., p. 702.

[22] Georg H. von Wright. *Explanation and Understanding* (Ithaca, NY: Comell University Press, 1970), p. 145; and Kuhn, *Structure of Scientific Revolutions*.

[23] 这并不是说这些解释中不暗含价值，因为社会与自然科学中的所有实验性理论都有潜在的价值前提作根据。例如，见 M. Gunther and K. Reshaur, "Science and Values in Political 'Science'," *Philosophy of Social Science* 1 (1971): 113-121; J. W. Sutherland, "Axiological Predicaties in Scientific Enterprise," *General System* 19 (1974): 3-14; and Ian I. Mitroff, *The Subjective Side of Science: A Philosophical Inquiry into the Psychology of the Apollo Moon Scientist* (New York: American Elsevier Publishing 1974)。

[24] Allison, "Conceptual Models," p. 690 (注释4) 告诉我们亨普尔的演绎法则解释支持他的三个模型。

[25] Hempel, *Aspects of Scientific Explanation*, pp. 247-258.

[26] 见 von Wright, *Explanation and Understanding*, p. 12。

[27] Ibid, p. 12.

[28] Ibid, p. 11.

[29] Ibid, pp. 74-124; G. E. M. Anscombe, *Intention* (London: Basil Blackwell, 1957); and W. H. Dray, *Lan's and Explanation in History* (London: Oxford University Press, 1957).

[30] Alasdair Maclntyre, "Ideology, Social Science, and Revolution," *Comparative Politics* 5, no. 3 (1973): 334.

[31] 见 Thomas D. Cook and Donald T. Campbell, *Quasi-Experiments: Designs and Analysis Issues for Field Settings* (Boston, MA: Houghton Mifflin, 1979), ch. 1 中有关"活动理论的因果关系"的讨论。

[32] 对社会和行为科学的有效性问题的杰出资料见 William R. Shadish, Thomas D. Cook, and Donald T. Campbell, *Experiment and Quasi-Experimental Designs for Generalized Causal Inference* (Boston, MA: Houghton Mifflin, 2002)。

[33] 对立假设也被当作对"有效性的威胁"，见 Donald T. Campbell, *Methodology and Epistemology for Social Science: Collected Papers*, ed. E. S. Overman (Chicago: University of Chicago Press, 1988)。这里的例子摘自坎贝尔的《实验式改革》。

[34] 比如，William T. Gormley Jr. and David L. Weimer, *Organizational Report Cards* (Cambridge, MA: Harvard University Press, 1999)。

[35] 项目评估中的准实验设计绝大部分以米勒的方法为基础。最好的例子是 Cook and Campbell, *Quasi-Experimentation*, ch. 1，他批判并超越了米勒的方法，见 William N. Dunn, "Pragmatic Eliminative Induction," *Philosophica* 60, no. 2 (1997), Special issue honoring Donald T. Campbell。比较政治学、比较社会学、比较公共政策和试验心理学也吸收了米勒的方法。

[36] von Wright, *Explanation and Understanding*, pp. 22-27.

[37] Ibid., pp. 22-24. 又见 Fred R. Dallmayr and Thomas A. McCarthy, eds., *Understanding and*

Social Inquiry（Notre Dame，IN：University of Notre Dame Press，1977）；and Rein，*Social Science and Public Policy*，pp. 14－15，139－170。

[38] von Wright，*Explanation and Understanding*，p. 27.

[39] Bauer，*Study of Policy Formation*，p. 4.

[40] 引自 Paul Watzlawick，John Weakland，and Richard Fisch，*Change*：*Principles of Problem Formation and Problem Resolution*（New York：W. W. Norton Company，1974），p. xi。

[41] 比如，Yehezkel Dror，*Venture in Policy Science*（New York：American Elsevier Publishing，1971），p. 52；Sir Geoffrey Vickers，*The Art of Public Decisions*（New York：American Elsevier，1975），pp. 4－5。一些评论家也发表评论，承认毒品会引起决策者心理状态的改变。见 Kenneth B. Clark，"The Pathos of Power：A Psychological Perspective，" *American Psychologist* 26，no. 12（1971）：1047－1057。

[42] Churchman，*Design of Inquiring Systems*，p. 17.

[43] Robert L. Lineberry，*American Pubic Policy*：*What Government Does and What Difference It Makes*（New York：Harper and Row，1977），p. 28.

[44] Ibid.

[45] 例如，见 Aaron Wildavsky，*The Politics of the Budgetary Process*（Boston：Little，Brown and Company，1964）中的关于政策制定的讨论。也参见第 2 章中政策变化模式的讨论。

[46] 见 Peter G. Brown，"Ethics and Policy Research，" *Policy Analysis* 2（1976）：332－335。

[47] Macrae，*Social Function of Social Science*，pp. 92－94.

[48] 经典的形式逻辑资料包括 Irving M. Copi，*An Introduction to Logic*（New York：Macmillan，1953）。

[49] 见 Toulmin Rieke，and Janik，*An Introduction to Reasoning*，Part V：*Fallacies*：*How Arguments Go Wrong*，pp. 129－197。

[50] 经典的解释学资料，最先出版于 1960 年，是 Hans Georg Gadamer，*Truth and Method*（New York：Seabury，1975）。

[51] 见 Nicholas Rescher，*Induction*（Pittsburgh，PA：University of Pittsburgh Press，1980）。

[52] 例如，见 Gary King，Robert Keohane，and Sidney Verba，*Designging Social Inquiry*（Princeton，NJ：Princeton University Press，1994）。

[53] 术语"非形式逻辑"和"非形式谬论"在逻辑学中使用。逻辑学中，"形式逻辑"和"形式谬论"也有区别。

[54] 见 Rescher，*Induction*，pp. 31－47。我已经用术语合理性评估的标准代替了 Rescher 所称的认识系统化标准。

[55] 关于有效性的威胁，见 Donald T. Campbell and Julian C. Stanley，*Experimental and Quasi-experimental Designs for Research*（Chicago：Rand McNally，1966）；and Shadish，Cook，and Campbell，*Experimental and Quasi-experimental Designs*。关于第五类有效性威胁（背景有效性），见 Willilam N. Dunn，"Pragmatic Eliminative Induction，" Philosophica 60（1997，2）：75－112，Special issue dedicated to Donald T. Campbell。

[56] Duncan Macrae Jr.，*The Social Function of Social Science*（New Haven，CT：Yale University Press，1976），pp. 92－93.

[57] Fischer，*Politics*，*Values*，*and Public Policy*，Table 10，pp. 207－208.

[58] Rescher，*Induction*，p. 41.

第9章

交流政策分析

政策分析是努力改善政策的开始而不是结束。这就是为什么政策分析在本书的第一部分被定义为政策相关知识的创新、批判性评价及交流的原因。可以肯定，政策分析的质量是重要的。但是好的政策分析并不必然是用过的分析。分析的产物与政策制定者对其运用之间存在着巨大的差距（见专栏9—1）。

专栏9—1

政策分析可能类似于管理不良的制材厂

“社会科学研究者闯进了知识的森林，伐倒了一棵长势很好且非常坚实的树，并把他们的工作展现在他人面前。一些富有进取心的、非常务实的伐木者把一些原木拖到河里，让它们顺流而下（他们称之为‘扩散’）。在河下游的某些地方，一批实践者正管理着一些建筑公司。这些建筑公司设法用能够发现的那些顺流漂下来的原木拼凑一些临时的建筑，但总的来说，它们非常缺少不同尺寸和形状的木料以保证工作能够顺利进行。问题实际上就在于人们忘记了建一座工厂来把原木分解成各种可用形状的木料。这样，原木在系统的一端不停地堆积，而此时建筑公司却在另一端为得到合适的木料着急。……原木的砍伐和水运有政府和基金会的支持。而且建筑公司也会得到一些方面的支持。这不是别的什么，而只是一个对制材厂的计划和管理问题。”

资料来源：Jack Rothman，*Social R&D*：*Research and Development in the Human Services*（Englewood Cliffs，NJ：Prentice Hall，1980），p. 16.

9.1 政策交流的过程

政策相关知识的交流可以被划分为四个阶段：政策分析、材料引申、互相交流、知识利用。如图 9—1 所示，政策分析的产生主要在于政策制定过程中不同阶段利益相关者对信息或建议的需求，这些已在第 2 章进行了讨论。为回应这些要求，政策分析人员就需要对有关的各种政策问题、政策走向、政策行为、政策结果和政策绩效进行创新和批判性评估。为了这种知识的交流，政策分析人员会开发多种多样的文件——政策备忘录、政策议题报告、执行总结、包含定性和定量信息的附属文件和新闻稿。反过来，这些文件的内容通过不同类型的口头呈现得到交流：对话、研讨会、会议、简报和听证会。开发政策相关文件和作口头呈现的目的是为了提升知识运用的前景。

图 9—1 中的虚线说明政策分析人员仅间接地影响知识利用过程。相对而言，实线表示政策分析人员直接影响运用分析所得出的结论和建议的可信性，同时还直接影响政策相关文件和口头呈现的形式、内容和适用性。

政策文件的任务

进行政策分析的知识和技巧不同于利用政策相关文件的知识和技巧。负载有用知识的政策相关文件的开发需要具有综合、整理、解释、简化、展示和概括信息的知识和技巧。

（1）综合（synthesis）。政策分析人员的典型工作就是阅读成百上千页已经出版的报告、报纸、期刊文章、主要的信息提供者或利益相关者的采访记录、现行法律或“原型”法律的副本以及大量的统计报表，甚至更多。信息必须被综合成一份最多 3 页的文件（政策备忘录）和一份 10～20 页的文件（政策议题报告）。以执行报告和新闻稿的形式总结政策议题报告时，也需要信息进行综合。

（2）整理（organization）。政策分析人员必须能够运用首尾一致的、具有逻辑联系的、经济的形式去整理信息。尽管政策文件在形式、内容和长度三个方面存在着很大的不同，但通常也有特定的共同元素：

- 文件内容的总结或回顾；
- 为解决问题所进行的前期努力的背景；
- 关于该问题范围、严重性及原因的诊断；
- 对该问题的多种解决方案的识别和评估；
- 解决该问题的行动的建议。

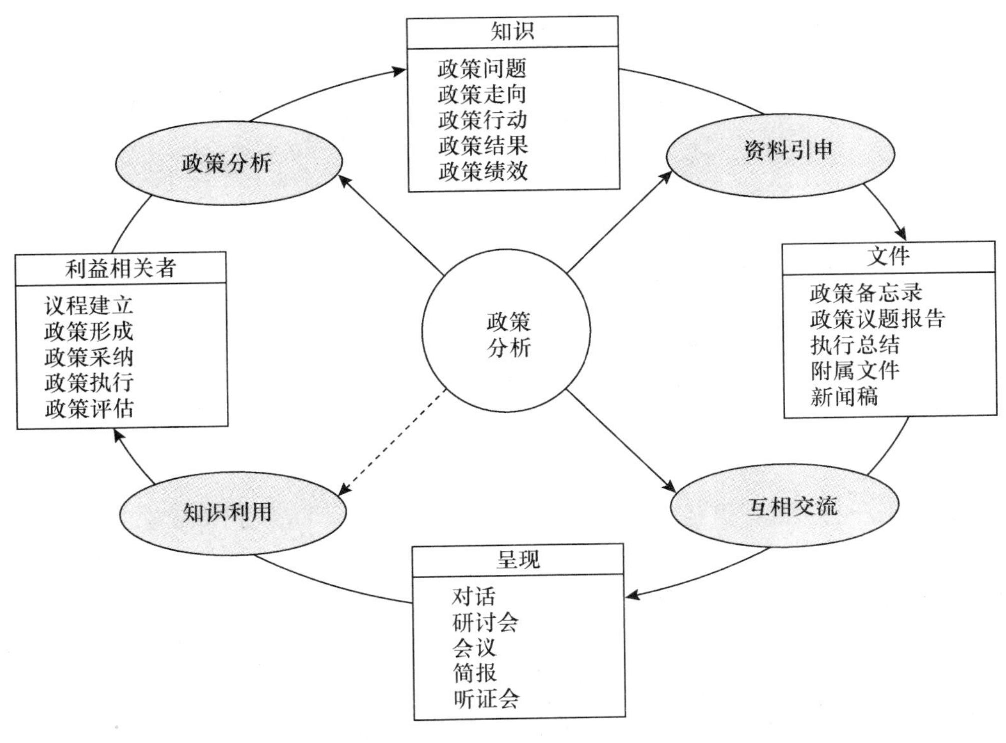

图 9—1 政策交流的过程

● 相对于政策备忘录而言，政策议题报告通常还包括一些附加的元素：表格、图片、解释数据分析结果的技术性附录、现存或建议的立法、公式和等式的描述以及其他支持性材料。

(3) 解释 (translation)。需要把政策分析的程序及其专业术语解释成政策利益相关者能够明白的语言。在许多情况下都需要把抽象的理论概念和复杂的分析统计程式转换成非专业人员能够理解的一般性语言和观点。由于听众中可能还包括一些研究该问题的专家（如其他的政策分析人员和有关专家），可以考虑把一个关于理论概念和分析统计程式的详细说明纳入附录中。

(4) 简化 (simplification)。一个问题的潜在解决办法通常是复杂的。政策选择方案和结果的相互结合和替换往往很容易有上百种。在这种情况下，可以用矩阵或“计分卡”的形式来展示小范围的方案和结果。[1] 另一种简化复杂性的方法是运用作为决策树部分的战略表格或整个决策树。计分卡和决策树在第 1 章讨论过。复杂的量化关系还可以通过常规语言实例的表现来完成，这些例子通常能勾勒出量化关系的轮廓。[2]

(5) 视觉展示 (visual displays)。先进的、深受用户欢迎的计算机图解方法让有效视觉交流的能力大大提高。量化信息的视觉展示——条状图、矩形图、饼形图、折线图、源于地理信息系统的地图——对有效的政策交流是重要的。[3]

(6) 总结 (summaries)。议事日程繁忙的政策制定者在严格的时间限定下工作，这使得他们每天仅有几分钟的阅读时间。美国国会议员每天花近 15 分钟时间阅读，而且这些时间绝大部分是用来阅读当地和本国报纸。[4]诸如国务院等机构中的高层政策制定者也是如此。在这种状况下，分析人员在减轻政策制定者任务方面承担着重要角色，政策制定者更愿意阅读执行总结或备忘录摘要，而不是冗长的政策议题报告。准备总结的技巧对于有效的政策交流是重要的。最综合和详细的文件是政策议题报告。一份政策文件强调如下问题：

- 用什么方法可以系统地阐述问题？
- 问题的范围及严重性如何？
- 在什么程度下需要采取公众行动？
- 如果不采取行动，将来几个月或几年时间里问题可能会变成什么样？
- 别的政府部门是如何对待这个问题的？结果如何？
- 在解决问题中，追求什么目标和目的？
- 什么样的主要政策方案有助于达成这些目标？
- 应用什么标准来评估这些方案的执行？
- 什么样的方案可取、可行？
- 什么机构应负责执行政策？
- 如何监控和评估政策？

很少有人要求政策分析人员回答上述所有问题。相反，在一般情况下，只要求他们解释其中的一小部分，而这些问题往往是在政策制定过程中的一个或几个阶段提出来的。例如，在医疗保健政策的议程建立阶段提出的有关将来的开支、收益、有效性方面的问题。需要注意的是，对政策议题报告的需求通常要比那些页数不多的简短备忘录和政策摘要少得多。政策备忘录及其摘要不过是对政策议题报告、调查报告和其他原始文件中的要点、结论和建议进行提炼和综合罢了。而新闻稿则通常只是概括一份主要的政策议题报告或报告中的结论和建议。

政策文件的多样性使人们注意到这样一个事实，即基于同样的政策分析，仍有许多不同的方法来对文字材料进行加工。政策相关信息面对的是复杂的听众。直接的“委托人”经常只是一个听众，因此，有效的沟通需要政策分析人员开发不同的政策文件以满足不同的读者需求，并从战略高度思考政策改善的机会。“对听众构成的战略性思考对有效沟通是非常重要的。听众的选择不只是留给那些直接委托人的事……还有很多其他类型的委托人；一些可能是周围的听众，另一些可能是远处的听众，还有可能是一些未来的听众，然而，所有这些都只是潜在公众的一部分。”[5]比如，当新闻稿被允许根据一种标准的操作程序准备时，它就成为通过大众传媒到达公众最合适的手段。[6]但政策议题报告却并非如此。如果目标是与直接委托人进行交流，那么政策执行总结和政策备忘录可能就是最有效的形式。

口头呈现和简报的任务

正如进行政策分析的程序不同于开发政策相关文件的程序一样，开发政策相关文件的程序也不同于用口头呈现和简报进行交流的程序。邮寄文件是交流的一个常用手段，它是一种非人格化的交流形式，通过邮寄的方式，把文件以物质传输形式传送给委托人和其他利益相关者。这种媒介最大的局限表现在，一些预期的受益者可能在收到文件后，把它们往架子上一放了事。政策文件的要旨如果能够通过政策呈现的形式进行交流，那么信息利用的可能性就将大大提高。政策呈现——对话、研讨、简报、集会、听证——构成了一种交流的互动模型，这对促进政策相关知识的利用具有非常积极的作用。[7]

进行口头呈现并没有明确的制度规定，但经验告诉我们，一些具有普遍指导性的原则对于有效的政策交流具有举足轻重的作用。在复杂的实际环境中，各种偶然因素频频出现，这些原则对此提供了多样性的沟通战略。各种偶然因素包括：

- 构成听众的群体的规模；
- 从事问题研究的专家数量；
- 群体成员对所运用的方法的熟悉程度；
- 对群体而言分析人员的可信程度；
- 政策的阐述方式对正在被积极考虑的政策影响程度。

在这样的状况下，多种沟通战略是必要的：没有一个“万能的政策制定者”(universal client)，能够运用同样的标准来评估政策分析的可信度、相关性和应用价值。有效的政策呈现取决于沟通战略与政策分析听众个性的匹配程度（见专栏9—2）。

专栏 9—2

偶然沟通

政策分析通常呈现给这样一些群体，他们对问题领域几乎没有专业知识，极不熟悉政策分析方法，对政策分析家不完全相信，没有时间去参加会议。那么，在这样的条件下，什么样的沟通战略可能是有效的?*

- 明确呈现所关注的是关键决策者的需求，并承认观众的多样性；
- 避免提供过多的背景信息；
- 关注结论；
- 运用简单的图表显示数据；
- 只有必须支持结论时，才讨论方法；
- 确认你缺少信任的原因并选择一项战略来解决这一问题，例如，安排一个能够被大家信任的同事为你介绍或作为团队的一员实现呈现；
- 对时间的限制和群体犯错的可能性保持高度敏感；
- 让你的支持者去接近那些被认为会产生预期消极反应的人；
- 优先表达那些对群体的决策偏好具有重大影响的观点。

* 改编自 Version 2.0 of Presentation Planner，这是一款由 Eastman Technology，Inc. 开发的软件包。

9.2 政策议题报告

政策议题报告应该对大量的问题提供答案：

- 什么样的实际行动过程或潜在行动过程是利益相关者冲突或不一致的目标？
- 问题界定有什么不同的方法？
- 问题的范围有多大？问题有多严重？
- 在未来，政策问题可能如何变化？
- 为了解决问题，应追求什么样的目标和目的？
- 如何衡量目标的实现程度？
- 现在为解决问题正在进行什么行动？
- 作为解决问题的方法，应该采取什么新的或调适性的政策替换方案？
- 如果目标和目的已定，哪种替换方案更可取？

要回答这些问题，分析者需要获取书写政策议题报告的知识和技巧。直到最近，这些知识和技巧才成为大学里公共政策和公共管理系和专业学院教学计划的组成部分。尽管政策分析源于社会科学并以其为基础，但也不同于一般的社会科学，因为政策分析既是为了改善也是为了理解政策制定过程，从这方面讲，政策分析具有使其成为“应用”而不是“基础”政策学科的特点。[8]政策分析人员必须学好基础政策学科中提及的许多知识和技巧，但政策分析人员的使命仍然是“应用的”，而不是“基础的”，两类政策学科的特点如表 9—1。

表 9—1　两类政策学科

特征	基础的	应用的
问题的起源	大学同事	政府代理和市民
典型方法	定量模型	合理论证的运用
研究类型	原始资料的收集	现存资料的综合和分析
主要目的	改进理论	改进实践
交流媒介	论文或书	政策记录或议题报告
鼓励来源	大学院系	政府部门和市民群体

政策议题报告的焦点

政策议题报告几乎可以表达任何领域的议题：健康、教育、福利、犯罪、劳务、能源、外援、国防、人权等。任何一个议题领域的报告都可以集中一级或多级政府的问题。例如，空气污染、全球变暖和恐怖主义在范围上讲，是国际的、国家的和地方的。议题报告可以以“职员报告”（staff reports）、“简报”（briefing papers），或称为“白皮书”（whiter papers）的形式提交。下面列出了可以作为政策议题报告焦点的例子：

- 若干可选择的合同中哪一个应该被一个团结的谈判团体采纳？
- 市长应该增加道路维护费吗？
- 城市管理者应该配备一个计算管理信息系统吗？

- 为了得到联邦资助，市长应该提交哪个公共交通计划？
- 州当局应该设立专门的办公室，以招募少数族裔和女性从事市政职位吗？
- 当前，市民群体在国会中应该支持环境保护法吗？
- 市长应该否决州立法委员会通过的税收议案吗？
- 机构领导应该支持弹性工作时间的计划吗？
- 立法者应该支持限制出售手枪的议案吗？
- 总统应该对那些侵犯人权的国家提供外援吗？
- 联合国大会应该谴责特定国家对人权的侵犯吗？
- 美国应该从国际劳工组织退出吗？
- 对在美国注册的多国公司的对外投资的征税应该增加吗？

政策议题报告的要素

议题报告应该“探索问题的深度、以使读者明白问题的各个方面及可能的解决办法，这样就可以使政策制定者得出结论，及或者不需要再做什么，或者为了建议行动而开始决定性的研究”[9]。在作者的研究中，大多数议题报告主要涉及问题的系统阐述和可能的解决办法。议题报告很少得出最后的结论或建议，然而报告可以包含建议，并为监测和评估政策结果制定大概的方案，这基本上是后来可能进行的彻底的政策分析的第一个阶段。

准备议题报告时，分析人员应该理所当然地确信所有主要的问题已经提出。尽管议题报告会随被调查问题的特征发生变化，但大多数议题报告还是包含着一些一般的要素。[10]这些要素已经围绕着本文所说的政策分析的机构框架组织了起来。

表9—2　　议题报告的要素及生产每个要素相关信息的方法

要素	方法
传送信函 执行总结	
Ⅰ．问题的背景 A. 描述委托人的调查 B. 回顾问题情势 C. 描述以前解决问题的努力	监测
Ⅱ．问题的重要性 A. 评价过去的政策执行 B. 评估问题的范围和严重性 C. 确定分析要求	评估
Ⅲ．问题说明 A. 问题诊断 B. 描述主要利益相关人 C. 界定目标和目的	问题建构

续前表

要素	方法
Ⅳ．政策方案的分析 A. 描述方案 B. 预测方案结果 C. 描述溢出和外部性 D. 评估限制和政治可能性	预测
Ⅴ．结论和建议 A. 选择标准或决策规则 B. 陈述结论和建议 C. 描述优先方案 D. 列出执行战略 E. 总结检测和评价计划 F. 列出局限和意外结果	建议
参考资料 附录	

注意：议题报告的每一个要素都要求使用不同的政策分析方法，以提供和转换信息。议题报告本质上是一个前瞻性的调查，它以关于过去政策行动、结果和执行的有限信息为基础，在这点上，它不同于项目评估和其他回溯性研究。附录1提供了一个准备政策议题报告的检查清单。

政策备忘录

人们普遍错误地相信政策分析者把大量的时间用在了政策议题报告、研究和报告的开发上。事实上，大多数分析者的主要活动是准备政策备忘录。议题报告是一项涉及政策研究和分析行为的长期活动，要经历几个月，而政策备忘录要在短时间内准备，通常不超过1个月，甚至只有几天时间。议题报告、研究或报告与政策备忘录的区别反映了表9—1所总结的基础与应用两种政策分析的区别。

政策备忘录应该是精简、集中和组织良好的。它报告背景信息，呈现结论或建议，通常回应委托人的要求。政策备忘录通常总结和评价一份或更多的议题报告，并附有支持文件和统计数据。

备忘录的形式因机构而变化，适用于快速和有效阅读。许多备忘录显示接受者的姓名，递交备忘录的分析者的姓名、日期和位于纸张开头独立行中的主题。许多机构预先印好备忘录的格式。文字处理程序中有备忘录和其他标准文件的模板。备忘录的书写者应该抓住清晰和有效地交流政策分析主要观点的每一个机会：

- 主题行应用精简的形式表述备忘录的主要结论、建议和目的；
- 备忘录的主体（通常不到两页）应包括主要部分的标题；
- 用符号列表强调诸如目标、目的或方案等少量（不超过5个）重要项目；
- 介绍段落应回顾信息和分析要求，重述委托人提出的主要问题，描述备忘录的目标。

备忘录样本见附录3。

执行总结

执行总结是政策议题报告的主要要素提纲。典型的执行总结包括下列要素：

- 议题报告及研究目的；
- 所提问题或难题的背景；
- 主要的发现或结论；
- 分析的途径和方法；
- 结论和建议（当被要求时）。

附录 2 提供了执行总结的一个样本。

传送信函

传送信函同政策议题报告或研究相伴而生。尽管传送信函拥有政策备忘录的绝大多数要素，但传送信函的目的是向信函接收者介绍更详细完整的问卷或研究。下面是传送信函的一些要素：

- 信函标题或传送议题报告或研究的人员的地址；
- 要求议题报告或研究的人员或代理人员的姓名、职务和地址；
- 简短段落，说明人们或委托人期望分析者讲明的问题或难题；
- 对议题报告或研究的最主要结论和建议；
- 回顾进一步交流或与委托人工作的安排，比如，一份关于议题问卷或研究结果的预定简报；
- 结束语，说明在哪里或怎样找到分析者来回答所有问题；
- 带分析者或分析者上级姓名和职务的签名。

9.3　口头简报和视觉展示

书面文件仅仅是交流政策分析结果的一种途径，另一种是口头简报。尽管口头简报或呈现与议题报告有许多相同的要素，但设计和传送口头简报的方法是完全不同的。口头简报的一些要素如下：

- 开头和对参与者的问候；
- 简报的背景；
- 议题报告、研究或报告的主要发现；
- 途径和方法；
- 用作分析根据的资料；
- 建议；
- 参与者提出的问题；

- 结尾。

了解听众是设计口头简报的最重要方面之一。在简报之前，有一系列的重要问题要回答：

- 听众有多少？
- 听众中有多少对你在简报中所讲的问题是内行？
- 百分之多少的听众理解你的研究方法？
- 听众相信你吗？
- 听众喜欢详细的信息，还是大概的信息？
- 简报在政策制定过程中的什么阶段发布？
- 在安排议程阶段？还是执行阶段？

对这些问题的回答制约着适合特定听众的交流策略和战略。例如，如果听众是20～25人的中等规模的群体，听众的多样性要求特定的交流战略和策略：

- 在会议之前发放背景材料以使每个人的起点相同；
- 告诉听众，所选的策略是为满足作为整体的听众的需要，因而不可能满足每个人的需要；
- 关注主要政策制定者的议程，即使你失去了其他一些听众。

在进行口头简报时，另一个普遍的问题是：政策制定者会把他们自己的参谋专家带来，如果听众中的大多数对你所讲的领域是内行，下面的策略和战略是恰当的：

- 通过把注意力集中在呈现的目的上，避免与隶属专家陷入“知识竞争”；
- 通过把注意力集中在调查结果和建议上，利用群体的专业知识；
- 避免对背景材料和方法进行冗长的叙述和描述；
- 努力发现话题和关于政策选择的有益的讨论。

在口头简报中，一个同样重要的问题是理解群体中的个体成员。比如，知道以下方面是很重要的，即知道政策分析的直接委托人是否：

- 是这一问题领域的专家；
- 熟悉你的分析方法；
- 是政策制定过程中的有影响的参与者；
- 偏好详细的或大概的信息；
- 与问题有着高度的、中度或低度的利害关系；
- 在政治上对你的建议成功具有举足轻重的影响。

最后，通过各种图形展示能够显著提高口头简报的效果。其中最常用的是能够播放幻灯片的投影设备。绘图和制作幻灯片一般是利用计算机程序完成的，比如利用微软的Powerpoint程序。在使用投影仪播放幻灯片时，重要的一点是要意识到它们不适合做非正式的简报——它倾向于使简报变得正式，使进行自由谈话变得困难。遵循下列指导原则也很重要：

- 保持投影图的简单，具有简要的和重点突出的正文；
- 正文中用清晰的、粗体的、整齐的字母和线条；

- 避免用复杂的配色、流行美术及奇异的模板；
- 尽可能用不同的颜色强调重点，黑色背景配上白色或黄色字母会很醒目；
- 把每页的正文限制在 10 行以下；
- 确保屏幕的宽度至少是屏幕与最远观众间距离的 1/6；
- 确保最近的观众离屏幕的距离至少为两个屏幕的宽度；
- 在同一张幻灯片上至少停留 2 分钟以使观众有时间阅读，另外留出 30 秒的时间让观众研究其内容；
- 让室内的灯亮着——幻灯片适用于开灯的房间，而不是电影院；
- 当你想把观众的注意力重新集中到你身上，建立眼睛交流时，把投影仪关掉或让电脑屏幕为黑。

这些仅仅是适用于不同的观众和交流媒介的一部分策略，如果要选择适合观众特征的交流媒介和成果，目前有很多技术可以用作信息的视觉展示。适当的电脑图像程序也唾手可得。

希望有效地交流复杂思想观点的分析者可以利用的直观说明有很多种，附录 4 提供了图形展示［由哈佛绘图（Harvard Graphics）制作］的例子，同样的图形也可用微软表格和幻灯片制作。

- 选择影响矩阵；
- 电子数据表；
- 条形图；
- 饼图；
- 柱状统计图；
- 拱形线（累计次数曲线）；
- 散点图；
- 间断时间序列和对比序列图；
- 影响图；
- 决策树；
- 战略表格。

9.4　政策制定过程中的政策分析

我们在本书的开头把政策分析定义为多学科的探寻过程，用于创新、批判性评估和交流有助于理解和改善政策的信息。从头至尾，我们都强调政策分析是一系列智力活动，嵌入被称为政策制定（policy making）的社会过程中。这两个维度的区别——智力的和社会的——是理解政策制定者使用、少用或不用政策分析的关键。

回顾第 2 章论述的三个相互关联的知识使用维度：

- 利用者的构成（composition of users）。政策分析不仅被个人利用，而且也被集体利用（如代理部门、办公机构和立法机构）。当政策分析的利用涉及信息预期的未来价值的个人受益（或损失）时，利用的过程就构成个人决策的一个方面[个人利用（individual use）]。相对而言，当利用的过程涉及公共启发或集体学习时，知识的利用就构成集体决策的一个方面[集体利用（collective use）]。

● 利用的效果（effect of use）。政策分析的利用有不同的效果。政策分析被用于思考问题和解决方法（概念性利用），或者通过行使专家、宗教和方法权威的形式使问题和解决方案的形式合法化（象征性利用）。相对而言，行为效果涉及将政策分析的利用作为实现可观察的政策制定行为的手段或工具（工具性利用）。概念性、象征性及行为利用在个人和集体层次上都有。

● 知识利用的范围（scope of information used）。被政策制定者利用的知识范围是按照从特殊到一般的顺序排列的，“好的通用型的思想方法”的利用在范围上是一般性的（一般利用），而政策建议的利用则是特殊性的（特殊利用）。伴随着概念、象征、行为的结果，各种范围的知识被个人和集体所利用。

记住这些区别，政策制定中的信息至少由五种因素决定[11]，这些因素包括：信息本身的特征，用来获取信息的调查方式，政策问题的结构，政治和官僚体制，政策分析人员、政策制定者及其他利益相关者之间的相互作用的性质。

信息的特征

政策分析中所产生的信息的特征常常决定决策者对它的使用。那些与决策者的结果要求相一致的信息比那些不一致的信息更可能被采用，因为结果要求是决策者的需要、价值取向及已经察觉到的机遇的反映。决策者一般更看重那些包含在私人口头报告中的信息，而不是那些正式文件中的信息；更看重那些反映具体政策问题的语言所表达的信息，而不是那些自然和社会科学里的抽象语言所表达的信息。[12]决策者也更看重那些准确的、精细的对同样情况具有推广意义的信息。[13]

调查的方式

决策者对信息的使用也受到分析人员获取和解释信息时所采用的调查过程的影响。与定性研究和分析的标准相一致的信息更有可能被决策者采用。然而关于“定性”一词的含义，有诸多不同的观点。许多政策分析人员根据社会试验、随机抽样、定量衡量的使用对其进行定义。[14]这里假设对信息的利用程度是政策研究分析与被大众所接受的科学方法相吻合的函数，条件是结果信息适合诸如对即时信息的需要这样的组织方面的限制条件。

恰恰相反，另外一些分析人员则以完全不同的方式定义定性。这里，定性被定义为用非定量手段来揭示决策者和其他利益相关者对问题及潜在解决方案的主观判断。[15]

问题的结构

决策者对信息的使用也受到调查方式与问题类型相匹配程度的影响，与结构较差的问题相比，结构相对较好的问题（目的、目标及方案、结果具有一致性）需要不同的方法体系。因为结构不良问题的基本特征就是冲突、不一致，因此在界定问题自身的特征时，需要一套全面的、对同一问题情势允许多种观点的方法体系。[16]

结构优良问题与结构不良问题之间的差别类似于低层次问题（微观问题）同高层次问题（宏观问题）之间的差别。高层次问题包含这样一些问题：如何构建一个问题，怎样帮助决策者知道该知之事，如何以概念性的知识为依据来决定问题的哪些方面应该被解决。[17]大部分政策研究和分析将自己定位在提供“工具性”知识——即那些被认为达到目标最适当的途径方面的知识。由于更适合在微观层面上对结构优良问题进行分析，这些工具性知识较少被面临结构不良问题的决策者采用，因为这些结构不良的问题就问题本身的性质及它们潜在的解决途径而言，都存在着冲突和不一致性。

政治和官僚体制

对信息的使用还要受到公共组织的正式结构、运作程序及激励体系差别的影响。决策精英的影响，角色的官僚化，运作程序的形成，及鼓励保守、惩罚革新的激励系统都会导致对分析人员所提供的信息的少用或不采用。这些以及其他因素尽管处于政策分析方法的外部，但它们创造了信息使用的政治和官僚背景。[18]

利益相关者之间的相互作用

决策者对信息的使用还受决策过程各个阶段利益相关者之间相互作用的性质和类型的影响。[19]政策分析不单是一个科学和技术的过程，它还是一个社会的过程。在此过程中，利益相关者相互影响的结构、范围和程度支配着信息的产生和使用。

政策分析中相互影响的本性使得信息使用成为一个复杂的问题。从通过分析发现达到目的（这些目的很明确，对此，人们具有高度一致性）的最恰当途径这一意义上讲，政策分析者很少提供仅仅用于或可能用于“问题解决”的信息。正如本书中所见到的许多重要的政策问题都是结构不良问题。对于这些问题，政策分析中“解决问题”的模型是不适宜的或者根本就是不适用的。基于这个理由，本书将政策分析描述成一个完整的探寻过程，在这一过程中，采用多种方法——问题建构、预测、建议、监测及评估——不断地提供和转化关于政策问题、政策走向、政策结果和政策绩效方面的信息。尽管政策分析的过程是典型的方法论的过程，但它也是交流相互影响的过程。政策分析对政策论证和讨论是重要的，因为它的目标是创新、批判性地评价和交流政策相关知识。

本章小结

结论章回顾了政策交流的过程及其对政策制定者利用分析的重要性。政策分析是改善政策制定努力的开始，而不是结束。进行政策分析的知识和技术不同于开发政策文件和进行口头简报的知识和技术。为了有效，分析人员需要掌握和应用大量的交流技术，从而缩小政策制定在智力和社会维度上的巨大差距。

学习目标

- 描述政策交流过程的阶段
- 比较政策分析、资料引申、互动交流和知识运用
- 解释政策分析的过程如何与政策制定的过程相关
- 描述政策议题报告和政策备忘录的主要要素
- 讨论解释运用政策分析、滥用政策分析和不用政策分析的因素
- 设计、呈现和评估用同样信息与不同听众交流的口头简报

关键术语与概念

偶然交流	传送信函
执行总结	资料引申
互动交流	政策议题报告
知识（信息）运用	政策备忘录

复习思考题

1. 为什么交流和信息的利用对政策分析目标是关键的?

2. 如果政策分析是由社会过程执行的治理活动，这对政策制定者利用分析意味着什么?

3. 评论“政策分析是改善政策制定的开始，而不是结束”。

4. 在预定受益人能利用政策相关信息之前，它必须被转化成政策相关文件，并通过不同类型的呈现进行交流。这能确保预定受益人利用信息吗?

5. 描述政策交流过程的阶段。

6. 为什么进行政策分析的技术不同于开发政策文件和进行口头呈现的技术?

7. 讨论影响政策制定者和其他利益相关者利用政策分析的因素。
8. 为什么政策分析被描述为管理不良的制材厂？

参考文献

Barber，Bernard. *Effective Social Science：Eight Cases in Economics，Political Science，and Sociology*. New York：Russell Sage Foundation，1987.

Freidson，Elliot. *Professional Powers：A Study of the Institutionalization of Formal Knowledge*. Chicago：University of Chicago Press，1986.

Hacker，Diana. *A Writer's Reference*. 4th ed. New York：St. Martin's Press，1999.

Horowitz，Irving L.，ed. *The Use and Abuse of Social Science：Behavioral Science and Policy Making*. 2d ed. New Brunswick，NJ：Transaction Books，1985.

注　释

[1] 兰德公司的布鲁斯·F·戈勒发明的计分卡或矩阵图示有助于简化互相依存的大量选择方案。关于戈勒计分卡或矩阵，见 Bruce F. Goeller，"A Framework for Evaluating Success in System Analysis"（Santa Monica，CA：Rand Corporation，1988）。

[2] 一个好的例子见 Ronald D. Brunner，"Case-Wise Policy Information Systems：Redefining Poverty，" *Policy Sciences* 19（1986）：201－223。

[3] 视觉展示方法论的杰出资料是 Edward R. Tufte 的三部曲，*The Visual Display of Quantitive Information*（Cheshire，CT：Graphics Press，1983）；*Envisioning Information*（Cheshire，CT：Graphics Press，1990）；and *Visual Explanations*（Cheshire，CT：Graphics Press，1997）。

[4] 数据来源与美国预算办公室工作人员的私人交流。

[5] 见 Arnold Meltsner，"Don't Slight Communication，" *Policy Analysis* 2，no. 2（1978）：221－231。

[6] 关于大众传媒对传播社会科学知识的作用，见 Carol H. Weiss and Eleanor Singer，with the assistance of Phllis Endreny，*Reporting of Social Science in the National Media*（New York：Russell Sage Foundation，1987）学术和商业出版社在传播社会和人文科学知识中的作用常被忽视，关于它们的作用的论述见 Irving Louis Horowitz，*Communicating Ideas：The Crisis of Public in a Post-Industrial Society*（New York：Oxford University Press，1986）。

[7] 知识交流和利用的"互动"模型的有效性已经在文献中被论述了至少 30 年。见 Ronald G. Havelock，*Planning for Innovation：Through Dissemination and Utilization of Knowledge*（Ann Arbor，MI：Institute for Social Research，Center for the Utilization of Scientific Knowledge，1969）；Carol H. Weiss，"Introduction，" in *Using Social Research in Public Policy Making*，ed. Carol H. Weiss（Lexington，MA：D. C. Heath，1977）pp. 1－22；Charles E. Lindblom and David Cohen，*Usable Knowledge：Social Science and Social Problem Solving*（New Haven，CT：Yale University Press，1979）；and Michael Huberman，"Step toward an Integrated Model of Research Utilization，" *Knowledge：Creation，*

Diffusion, *Utilization* 8, no. 4 (June 1987) 586-611。

[8] 用“基础的”和“应用的”这两个词只是为了方便。人们已经普遍认识到，对于科学的这两种定位在实践中相互交叉。“基础”社会科学中的许多重要的进展都源于解决实际问题与冲突的“应用性”工作。See Specially, Karl w Deutsch, Andrei S. Maikovits, and John Platt, *Advances in the Social Science*, 1900—1980: *What*, *Who*, *Where*, *How*? (Lanham, MD: University Press of American and Abt Books, 1986)。

[9] E. S. Quade, *Analysis for Public Decisions*, (New York: American Elsevier Publishing, 1975), p. 69.

[10] 比较以下几本书的相关内容：Eugene Bardach, *The Eighe-Step Path to Policy Analysis for: A Handbook for Practice* (Berkeley : University of California Press, 1996); Quade, *Analysis for Public Decisions*, pp. 68-82; and Harry Hatry and others, *Program Analysis for State and Local Governments* (Washington, DC: Urban Institute, 1976), appendix B, pp. 139-143。

[11] 对这些因素的案例研究，见 William N. Dunn, "The Two-Communities Metaphor and Models of Knowledge Use: An Exploratory Case Survey," *Knowledge: Creation, Diffusion, Utilization* no. 4 (June 1980): pp. 300-327。

[12] 见 Mark van de Vall, Cheryl Bolas, and Thomas Kang, "Applied Social Research in Industrial Organizations: An Evaluation of Functions , Theory, and Methods," *Journal of Applied Behavioral Science* 12, no. 2 (1976): 158-177。

[13] 见 Nathan Caplan, Andrea Morrison, and Roger J. Stambaugh, *The Use of Social Science Knowledge in Policy Decision at the National Level* (Ann Arbor, MI: Institute for Social Research, 1975)。

[14] 见 I. N. Bernstein and H. E. Freeman, *Academic and Entrepreneurial Research* (New York: Russell Sage Foundation, 1975)。

[15] Martin Rein and Sheldon H. White, "Policy Research: Belief and Doubt," *Policy Analysis* 3, no. 2 (1977): 239 - 271; Miachael Q. Patton, *Alternative Evaluation Research Paradigm* (Grand Forks: University of North Dakota, 1975); and H. Aeland, "Are Randomized Experiments the Cadillacs of Design?" *Policy Analysis* 3, no. 2 (1979): 223-242.

[16] Russell Ackoff, *Redesigning the Future: A System Approach to Societal Problems* (New York: Wiley, 1974); Ian I. Mitroff, *The Subjective Side of Science* (New York: American Elsevier Publishing, 1974); and Ian I. Mitroff and L. Vaughan Blankenship, "On the Methodology of the Holistic Experiment: An Approach to the Conceptualization of Large-Scale Social Experiments," *Technological Forecasting and Social Change* 4 (1973): 339-353.

[17] 见 Nathan Caplan, "The Two-Communities Theory and Knowledge Utilization," *American Behavioral Scientist* 22, no. 3 (1979): 459-470。

[18] Robert F. Rich, *The Power of Social Science Information and Public Policymaking: The Case of the Continuous National Survey* (San Francisco, CA: Jossey-Bass, 1981).

[19] 见 Weiss, "Introduction," *Using Social Research in Public Policy Making*, pp. 13-15。

人大版公共管理类翻译（影印）图书

公共行政与公共管理经典译丛

书名	著译者	定价
公共管理名著精华："公共行政与公共管理经典译丛"导读	吴爱明　刘晶　主编	49.80元

经典教材系列

书名	著译者	定价
公共管理导论（第三版）	［澳］欧文·E·休斯　著 张成福　等　译	39.00元
政治学（第二版）	［英］安德鲁·海伍德　著 张立鹏　译　欧阳景根　校	49.80元
公共政策分析导论（第四版）	［美］威廉·N·邓恩　著 谢明　等　译	49.00元
公共政策制定（第五版）	［美］詹姆斯·E·安德森　著 谢明　等　译	46.00元
公共行政学：管理、政治和法律的途径（第五版）	［美］戴维·H·罗森布鲁姆　等　著 张成福　等　译校	58.00元
比较公共行政（第六版）	［美］费勒尔·海迪　著 刘俊生　译校	49.80元
公共部门人力资源管理：系统与战略（第四版）	［美］唐纳德·E·克林纳　等　著 孙柏瑛　等　译	49.80元
公共部门人力资源管理（第二版）	［美］埃文·M·伯曼　等　著 萧鸣政　等　译	49.00元
行政伦理学：实现行政责任的途径（第五版）	［美］特里·L·库珀　著 张秀琴　译　音正权　校	35.00元
民治政府——美国政府与政治（第二十版）	［美］詹姆斯·麦格雷戈·伯恩斯　等　著 吴爱明　等　译	69.80元
比较政府与政治导论（第五版）	［英］罗德·黑格　马丁·哈罗普　著 张小劲　等　译	48.00元
公共组织理论（第五版）	［美］罗伯特·B·登哈特　著 扶松茂　丁力　译　竺乾威　校	32.00元
公共组织行为学	［美］罗伯特·B·登哈特　等　著 赵丽江　译	49.80元
组织领导学（第五版）	［美］加里·尤克尔　著 陶文昭　译	49.80元
公共关系：职业与实践（第四版）	［美］奥蒂斯·巴斯金　等　著 孔祥军　等　译　郭惠民　审校	68.00元
公用事业管理：面对21世纪的挑战	［美］戴维·E·麦克纳博　著 常健　等　译	39.00元
公共预算中的政治：收入与支出，借贷与平衡（第四版）	［美］爱伦·鲁宾　著 叶娟丽　马骏　等　译	39.00元
行政过程的政治：公共行政学新论（第二版）	［美］詹姆斯·W·费斯勒　等　著 陈振明　等　译校	49.00元
公共和第三部门组织的战略管理：领导手册	［美］保罗·C·纳特　等　著 陈振明　等　译校	43.00元
公共行政与公共事务（第八版）	［美］尼古拉斯·亨利　著 张昕　等　译　张成福　等　校	58.00元
公共管理案例教学指南	［美］小劳伦斯·E·列恩　著 郄少健　等　译　张成福　等　校	26.00元

书名	著译者	定价
公共管理中的应用统计学（第五版）	［美］肯尼思·J·迈耶 等 著 李静萍 等 译	49.00 元
现代城市规划（第五版）	［美］约翰·M·利维 著 张景秋 等 译	39.00 元
非营利组织战略营销（第五版）	［美］菲利普·科特勒 等 著 孟延春 等 译	58.00 元
公共财政管理：分析与应用（第六版）	［美］约翰·L·米克塞尔 著 白彦锋 马蔡琛 译 高培勇 等 校	69.90 元
企业与社会：公司战略、公共政策与伦理（第十版）	［美］詹姆斯·E·波斯特 等 著 张志强 等 译	59.80 元
公共行政学：概念与案例（第七版）	［美］理查德·J·斯蒂尔曼二世 编著 竺乾威 等 译	75.00 元
公共管理中的量化方法：技术与应用（第三版）	［美］苏珊·韦尔奇 等 著 郝大海 等 译	39.00 元
公共与非营利组织绩效考评：方法与应用	［美］西奥多·H·波伊斯特 著 肖鸣政 等 译	35.00 元
政治体制中的行政法（第三版）	［美］肯尼思·F·沃伦 著 王丛虎 等 译	78.00 元
政府与非营利组织会计（第 12 版）	［美］厄尔·R·威尔逊 等 著 荆新 等 译校	79.00 元
政治科学的理论与方法（第二版）	［英］大卫·马什 等 编 景跃进 张小劲 欧阳景根 译	38.00 元
公共管理的技巧（第九版）	［美］乔治·伯克利 等 著 丁煌 主译	59.00 元
领导学（亚洲版）	［新加坡］林志颂 等 著 顾朋兰 等 译 丁进锋 校译	59.80 元
领导学：个人发展与职场成功（第二版）	［美］克利夫·里科特斯 著 戴卫东 等 译 姜雪 校译	69.00 元
二十一世纪的公共行政：挑战与改革	［美］菲利普·J·库珀 等 著 王巧玲 李文钊 译 毛寿龙 校	45.00 元
行政学（新版）	［日］西尾胜 著 毛桂荣 等 译	35.00 元
官僚政治（第五版）	［美］B·盖伊·彼得斯 著 聂露 等 译	39.80 元
理解公共政策（第十二版）	［美］托马斯·R·戴伊 著 谢明 译	45.00 元
公共政策导论（第三版）	［美］小约瑟夫·斯图尔特 等 著 韩红 译	35.00 元
应急管理概论	［美］米切尔·K·林德尔 等 著 王宏伟 译	55.00 元
公共行政导论（第六版）	［美］杰伊·M·沙夫里茨 等 著 刘俊生 等 译	65.00 元
城市管理学：美国视角（第六版）	［美］戴维·R·摩根 等 著 杨宏山 陈建国 译 杨宏山 校	49.00 元
公共经济学：政府在经济中的作用	［美］林德尔·霍尔库姆 著 顾建光 译	待出
公共部门管理（第八版）	［美］格罗弗·斯塔林 著 常健 等 译 常健 校	待出

公共管理实务系列

书名	著译者	定价
新有效公共管理者：在变革的政府中追求成功（第二版）	［美］史蒂文·科恩 等 著 王巧玲 等 译 张成福 校	28.00 元
驾御变革的浪潮：开发动荡时代的管理潜能	［加］加里斯·摩根 著 孙晓莉 译 刘霞 校	22.00 元

书名	著译者	定价
自上而下的政策制定	[美] 托马斯·R·戴伊 著 鞠方安 等 译	23.00 元
政府全面质量管理：实践指南	[美] 史蒂文·科恩 等 著 孔宪遂 等 译	25.00 元
公共部门标杆管理：突破政府绩效的瓶颈	[美] 帕特里夏·基利 等 著 张定淮 译校	28.00 元
创建高绩效政府组织：公共管理实用指南	[美] 马克·G·波波维奇 主编 孔宪遂 等 译 耿洪敏 校	23.00 元
21 世纪非营利组织管理	[美] 詹姆斯·P·盖拉特 著 邓国胜 等 译	28.00 元
无缝隙政府：公共部门再造指南	[美] 拉塞尔·M·林登 著 汪大海 等 译	30.00 元
职业优势：公共服务中的技能三角	[美] 詹姆斯·S·鲍曼 等 著 张秀琴 译 音正权 校	19.00 元
全球筹款手册：NGO 及社区组织资源动员指南（第二版）	[美] 米歇尔·诺顿 著 张秀琴 等 译 音正权 校	39.80 元

政府治理与改革系列

书名	著译者	定价
新公共服务：服务，而不是掌舵	[美] 珍妮特·V·登哈特 罗伯特·B·登哈特 著 丁煌 译 丁煌 方兴 校	28.00 元
公共决策中的公民参与	[美] 约翰·克莱顿·托马斯 著 孙柏瑛 等 译	28.00 元
再造政府	[美] 戴维·奥斯本 等 著 谭功荣 等 译	45.00 元
构建虚拟政府：信息技术与制度创新	[美] 简·E·芳汀 著 邵国松 译	32.00 元
突破官僚制：政府管理的新愿景	[美] 麦克尔·巴泽雷 著 孔宪遂 等 译	25.00 元
政府未来的治理模式	[美] B·盖伊·彼得斯 著 吴爱明 等 译 张成福 校	26.00 元
民营化与公私部门的伙伴关系	[美] E.S. 萨瓦斯 著 周志忍 等 译	39.00 元
持续创新：打造自发创新的政府和非营利组织	[美] 保罗·C·莱特 著 张秀琴 译 音正权 校	28.00 元
政府改革手册：战略与工具	[美] 戴维·奥斯本 等 著 谭功荣 等 译	59.00 元
公民治理：引领 21 世纪的美国社区	[美] 理查德·C·博克斯 著 孙柏瑛 等 译	19.00 元
公共部门的社会问责：理念探讨及模式分析	世界银行专家组 著 宋涛 译校	28.00 元
公私合作伙伴关系：基础设施供给和项目融资的全球革命	[英] 达霖·格里姆赛 等 著 济邦咨询公司 译	29.80 元
非政府组织问责：政治、原则与创新	[美] 丽莎·乔丹 等 主编 康晓光 等 译 冯利 校	32.00 元
市场与国家之间的发展政策：公民社会组织的可能性与界限	[德] 康保锐 著 隋学礼 译校	49.80 元
建设更好的政府：建立监控与评估系统	[澳] 凯思·麦基 著 丁煌 译 方兴 校	30.00 元

学术前沿系列

书名	著译者	定价
后现代公共行政——话语指向	［美］查尔斯·J·福克斯 等 著 楚艳红 等 译 吴琼 校	22.00元
官僚制内幕	［美］安东尼·唐斯 著 郭小聪 等 译	38.00元

案例系列

书名	著译者	定价
公共管理案例（第五版）	［美］罗伯特·T·戈伦比威斯基 等 主编 汪大海 等 译	28.00元
组织发展案例：环境、行为与组织变革	［美］罗伯特·T·戈伦比威斯基 等 主编 杨爱华 等 译	29.00元
公共部门人力资源管理案例	［美］T·赞恩·里夫斯 主编 句华 主译 孙柏瑛 统校	22.00元
非营利组织管理案例与应用	［美］罗伯特·T·戈伦比威斯基 等 主编 邓国胜 等 译	23.00元
公共管理的法律案例分析	［美］戴维·H·罗森布鲁姆 等 著 王丛虎 主译	33.00元
公共政策分析案例（第二版）	［美］乔治·M·格斯 等 著 王军霞 等 译	待出

学术经典系列

书名	著译者	定价
新公共行政	［美］H·乔治·弗雷德里克森 著 丁煌 方兴 译 丁煌 校	23.00元

公共政策经典译丛

书名	著译者	定价
公共政策评估	［美］弗兰克·费希尔 著 吴爱明 等 译	38.00元
议程、备选方案与公共政策（第二版）	［美］约翰·W·金登 著 丁煌 方兴 译	38.00元
公共政策工具——对公共管理工具的评价	［美］B·盖伊·彼得斯 等 编 顾建光 译	29.80元
第四代评估	［美］埃贡·G·古贝 等 著 秦霖 等 译 杨爱华 校	39.00元
政策规划与评估方法	［加］梁鹤年 著 丁进锋 译	39.80元

当代西方公共行政学思想经典译丛

书名	编译者	定价
公共行政学中的批判理论	戴黍 牛美丽 等 编译	29.00元
公民参与	王巍 牛美丽 编译	45.00元
公共行政学百年争论	颜昌武 马骏 编译	49.80元
公共行政学中的伦理话语	罗蔚 周霞 编译	45.00元

当代世界学术名著

书名	著译者	定价
政策悖论：政治决策中的艺术（修订版）	［美］德博拉·斯通 著 顾建光 译	58.00元
公共行政的语言——官僚制、现代性和后现代性	［美］戴维·约翰·法默尔 著 吴琼 译	49.80元

书名	著译者	定价
公共行政的精神	［美］乔治·弗雷德里克森　著 张成福 等　译	45.00 元
公共行政的合法性——一种话语分析	［美］O.C.麦克斯怀特　著 吴琼　译	48.00 元

卓越领导

书名	著译者	定价
领袖	［美］詹姆斯·麦格雷戈·伯恩斯　著 常健 等　译	49.00 元
特立独行：从肯尼迪到小布什的总统领导艺术	［美］詹姆斯·麦格雷戈·伯恩斯　著 吴爱明 等　译	39.80 元
创新型领导艺术：激发团队创造力	［英］约翰·阿代尔　著 吴爱明 等　译	25.00 元
创造性思维艺术：激发个人创造力	［英］约翰·阿代尔　著 吴爱明 等　译	25.00 元

公共管理英文版教材系列

书名	作者	定价
公共管理导论（第三版）	［澳］Owen E. Hughes （欧文·E·休斯）　著	28.00 元
理解公共政策（第十二版）	［美］Thomas R. Dye （托马斯·R·戴伊）　著	34.00 元
公共行政学经典（第五版）	［美］Jay M. Shafritz （杰伊·M·莎夫里茨）等　编	59.80 元
组织理论经典（第五版）	［美］Jay M. Shafritz （杰伊·M·莎夫里茨）等　编	46.00 元
公共政策导论（第三版）	［美］Joseph Stewart，Jr. （小约瑟夫·斯图尔特）等　著	35.00 元
公共部门管理导论（第六版）	［美］Grover Starling （戈文·斯塔林）　著	49.80 元
政治学（第三版）	［英］Andrew Heywood （安德鲁·海伍德）　著	35.00 元
公共行政导论（第五版）	［美］Jay M. Shafritz （杰伊·M·莎夫里茨）等　著	58.00 元
公共组织理论（第五版）	［美］Robert B. Denhardt （罗伯特·B·登哈特）　著	32.00 元
公共政策分析导论（第四版）	［美］William N. Dunn （威廉·N·邓恩）　著	45.00 元
公共部门人力资源管理：系统与战略（第六版）	［美］Donald E. Klingner （唐纳德·E·克林纳）等　著	待出
公共行政与公共事务（第十版）	［美］Nicholas Henry （尼古拉斯·亨利）　著	待出

更多图书信息，请登录 www.crup.com.cn/gggl 查询，或联系中国人民大学出版社公共管理出版分社获取

地址：北京市海淀区中关村大街甲 59 号文化大厦 1202 室
邮编：100872
电话：010—82502724
传真：010—62514775
Email：ggglcbfs@vip.163.com
网站：http：//www.crup.com.cn/gggl

图书在版编目（CIP）数据

公共政策分析导论/（美）邓恩（Dunn，W. N.）著；谢明，伏燕，朱雪宁译. —4 版. —北京：中国人民大学出版社，2011. 10
（公共行政与公共管理经典译丛·经典教材系列）
ISBN 978-7-300-14527-3

Ⅰ. ①公… Ⅱ. ①邓…②谢…③伏…④朱… Ⅲ. ①政策分析-教材 Ⅳ. ① D0

中国版本图书馆 CIP 数据核字（2011）第 201828 号

公共行政与公共管理经典译丛
经典教材系列
公共政策分析导论（第四版）
［美］威廉·N·邓恩（William N. Dunn） 著
谢 明 伏 燕 朱雪宁 译
Gonggong Zhengce Fenxi Daolun

出版发行	中国人民大学出版社		
社　　址	北京中关村大街 31 号	**邮政编码**	100080
电　　话	010－62511242（总编室）		010－62511398（质管部）
	010－82501766（邮购部）		010－62514148（门市部）
	010－62515195（发行公司）		010－62515275（盗版举报）
网　　址	http://www. crup. com. cn		
	http://www. ttrnet. com(人大教研网)		
经　　销	新华书店		
印　　刷	北京东君印刷有限公司		
规　　格	185 mm×260 mm 16 开本	**版　　次**	2011 年 11 月第 1 版
印　　张	21 插页 2	**印　　次**	2011 年 11 月第 1 次印刷
字　　数	452 000	**定　　价**	49. 00 元

北京培生信息中心
北京市东城区北三环东路36号
北京环球贸易中心D座1208室
邮政编码：100013
电话：(8610)57355171/57355169/57355176
传真：(8610)58257961

Beijing Pearson Education
Information Centre
Suit 1208, Tower D, Beijing Global Trade Centre,
36 North Third Ring Road East,
Dongcheng District, Beijing, China100013
TEL:(8610)57355171/57355169/57355176
FAX:(8610)58257961

尊敬的老师：

您好！

为了确保您及时有效地申请教辅资源，请您务必完整填写如下教辅申请表，加盖学院的公章后传真给我们，我们将会在2～3个工作日内为您开通属于您个人的唯一账号以供您下载与教材配套的教师资源。

请填写所需教辅的开课信息：

采用教材			□中文版 □英文版 □双语版
作 者		出版社	
版 次		ISBN	
课程时间	始于 年 月 日	学生人数	
	止于 年 月 日	学生年级	□专科 □本科1/2年级 □研究生 □本科3/4年级

请填写您的个人信息：

学 校			
院系/专业			
姓 名		职 称	□助教 □讲师 □副教授 □教授
通信地址/邮编			
手 机		电 话	
传 真			
official email(必填) (eg:xxx@ruc.edu.cn)		email (eg:xxx@163.com)	
是否愿意接受我们定期的新书讯息通知：		□是 □否	

系/院主任：__________(签字)

(系/院办公室章)

______年______月______日

Please send this form to: Service.CN@pearson.com

Website: www.pearsonhighered.com/educator